編集復刻版

「秋丸機関」関係資料集成　第16巻

牧野邦昭　編

不二出版

〈編集復刻にあたって〉

一、使用した底本の所蔵館については、「全巻収録内容」に記載しております。ご協力に感謝申し上げます。

一、本編集復刻版の解説（牧野邦昭）は、第5回配本以降に別冊として付します。

一、資料の収録順については、牧野邦昭と不二出版の判断により分類毎に分けた上で、資料のシリーズ、作成年月日を元に整序しました。

一、本編集復刻版は、原本を適宜縮小し、白黒、四面付方式にて収録しました。ただし資料中、色がついていないと内容を理解することが出来ない部分に関してはカラーで収録しました。

一、本編集復刻版は、できるかぎり副本を求めましたが、頁の欠落、破損などを補充できなかった部分があります。また、より鮮明な印刷になるよう努めましたが、原本自体の状態によって、印字が不鮮明あるいは判読不可能な箇所があります。判読不可能な箇所については、不二出版の組版によって内容を補った場合があります。

一、資料の中には、人権の視点から見て不適切な語句・表現・論もありますが、歴史的資料の復刻という性質上、そのまま収録しました。

（不二出版）

［第16巻　収録内容］

資料番号――資料名●発行年月――復刻版頁

［全巻収録内容］

Ⅰ　機関動向・総論

配本	巻	資料番号	資料名	分類	発行年月	底本所蔵館
第１回配本	第１巻	一	秘　経研目録第一号　資料月報	機関動向	一九四〇年　四月	福島大学食農学類
		二	経研目録第三号　資料目録	機関動向	一九四〇年　六月	福島大学食農学類
		三	経研目録第四号　資料目録	機関動向	一九四〇年　七月	福島大学食農学類
		四	経研目年第一号　資料年報	機関動向	一九四〇年一二月	牧野邦昭所有
		五	秘　班報　第一号	機関動向	一九四〇年　八月	福島大学食農学類
		六	秘　班報　第二号	機関動向	一九四〇年　九月	福島大学食農学類
		七	班報　第三号	機関動向	一九四〇年一〇月	福島大学食農学類
		八	秘　経研訳第四号　マックス・ウエルナア著　列強の抗戦力	総論	一九四〇年　七月	牧野邦昭所有
	第２巻	九	経研資料工作第一号　第一次欧州戦争ニ於ケル主要交戦国経済統制法令輯録	総論	一九四〇年　八月	東京大学経済学部資料室
		一〇	経研資料工作第二号　第二次欧州戦争ニ於ケル交戦各国経済統制法令輯録	総論	一九四〇年　八月	東京大学経済学部資料室
		一一	極秘　第一　物的資源カヨリ見タル各国経済抗戦力ノ判断	総論		福島大学食農学類
		一二	経研資料工作第一号　第二次欧州戦争に於ける経済戦関係日誌　第一年度（自一九三九年九月一日至一九四〇年八月三一日）	総論	一九四〇年　九月	東京大学経済学図書館
第２回配本	第３巻	一三	経研資料工作第一号ノ二　第二次欧州戦争に於ける経済戦関係日誌　第二年度（自一九四〇年九月一日至一九四一年八月三一日）	総論	一九四一年　九月	東京大学経済学図書館
		一四	経研資料工作第一号ノ三　第二次欧州戦争に於ける経済戦関係日誌　第三年度（自一九四一年九月一日至一九四二年八月三一日）	総論	一九四二年　九月	東京大学経済学図書館
		一五	経研資料調第四号　主要各国国際収支要覧	総論	一九四〇年一二月	国立公文書館
		一六	秘　経研報告第一号（中間報告）　経済戦争の本義	総論	一九四一年　三月	防衛省防衛研究所
		一七	重要記事索引上ノ準拠項目一覧表（七、二九）	総論		防衛省防衛研究所
	第４巻	一八	極秘　経研資料調第十一号　抗戦力より観たる各国統治組織の研究	総論	一九四一年　四月	東京大学経済学部資料室
		一九	秘　抗戦力判断資料第一号　抗戦力より観たる列強の統治組織	総論	一九四一年　四月	北海道大学附属図書館
		二〇	部外秘　経研情報第一七号　海外経済情報　昭和十六年四月十五日	総論	一九四一年　四月	国立公文書館
		二一	部外秘　経研情報第二二号　海外経済情報　昭和十六年六月三十日	総論	一九四一年　六月	国立公文書館
		二二	部外秘　経研情報第二三号　海外経済情報　昭和十六年七月十五日	総論	一九四一年　七月	国立公文書館
		二三	経研資料調第二十七号　レオン・ドーデの「総力戦」論	総論	一九四一年　九月	東京大学経済学部資料室
		二四	経研資料調第三七号　経済戦争史の研究	総論	一九四一年一二月	防衛省防衛研究所

Ⅱ　連合国

配本	巻	資料番号	資料名	分類	発行年月	底本所蔵館
第３回配本	第５巻	二五	英国の農産資源力	イギリス		福島大学食農学類
		二六	経研資料工第五号　第一次大戦に於ける英国の戦時貿易政策	イギリス	一九四一年一月	東京大学経済学部資料室
		二七	極秘　経研資料調第十四号　英国に於ける統帥と政治の連絡体制	イギリス	一九四一年五月	東京大学経済学部資料室
		二八	秘　抗戦力判断資料第二号（其一）　経済的抗戦要素としての印度及緬甸	イギリス	一九四一年八月	防衛省防衛研究所
	第６巻	二九	秘　抗戦力判断資料第二号（其二）　経済的抗戦要素としての印度及緬甸	イギリス	一九四一年八月	防衛省防衛研究所
		三〇	秘　抗戦力判断資料第二号（其三）　経済的抗戦要素としての印度及緬甸	イギリス	一九四一年八月	防衛省防衛研究所
		三一	秘　抗戦力判断資料第二号（其四）　経済的抗戦要素としての印度及緬甸	イギリス	一九四一年八月	防衛省防衛研究所
		三二	極秘　第一部　物的資源力ヨリ見タル英国ノ抗戦力	イギリス	一九四〇年一一月	福島大学食農学類
		三三	［英国　綿花・大麻・亜麻・黄麻・ヒマシ油・桐油・生綿・生護謨］	イギリス		福島大学食農学類
	第７巻	三四	秘　抗戦力判断資料第四号（其一）　第一編　物的資源力より見たる英国の抗戦力	イギリス	一九四一年一二月	東京大学経済学部資料室
		三五	秘　抗戦力判断資料第四号（其二）　第二編　人的資源より見たる英国の抗戦力	イギリス	一九四二年二月	東京大学経済学部資料室
		三六	抗戦力判断資料第四号（其三）　第三編　資本力より見たる英国の抗戦力	イギリス	一九四二年九月	北海道大学附属図書館
	第８巻	三七	抗戦力判断資料第四号（其四）　第四編　生産機構より見たる英国の抗戦力	イギリス	一九四二年一月	北海道大学附属図書館
		三八	部外秘　抗戦力判断資料第四号（其五）　第五編　貿易及び配給機構より見たる英国の抗戦力	イギリス	一九四二年七月	防衛省防衛研究所
		三九	抗戦力判断資料第四号（其六）　第六編　交通機構より見たる英国の抗戦力	イギリス	一九四二年八月	北海道大学附属図書館
第４回配本	第９巻	四〇	秘　経研資料調第三九号　濠洲の政治経済情況	イギリス	一九四二年一月	国立公文書館
		四一	秘　経研資料調第四〇号　生産機構ヨリ見タル濠洲及新西蘭ノ抗戦力	イギリス	一九四二年一月	国立公文書館
		四二	秘　経研資料調第六九号　南阿連邦経済力調査	イギリス	一九四二年四月	国立公文書館
		四三	秘　経研資料第七〇号　南阿連邦政治経済研究	イギリス	一九四二年四月	東京大学経済学部資料室
		四四	アメリカ合衆国の農産資源力	アメリカ		福島大学食農学類
		四五	極秘　経研資料調第十六号　一九四〇年度米国貿易の地域的考察並に国別、品種別	アメリカ	一九四一年五月	東京大学経済学部資料室
		四六	極秘　第一部　物的資源力ヨリ見タル米国ノ抗戦力	アメリカ	一九四〇年一一月	福島大学食農学類
		四七	抗戦力判断資料第五号（其一）　第一編　物的資源力より見たる米国の抗戦力	アメリカ	一九四二年三月	東京大学経済学部資料室
	第10巻	四八	抗戦力判断資料第五号（其二）　第二編　人的資源より見たる米国の抗戦力	アメリカ	一九四二年三月	東京大学経済学部資料室
		四九	秘　抗戦力判断資料第五号（其三）　第三編　生産機構より見たる米国の抗戦力	アメリカ	一九四二年四月	防衛省防衛研究所
		五〇	抗戦力判断資料第五号（其四）　第四編　資本力より見たる米国の抗戦力	アメリカ	一九四二年六月	北海道大学附属図書館
		五一	抗戦力判断資料第五号（其五）　第五編　配給及貿易機構より見たる米国の抗戦力	アメリカ	一九四二年六月	北海道大学附属図書館
		五二	抗戦力判断資料第五号（其六）　第六編　交通機構より見たる米国の抗戦力	アメリカ	一九四二年八月	北海道大学附属図書館
		五三	経研報告第一号　英米合作経済抗戦力調査（其一）	英米	一九四一年七月	東京大学経済学部資料室
		五四	極秘　経研報告第二号　英米合作経済抗戦力調査（其二）	英米	一九四一年七月	東京大学経済学部資料室
		五五	極秘　経研報告第二号別冊　英米合作経済抗戦力戦略点検討表	英米	一九四一年七月	大東文化大学図書館

	配本	巻	資料番号	資料名	分類	発行年月	底本所蔵館
Ⅱ　連合国	第５回配本	第11巻	五六	極秘　蘇連経済抗戦力判断研究関係書綴	ソ連	一九四一年二月	防衛省防衛研究所
			五七	極秘　経研資料工作第十三号　極東ソ領占領後ノ通貨・経済工作案	ソ連	一九四一年八月	防衛省防衛研究所
			五八	極秘　経研資料工作第一八号　東部蘇連ニ於ケル緊急通貨工作案	ソ連	一九四二年三月	防衛省防衛研究所
			五九	極秘　経研資料調第七二号　蘇連邦経済力調査	ソ連	一九四二年五月	防衛省防衛研究所
			六〇	極秘　経研資料調第七三号（其二）　蘇連邦経済調査資料（下巻）	ソ連	一九四二年四月	石巻専修大学図書館
			六一	部外秘　経研資料調第七四号　ソ連農産資源の地理的分布の調査	ソ連	一九四二年五月	防衛省防衛研究所
		第12巻	六二	経研資料工作第四号　支那事変経済戦関係日誌　第一輯	中国	一九四一年三月	一橋大学経済研究所資料室
			六三	経研資料工作第一六号　支那事変経済戦関係日誌　第二輯	中国	一九四二年一月	静岡大学附属図書館
			六四	極秘　経研資料調第十二号　支那民族資本の経済戦略的考察	中国	一九四一年四月	東京大学経済学部資料室
			六五	秘　経研資料調第二〇号　支那沿岸密貿易の実証的研究	中国	一九四一年六月	国立国会図書館
			六六	秘　経研資料工作第一七号　上海市場ノ再建方策	中国	一九四二年三月	防衛省防衛研究所
Ⅲ　枢軸国	第６回配本	第13巻	六七	極秘　［「独逸組」研究項目、分担者、委嘱者の表］	ドイツ		福島大学食農学類
			六八	独逸の農産資源力	ドイツ		福島大学食農学類
			六九	極秘　第一部　物的資源力ヨリ見タル独逸ノ抗戦力	ドイツ	一九四〇年一一月	福島大学食農学類
			七〇	抗戦力判断資料第三号（其一）　第一編　物的資源力より見たる独逸の抗戦力	ドイツ	一九四一年一〇月	東京大学経済学部資料室
			七一	秘　抗戦力判断資料第三号（其二）　第二編　人的資源力より見たる独逸の抗戦力	ドイツ	一九四二年二月	東京大学経済学部資料室
			七二	秘　抗戦力判断資料第三号（其三）　第三編　資本力より見たる独逸の抗戦力	ドイツ	一九四二年一月	牧野邦昭所有
		第14巻	七三	秘　抗戦力判断資料第三号（其四）　第四編　生産機構より見たる独逸の抗戦力	ドイツ	一九四二年二月	東京大学経済学部資料室
			七四	秘　抗戦力判断資料第三号（其五）　第五編　配給及び貿易機構より見たる独逸の抗戦力	ドイツ	一九四二年一月	東京大学経済学部資料室
			七五	秘　抗戦力判断資料第三号（其六）　第六編　交通機構より見たる独逸の抗戦力	ドイツ	一九四二年三月	東京大学経済学部資料室
		第15巻	七六	経研資料調第一七号　独逸食糧公的管理の研究（要約篇）―戦時食糧経済の防衛措置―	ドイツ	一九四一年六月	国立公文書館
			七七	経研資料調第一八号　独逸食糧公的管理の研究	ドイツ	一九四一年六月	東京大学経済学図書館
			七八	経研資料調第二一号　独逸の占領地区に於ける通貨工作	ドイツ	一九四一年七月	東京大学経済学部資料室
			七九	極秘　経研報告第三号　独逸経済抗戦力調査	ドイツ	一九四一年七月	静岡大学附属図書館
			八〇	経研資料調第二十八号　独逸戦時に活躍するトツド工作隊	ドイツ	一九四一年一〇月	東京大学経済学部資料室
			八一	経研資料調第三五号　第一次大戦に於ける独逸戦時食糧経済	ドイツ	一九四一年一二月	東京大学経済学部資料室
			八二	秘　経研資料調第六五号　独逸大東亜圏間の相互的経済依存関係の研究―物資交流の視点に於ける―	ドイツ	一九四二年三月	東京大学経済学図書館

配本	巻	資料番号	資料名	分類	発行年月	底本所蔵館
Ⅲ　枢軸国						
第７回配本	第16巻	八三	部外秘　経研資料調第六八号（其一）　独逸に於ける労働統制の立法的研究（上巻）	ドイツ	一九四二年　四月	東京大学経済学図書館
		八四	部外秘　経研資料調第六八号（其二）　独逸に於ける労働統制の立法的研究（下巻）	ドイツ	一九四二年　四月	東京大学経済学図書館
	第17巻	八五	部外秘　経研資料調第八九号　ナチス独逸に於ける人口並に厚生政策立法の研究	ドイツ	一九四二年一一月	昭和館
	第18巻	八六	秘　経研資料調第三三号　伊国経済抗戦力調査	イタリア	一九四一年一二月	国立国会図書館
		八七	経研資料調第八八号　ファシスタイタリアの国家社会機構の研究　第二部　政治編	イタリア	一九四二年一一月	東京大学経済学図書館
		八八	経研資料調第二三号　全体主義国家に於ける権利法の研究	独伊	一九四一年　七月	東京大学東洋文化研究所
		八九	経研資料調査第一号　貿易額ヨリ見タル我国ノ対外依存状況	日本	一九四〇年　九月	東京大学経済学部資料室
		九〇	秘　経研資料調第二四号　日米貿易断交ノ影響ト其ノ対策	日本	一九四一年　七月	東京大学経済学図書館
第８回配本	第19巻	九一	経研資料調第三〇号　南方諸地域兵要経済資料	日本	一九四一年一二月	防衛省防衛研究所
		九二	極秘　経研資料調第五一号　占領地幣制確立方策	日本	一九四二年　二月	東京大学経済学図書館
		九三	部外秘　経研資料工作第二三号　南方労力対策要綱	日本	一九四二年　六月	東京大学東洋文化研究所
		九四	極秘　経研資料調第七九号　昭和十七年度ニ於ケル南方物資流入ニヨル帝国物的国力推移ノ具体的検討	日本	一九四二年　六月	防衛省防衛研究所
	第20巻	九五	経研資料調第九〇号ノ一　東亜共栄圏の政治的経済的基本問題研究（上巻）	日本	一九四二年一二月	一橋大学附属図書館
		九六	経研資料調第九〇号ノ二　東亜共栄圏の政治的経済的基本問題研究（下巻）	日本	一九四二年一二月	一橋大学附属図書館
		九七	経研資料調第九一号　大東亜共栄圏の国防地政学	日本	一九四二年一二月	昭和館

※極秘、秘等の表記については、底本とした資料の記載に拠りました。
※収録順は、牧野邦昭と不二出版の判断により分類毎に分けた上で、資料のシリーズ、作成年月日を元に整序しました。
※第五回配本、第六回配本の巻割りに一部変更がございます。

部外秘

經研資料調第六八號（其一）

獨逸に於ける勞働統制の立法的研究（上巻）

昭和十七年四月
陸軍省主計課別班

獨逸に於ける勞働統制の立法的研究（上巻）

序
（本研究の範圍）

本研究は、ナチスドイツに於ける労働統制を立法的観点に立つて取扱つたものである。現在ナチスの労働統制に関する文献は日本に於ても必ずしも少いものではないが、之が体系的な立法的考察は殆ど為されてゐないと云つてもよい。本研究は專ら此の要求に應じたものである。

本文は便宜上之を四編に分つて叙述する。先づ第一編に於ては、労務組織法と題し、ナチス革命以來今日迄、ドイツの労働が如何なる精神の下に、如何に組立てられてゐるか、云ひ換へれば其の労働組織が如何に編成されてゐるかを全四章に分つて叙述する。第一章の所謂労働戰線は固有の意義に於ける労働組織そのものではないであらうが、ナチスに於ける独自な労働者の組織形態として、之を冒頭に附置したものである。第二章の國民労働秩序は、謂はばナチス

一

の労働憲章とも云ひ得べく、本編の中心的課題を為すところのものである。第三章は同じく労働秩序に関するものであるが、專ら公的企業に於ける労働秩序を取扱つたものであるが故に、別章としたものであるが、内容的には前章の延長に外ならぬものである。第四章として附加した労働司法は、やはり固有の意義に於ける労働組織其のものではないが、廣い意味に於ける労働関係の秩序維持として、所謂社會的名誉裁判と労働裁判とを取扱つたものである。

第二編は労働配置と題し、本研究の中心的課題たる労働の需給関係をナチスが如何に取扱つて來たか、また現に如何に取扱ひつゝあるかを、一九三九年の第二次大戰前及び其の後の戰時に於けるものに分つて取扱つてある。併し、立法的には必ずしも宣戰布告の時期を以て形式的に区分することは困難であるが故に、第一章を戰時に於ける労働配置とし、第二章を國民労務動員、第三章を戰時の労働配置として取扱つてある。云ふ迄もなく、ナチスの治政は當初より臨戰体制にあつたが故に、宣戰布告後特に戰時立法として、労働関係を急激に変化せしめるやうな労働立法は見られず、唯個々の具体的場合に、現実の戰争

二

遂行に即應する程度の部分的立法が為されてゐるに過ぎない。それが本章に於て年月日順に取扱はれてゐる。尚最後に、ナチスの労働需給に関する特殊の部門として存する労働奉仕法を第四章として附加してある。

労働力提供の對價即ち労賃より見た労務の需給は、謂はゞ実效的な労働統制に外ならず、其の意味に於て賃銀の統制は之を別編として論じ、また重要なる關係法令の文言は特に全文を邦訳して附加することにした。

第四編として附加した労働保護法は、固有の意義に於ける労働統制そのものではないが、労働統制自体が或る意味に於ては、現に存する労働力を如何に善用し、また如何に之を生産の要求に應せしむるかに在るものとすれば、かゝる労働統制を最も效果的・永続的ならしむる上に、此の種の研究も不可欠のものである。

以上、四編に分つて取扱つてある問題は、冒頭に一言せる通り、もつぱら現行法令に基く立法的考察であるがゆえに、観点を異にするに從ひ、更に同一問題に對する敍述の方法乃至内容も大いに異るものがあるであらうことは云ふまでもない。

三

昭和十七年四月

陸軍省主計課別班

四

獨逸に於ける労働統制の立法的研究（上巻）

目次

一

二

三

四

五

六

第一編　労務組織法

第一章　獨逸労働戦線

第一節　総説

國民を自覚せる國民にすることは、先づ第一に、個人の教育の可能性の基礎として健全なる社會状態を作ることが先決問題である。健全なる社會状態の存在無くして、國民に如何に愛國精神を植えつけ様としても、徒労に終るに過ぎないであらう。

独逸に於ける労務関係の法的規制に付ても法的規制の目的が遺憾なく達成せられ得るためには、之が達成を可能ならしめる様な一元的な社會状態乃至は國民組織の確立が先づ、決せられねばならない重要問題である。

斯くの如き國民組織乃至労働組織の確立なくしては、如何に法的規制の態様が強化され様とも、之が拡充は單に「法規の整備」に終らざるを得ないであら

う。國民社會主義を其の指導原理とするナチス党は、ナチス革命成就の一大要件として、個人主義思想乃至自由主義思想に依つて蝕ばまれた独逸國民同胞を「新労働者」として再起せしめるべく、ナチス革命以前の労働組織を打倒し、新國民組織としての労働組織確立の為め、自由主義・マルクス主義思想に對して其の戦闘を開始したのである。

此処に新労働組織として編成されたものが即ち「独逸労働戦線」に外ならない。

従つて「独逸労働戦線」は、單に新労働組織としての國民的団結たるばかりでなく、自由主義・マルクス主義思想に對する、思想的闘争団体としての性格と使命を有つのである。之を強て「新労働組合」と称せず、労働戦線と称する所以である。

外に対しては、マルクス的階級主義打剷の戦線を張り、内に対しては、國民共同体の思想的確立、國民同胞意識の高揚を、労働戦線の組織を通じて、確保せんとするものであつて、大ドイツの発展は一に懸つて、健全なる社會状態の

確立に在ると云ふ考への具体化であるとせねばならない。

健全なる社會状態が確立され、國民同胞が民族意識に目醒め、一体的な組織に編成されたる所に於て、はじめて、凡ゆる法的規制の目的は、全うし得られるのであり、その限りに於て、ナチス労務統制法の研究は、斯くの如き意味内容を有つ國民労務組織の基盤としての地位を看過しては、其の研究の對象は、基盤を失へる甚だしく抽象的且つ非現実的なものとならざるを得ない。労務に関する法的規制の裏付けであり、之が可能の基礎こそ、実に、労働戦線の本質及びその使命乃至組織に在るとせねばならない。

此處に「独逸労働戦線」省察の意味とその重要性があるのである。

以下私は、以上の如き諸点を計慮し、「独逸労働戦線」の本質・目的・其の組織等に就き省み度いと思ふ。

第二節　ナチス革命前の労働者の組織

新労働体制としての「独逸労働戦線」（*Deutsche Arbeitsfront*）の本質、組織原理等の究明は、斯る新労働組織体制を必然的ならしめた所以にまでさかのぼらねばならないであらう。

云ふ迄も無く、「独逸労働戦線」は、ナチス労働政策中に於ても、実に特筆すべき政策実践の一つであり、國民労働秩序法（*Das Gesetz zur Ordnung der Nationalen Arbeit*）の如き、ナチス労務統制法の基本法とも云はるべきものと雖も、「独逸労働戦線」の如き、一大労働団体の地盤の確立無くしては、恐らく、有名無実のものとなり終つたであらうし、実際問題として、「独逸労働戦線」の結成こそ、ナチス労働秩序の重要なる展開の一大前提だりしものと言はねばならない。

ナチス労務統制法の一大前提を為すとすら考へられる此の、新労働組織体制

としての「独逸労働戦線」が、何故に、ナチス革命前の、労働者の組織としての、所謂舊労働組合に対立して、よく之を克服し得たのか、本質的に、此の両者間には如何なる差違があり、その組織原理を、如何に異にし、而も後者が、如何に独逸民族的であり得たか、歴史的な、現実的な、具体性を確保し得たか、と云ふ事等の究明なくしては、「独逸労働戦線」の本質を明確にすることの困難なるはもとより、ナチス労務統制法の本質を理解することすら困難となるであらう。

斯る意図の下に、「独逸労働戦線」に付いて究明せんとすれば、先づ、「独逸労働戦線」に依つてとつて代はられ、克服せられたる、所謂舊労働組合の沿革、或は組織原理を明かにし、其の本質を究明し、其の矛盾を明確にし、如何に独逸民族的でなかつたが、歴史的な、現実的な、具体性を確保し得なかつたかと云ふ所以を理解することに依つてこそ、「独逸労働戦線」の本質と態様を一層判然せしめ得るであらうと思はれる。

ナチス革命以前のドイツ労働者は、彼等の社會的集団組織として、多くの場合所謂労働組合（*Gewerkschaft*）を結成してゐたのであるが、今暫く、斯る労働組合の沿革・組織原理・性格等に就て、若干の省察を加へたいと思ふ。

第一款　舊労働組合の沿革

独逸に於ける労働者の組合に関する沿革は、一八六二年に於ける印刷工と活字鑄造工との補習會の結成に始まると云はれてゐる(註)。

（註）　*Schumann, Brucker; Sozialpolitik im neuen Staat* S. 457.

最初は斯る教育的なものとして出発したのではあるが、近代自由主義思想は中世的な、封建的な社會を打破して、個人を封建的な強權の桎梏から解放したる處に、其の輝かしき業績を認め得るのであるが、而も、之に代るべき新しき社會構成乃至機構は、之を個人の自由に基礎を置く、社會の自然的秩序に委ね

たのである。各人は本來自由なるものとの觀念に出發し、個人の自由を承認することによって、社會は自らその秩序を確保し得るものとの確信に出發する譯である。即ち斯くすることが結局理想社會に到達し得る唯一の途だと信ぜられたに外ならないのである。

依然、本來自由なる個人を構想し、唯單に「見えざる手」に依って自然的秩序の確保を期待すると云ふことは、必然的に、實際社會の生活關係は、假藉なき営利の闘争場と化せざるを得ないであらうし 資本家階級と労働者の階級との対立激化と云ふことは、益々深刻となり、自由主義思想の内部的な矛盾は次第に表面化せざるを得ないのである。

即ち國家は、單に個人の自由を保障し、其の利益を擁護する為めの手段にしか過ぎないといふやうな地位しか與へられない事となるのである。個人に無限の自由を認める限り、社會生活関係の實際に於て、経済的に強い者が、経済的に弱いものを圧迫し、支配することは云ふまでもない。経済的強者専制の社會に於ける國家が、資本家階級の夜警國家的存在たるに過ぎなくなるのは其の必

七

然的傾向でもある。

個人主義思想発展の必然的展開としての帰結は、所謂階級國家を成立せしめ、國家は一社會に於ける、或る階級の利益を擁護する手段的地位を確保し得るに過ぎない。斯くの如き社會に於ては、経済的弱者の階級たる労働者の階級は、遂に、自分達の経済的・社會的利益を擁護するため、自らの団体を結成して、経済的強者に対抗するの方法を採らざるを得ないこととなる。之正に、労働組合発生の根本的原因でなければならないであらう(註)。此の限りに於いて、労働組合運動其れ自体には、何等反國家的傾向の認むべきものはないと云はねばならない。寧ろこれとは逆に、十九世紀のブルジョア的政治思想が、労働組合の意義乃至権能を認めず、其の正当なる要求すらも拒絶したることが、夫れ自体健全なる労働組合運動を歪めて行ったのである。

(註)　R. van der Borght, Grundzüge der Sozial Politik. S. 245-6

八

即ち健全なりし労働組合運動をマルキシストの手に追ひやり、マルキシスト達は、之を大衆煽動の道具に作り変へてしまったのである。

正當防衛としての同盟罷業は政治的闘争の手段と化し、個々の労働者の社會的地位を向上させる為の組織は、反って、一國民経済に對する闘争手段と化し終るに至ったのである。政治的な意味を帯有するに至つた之等の舊労働組合の活動に依って、大衆は益々マルクス主義を信奉するに至り、遂に一九三〇年に於ては、組織可能の労働者一、七〇〇万人中約三分の一が舊労働組合に編入せられてゐるのである。

而して又、(1) Raurig に依れば、一九二六年には、組合員数約四九九万人中、所謂マルクス的労働組合員(Marxistische Gewerkschaften)――自由労働組合(die freien Gewerkschaften)、サンヂカリズム的労働組合及び共産主義的労働組合の組合員――は約四〇〇万、八〇%を占めてゐるのであって、從って、此の時代を、マルクス的労働組合の時代として性格付けることが出來るのである。

九

又数少いキリスト教的労働組合(die christlichen Gewerkschaften)は、本來カトリック教徒の労働者を、マルク主主義の政治的・文化的影響から遠ざける目的で、設定せられたものであるが、之も亦似通った経路を辿り、カトリツク教政治分子の手先となってしまったのである。

次に賃義労働者の一部に屬するとせられた所謂サラリーマン階級の組合は、この階級の社會的地位が、一般の労働者より高く、且つその利害も、ある程度資本家の其れと一致して居たので 労働組合運動には、如何なる時に於ても捲き込まれず、從って、該組合構造乃至政治的態度に於ても、労働者の組合と異ってゐたのである。

依然其の性格は、労働組合と同様に、経済的なものより、政治的なものへ、その政治闘争も亦、自由主義的なものより、階級闘争的なものへと推移して行ったのである。一九二六年に於ける統計に依れば、組合的に組織されたサラリーマン(官公吏は除く)の数は一三五万人であり、之は組織可能な從來のサラリーマンの約二四%に過ぎない(註)。

一〇

此の中マルキシズムを奉ずる自由労働組合所属者が約三〇%を占めてゐる。

以上に依つて廣義労働組合に於けるマルキシズムの絶大なる勢力を知り得るのである。

（註）　E. Rawicz, Die deutsche Sozialpolitik im Spiegel der Statistik, S. 74 参照

第二款　舊労働組合の組織原理

前述したるが如く、舊労働組合を生んだ思想的背景が個人主義思想であり、自由主義思想を其の基盤とするものであるが、斯る基盤の上に打建てられ、斯る思想に立脚する舊労働組合自体に付ても、其の中に、自由主義的精神の貫流してゐることは今更云ふまでもない処である。

従つて、先づ、舊労働組合運動は、其の属する社會全体が、個人主義的であり、自己的であつたのであつて、必然的に、資本家的利己主義に對する労働者

的利己主義の精神がその中に貫流するといふ利己的原理に立脚したるものとせねばならない。

第二には、斯る個人主義乃至自由主義に基く利己主義は、自己の利益擁護の為に、同様な境遇乃至運命にある所謂利害の共通せる者と、相互に、相提携せんとして、団結や組合を結成することは極めて合理的且つ自然的な傾向であると云はねばならない。

マルキシズムの階級主義的な、政治闘争的な思想が、舊労働組合に拡がり、ナチス革命前に於ては、その全労働組合の約八〇%が、或はサラリーマン組合の約三〇%が、マルクス的な組合となつた理由も此処にあるのである。

斯くの如くにして、舊労働組合の組織原理は、個人的利己主義の発展の必然的な傾向として階級的な利己主義にまで展開せざるを得ず、此処に階級の対立（Klassengegensätze）を生じ、両階級相互に、対立的な憎悪を生じ、遂には、階級の闘争（Klassenkämpfe）に迫轉化し、國家社會は、内部的に、分裂・崩壊の危機に直面せざるを得ない状態に立至るのである。

第三に、自由主義思想は、個人の自由を根本的な要請とする限りに於て、その理論は、抽象的・普遍的であり、且つ世界的であるが、階級闘争主義を採るマルキシズムも亦、其の理論は、抽象的・世界的である。

即ち、マルキシズムに依れば、一般に労働者の社會的地位の向上は、万國の労働者が、世界的に、乃至は國際的に相提携して、世界的な、國際的な、階級闘争の手段に出で、斯る手段を以て、労働者の階級が其の勝利を獲得することによつてはじめて、可能であるとするのである。

従つて、彼等は、無産者階級からなる世界社會の構成を目標とし、斯る目的実現の為めに「万國の労働者」に呼びかけたのである。

かくしてマルキシズムの実践は、世界的な、國際的な、共同戦線をはることにあり、独逸のマルクス的労働組合も、斯る一般的傾向の例外たり得ず、他國の其れと聯繫をとつてゐたことは云ふまでもない処である。

第四に、省みられねばならないことは、労働組合「結成自由の原理」と云はれるものに付てゞある。

自由主義思想発達の初期に於ては、諸國家は、労働者が組合を作る事は、産業の自由なる発達を害するし、且つ又公安を脅かす惧れありとして禁止するのが一般的であつた。他の諸國同様独逸も亦工業條例（Gewerbeordnung vom 17 Januar 1845）に依り、労働者の同盟（Koalition）を禁止して居たのである。

當然、資本家の自制なき虐使、貧乏困窮等の大衆化、社會革命思想の影響等に依り、彼等労働者階級の者達は、社會的・経済的境遇の改善の為め、階級的な自助運動を起すに至り、而も、その運動は日増に強大となり、之を抑止することは不可能となるに至つた。他方、資本家側に於ては、彼等の利益を擁護する為めに、公然の或は隠れたる協定乃至同盟の存する以上、労働者に対してのみ其等を禁止することは、理論的にも、政策的にも、個人主義思想の建前とする自由の原理、或は社會正義に反するといふ非難に対應する為に、一八六九年の工業條例（Gewerbeordnung vom 21 Juni 1869）に依つて、最初は一部に、後には、全國的に、労働者の同盟の自由（Koalitionsfreiheit）を

認むるに至ったのである(註)。

(註)独逸に於ける労働者の同盟自由の発達史を見るに、一七九四年にプロシヤが工業労働者の疾病と相互救済の為の組合を許したことがあるが、一八四五年の工業條例に依って、企業家・労働者の同盟を禁止した。而して一八五四年には農業労働者に、又一八六〇年には、それを鉱夫及び冶金工に及ぼした。

プロシヤ以外の他の諸州でも、之等の同盟を禁じて居たが、一八六一年のザクセンの法規を初めとして、一八六四年にはプロシヤが労働者の同盟禁止撤廃の案を示し、一八六九年の工業條例で、同盟の自由を根本的に認めるに至ったのである。

爾来労働者の同盟又は組合は益々発達し、第一次世界大戦後は、澎湃たる社會民主主義的思想の下に、かの市民的法治國家の典型的文書であると云はれる所謂ワイマール憲法も明白に、労働者の結社の自由を掲げて居り(註)、爾来、

一五

労働者の組合は愈々大いなる社會的勢力を有するに至ったのである。

(註)　ワイマール憲法第一五九條に曰く「労働條件及経済條件ノ維持及改善ノ為ニスル結社ハ何人ニ対シテモ又如何ナル職業ニ対シテモ其ノ自由ヲ保證ス

此ノ自由ヲ制限シ又ハ妨害セントスル約定及處置ハ凡テ之ヲ禁止ス」と。

第三款　舊労働組合の性格

渚前述の如き組織原理に依って結成せられたる舊独逸労働組合の性格を概括的に省み度いと思ふ。

ナチス革命前の舊独逸労働組合は、國家と對立若くは抗争関係に立ち、階級國家に於ける、支配階級たる資本家団体に對する闘争団体としての性格を明確にして居たのである。而もマルクス的労働組合は、遂には、國家そのものすら

一六

否定せんとする立場に立つに至ったのである。自由主義時代として性格付けられるナチス革命以前に於ては、國は其の本来の機能を発揮し得ず、人々の考へ方も、飽く迄利己的であり、個人主義的であって、個人の存在が、共同体に於ける存在であることを忘れ、國民共同体内に於ける存在体としての個人の地位と性格を見失ふに至った當然の帰結なりと云はねばならない。

斯くの如く、舊労働組合の性格として、個人主義的であり、あまりにも利己的であったが故に、労働組合の発展に就ても自ら一定の限度があり、やがて、それは労働組合自体の目的をも充分果し得ない結果に至らざるを得なかったのである。

舊労働組合はその基盤に於て、自由主義的であり、民主主義的であり、斯る思想を政治原理とするが故に、當然種々の立場を異にする労働組合が、國内に対立存在することにならざるを得ない。從って、此の時代に於ては、自由主義的な労働組合、社會主義的労働組合、共産主義的なもの、キリスト教的なもの、國民的な、或は農民的な労働組合等と多数の労働組合の併存が可能であ

一七

り、其等の各種の団体は、資本家階級に對すると同様に、又労働組合相互間に於ても、対立抗争を続けたのである。

斯くては、労働者階級の勢力は分散せざるを得ないし、其の限りに於て、彼等の力も亦微細なものとならざるを得なかったのである。而も、労働組合への加入自体も亦自由であったが為めに、労働組合に加入せざる労働者も相當多数にのぼり、之等の諸事情が相俟って、唯さへ資本家階級に対して劣勢なる労働者階級の闘争力を益々弱きものとしたのである。

舊労働組合は、自由主義的なものにせよ、社會主義的なものにせよ、其の根本的な基調を労働者の物質的な福利の増進に置き、内的な・精神的な結合団体であったとは云ひ得なかった。斯くの如く、舊労働組合運動が、物質的利己主義にとらはれて、精神的な没我性を欠いたことが、此等の組合運動をして、何等積極的な建設を為さしめず、唯徒らなる、因循姑息なる抵抗を続けしめたに過ぎなかったのである。

以上述べたる如きが、舊労働組合の在り方であり、其の主たる性格であるが、

一八

他方雇傭者団体（*Arbeitsgeberverbände*）も亦之と同様に、唯企業家乃至資本家と労働者の対立関係に油を注ぐだけのものであつた。斯かる団体政策が高じて、果ては、或る事業の従業員乃至労働者に関係した事が、その事業の内部に於て処理されずに、當該労働者乃至従業員の所属労働組合の書記長と、企業家団体の主事との間で、商議し決定されると云ふ奇怪な現象を醸し出すに至つたのである。

一九

第三節　舊労働組合の解散と「獨逸労働戦線」の成立及び発展

第一款　舊労働組合の解散

第一項　舊労働組合解散の必然性

前節に於て省みたる所に依つて察知し得られる如く、ナチス革命以前に於ける舊労働組合は、其の社會経済組織に於て、相當錯雑せる状態に在つたのである。

前に一言したるが如く、被傭者（労働者及び使用人）の結合体としての被傭者団体と、資本家の結合体としての雇傭者団体との対立の承認を基調とせるワイマール憲法上の舊独逸労働法体系は、之等の被傭者と雇傭者を、單に個人としてではなく、對等の法律的地位を有する、乃至は權利を有する集団として把握する處の集団主義的社會法体系であつたのである。換言すれば集団的に組織せられた雇傭主団体（*Arbeitnehmerverbände*）と集団的に組織せられた被傭者団体（*Arbeitgeberverbände*）との間に於ける自由な社會闘爭の結果を法律の上からも承認し、此の動態的社會的過程に出來る丈け可能性を附與し、且つ之を承認すると云ふ階級闘爭的世界観を其の理念としたものである。

二〇

從つてナチス革命以前に於ける、独逸社會経済分野に於ては、明瞭に三つの闘爭群が鼎立してゐたものである。即ち

一は、相互に、競爭関係に立つ各経済団体カルテル・組合間の闘爭であり、

二は、政治的勢力関係に立つ資本家対労働者団体相互間に於ける闘爭であり、

三は、利害関係に立つ企業家の経済団体と労働者及使用人の社會との闘爭である。

ナチス政権確立當時（一九三三年一月）は、斯くの如く、多種・多様の政治的社會的団体の対立があり、数百に及ぶ労働組合・使用人組合及企業家団体が雑然と乱立併存、抗爭を続けてゐたのである。

二一

茲に於て國民社會主義独逸労働党（N.S.D.A.P. = *Die Nationalsozialistische Deutsche Arbeiterpartei*）（註）は

一、一民族、一指導者、一祖國（*Ein Volk, Ein Führer, Ein Vaterland*）のスローガンに示された如く、ナチス党以外に、独逸國民を代表する政治組織あるを認めず、

二、國民全体の経済生活及社會生活が、國民社會主義の指導原理に依つて一新されることを要求し、

三、独逸民族の経済生活及社會生活中に於て、國民社會主義的指導にも服さず又社民社會主義の原理によつて組織せられたものでない種々雑多な諸団体が存立してゐることは、ナチス党が既に在野闘爭時代から絶えず強調して來た党の全体主義的主張と相容れず、党の面目から云つても、之を其の儘長く放置して置けなかつたのである。

二二

以上の三つの理由から、之等の諸組織を根本的に改組せねばならなかつたのである。

（註）ヒツトラー（Adolf Hitler）が故意に「國民社會主義」（nationalsozialistisch）と云ふ外來語を選び、「國民主義」（völkisch）と云ふ言葉を用ひなかつたのは、彼はすべての國民主義的幻想家を辟易させると同時に、ナチス党が廣汎なる大衆及び其の社會的苦難と密接に結びついてゐることを表現しやうと欲したからであると云はれてゐる。

之一九一九年來の事に屬する。

（ナチス党東京支部長ヤコープ・ザール著、高橋健二氏譯「ナチス運動史」四五頁参照）。

元來、舊労働組合及び同種の諸団は、過去數十年の間に、既に階級闘争の組織に造り上げられて了つて居り、且つ如何にしても、他に活用の途が無かつたので之を其の儘の形に於て統合することは不可能であつた。

二三

加之、新しい世界觀を實践に移す為には、新しい組織の必要なるは云ふ迄もない。ナチス党がその突撃隊（S.A = Sturm Abteilungen）や親衛隊（S.S = Schutzstaffeln）を、他の組織を土台としては編成し得なかつたと同様に、舊労働組合をそのまゝ國民社會主義的に改組することは不可能であつたのである。

こゝに於て、先づ古い精神及び此の古い精神から生れた諸組織を一掃することが、新しい建設の先決要件となつた譯である。

二四

第二項　舊労働組合の解散

一九三三年三月二一日以降、ナチス党は、全國各地に亘つて舊労働組合の彈圧に着手したのである。之に應じて、舊労働組合の個々の行動は實際上党幹部の手に依つて禁制せらるゝに至つたのである。

一方國民社會主義独逸労働党の全國組織部長（Reichsorganisationsleiter）―當時は政治組織部參謀長（Stabsleiter der politi-schen Organisations）と呼ばれてゐた ―― のドクトル・ロベルト・ライ（Robert Ley）は、ヒツトラー総統から、労働組合を解散すべき命を受けた。ドクトル・ライは主として部下の國民社會主義經營細胞部員（N.S.B.O. = Die nationalsozialistische Betriebszellenorganisation）中から協力者を集め、更に党の政治部長及突撃隊に協力を求めた。斯くして総統が舊労働組合に対する最後の一撃を、労働者の祝日と定めた時には、差當り自由労働組合を引續ぐ手筈は完成して居たのである。所がこの五月二日と云ふ日は手入の為には最も條件の好い日であつた。前日の、即ち一九三三年五月一日は新しい独逸が一大デモンストレーションを行つた最初の日であるからである。全國の全管区の、あらゆる身分の勤労者が、「國民労働の日」にヒツトラーがテンペルホーフ原でベルリンの労働者や勤人や役人を前にして行ふ經濟及社會政策大演説を聞くために初めて集つたのである。過去數十年の間五月一日は、革命的労働者階級の記念日として、マルクス主義者が階級闘争の示威運動に利用してゐた日であるが、ヒツトラー総統は此の日の意義を一変して独逸の國民的労働祝祭日と定めたのである（註二）。

二五

労働者独逸の國民大衆は、一九三三年五月一日、全世界に向つて、堂々と自己の立場と其の進まんとする方向を闡明したのである。其の翌日たる五月二日午前十時を期し、全國の赤色労働組合の本部は、ドクトル・ライの指令の下に、一齊に占據せられ、ナチス党員が其の指導を引繼いだのである。斯くしてマルクス主義陣營の牙城は陥落したのである。占據後の總指揮は、ドクトル・ライの指令下に在る國民労働保護執行委員會（Aktionskomitee zum Schutze der nationalen Arbeit）がとつた。労働組合の財産は國家の手に依つて押收され、ドクトル・ライが此の管理者となつた。

其の他の労働組合は、強制的には解散せしめられはしなかつたが、大部分は、新しく生れ出発したる独逸に於ては將來活動の余地無しとの見透し許りではなく、事實既に活動能力を失つて居り、或は、大抵經濟的に破綻に瀕して居たゝめに、自発的に解散し、或ひは、ドクトル・ライの隊下に降り其の命に服するに至つた。而して、舊労働組合のみに就ての解体・解散ばかりではなく、之等

二六

に對立抗爭して來た企業家団体も、数週間後には、同様に解散せられたのである（註二）。

國内のナチス勢力は次第に固められて行き、諸党派はあらゆる活動の可能性を奪はれたので次第に姿を消して行き、一九三三年七月六日ヒットラーは、ナチス革命の終了を宣言する事が出來たのである。之迄の世界歴史の革命の中で最も「無血にして成功せる」ものであったと云はれる程、ナチスは合法的な方法で權力を戰ひ取り、今や全く合法的な手段でナチス國家を樹立し得たのである（註三）。

依然飽くまで「最も無血にして成功」したものに過ぎないものであって、此の点後述する如く我が國に於ける社會主義的乃至民主主義的労働組合の大日本産業報國會に再編成統合したる場合に對比して、質的差異あるはいなみ得ない處である。

（註一）　國民労働記念日（Tag der nationalen Arbeit）の創設は云はばナチス労働新体制の先駆をなしたものであって、一九三三年四月十日

二七

附國民労働記念日創設法（Gesetz über die Einführung eines Feiertags der nationalen Arbeit vom 10 April 1933 R.G.BL.IS. 191 —— Hoche: Heft 1. S.41）に基き、舊労働体制下の所謂メーデーを以て、國民勤労者層の一齊に祝ふべき國家的記念日とするに至ったのである（同法第二條）。

而してヒットラーは、一九三三年五月一日以來、毎年此の國民労働記念日に於て、勤労大衆を前に熱烈なる演説を行ふのを常とし、國會演説党大會演説に於ける場合と同じく、諸般の重要國策の提示乃至報告を行ふ事としてゐる。

（註二）　ルドルフシュメール氏「ドイツ労働戰線の使命及其の構成」今井正氏譯（Schmeer; Staatsrat, Staatssekretär, Hauptdienstleiter der N.S.D.A.P., München. Aufgaben und Aufbau der Deutschen Arbeitsfront）　新独逸國家大系第十一巻経済篇3．一七三頁以下参照。

二八

（註三）　前掲「ナチス運動史」一一八頁―一一九頁参照。

第二款　独逸労働戰線の成立及び發展

前款に於て述べたるが如く、舊労働組合の解散に引続いて、此処に従來の歴史に全然前例の無い全く新しい組織を建設すると云ふ難事業が開始されたのである。

以下此の新組織の成立及發展を概説したいと思ふ。

一、一九三三年五月一〇日、プロイセンハウス（Preußenhaus）に於いて第一回独逸労働者會議が開催せられ、此の席上ドクトル・ライは新労働組織を「独逸労働戰線」（D.A.F.＝Deutsche Arbeitsfront）と命名し、ヒットラー総統は之を承認し、且つドクトル・ライを其の指導者に任命したのである。依然「独逸労働戰線」の基礎となりしものに付いて見るに、既に一九二七、二八年に構成せられたナチス経営細胞が三一年一月「ナチス経営細胞組

二九

織」（NSBO）に合同され、之がナチス運動に依る労働組合引継後、ドクトル・ロベルト・ライによって組織されたDAFの基礎となったのである。

二、強制的に押收されてゐた舊労働組合の全財産は、一九三三年五月二六日の「共産主義者の財産没收に関する法律」（Gesetz über die Einbeziehung kommunistischen Vermögen）に依り更に共産党の財産も権利も之を國家に没收してしまった。或は又一九三三年七月一日附「反國家的・反國民的財産没收に関する法律」及び同年八月五日附「同法補完法」に依って處置せられ、ロベルト・ライが處分權ある管理人に任命せられた。

三、次いで「独逸労働戰線」の改組が行はれ、独逸労働者総同盟（二十八団体・十四基本団体）と独逸使用人総同盟（九基本団体）とに二大別せられた。同年秋産業者組合も「独逸労働戰線」に參加し、名実共に一切の勤労者を包含する勤労者の大同団結が結成せられたのである。而して同三三年一一月二七日「独逸労働戰線は経済的乃至社會的地位に関係なく、生産活動に従事する総べての人々を総括したものである」旨の告示が出されるまでに立至り、一

三〇

九三四年一月二七日には、「独逸労働線線」に於ける組織上の結合に付いて従苳の組合編成を廃し、経済組織的なものに変更せられ、此の改造は一九三四年一〇月一日を以て終了したのである。

四、一九三四年一〇月二四日附「独逸労働戦線に関する命令」（Verordnung über die Deutsche Arbeitsfront）が公布せられ「独逸労働戦線」は形式的にも完成したのである。而して同命令第三條は、「独逸労働戦線」が一九三三年一二月一日の「党及國統一確保に関する法律」（Gesetz zur Sicherung der Einheit von Partei und Staat vom 1 Dezember 1933　R.G.BL.IS. 1016 — Heche: Heft 5. S. 60ff.）の意味に於ける國民社會主義独逸労働党の一組織であることを明かに表示してゐる。同時にこの命令で、独逸労働戦線の指導は、ナチス党が保持すると云ふ事が規定されたが、更に、一九三五年三月二九日「党及國統一確保に関する法律」施行令第三條に依って「独逸労働戦線」はナチス党に編入せられたのである。

五、一九三五年三月二六日、有名なる「ライプチツヒ協定」が締結せられた。

即ち労働大臣・経済大臣・労働戦線指導者の三者の間に産業に従事する者の社會政策利益の代表を任務とする労働戦線と、経済政策事項を担當する産業団体との對立を避ける為に協定が結ばれたのである。

六、一九三五年三月二一日ナチス経営細胞組織は其の独立性を損せず「独逸労働戦線」に加入した。

七、一九三五年七月二二日には交通団体と「独逸労働戦線」との協力に関する協定が結ばれ、

八、一九三五年一〇月六日には「國食糧厳分団」と「労働戦線」との協力に関する協定が結ばれ、相互間の組織的協力の確保が為されるに至ったのである（註）。

以上の如くにして今日では、団員二、五〇〇万人を数へ、数字面丈け見ても世界最大の國民組織を形成してゐるのである。

（註）　菊地春雄氏「ナチス労務動員体制の研究」六二頁以下。

第四節　獨逸労働戦線の本質及任務

第一款　總　説

独逸労働戦線の本質を究明する為には、ナチス党の懐く新労働組合観を省みねばならない。

ヒットラー総統は其著「我が闘争」に於て労働組合に関する所見を次の四点に集約して述べてゐる。

一、労働組合は必然的であるか、

二、國民社會主義独逸労働党は自ら労働組合の活動を行ふべきか、或はその成員を何等か斯への如き活動に導くべきか、

三、國民社會主義労働組合は如何なるものであるか、吾々の任務及目標は如何、

四、如何にして斯る労働組合を作るか、

等、以上の四問を提出し、自ら之に答へてゐる。

先づ第一問に對しては、正しき労働組合運動に依りて、生活上の欲求を充足し、且つ教育を受ける國にして始めて強大なる生存闘争力を有ち得るのであるから、現在では労働組合の建設は國民経済生活上最も重要であり、社會政策的に、或は國家政策上其の意義は極めて重大なるものがあるとする。

以上の如く果して労働組合運動にして必要なるものとするならば、國民社會主義が、理論のみならず、実践に於ても其の運動をなすべきである。新しき國家は権力のみに依りて生れるものではなく、國民生活そのものから変革され、且つ生れるものでなければならない。資本家及労働者をして互に國家内に於ける一員たることを自覚せしめる國民主會主義の教育は、単なる理論的啓蒙や、呼びかけや、警告のみに依りては不可能であり、実に日常生活の闘争を必要とする。従ってナチス党がこの運動を実践指導することは當然なりとするのである。

第三問に就いては、國民社會主義に於ける労働組合は、階級闘争の機関では

なく、職業擁護の機関である。國民社會主義の國家に於ては階級は存在しない。政治的見地よりすれば、完全に同一なる權利及義務を有する所の市民があり、之を國家政策的見地よりすれば、完全に權利を有しない國民を有するのみとの見地を採り、階級闘爭的労働組合を排したのである。而して労働組合そのものが階級闘爭的であるのではなくて、マルクス主義が労働組合を階級闘爭の機関となしたのであるとするのである。

第四問に対しては、ヒットラーは二つの方法、即ち、一は自己独持の組合を創設して、國際的マルクス主義労働組合と漸次闘爭を行って行くもの、他は、マルクス主義労働組合の間に浸潤して、彼等に新精神を吹き込むことに依って、内部的に変革せしめることであるが、ナチスの経済状態の貧弱なる事情では第二の方法に依る外はないとして居た。之はヒットラーの現はれし當時のナチス運動の実際勢力の下に於いては、蓋しやむを得ざりし方策であったとせねばならない。

要するにヒットラーが第一に、國民経済上、社會政策上、國家政策上、労働

組合そのものを必要且つ必然なるものなりとし、

第二に、新労働組合は國家的全体的立場に立ち、マルクス的・國際的乃至世界的立場を断乎として排撃し、其の機能を職業擁護に置かんとしたのである。

第三に、新しき労働組合運動が、新しき世界観や、精神の下に、國民の啓蒙教育の為に、且つ又國民の日常の生活闘爭の実践指導の為に動員さるべき事等を明かにして居る。

ヒットラーが民族の生存闘爭の強化の前提として、國民生活上の要求の充足を掲げて居ることは、労働者の経済的保護をも新労働組合の任務と為したるものであって、逸すべからざる点なりとせねばならない（註）

（註）　A. Hitler; Mein Kampf, S. 248-250 参照。

次に、新労働組合たる「独逸労働戰線」の組織者たり、実際上の指導者たるドクトル・ライの當時懐いてゐた思想も亦今日の独逸労働戰線の発達の歴史を省察する上に、見逭すべからざる重要性を有つと云はざるを得ない。之に関す

るものは第一に、一九三三年五月二日、即ち最初の國民労働紀念日の翌日に、労働者・使用人に呼びかけし宣言に之を見ることが出來ると思ふ（註）。

（註）　W. Müller; Das Soziale Leben im neuen Deutschland.

其の宣言の中に於てライ氏は先づ、労働の尊重すべきこと、利己的な資本家や、反動主義者（Reaktionär）及びマルキシズムの排すべきこと、ナチス運動に依りて國民を啓蒙教育し、全國民を獲得すべきこと等を強調し、殊に労働者の尊重すべきことに付ては従來の労働者・使用人に就ては、「創造的國民（schaffendes Volk）」であり、「創造的独逸人」（schaffende Deutschen）と云ふ観念に容れ、「独逸労働者無くしては独逸國民無し」（ohne den Deutschen gibt es kein deutsches Volk!）と叫び、ナチス革命に依りて「創造的独逸人が思惟と行動との、而して國家の中心に置かるゝに至った」としてその社會的重要性を昂揚したのである。

借労働組合に就ては、ライ氏は、抑も國民社會主義は、國民の為めに、何等か價値あるものは破壊せず、保持するを根本的方針と為すものであるとなし、労働組合そのものは、破壊も攪乱もすべきものに非ず、神聖にして不可侵であるとする。而も新しき國民社會主義國家に於ける民族の價値多き、尊敬すべき肢体たらしむる為に労働者の保護と權利を更に拡充すべしと誓ひ、凡ての創造的独逸人即ち労働者・サラリーマン・自由職業者・手工業者等の福祉・名誉・自由の新國家を建設しやうと叫んでゐる。

新労働組合に関するライ氏の意見は、以上の宣言の外に、其の後間もなく発表せし、舊労働組合解体の顛末の報告書に之を見得る（註）。

（註）　W. Müller, a.a.O. S.63-64.

其の中に、舊労働組合を破壊したけれども、労働組合の思想そのものは否定しないことを明かにし、企業家の大部分が、純粋の利己的な利潤渇望者であって國民全体が眼中にない限り、労働階級の擁護は當然に必要である。労働者が

奴隷扱ひされたり、圧迫されたりすることは國民の全体的立場からは許されないことである。

新労働組合は、何れ我が國家及び経済を支配することあるべき未来の身分國家及自由経済議會の礎石となるべきものと為してゐる。

更に、同報告書の中に、労働者は國民経済及び全体に於ける平等の價値の仲間（ein gleichwertiger Partner）であり、吾人は組合の多数制を解消して、之を唯一の組織に綜合しやうと云つて居ることは、新労働組合の基本原則を述べたものであると云はねばならない。

新労働組合たる独逸労働戦線を結成するに當り、ライ博士は、

1. 労働といふ概念の高貴化（Veredelung）
2. 労働意思（Arbeitswille）への教育
3. 労働訓練に就ての覚醒
4. 職業自負心の養成
5. 全体の福祉のために労働者階級と企業者階級との共同体の労務（Gemeinschaftsarbeit）

6. マルキシズムの根絶
7. 凡ての階級闘争の拒否
8. 各個の國民層と職業層との階調
9. 國民共同体への教育
10. 労働者階級の新國家に於ける
11. 各個の社會層の利益から独立せる國家権威の確立
12. 独逸的なるもの、維持と養育

等の諸項を其の目的なりとして宣明したのである（註）。

（註）　W. Müller, a.a.O. S.67.

第二款　獨逸労働戦線の本質及び目的

一五三四年一〇月二四日附独逸労働戦線に関する命令（Verordnung

über die Deutsche Arbeitsfront）第一條は、独逸労働戦線の本質を決定してゐる根本的な原則を明示したものと云ひ得るであらう。

即ち其の第一條に「独逸労働戦線ハ頭脳及ビ筋肉ノ労働ニ従事スルドイツ人全体ノ綜合組織ナリ」としてゐる。而して同條第二段に掲ぐる所に依れば、「特ニ舊労働組合・舊被傭人組合及ビ舊企業家組合ノ組合員ハ悉ク之ニ所属シ、各々平等ノ権利ヲ有ス」としてゐる。従つて官吏以外の凡ゆる領域の筋力及頭脳労働者が包含せられる譯である。而も、独逸労働戦線は競争組織の併立を許さない全國的な単一組織である。

第一條乃至第三條は、独逸労働戦線の本質並に目的に関する規定であつて、第一條全体に通ずる趣旨は、独逸労働戦線は、共同体として、社會政策方面に於て、全的權能を與へられてゐることを定められたものであつて、惟ふに、独逸労働戦線は、生産に従事する独逸人全体の綜合組織であり、むしろ國民経済の中核をなすものであると云はねばならない。故に、労働戦線は、多くの組織の一つを構成するものではなく、ヒツトラー総統から指令された使命を全的組

織として、単独に遂行せねばならない。生産に従事するドイツ人の全的組織であるから、他の職業乃至経済団体の上位に立つのである。第一條第二項に明示される如く、独逸労働戦線加盟たるの資格は、他の職業乃至経済団体に所属してゐると云ふ事実から直ちに発生するものではない。此の規定は、唯加盟員たる資格だけを問題にした規定であると解すべきではなく、寧ろ独逸労働戦線が自己の使命を遂行する範囲内に於ては単独自主的の權限を有する全的組織であることを云ひ現はしたものと解すべきである。

同條第三項後段の「ドイツ國宰相は法律上認メラレタル恒久的諸団体が包括的ニドイツ労働戦線ニ編入サルベキコトヲ定ムルコトヲ得」とする、恒久的諸団体の包括的編入に関する規定も亦、同趣旨の規定である。此の種の経済諸団体が包括的に、独逸労働戦線に編入され得ると云ふ規定の趣旨は、唯、會費支拂義務を定めて、其の有機的措置を示す丈けに止まるものではない。

以上の如き第一條所定の内容を熟行すれば、第一に、昔日の如き階級闘争や対立が全く止揚されてゐると云ふことである。即ちナチス革命の成就によつて

昔日の如く、自己の階級的利害のために団される労働組合とか、企業家組合とか、舊被傭人組合とか云ふものが無くなつた。利己的目的追及のためにする此の種の社會的集団は最早存在することを許さない。舊き之等の組合に屬した人々は、民族共同体（Volksgemeinschaft）のために、各々その機能と能力とを捧ぐべき國民同胞であり、國民的構成員、共働者（mitarbeiter）となつたのである。即ち、其の存在も、機能も、民族的・國家的・社會的なものであつて、利己的・個人的なものではなくなつたのである。

企業家と労働者は、互に手を携へて、國家や、國民の為に、貢献すべきものであり、給付をなすべきである。即ち彼等はお互ひに、相抗争すべきものではなく、経営共同体（Betriebsgemeinschaft）の構成員であり、給付の為に結ばれる給付共同体の構成員である。斯くて、階級的な抗争者としての資本家とか、労働者とか、或は労働を與へるもの、即ち雇主（Arbeitgeber）とか、労働をなす者（Arbeitnehmer）とか云ふ者は、ナチス理念として存在しないものとなつたのである。たゞ存する者は、國家民族のために、各々その

職分に於て任務をつくすべき非利己的な、非階級的な性格の雇主や労働者である。斯くの如き変質したる Unternehmer とか Arbeiter を表現するために今日 Betriebsführer、経営指導者、Gefolgsmann 従者（註）と云ふ語を以てするに至つてゐる。勿論 Unternehmer とか Arbeiter と云ふ語は今日と雖も使用せられてゐるが、それは現代的な意味に於ては、Betriebsführer、Gefolgsmann の意味に用ひられてゐると云ふことは云ふまでもない所である。

（註）　Gefolgsmann と云ふ語は Betriebsführer といふ語に対して用ひられるものであり、一個の経営共同体に於ける、経営指導者の指導の下に、其の経営に参加し、指導に協力すべき地位と意味を持つもので あるが故に Betriebsführer を経営指導者とするならば Gefolgsmann は経営協力者と云ふ意味に解さねばならないであらうと思はれる。併し此処には、假に従者として置く。

下然、経営指導者と云ひ従者と云ふも、各々その経営共同体内に於て個人的、利己的意の認められることは勿論であるが、たゞ「公益は私益に先立つ。（Gemeinnutz vor Eigennutz; Gemeininteresse vor Privatinteresse）の大原則の下に、苟も公益を損ふが如き私益の追求は許されない。一切の行為は公益のために、公益を妨げざる限りに於てのみ許されるのである。即ち民族共同体内に於て、その協同体の構成員なるが故に認められる一切の利益の保證は、又同時に、共同体の構成員たらざるが如き利益を保證せざることは明瞭であつて、先づ共同体の利益を考慮すべきであり、其の限度に於てのみ個人的な利益の存在理由が承認せられること云ふまでもない所である。

要するに、従来の雇主及労働者と云ふ語は、例へ現在に於て使用されることありと雖も、其の意味の本質・性格は全く質的な変革を受けてゐると云ふことを注意せねばならない。

舊労働組合・舊企業家組合・舊被傭人組合に屬してゐた人々は、新しい性格や本質を有する國民同胞として「独逸労働戰線」の中に総べて網羅せられるこ

ととなつた訳である。

第二に、独逸労働戰線の構成員は平等の権利を有するとせられるのであるが舊社會民主主義時代には、資本家と労働者は、相対立した別な階級に屬し、一は有産者であり、他は無産者であるが故に、前者は後者に対して絶対的な支配権を有したものと観念せられた。

経済的強者は、経済的弱者を支配するものであつて、二者は決して平等ではないとの観念である。従つて、労働者は彼等の弱者としての地位を強化するために団結の方法に依る以外なきものとした。即ち労働者階級として一個の階級を形成し、資本家に対して抗争し来つたのである。新らしく構成せられる民族共同体の理論に依れば、以上の如き、資本家も、労働者も、最早その意味内容は質的に轉換せしめられるのであつて、一が他を搾取するとか支配するとか云ふことは許されないのである。二者は何れも作業共同体（乃至給付共同体）（Leistungsgemeinschaft）たる一経営の不可欠の要素であり、其の構成員であり、彼等は経営と云ふ一の共同体乃至団体に奉仕すべき義務を平等に負

ふのである。而して其の義務を遂行するために、各々権利を有するが、その権利は経営共同体を通して、民族共同体全体の為に奉仕するの権利であって、個人的な、私人の権力の為とか、私益の為に行使すべき、或は行使し得る権利では断じてないのである。従って、新労働組合たる「独逸労働戦線」に加盟するに当っても、加盟後に於ても、企業家たる経営指導者と、労働者たる従者との間には何等の権利義務上の優劣はない。まして、支配とか隷属とか、特権とか云ふ様な関係は生じない。

要するに「独逸労働戦線」は、民族や國家の為に給付を為すべき義務を平等に負ふ、独逸國民の大同団結に外ならないと云ひ得るであらう。各人はその働く場所と、仕事乃至職業の種類こそ異れ、全体の為に働かんとすることに付ては平等の権利を有するのである。共同体に於ては各人の権利は、國家目的に照應し得るやう、國家から與へられるのである。國家は、國家に奉仕せんとする人々の要求に対して、奉仕し得るの権利につき、甲乙を認むべからざること又当然とせねばならない。

四七

社會民主主義時代に於ては、個人主義思想或は、マルクス的な階級闘争理論から、実に多くの党派や組織が形成され、其等が相対立併存・抗争を続け、所謂社會的な無政府状態・社會的な混乱の形象を現出し来ったのであるが、今や給付や労働を為す全独逸が、一つの理論、一つの世界観乃至人生観、或は一つのイデオロギーの下に、國民的な大組織たる「独逸労働戦線」の中に包容せられることとなり、彼等のすべての文化的・経済的・政治的乃至社會的生活は、実質的に、「独逸労働戦線」の指導者によって指導されるに至ったのである。

國民的な分裂が、國民的な統一へ、階級的分裂抗争から超階級的融合へ、社會的無秩序混乱から社會的秩序づけへの大業は、この「独逸労働戦線」の重要なる基本的任務であると云はねばならない。倘、

第二條は、「独逸労働戦線」の目的を明示したるものであるが、其れに依れば"Das Ziel der Deutschen Arbeitsfront ist die Bildung einer wirklichen Volks- und Leistungsgemeinschaft aller Deutschen"即ち「独逸労働戦線ハ真ノ全独逸人ノ民族共同体乃至作業共同体（給

四八

付共同体）形成ヲ以テ其ノ目的トス」と云ふのである。

本條は、全独逸人を真の民族共同体乃至作業共同体に形成することを以て「独逸労働戦線」の目的なりと規定するのである。此の規定にも「独逸労働戦線」の全的権能が闡明されてゐる。或る組織をして、全独逸人の民族共同体乃至給付共同体を建設せしめんとするに際し、全的権能を認めないとするならば、結局かゝる建設の大目的は達成せられ得ないであらう。

此処に特に注意すべきことは、「独逸労働戦線」と云ふ新労働組織は、独逸への個々の集団たる作業共同体乃至給付共同体、例之、個々の工業労働者の単独団体の如きものと関係あるものではなく、全独逸人を包轄する作業共同体乃至給付共同体即ち商工業・手工業等を打って一丸としたる包括的な団体であると云ふことである。

其の他第二項に於ては「独逸労働戦線ハ國民各自ヲシテ全能力ヲ発揮シ、民族共同体ノ最大効用ヲ保證シ得べキ精神的・肉体的素養ヲ作ラシメ、國民生活ニ於テ各々其ノ所ヲ得セシメルタメ必要ナル措置ヲ講ズベシ」と規定する。此

四九

の規定の目標は、経営指導者たると、従者たると、商業たると工業たると、将又農業たると手工業たるとを問はず、凡ての経済的経営に於ける独逸人の社會政策的保育事業及び職業的補習教育に関する凡ゆる方面の問題に関係し来るのである。

「精神的及ビ肉体的素養」の概念は、労働作業する國民同胞全体の世界観的職業技術的乃至衛生的保育を対象とするものであって、経営内に属すると属せざるとを問はず、労働に従事する一切の独逸人の世界観的教化・職業教育及び衛生保護が此の概念の範疇に属する。

「独逸労働戦線ハ……必要ナル措置ヲ講ズベシ」と云ふ表現は、此の命令の他の規定から見ても「独逸労働戦線」が他の組織と並んで此の保育事業を遂行すべしと云ふ意味ではなく、此のことは、既述したるが如く「独逸労働戦線」が其の使命達成の範囲内に於ては全的権能を有すると云ふことによっても明瞭であらう。

「独逸労働戦線」は労働に従事する全独逸國民の一大綜合組織であり、新し

五〇

い意味に於ける企業家・使用人・労働者の全部を包括するものであるといふことは前述の如くであるが、個人主義的な、或は階級主義的なイデオロギーが深く喰ひ入って居た独逸民衆を単に形式に止まらず、眞に新しい民族共同体的なものに改めんとすることは容易なることではない。

如何なる時代に於ても、社會の轉換期に於ては、民衆の大部分は、新しい時代は何処へ行くかに就て判別することは困難である。彼等から舊き思想を拂拭することは容易なことでは無く、而かのみならず、舊時代に於ける特権階級は、社會の進展と云ふよりも自己の生活に及ぼす変化影響を怖れて屡々反動的役割を演じ、之が相合して過渡的な混乱を生ずるものであるが、ナチス革命に於ては「独逸労働戦線」は舊社會的体制を解体するの大任と同時に、新しい社會体制を建設するの任務を託されてゐたのである。

「独逸労働戦線」はドクトル・ロベルト・ライの指導の下に、先づ大なる争闘混乱なくして舊社會体制たる舊労働組合・舊企業家聯合・舊被傭人組合等を解体せしめ、又極めて短日月の間に「独逸労働戦線」の組織の中に編入してし

五一

まつたのである。つまり社會的な大黒柱の建て直しでもあつたのである。新しい制度が國民の眞実の心によって運営されて行く為には、単に制度の運営丈でなく、更にその上にナチス的新文化を創造して、ナチス革命の目指すところの、凡ゆる独逸人を統合する共同体的な大独逸國家を建設せんとするには不断の努力が続けられねばならない。即ち彼等の目標とする眞実なる民族共同体及びその為めの國民挙げての給付共同体を建設せんとすることは仲々困難なることに屬するのである。

此の新社會体制の外殻的体制を整へるのみならず、内部的、精神的に、文化的に、新生活を展開せしめんとするの大任を「独逸労働戦線」は有してゐるのである。之に就て、労働戦線の指導者達に依て考へられ行はれ来つた根本的方策に二つある。

第一は制度の問題であり、第二は教育の問題である。

第一の問題中その根本的なるものは、個人主義思想に基盤を置く資本主義経済制度の変革の問題である。之に就て「独逸労働戦線」のなした大仕事は、経

五二

済組織の細胞とも云ふべき経営を共同体的なものに変革改造したことである。その本質は要するに、企業の経営は、民族のために、國家のため、全体のために存すべきものであり、従って、其の経営を構成する企業家と労働者、即ち経営指導者と経営協力者は相提携して、企業経営に奉仕することによって、國家民族共同体に奉仕すべきであるとせられるのである。従って企業経営は従来の如き、利潤追求の機構でも、利己的闘争の機構でも無く、共同・協和・奉仕の機構であり、犠牲・奉仕・給付の共同体であらねばならないとせられるのである。企業経営体にして、國家的なものなりとせば、當然にその企業経営体の構成員たる従者即ち協力者たる労働者、使用人の生存や福利も亦、國家の為に保證せらるべく、企業家恣意に放任せらるべきではない。企業家は國家的見地に立ち、従者に対する保證及び福利に就て義務を負ふ経営指導者たらねばならない。斯くして階級闘争の代りに社會の平和（Sozialer Frieden）・労働の平和（Arbeitsfrieden）が実現されうるのである。此の理論的に或は理念的に考

（注：前段「経営共同体（Betriebsgemeinschaft）」）

五三

へられた経営共同体を現実的な、具体的なものにすると云ふこと、換言すれば、階級主義的な残滓を労働者・資本家の何れもから拂拭し、生々とした、眞実な共同体たらしめる工夫と努力とは更に続けられねばならぬのであって、此の任務を担當するものこそ実に「独逸労働戦線」であり、新労働組合としての新國民的綜合組織に対して、「戦線」の名称を附加したることが、個人主義的なマルクス的な階級主義に対する、思想的な、実践的な戦闘組織たることを表明してゐることの意味を明確に把握し得るのである。

第二には、教育訓練の問題であるが、新しい社會の形態・外殻を整へても、人心が改造せられざる限り、到底その発展を期待することは出来ない。茲に於てか、ナチスにとっても、國民精神の根本的改善即ち人心の改造、舊思想の撲滅、新思想の普及・宣傳と云ふことに多大の努力を拂って居る譯であり、此の文化的啓蒙の大使命も亦「独逸労働戦線」の分担する大事業である。

其の一般的思想的教育の外に「独逸労働戦線」の力を入れて居ることに職業教育（Berufserziehung）の問題がある。最大にして最高の給付共同体乃

五四

至作業共同体の建設を目指すナチスにとつて職業の有つ重要性は極めて重要であり、人々が自己の担當する社會的な職業に就て最大能率をあげる場合、國民共同体も盛り上つて行くが、然らざれば其れが発展は期待し難い。従つてナチスに於ては、職業教育を私人の恣意に放任せず、イデオロギーの注入と共に職業に對する教育を而も適材適所と云ふ見地から、現に國民学校時代から開始してゐるのである（註）。

（註）　中川與之助氏「ナチス社會建設の原理」一五六頁－一七〇頁参照。

諸、第三條に於て規定する所を省みるに、「独逸労働戦線」はナチス党の肢体であり、党の指導を受けるのであつて、本條は、他の団体組織及び官廳方面に対する「独逸労働戦線」の全的機能を繰り返し規定したものである。ナチス党は総統の権能に基き國家に對して命令権を有するが、第三條は此の総統の権能に照應して考察さるべきであつて、このことから演繹して「独逸労働戦線」が他の國家施設に對して、其の使命を遂行するに當り、労働戦線に力

を貸し、場合に依つては、これに必要なる法律上の措置を講ずべきことを要求し得るとせねばならな（註）。

（註）「ドイツ労働戦線ニ関スル命令」第三條「ドイツ労働戦線ハ一九三三年一二月一日ノ党國統一保全ニ関スル法律（Gesetz zur Sicherung der Einheit von Partei und Staat）ニ定ムル國民社會主義ドイツ労働党ノ一分肢トス（後、國民社會主義団体 — N.S.-Verband — ニ改ム）」。

以上の如く第一條乃至第三條は独逸労働戦線の本質及び目的を闡明したものであるが、第四條以下に於ては、指導及組織に付て規定するのである。

一九三四年一〇月二四日公布せられたる「独逸労働戦線ニ関スル命令」中第四條は、其の後一九三四年一一月一二日に改正せられ、従来党の組織部参謀長（Stabsleiter der PO）の指導下にあつた労働戦線は、党の全國組織部長（Reichsorganisationsleiter der NSDAP）の指導を受くべきものとせられたのである。

即ち「独逸労働戦線」は、國民社會主義独逸労働党の指導を受けるのであるが、具体的には、党の全國組織部長の指導下にあり、該組織部長は総統の任命にかゝるものである。而して該全國組織部長は、「独逸労働戦線」の指導者達の任免権を有し、之等の指導者に任命せられ得るものは、第一次的には、國民社會主義独逸労働党の分肢たる経営細胞組織部（NSBO — die nationalsozialistische Betriebszellenorganisation）商工業者組織組合（NS-Hago — die nationalsozialistische Handwerks- und Gewerbeorganisation）の所屬員、突撃隊及び親衛隊の隊員であるとせられる。

同令第五條の規定する所も亦、組織に関するものである。即ち、「独逸労働戦線」の地域的分肢組織は、國民社會主義独逸労働党の地域的分肢組織に準據して定められ、労働戦線の事業別分肢組織はナチス党の綱領に即する組織体制樹立の目標を規準とするものであつて、労働戦線の地域的並に事業別分肢組織は党の全國組織部長によつて定められ、該組織部長に依つて「独逸労働戦線」

への所屬並に加入に関する決定がなされるのである。

同令第六條は、「独逸労働戦線」の會計に関する事項を規定する。即ち「ドイツ労働戦線ノ會計事務ハ一九三四年三月二三日党國統一保全ニ関スル法律第一次施行規則（die erste Durchführungsverordnung zum Gesetz zur Sicherung der Einheit von Partei und Staat）ノ定ムル所ニ依リ國民社會主義ドイツ労働党會計課長（Reichsschatzmeister der NSDAP）之ヲ監督ス」としてゐる。尤も前掲一九三四年三月二三日附党國統一保全に関する法律第一次施行規則は、一九三五年三月二九日の施行命令により廃止され、今日に於ては、一九三五年四月二九日の執行規定が會計のことを規定してゐるのである。

尚「独逸労働戦線」の使命の大綱に就ては、同令第七條以下に之を規定するのである。即ち第七條に依れば「ドイツ労働戦線ハ経営指導者ヲシテ従業者ノ正當ナル要求ヲ理解セシムルト共ニ、従業者ヲシテ経営状態並ニ企業能力ニ関スル認識ヲ得セシメ以テ労働ノ協和ヲ確保スベシ。ドイツ労働戦線ハ経営関係

者全員ノ正當ナル利害関係ヲ國民社會主義ノ指導原理ニ即シテ調整シ、一九三四年一月二〇日ノ法律（國民労働秩序法）ニ依リ其ノ決定ヲ專屬管轄國家機関ニ委託スベキ事件ノ減少ニ努ムベシ。

右調整ニ必要ナル企業者関係者全員ノ代表権ハ專ラドイツ労働戰線ニ屬ス。他ノ団体ヲ組織シコノ種ノ活動ヲナスコトヲ許サズ」とする。結局本條は、第一條及び第二條の補足規定であって、就中、労働戰線の教導的及び社會的使命を規定したものと云ひ得るであらう。「独逸労働戰線」は經營指導者及び經營協力者たる從者全体を教導して相互に理解し合ふ様にせねばならないのである。更に労働戰線は、經營関係者全員の正當なる利害関係を國民社會主義の指導原則に照應する如く調整せねばならない。第二項の意味は、社會問題の取扱は原則として、「独逸労働戰線」の管轄事項であるといふだけの趣旨であって、「独逸労働戰線」の指導の下に、經營内及び産業部門の統制調和が保たれなくなった場合にはじめて労働管理官が、其の地方に於ける最高の社會審判官として、事件の處理に関與することになるのである。

從って労銀問題・休暇問題・解雇豫告期間決定に関する問題等、社會生活の形成は、經營上の調整事項であらうと、所謂社會的自己責任の範囲に屬する調整事項（ドイツ労働戰線の労働委員會・清算所・法律相談所等）であらうと、先づ第一に「独逸労働戰線」に於て行はれる。

更に「独逸労働戰線」の全的權能を第三項に於ても明瞭に表現されてゐることに注意せねばならないであらう。

更に、「独逸労働戰線」に課せられた他の各種の任務が、第八條に於いて留保されて居るのを看取するのである。即ち「独逸労働戰線」には「歡樂のメ」に依る休息・餘暇利用・經營及び職場規則の形成等が委任せられ、又職業教育の任務が課せられてゐる。第八條第二項には「ドイツ労働戰線ハ職業教育ニ力ヲ盡スベシ」と規定してゐるが、此の條項は、本令公布の際、國民社會主義に即した統一的職業教育制度が確立してゐなかったことに依って必要となったものである。乍然此の規定に依って「独逸労働戰線」には同様に此の命令全体の主旨に即して全的權能が與へられたのであって、かくして「独逸労働戰線」はその任務として職業教育を自ら引受けることになったのである。然し全体精神の思想から云って、此の職業教育なる概念を以て單なる職業学校的教育を意味するものだと解釋すべきものではあるまい。此處に所謂職業教育とは、凡そ労働人を一人前に磨き上げ、作業乃至給付共同体及び能率増進の精神に則り各自其の分を盡し職を全うせしむるために必要なる一切の教育を意味するものであって、本條に於ては、專門技術的教育に並んで、職業生活者各自を世界觀的に、性格教育的に、將又經營技術的に、經濟的に完成することを期待してゐると云ふべきであらう。

此の外國民労働秩序法に依って「独逸労働戰線」の義務として個々の特別任務が課せられてゐる。即ち労働管理官——專門家顧問、社會的名誉裁判所陪審員並びに労働裁判所陪席員の推薦名簿の作成（*Vorschlagslisten für die Treuhänder-Sachverständigenbeiräte, für die Beisitzer in den sozialen Ehrengerichten und für die Arbeitsgerichts-Beisitzer*）及び信任協議會（*Vertrauensräte*）召集の場合に於ける協力等

之である（註一・註二）。

（註一）　ドイツ労働戰線に関スル命令第八條「ドイツ労働戰線ハ、國民社會主義共同体『クラフト・ドウルヒ・フロイデ（KdF — *Kraft durch Freude* — 歓喜力行団』ヲ支援ス
ドイツ労働戰線ハ職業教育ニ力ヲ盡スベシ
ドイツ労働戰線ハ更ニ、一九三四年一月二〇日ノ法律ニヨッテ委任セラレタル各種ノ使命ヲ遂行スベシ」

（註二）　*Rudolf Schmeer*氏著、今井正氏譯、前掲書、一七四頁—一八二頁。

備、同令第九條は「独逸労働戰線」の財産及び相互扶助施設に依る加盟員各自の生存維持確保に就て規定する。

即ち同令第一條に掲げられたる舊諸団体並に其の補助及び補佐団体、若しくは財産管理部乃至經濟企業組織の財産は「独逸労働戰線」に歸屬し、此の財産

は、労働戦線の相互扶助施設の基本財産となるのである。

第二項に於ては、相互扶助施設の途を講じて所属加盟員の経済的利益の増進を図ることを、「独逸労働戦線」の任務なりと規定する。かくして同時に、「独逸労働戦線」の組織内に於て独逸國民の一般養老年金給與の途が開かれたのである。

此の外労働戦線には大規模の基幹労働者定住（Stammarbeitersiedlungen）の思想を実践に移す任務が課せられてゐる譯である（註）。

（註）　今井正氏譯、前掲書、一七七頁、一八二頁、ドイツ労働戦線ニ関スル命令第九條「本令第一條ニ掲ゲタル舊諸団体、並ビニ其ノ補助乃至補佐団体、若クハ財産管理部乃至経済企業組織ノ財産ハ之ヲドイツ労働戦線ノ財産トス。本財産ハドイツ労働戦線ノ相互扶助施設ノ基本財産トス

最モ有為ノ國民同胞ノ為メニ更生ノ途ヲ拓キ、自活ノ道ヲ立テシメ、事情ノ許ス限リ自己ノ土地ニ於テ生計ヲ営マシムルタメ、ドイツ労働戦線ハソノ相互扶助施設ニヨリテ、加盟員各自ノ困窮ノ場合ニ於ケル生存維持ヲ保證スベシ」

六三

六四

第三款　獨逸労働戦線の任務及び活動

前款に於て「独逸労働戦線」の本質及び目的其の他、組織及び任務等に関して、独逸労働戦線に関する命令を中心として概観したのであるが、以上の諸点を中心として下ら、その任務及び活動に就き若干演繹敷衍したいと思ふのである。

「独逸労働戦線」の任務乃至活動は、其の本質及び目的より當然推察され得べきことでもある。「独逸労働戦線」の目的は、要するに、凡ゆる勤労独逸國民同胞の民族共同体乃至給付共同体の創造にある。それは各個人が、國民経済生活関係に於て、自己の能力に最も適當なる精神的乃至肉体的條件の下に、自己の職場を発見せしめ、以て民族共同体の為に最大の効果・利益をもたらさんとするにある。即ち「独逸労働戦線」は、経営指導者の側にあつては、其の従者の正當なる要求を理解し、経営従属者乃至協力者の側に在つては、其の経営指導者の状態と能力を理解せしむることを以て「労働の平和」を確保すべきものとして創設されたものである。任務と活動は結局この大目的の実現を期すること以外にはない。

従つて、其の活動の最大の使命は民族共同体を建設せんために、「労働の平和」・「社會平和」を齎すことに帰着するであらう。此のことのために「独逸労働戦線」は、社會民主主義的な階級闘争理論に立つ所の諸階級的組織を先づ打倒せねばならなかつたのである。

此の舊制度の打倒から、新しき社會秩序の建設に至る経過を一言にして云へば、ライ博士が、労働者・企業家・使用人組合を、全國的に打つて一丸とした所の、労働者組合・企業家組合・手工業商業組合の所謂四の柱（Vier Säulen）に統一したのである。而して茲に、社會が、水平的に四つの部門に整理せられるや更にそれを、労働者・企業家・使用人からなる経営共同体に再編成してしまつたのである。

六五

六六

ナチス政権獲得後早くも、混乱せる社會を整理し、大なる混乱もなくして、社會を水平的には四部門に組織し、更に之を立体的なものに編成替したライ博士の手腕功績は、讃えらるべきことでなければならない。

新秩序を作り上げた「独逸労働戦線」にとりては、今日に於ける重大任務は、其の組織の運用・発展になければならない。故に、労働戦線の活動と云ふことは又、社會秩序の建設組織といふよりも、むしろ、作り上げたる組織・秩序の完成・運営に就ての活動を指稱することは云ふまでもない所である。

其の多岐に亘る任務及び活動の主なるものを列挙すれば、大要次の如くである。

1. 「独逸労働戦線」の全加盟員に、國民社會主義思想に基く世界観的教育を施す。
2. 全団員に労働の権利及び社會正義上の保護を與へる。
3. 全団員に職業教育と職業的鍛練を施す。即ち、職業競争を指導し、講習會その他の施設に依つて、職業教育と再教育を促進強化し、専門的職業訓

総を実行する。

4. 民族共同体として「公益優先」の原則により、且つ加盟員が不幸に遭遇したる場合には、出來うる限りその生計を維持せしめ、又有能な者には上進の途を拓くこと。

5. 産業別経済組織や、労働管理官と協力して社會的調整を行ひ、団員を経営共同体的に補助する。

6. 「独逸労働戦線」に於ける「歓喜力行団」に依る餘暇の善用。

7. 國外居住の全ドイツ國民に對し、當該國に於ける法律の許す限り、社會的な保護を提供する。

8. 総統兼國宰相アドルフ・ヒットラーに依って「独逸労働戦線」に課せられた其の他の任務を行ふ。

「独逸労働戦線」は恰も巨大なるピラミッドの如く、廣大なる基盤の上に立ってゐる。此の独特の社會的建造物は、自由意思で加入したる二三〇〇万団員の意志と支援に依って支持され、其の周囲には更に幾百万の団員が、団体とし

て加盟してゐる。現在「独逸労働戦線」の保護活動の行はれてゐる工場乃至経営共同体数は、四百万の多きに上り、一四〇万以上の団員が前記の任務遂行に當ってゐる。而も専門的にこの仕事に當って居るものはその中僅か三六〇〇〇人で、残りは皆名誉職又は自由意思に依って無給で活動してゐるのである。つまり彼等は、自発的に、仕事の余暇を以て、労働戦線の為に奉仕し、社會的建設の最も重要なる人員として活躍してゐるのである。

経営監督（Betriebsobmänner）は経営内で、党と労働戦線を代表し、無報酬で活動してゐる。大経営では多数の助手が自発的に之を助け、それぞれ一定の任務を分担するのであるが、之に依って「独逸労働戦線」の社會活動が如何に多岐に亘ってゐるかを知ることが出來るのである。

其の若干の例を挙げれば、職業係・健康係・青年係・婦人係・労働保護係・歓喜力行係・スポーツ係・國民教育係・余暇係・「労働の美」係・「旅行・ハイキング・休暇」係等の如きである。小さな経営に於ては、以上の任務が凡て一人の経営監督の兼掌となってゐる。

ピラミッド型の活動組織は、組織体制の処で述べたが、四百万の工場乃至経営を底部に二七一二七の地区指導部、八〇七の管区指導部、四一の大管区指導部を経て、最高指導部である中央事務局に至る系統を有ってゐる。

以上が「独逸労働戦線」の任務及活動の概略であるが、「独逸労働戦線」は國民の社會政策的な、社會的な大動力を形成しつゝあるのである。党との緊密なる提携に依る社會政策部門の徹底的な実行も、労働戦線の活動に依ってこそ保證し得られる状態に在るのである（註）。

（註）　ハインリッヒ・シュルツ著、東城忠男氏譯「ナチスの社會政策」二六頁ー三二頁。

第五節　獨逸労働戦線の組織体制

先づ「独逸労働戦線」の制度上の性質に就て云へば、「独逸労働戦線」は國民の社會的自治的組織であって、公権による強制的組織ではない。「独逸労働

戦線」の中央事務局の役員に於ても、原則的には、名誉職として無給で、日々の仕事の後に事務を執ってゐる。共同体的なことに就ては、各人が応分の貢献をなすことは當然の義務であり、報酬の為めに行ふべきではない。犠牲的に奉公することは共同体構成員の名誉であり、義務であるとされてゐるのである。

第一款　「獨逸労働戦線」の組織体制の概観

「独逸労働戦線」は地域別・職業別（業種別）・事業別（部局別）の三形態に編成せられてゐる。而して各々の編成は特殊の根拠と機能とに立ってゐるのである。

1. 地域別編成

「独逸労働戦線」は地域的には本部・大管區・管區・地方グループ・細胞・

集団と云ふ順序になつて居り、之は表裏一体的な関係にある党の地域的分肢組織に照應して居り、而も両者の重要地位は、同一人に依つて重任され、事務所も多くは同一場所に置かれて居り、斯くの如くにして、党の指導は、細胞の末梢に迄徹底する譯である。

2. 業種別（職業別）編成

業種別編成は略々従来の産業別労働組合の形態を踏襲したものであるが、その本質は従来の階級組織から、社會的細胞たる諸経営の協力組織である経営共同体に変質したのである。

此の共同体は従来の労働組合の如き個人主義的団体では無く、一種の庇護機関であり、其の最高組織は、業種別の全國経営共同体（Reichsbetriebsgemeinschaft）である。

其等は経営指導者並に従者を包含し、而も民族共同体の理念を「独逸労働戦線」の中に、之を通じて実現するのである。其等は独逸國民の経済的組織のた

七一

めに存してゐる凡ての法律的規定を考慮した上で、職業的観点に従つて、即ち経済的相関性に従つて区別されて居るのである。即ち

(1) 食糧と嗜好品（Nahrung und Genuss）
(2) 織維（Textil）
(3) 被服（Bekleidung）
(4) 建築（Bau）
(5) 木材（Holz）
(6) 鉄及金属（Eisen und Metall）
(7) 化学（Chemie）
(8) 印刷（Druck）
(9) 紙（Papier）
(10) 交通及び公企業（Verkehr und öffentliche Betriebe）
(11) 鉱山（鉱業）（Bergbau）
(12) 銀行及保険（Banken und Versicherungen）

七二

(13) 自由職業（Freie Berufe）
(14) 農業（Landwirtschaft）
(15) 皮革（Leder）
(16) 石材陶土（Stein und Erde）
(17) 商業（Handel）
(18) 手工業（Handwerk）

等々である。以上十八の全國経営共同体を構成し、更に二十三の職業部門群に分けられてゐる。之等の経営共同体は「独逸労働戦線」の行政上の便宜の為めに構成せられたものであつて、云はゞ、上から與へられた組織であり、各産業に属する人々自身の利益の主張の為に、下から結成せられたものでないことは注意せらるべき点である。（註）

（註） W. Müller. a. a. O. S.85-107.

七三

3. 部局別編成

「独逸労働戦線」本部の部局組織は労働戦線の任務及び活動を反映するものであつて、此の点に就ては、次款に於て説明する。

第二款　「獨逸労働戦線」の分肢組織

「独逸労働戦線」は、國民社會主義独逸労働党の全國組織部長（即ち独逸労働戦線長官 ── Reichsleiter der Deutschen Arbeitsfront ──）の指揮を受ける。

「独逸労働戦線」は其の任務に適應して

一、事業別分肢組織として中央事務局諸部局に別たれ
二、全國経営共同体としての職業的分肢組織
三、地域的分肢組織として大管区（Gaue）、管区（Kreise）、地方グループ（Ortsgruppen）、細胞（Zellen）及び集団（Blocks）を構成してゐる。

七四

甲、「独逸労働戦線」全國主務局（Reichsdienststellen der Deutschen Arbeitsfront）

「独逸労働戦線」の全國監理部は、中央事務局（Zentralbüro）であつて之に左の如き諸部局及び全國経営共同体が隷属し、之等は更に課・分課・係等の分課組織を有する。

1. 副官部（Adjutantur）

副官部は独逸労働戦線長官の個人的補佐に任じ、長官の個人的往復文書を整理する。文書の内容が公用である場合には之を参謀部へ移牒する。人事を取扱ふ新聞係主任は副官部に隷属する。

2. 参謀部（Stabsamt）

國民社會主義独逸労働党全國組織本部の参謀長は同時に、独逸労働戦線参謀長を兼任する（一九三五年独逸全國組織部長令第三一号）。

参謀部は独逸労働戦線各主務局の事務を統轄監理し、独逸労働戦線公報

（Amtliches Nachrichtenblatt der D.A.F.）を主宰する。

参謀部に法制局（Rechtsamt）、外事局（Referat für Auslandsfragen）及び情報局（Amt Information）を置く。

法制局は独逸労働戦線長官に代つて意見を述ぶると共に、之に対して「独逸労働戦線」及びその施設、其の他一切の法律事件の性質を帯びる労働戦線関係の経済的企業に関し意見を述べる。

外事局は一切の対外交通事務を統轄し、外國人の接待及案内の任に當り、且つ國際諸會議参加に関する事務を掌る。

情報局は、労働戦線長官に対し、労働戦線の措置その他官廳より発せられた法令の実效に就き報告をなし、労働戦線及びナチス党事務局乃至中央並に地方の所轄官廳と協力して、労働戦線に對する攻撃の防衛に當る。

3. 組織部（Organisationsamt）

組織部は独逸労働戦線長官の意思に従ひ、労働戦線の全組織を整備監督する責に任じ、労働戦線内部の地域別及び事業別分肢組織に関する一切の問題

を掌理すると共に、更に、全國大會及び大規模の催物準備の衝に當る。

軍部・空軍及び一般航空諸経営の所属員保護を使命とする労働戦線軍部課及び航空課は組織部に直属する。

4. 人事部（Personalamt）

人事部は中央事務局所属員の身上に関する一切の事項を掌理し、大管区監理部の人事課を監督する。人事行政に関する一切の監督事務及訴願事務は人事部の管轄に属する。

5. 教化部（Schulungsamt）

教化部は世界観的基礎に立脚した労働政策の実行を以てその任務とし、社會的及び國民経済的専門教育に力を盡すのである。教化道場は教化部の指導を受く。

6. 社會局（Sozialamt）

社會局は常に社會立法の效果を觀察し、社會保育に関する原則的諸問題を掌理する。家内労働問題・発明保護・賃銀政策及び賃率規則乃至経営規則に

関する問題、労働保護事項及び社會保険に関する問題等も亦社會部の所管事項である。

7. 社會的自己統制局（Amt für soziale Selbstverantwortung）

社會的自己統制局は社會的自己統制即ち、自己責任に於て處理解決すべき凡ゆる問題を担當してゐる。

8. 法律相談部主務局（Amt für Rechtsberatungsstellen）

法律相談部主務局は、全國的に設けられた大管区及び地方の法律相談所を事業別に統轄監督する。各法律相談所は、労働関係に関する一切の法律問題、公法上の社會保険制度又は公認賠償制度から生ずる一切の法律問題に就き、団員を保護するを以つて任務とする。併し協議と忠告との方法に依り出來る大け労働法に基く紛争の発生を豫防せんとするのである。

9. 青年局（Jugendamt）

青少年局は独逸労働戦線長官に隷属し、全國青少年指導部社會局職業課の事務を担當する。而してその任務は、労働戦線諸部局及び全國経営共同体に

配属された青少年監理官及び青少年系を督励して全國青少年職業競技大會を準備し開催する。

又、全國青少年指導部の社會部及びナチス学生団との協定に於て、職業競争の一部として、学校成績競争をも行ふ。此の考査委員會には労働戦線の代表者も参加する。

10. 婦人局（Frauenamt）

婦人局は婦人問題に関し、労働戦線諸部局及び全國経営共同体と協議して之を輔佐し、婦人問題をナチス党の見地より處理することを任務としてゐる。大管区及び全國経営共同体の婦人監理官（Frauenwalterinnen）は、此の婦人局に隷属する。

11. 職業教育及び経営指導部（Amt für Berufserziehung und Betriebsführung）

此の部は一九三四年一〇月二四日の総統令第八條の定むる所により一切の職業教育事業の指揮指導の任に當り、此の目的達成の為に最も密接に、全國

七九

経営共同体と協力し、学理及び実際の調査結果に依て必要なる資料を作製し配置されたる全教員力を統合整理する。然してこの職業教育及び経営指導部は、独逸労働戦線の凡ゆる専門部局に、矢張り職業教育部を有ってゐる。而して大管区には夫々大管区職業指導部長があつて之の方面を指導し、管区や経営内に於ても、名誉職として活動する助手が置かれてゐる。

又青少年の職業活動は主として補助的職業教育に集中せられる。國民的給付共同体の建設を目指すナチス党は職業教育を極めて重視し、「独逸労働戦線」に於ても之を大いに促進するために多くの努力を拂ってゐる。

12. 國民保健局（Amt für Volksgesundheit）

國民保健局長はナチス党保健本部長（Leiter des Hauptamts für Gesundheit der NSDAP）の兼任とす。同局は常にドイツ國民の健康状態に注意し、経営附属醫師の配置、衛生思想の涵養、指導、宣傳等適當なる措置を講じ、國民体位の保持向上を図る。

13. 住宅局（Heimstättenamt）

八〇

住宅局は自ら以外の一切の郊外の住宅運動を統轄整備して、独逸全般の郊外小集団住宅事業を奨励する任務を有する。即ち一切の郊外住宅計畫を検討し、住宅定住者、選擇に際しては之に関與し、場合に於ては自ら立案したる郊外住宅計畫を遂行する。自宅やアパートの建築問題に就ても権威的な機関として之に関與し、ドイツ國民同胞のために、健康且つ余裕ある住宅を建設せんと努める。小住宅移住に関しては地方自治体及び、ナチス党の國住宅局と密接な関係がある。

14. 資金局（Schatzamt）

「独逸労働戦線」の分課規定は次の如くである。

イ、全國監理部（Büro des Reichsschatzwalters）

ロ、資金部

第一課

出納元簿簿記及び本金庫管理・俸給支拂・物品の購買及管理並に自動車會計に関する事項

八一

第二課

財政統計・豫算監督・労働戦線加盟員章即ち會費支拂證に関する會計簿記・出納検査・独逸労働戦線の決算に関する事項（労働戦線加盟員章の預入及び送付に関する事項を含む）及びクラフト・ドウルヒ・フロイデ団の決算に関する事項

第三課

資産管理・土地管理・保養ホーム・建築検査及び建造物の営繕に関する事項（並に之に関する簿記及決算）

第四課

補助金（出納事務・養老扶助・扶助組織・補助金監査）・書類整理・及び変更登録に関する事項

ハ、経済的企業部（Leitung der Wirtschaftlichen Unternehmungen）

本部は此の方面に於ける事務を掌る。

八二

銀行・保険・建築事業・郊外住宅建築管理會社・出版會社・資金局保険部等に関するものである。

尚資金局の管轄事項は次の如きものである。
(一) 加盟員會費の徴收及その管理
(二) 独逸労働戦線扶助施設の統管
(三) 独逸労働戦線諸部局及び全國経営共同体の豫算編成
(四) 大管区管理官の整備監督
(五) 國民社會主義共同体「歡喜力行団」の財務掌理
(六) 独逸労働戦線財産管理有限責任會社の監督
(七) 経済的企業受託有限責任會社の監督

15. 最高名譽及び懲戒裁判所（Die oberste Ehren- und Disziplinarhof）
最高名誉及び懲戒裁判所及び之に隷属する大管区の名誉及び懲戒裁判所（Die Ehren und Disziplinargerichte in den Gauen）は党

の名誉令に基いて労働戦線加盟員及び監理官に対し、名誉裁判権を行ふ。独逸労働戦線監理官及び労働戦線監督は更に懲戒裁判権に服する。

16. 労働軍團本部（Amt Werkscharen）
労働軍団（或は工場突撃隊）は専ら経営内に於て活動するものであって、ナチス党が労働戦線に課した使命を遂行するために組織せられた経営別団体である。云はゞ國民社會主義を守る遊撃隊であり、経営共同体中の突撃隊である。而も労働軍は経営内に於ける一単位であり、労働軍として団結し、主任の命に従って行動し、その任務を遂行する。

労働軍に所属することは各自の自由意思に基くものであって、現役闘士として自ら進んで労働精神顕現の為めの、又新しい独逸労働者気質発揮のため身を捧ぐる気概の持主であることを前提とする。

一経営の労働軍は一八歳から三五歳迄の男性団員からなる現役労働軍及び独逸労働戦線の主任及び管理官、三五歳以上の男性団員からなる労働軍幹部より編成されてゐる。


ナチス党全國組織部長兼労働戦線長官は全國労働長官として独逸労働戦線の労働軍を指導する。

全國労働軍指導本部（Das Amt Reichswerkscharführer）は労働軍団最高指揮官（Reichswerkscharführer）の指揮を受ける。

中央事務局に於ける全國労働軍指導本部の関係は、移して大管区監理部に於ける、大管区労働軍指導部の関係、管区監理部に於ける管区労働軍指導部の関係、地方監理部に於ける地方労働軍指導部の関係、又は経営内に於ける労働軍自体の関係に當てはめることが出来る。

新聞雑誌部（Presseamt）

新聞雑誌部は「独逸労働戦線」及「歡喜力行団」から発行される新聞雑誌を編輯し刊行することを任務とし、之等の刊行物を通じて党の新聞雑誌と密接に聯絡を保ちつゝ、労働戦線の仕事及び目的に對する理解を喚起することに努めてゐる。

國民社會主義通信（Nationalsozialistische Korrespondenz）の

特別通信として「ドイツ労働通信」（"Deutsche Arbeitskorrespondenz"）を発行し別に雑誌「労働の道」（Arbeitertum）及び「建設」（Aufbau）を刊行してゐる。又八五種類の専門的教養新聞を発行し、団員に無料で分ち其の発行部数は合計一、一三〇、四〇〇部に達してゐる。尚「独逸労働戦線」の出版監督に依る新聞の全部数は二、〇〇〇万部に達してゐると云はれてゐる。

18. 宣傳部（Propagandaamt）
宣傳部に課せられた任務は労働戦線の宣傳措置を實践に移すべく公の催物の開催、弁士の派遣乃至養成、展覧會の開催、宣傳ビラの作成、宣傳文書の発行、映画製作、其の他ラヂオ放送等に依るのがその主なる任務である。

19. 労働科學研究所（Arbeitswissenschaftliches Institut）
労働科学研究所は、労働戦線の諸部局及び全國経営共同体の一切の文書を集蔵する所の独逸労働戦線記録整理部（Archiv der D.A.F）を指導する。

労働科学研究所は労働戦線と、景気研究所、ドイツ統計局等の学術研究団体との仲介の労をとる研究機関である。更に労働科学研究所は統計に現れた数字の意義を検討し、労働戦線諸部局及び全國経営共同体の経済的及び社會的方面に於ける調査事業に助力することを任務としてゐる。

20. 工業技術部（Amt für technische Wissenschaften）

工業技術部は総統代理の受命技術専門委員と協力し、工業技術関係事業の促進を可能ならしむる一切の指図をすることに委託されてゐる。

21. 國民社會主義共同体「歓喜力行」團（NS-Gemeinschaft "Kraft durch Freude"）

國民社會主義共同体である労働者の慰安修養組織「歓喜力行」團は「独逸労働戦線」に於ける一大外局であつて、之は勤労者福利事業団体であり、一九三三年一一月二七日創設せられた。

労働時間は勤務者に對して最高の能率を要求するが故に、休養時間に在ては、労務者に對して肉体及精神の養分として、最上中の最上のものを供へ、次で彼に對して、完全な休養を為さしめ生活と労働との歓喜を恢復せしめね

八七

八八

ばならないと云ふ趣旨から、労働に依る肉体及精神の疲労恢復に依る労働能率の向上を期する目的で設けられたものである（註）。

同団の内部組織は次の五部に分れてゐる。

(イ) 旅行・ハイキング・及び休暇利用部（Das Amt für Reisen, Wandern und Urlaub）
(ロ) 「團欒の夕」に依る休息餘暇利用部（Das Amt Feierabend）
(ハ) スポーツ部（Das Sportamt）
(ニ) 労働美化部（Das Amt Schönheit der Arbeit）
(ホ) 独逸國民教導部（Das Amt deutscher Volksbildungswerk）

（註）菊地春雄氏「ナチス労務動員体制の研究」六七頁－六八頁参照。

22. 四ケ年計畫中央主務局（Zentralstelle für den Vierjahresplan）

四ケ年計畫中央主務局の主なる任務は、四ケ年計畫に於ける労働戦線の役割を定め、四ケ年計畫受託官事務所に對する関係に於いて、労働戦線を代表する。

乙、全國経営共同体（Reichsbetriebsgemeinschaften）

全國経営共同体は通常生産部門即ち既述したる職業部門別編成に於ける十八の部門に分類編成され、全國の経営を包括し、云はゞ実際的の社會政策を感受する労働戦線の感覚機関とも云ひ得る。

全國経営共同体は社會的自己統制機関として活動し、其の主要任務は、共同体思想を促進すること、労働管理官に助力すること、経営内に必要なる秩序が欠けてゐたり、異議を挟むべき点があつたりする場合に、其のことを労働管理官に提示すること、社會的名誉裁判所の処置を必要とする事態が在る場合に、其のことを労働管理官に告示することである。

又全國経営共同体は個々の経営内の社會的衛生的状態にも注意を拂ふのである。而して中央事務所に對する全國経営共同体の関係は、大管区経営共同体の関係、管区及び地方監理部に對する管区及び経営共同体の関係に當てはめるこ

八九

九〇

とが出来るのである。

丙、独逸労働戦線の大管区監理部

「独逸労働戦線」の大管区監理部の地域的管轄区域は、國民社會主義独逸労働党の政治組織の境界に一致する。

大管区管理部はナチス党と同様約八〇〇の管区に分たれ之は更に一五,〇〇〇の地方グループに分たれてゐる。

一、加盟員の種類

1. 個人加盟員（Einzelmitglieder）

(イ) 生産に従事する独逸國民同胞は、「独逸労働戦線」に加盟する際引続き生業を営む能力無きものでなく、一九三五年九月一五日の臨時独逸公民法（Das vorläufige Reichsburgergesetz）及び同施行規則に依る独逸公民權取得条件を具備してゐる限り凡て個人加盟員たることを得る。

(ロ) 外國に住所を有する独逸人が個人加盟員たる資格を取得せんとする場合には、「独逸労働戦線」海外組織の特殊規定に従はねばならない。

(ハ) 外國人はその独逸國内に滞在する間客員として、「独逸労働戦線」の加盟員たることを得るのである。客員として加盟を許可すべきや否やは労働戦線中央事務局の決定に依る。加盟を許されたる外國人加盟員は、中央事務局の保護監督を受けるか、客員たるの資格は、同人が独逸を去ると同時に消滅する。

(ニ) 労働戦線の個人加盟員たるものは當然に、「独逸労働戦線」の諸施設を利用する権利を享有する。

2 團体加盟員（Korporative Mitglieder）

(イ) 「独逸労働戦線」の團体加盟員とは、ある団体に所属するものであつて、団体全部として包括的に労働戦線に加盟したるものを云ふ。例へば國食糧職分団、國文化評議會（Reichskultur Kammer）の如き合法団体が参加してゐる。

九一

(ロ) 独逸労働戦線及び所謂歓喜力行団の労働戦線加盟員に対する給付及び反對給付の範囲は、労働戦線と之に包括的に加入した団体との間に結ばれた特別の協定に依つて定められる。

二、加入

1. 個人加盟員として労働戦線に加盟せんとするものは、其の住所を管轄する地方監理部又は労働戦線管理所へ加盟申請書を提出せねばならない。

2. 加盟申請者は、申請書を提出し、加入金及び第一回の會費を納入すると同時に、「独逸労働戦線」の規則を遵守する義務を負ふ。

3. 加盟許可は、加盟員手帖（Mitgliedsbuch）の交付に依つて確認せらる。加盟員手帖は、労働戦線の所有物であつて、所轄の主務局長の要求ある場合は、受領證書と引換に提出せねばならない。

4. 加盟員たる資格は之を譲渡し得ない。

5. 所轄の労働戦線地方主任・管理主任・又は大管區主任は申請者の加盟を拒絶することが出來る。加盟を拒絶された申請者は、直接上司の主任へ訴

九二

願することが出來る。上司の主任のない場合には、所轄の名誉及び懲戒裁判所へ異議を申立て得る。裁判所の決定は確定的效力を有する。

三、加盟員の義務

加盟員は「独逸労働戦線」の使命達成のために要求せられる一切の條件を最善を盡して充分する様に努力する義務がある。更に、會計規則に定められた會費を遅滞なく納め、加盟員規則を遵守する義務を負ふ。而して所属加盟員は凡て名誉及び懲戒裁判権に服する。

四、加盟員たる資格の喪失

独逸労働戦線に属する個人加盟員は左の事由発生に依り其の資格を喪失する。

1. 加盟員の死亡

2. 婦人加盟員に在つては結婚に依つて労働関係が無くなつた場合

3. 権限ある所轄主務局が、特に支拂猶豫を規定することなき場合、會費の滞納が三ヶ月に亘るか、或は支拂猶豫の規定あるも、其の猶豫期間経過後滞納したる會費を少くともその收入に應じて納入せざること三ヶ月に亘る場合

4. 加盟員が　禁治産の宣告を受けた場合

5. 當人の脱退

(イ) 脱退せんとする者は、脱退前少くとも六週間の豫告期間を設け、書面を以て所轄の労働戦線監理所へ通告することに依り、四半期の終りに脱退することが出來る。加盟員の義務は其の期間経過後始めて消滅する。

(ロ) 脱団の申請者が「独逸労働戦線」の名誉及び懲戒裁判所又は、労働戦線の最高名誉及び懲戒裁判所の審理を受けてゐる場合はその審理継続中は法律上有效なる脱退宣言を爲し得ない。

6. 独逸労働戦線裁判所の既判力ある除名處分

所轄主務局長により既判力ある除名判決の執行は、當該加盟員へ所定の處分を配達證明付書留郵便を以て送達することに依つて行はれる。受領者が之を受取ることを拒めば、拒んだ事實を以て書留郵便が送達されたもの

九四

と看做す。

7 脱退の效果

加盟員たる資格が以上述べたる、四、の3乃至6の事由に依りて終了すれば、加盟員として労働戦線より期待し得たる一切の権益は同時に消滅する。

五、再加盟

1. 前掲四の3乃至5の事由に依り加盟員たる資格を喪失したる者は、地方監理官の同意を得れば再加盟し得る。

2. 確定的除名処分を受けた加盟員は、其の除名が期限付の場合には、其の期間の経過により、又その除名が終身的なものである場合は、労働戦線長官の恩赦に依って、再び「独逸労働戦線」へ加盟することが出来る。

3. 婦人加盟員にして結婚する為脱退したものは、その脱退の前提要件が事情の変更に依り変った場合には再加盟することが出来る。

4. 再加盟した加盟員は通常新加盟の加盟員に対して規定せられた待期を経

九五

過せねばならない。

再加入の場合、団費を追拂ひしても、加盟員資格喪失前に「独逸労働戦線」より期待し得たる権益を回復することは出来ない（註）。

（註） 前掲新独逸國家体系「独逸労働戦線の使命及びその構成」一九〇頁ー二〇六頁。

九六

第三款　獨逸労働戦線と国民社會主義獨逸労働党との関係

独逸労働戦線と國民社會主義独逸労働党とはその構成上密接なる関係を有するものであることに就いては既に一言したる所である。即独逸労働戦線は初めナチス党の一分肢として組織され、後國民社會主義団体とされるに至った。従ってナチス党自体の指揮指導を受け且つナチス党の地域的分肢組織に準じたる地域的分肢組織を有ち、ナチス党綱領に即した組織体制樹立を目標とし、其れを基準としたる事業別分肢組織を有つこと亦當然とせねばならない。特にその會計事務は、ナチス党會計課長の監督に服することになってゐる。

又地域的区分の、各地区の指導者が同一人である点にも両者の密接なる関係が明瞭に現ばれてゐるのである。

當然、独逸労働戦線の加盟員は必ずしも、ナチス党員の凡てではない。労働戦線の活動は、ナチス党の活動の基本を為すと雖も、其れが党の仕事の全部ではない。

ナチス党としては、労働戦線の仕事の外に外交・議會・政治闘争・海外植民・國防・行政等があり、其の包括する事務の範囲は更に大きい。一の理論、一の世界観を奉ずる独逸労働戦線・國民社會主義独逸労働党及び政府の三段の根本組織を有すると解せられるのである。

而して最も深く國民生活の底に迄で喰ひ入って、ナチス精神及びナチス制度を指導し、啓蒙し、育成しつゝあるものは實に独逸労働戦線である。ナチス政治がこの様に國民を地盤とする点に於てそれ等は下から盛り上った政治である。

九七

事の確保が可能であり國民の政治であるとも云ひ得るし、此處に民族の政治としての所以がある。之彼のファッシズムの政治が上から即ち國家権力の絶対的優越を強調するのに対比して顕着なる差異あるものとせねばならない。

九八

第六節　新労働秩序の法的根據

―― 独逸労働戦線と國民労働秩序法との関係 ――

独逸労働戦線の組織は、其の最下部細胞即ち工場乃至経営から、その力を得て居る。単位としての経営は、雇主と被傭者にわかれて反目し合ったり、別々の利害関係に依って相争ふたりすることを許されるものではない。かくて國民社會主義的経営共同体は具体化されるのである。

一九三四年一月二〇日の國民労働秩序法（Das Gesetz zur Ordnung der nationalen Arbeit）は新しい労働生活で與へられた可能性の範囲を

表示してゐる。

立法者は新しい社會立法をなすに當り、從來の自由主義的乃至マルクス主義的思想に依って壟断されてゐた法律課題を、ナチスの指導原理、及び保護・忠誠・名誉に基く經營の一致団結思想に代へると云ふ極めて大なる任務を遂行せねばならなかつた。從つて國民労働秩序法は法律技術的に或は内容的に、独自の新しい途を踏んでゐると云はねばならないであらう。

即ち從來の労働法規の如く個々の事件の取扱ひに終始することなく、先づ何よりも、将來に於ける独逸労働者生活を左右すべき根本思想を盛ってゐるのである。即ち本法の基調をなすものは、經營共同体及經營内に於て活動する生産人の觀念である。從って其の内容は凡ゆる細目を規定すると云ふ様な從來の行き方と異り、新しき社會的な心の持ち方を創造すると云ふ点に於て重点がある。勿論その実現には未だ若干の教育活動が必要なこと云ふを俟たない。

從つて新しい社會秩序の出發点並に旋回点となるべきものは、畢竟、經營共同体即ち經營指導者と從者との緊密なる結合に在る。

九九

此の新しい心構への本質は真に基礎的な國民労働秩序法の冒頭に特記されてゐる。即ち、經營共同体の本質と目的として「工場乃至經營ニ於テハ、企業家ハ當該經營ノ指導者トシテ、又使用人及ビ労働者ハ從者トシテ、相互ニ經營目的ノ促進並ニ民族及ビ國家ノ公益ノ為メニ働クモノデアル」として居る（註）。

（註）　Gesetz zur Ordnung der nationalen Arbeit vom 20. Januar 1934 (R.G.Bl. I S.45) — Hueck: die Gesetzgebung des Kabinetts Hitler Heft 6, S.351 ff.

§1. Im Betriebe arbeiten der Unternehmer als Führer des Betriebs, die Angestellten und Arbeiter als Gefolgschaft gemeinsam zur Förderung der Betriebszwecke und zum gemeinen Nutzen von Volk und Staat.

斯る簡単な文章で階級闘争思想が片附けられてゐる。經營は民族と國家に対して公益につくさねばならないし、指導者と從者の結合と云ふ思想は、經營指

一〇〇

導者に対する要求即ち從業員の福祉の為に考慮をめぐらすと云ふ要求となって現はれる。之に対して、從者は、經營指導者に、經營共同体に基く忠誠を維持せねばならない。此の結合を基礎として、國民社會主義の指導者原理を労働生活にも適用することが出來たのである。

勿論斯る実現は決して容易なものではない。若しも労働戦線の広範なる教育活動と保護活動がなかつたならば斯る倫理的要求は到底其の徹底性を確保期待し得なかつたであらう。

然らば独逸労働戦線は如何なる任務を委ねられたか。經濟と社會政策的自己統制機関の運営を規定したる所謂ライプチッヒ協定に依って自己統制共同体の分岐組織及び構成は決定せられ、斯る構成と指導統制は独逸労働戦線に委ねられた。

經營内に於ては労働戦線配属の經營主任が一切の自己統制に関する問題を管轄し、經營に、經營主任が配属されてゐない場合には、地方經營共同体監理官が其の任に當る。

一〇一

經營主任及び地方經營共同体監理官は從者に對しては經營指導者の立場を代表し、經營指導者に對しては從者の利益を代表し、各地方の代辯者として、持ち込まれたる一切の經濟政策的・社會政策的問題を處理解決するのである。

國民労働秩序法に規定されたる独逸労働戦線の使命に付て省みるに、

一、常時二〇人以上の從業員を有する經營に於ては、經營指導者の相談相手として、從業員中から若干名を選び、之を信任委員（Vertrauensmänner der Gefolgschaft）とし、經營指導者の主宰下に互信協議會（Vertrauensrat）を組織する。互信協議會は即ち經營指導者と從業員選任の信任委員とに依って構成せられたる自己統制機関であり、其の義務は「經營体内部に於ける相互的信頼を深め」之に依って當該經營共同体を発展たらしめるにある。

紛議の生じた場合は、其の解決は悉く信任協議會の手に俟たねばならない。互信協議會は社會的自己責任の端緒をなすものであり、社會平和の保證者となるものである。

一〇二

又互信協議會は「労働給付の改善、一般労働條件殊に経営規則の形成並に実施、経営保護の実施及び改善、総ての経営所属者相互間並に、経営との結合の強化及び共同体の全員の福祉に役立つ一切の処置に付協議すること」を以て其の任務としてゐる。信任委員の員数は経営の大きさにより二人乃至一〇人である。信任委員たるものは人の亀鑑たるべき資格を要求せられると共に、独逸労働戦線に所属してゐる者でなければならない（國民労働秩序法第八條）。

斯くの如く互信協議會は経営共同体内部の一切の事項の調整を其の任務とするが、問題が経営の範囲を超える如き場合に付ての解決は、同種の経営の経営指導者と従業者委員の中から同数の割合で選ばれた委員に依って、構成せられたる労働委員會によってなされる。

之等の組織の外に更に、労働戦線及び大管区監理部の役員並に、独逸労働戦線選任の個別的委員に依って構成せられる労働會議所（*Arbeitskammern bei den Gauwaltungen*）があって、大管区監理部と連絡をと

ってゐる。

大管区監理部に大管区労働會議所が組織されてゐるのと同じ趣旨で、全國主務局と連絡をとる全國労働會議所（*Reichsarbeitskammern bei den Reichsdienststelle*）が組織されてゐる。此処は社會的自己責任機関の最高段階に立つものであり、全國を通じて根本的意義を有する一切の労働政策的な問題が取扱はれる。

之等の社會的自己責任施設の目的は社會共同の使命を自覚し生産に従事する経営指導者及び従者をして彼等の個人的乃至経営的又は超経営的事項を先づ以て、自己の全責任を以て、自己統制せしめ、斯くしても尚統制し得ぬ場合にのみ問題を國家機関たる労働管理官の手に移し其の裁決を仰がしめるに在る。

二、労働管理官は其の管轄区域の一般的又は基本的問題の諮問の為め其の地域の各種経済部内より「専門家顧問會」を召集することが出来る（國民労働秩序法第二三條）。之は労働管理官と経営との関係を緊密ならしめ且つ労働管

理官を補佐すべき常設的な評議機関である。

此の専門家の中四分の三は労働戦線の推薦人名簿の中より選任すべきものとし、労働戦線は各種職業団体及び経営部門を考慮した上で先づ管理官の管轄地域内の経営に於ける互信協議會所属の適任者を過半数を以て推薦しなければならない。

此の専門家選任の為めの推薦人名簿作成も國民労働秩序法に依り独逸労働戦線に課せられた任務である。

三、次に社會的名誉裁判所の陪席員は独逸労働戦線の作成する推薦人名簿中より選出せねばならない。

社會的名誉裁判所は、ライヒ労働大臣の同意を得てライヒ司法大臣の任命する司法官一名を裁判官とし、経営指導者一名及び信任委員一名を陪席員として之を構成する。陪席員となる経営指導者及び信任委員は(二)の場合に於ける労働管理官の顧問たる専門家を推薦したる場合と同じく、労働戦線の作製せる推薦人名簿の中から名誉裁判所裁判長之を選任するのであり此の場合の選

任の方法は、名簿の記載順位に従ふを原則とする。

四、三の場合と同様に労働裁判所の陪席員の推薦人名簿も、労働戦線が之を作成せねばならない（國民労働秩序法第六六條第二項）。又同條に依って法律的承認を與へられた労働戦線の法律相談所の活動に依って、労働裁判に対する所属員の法律相談に應じ其の裁判上の代理を引受け、進んでは調停をも試みるのである。

第七節　結　語

以上私は独逸に於ける新労働組織としての「独逸労働戦線」の本質・任務・組織編成に関して、其の現代的な、現実具体的な所以を省みたのである。

ナチス党と表裏一体を為す一元的な國民組織としての「独逸労働戦線」は、単なる精神運動に過ぎないものでなく、其の全國的な組織を通しての実践団体であり、且つ、ナチス労務関係の法的規制の目的を側面より擁護するものであ

り、其の基礎的な役割を演ずるものとして、ナチス労務統制法の基礎的地位を占むるものと云はざるを得ない。

之あだかも、吾が、産業報國運動に比せらるべきものであらう。唯沿革的に「独逸労働戦線」の成立過程に於けるが如き革命的な経過をとらず、極めて自然な経過の中に、産業報國會の組織が樹立され、編成されたに對比するとき、其處に國情乃至國民性の相違を明確に看取し得るのである。

依然、具体的な組織編成の全貌を見る時、両者の間に其の廣狹の差あるは否み得ない所である。

之單に其の指導精神の差に依るもののみは云ひ得ないのである。

我が産業報國運動に於ける労働者の組織は、單に事業別に編成せられ、地域的に編成せられ、全國的統一を有つと雖も、從來の舊労働組合時代に観念せられたる労働者を其の加盟員の対象とし、之を所謂サラリーマン階級に押し擴げ得たとするも、「独逸労働戦線」に於ける如く、從來の企業家の地位に在りし者が、経営指導者として、労働者と同等な権利義務に基く経営共同体に奉仕す

るなど云ふが如き組織体制に就ては、大いに考慮を要する所に非ざるやを思ふのである。

産業報國の精神は、労働者のみの側に於て負荷すべきものではなく、経営指導者の側に於ても同様な地位に於て負荷せねばならない。唯精神運動として、之が提唱せられるばかりでなく、之が実践可能なる如き労務組織が其の先決要件でなければならない。

「独逸労働戦線」は之を明確に吾人に指示してゐる。

國家國民の総力戦体制の整備は、國民組織の確立に在り、労務組織の拡充が其の基礎的要件であることは云ふまでもない。

斯くの如き労務組織の確立の基礎の上に立つてこそ、労務関係の法的規制の目的は、正に完遂可能な基礎條件が附與せられたるものと云ひ得るであらう。

附　録

一九三四年一〇月二四日附独逸労働戦線ニ関スル命令

一九三四年一一月一二日附同改正令

本　質　及　目　的

第一條　ドイツ労働戦線ハ頭脳及ビ筋力ノ労働ニ従事スルドイツ人全体ノ綜合組織ナリ

特ニ舊労働組合・舊被傭人組合及ビ舊企業家組合ノ組合員ハ悉ク之ニ所属シ各々平等ノ権利ヲ享有ス　但シドイツ労働戦線加盟員タルノ資格ハ職業的・社會政策的・経済的乃至文化的團体ニ所属スルコトニヨッテ直ニ発

生スルモノニ非ズ

ドイツ國ノ相ハ法律上認メラレタル恒久的諸団体ガ包括的ニドイツ労働戦線ニ編入サルベキコトヲ定ムルコトヲ得

第二條　ドイツ労働戦線ハ眞ノ全ドイツ人ノ國民共同体乃至作業共同体形成ヲ以テ其ノ目的トス

ドイツ労働戦線ハ國民各自ヲシテ全能力ヲ発揮シ國民共同体ノ最大效用ヲ保證シ得ベキ精神的及ビ肉体的素養ヲ作ラシメ國民生活ニ於テ各々其ノ所ヲ得セシムルタメ必要ナル措置ヲ講ズベシ

第三條　ドイツ労働戦線ハ一九三三年一二月一日党國統一保全ニ関スル法律ニ定ムル國民社會主義ドイツ労働党ノ一分肢トス（後チ國民社會主義団体ニ改ム）

指　導　及　組　織

第四條　ドイツ労働戦線ハ國民社會主義ドイツ労働党ノ指導ヲ受ク

國民社會主義ドイツ労働党全國組織部長ハドイツ労働戦線ヲ指導ス
党ノ全國組織部長ハ総統ニヨリ任命セラル
党ノ全國組織部長ハドイツ労働戦線ノ他ノ指導者ヲ任免ス
之等ノ指導者ニ任命セラルベキモノハ第一次的ニ國民社會主義ドイツ労働党ノ分肢タル経営細胞組織部及ビ商工業者組織組合ノ所属員、突撃隊及ビ親衛隊ノ隊員トス

第五條　ドイツ労働戦線ノ地域的分肢組織ハ國民社會主義ドイツ労働党ノ地域的分肢組織ニ準據ス
ドイツ労働戦線ノ事業別分肢組織ハ國民社會主義ドイツ労働党の綱領ニ即スル組織体制樹立ノ目標ヲ規準トス
ドイツ労働戦線ノ地域的並ニ事業別分肢組織ハ國民社會主義ドイツ労働党ノ全國組織部長ニ依リ定メラレドイツ労働戦線公報ヲ以テ布告ス
國民社會主義ドイツ労働党ノ全國組織部長ハドイツ労働戦線ヘノ所属並ニ加入ニ関スル決定ヲ為ス

第六條　ドイツ労働戦線ノ會計事務ハ一九三四年三月二三日ノ党國統一保全ニ関スル法律第一次施行規則ノ定ムル所ニ依リ國民社會主義ドイツ労働党會計課長コレヲ監督ス

第七條　ドイツ労働戦線ハ経営指導者ヲシテ従者ノ正當ナル要求ヲ理解セシムルト共ニ従者ヲシテ経営状態並ニ企業能力ニ関スル認識ヲ得セシメ以テ労働ノ協和ヲ確保スベシ
ドイツ労働戦線ハ経営関係者全員ノ正當ナル利害関係ヲ國民社會主義ノ指導原理ニ即シテ調整シ一九三四年一月二〇日ノ法律ニヨリ其ノ決定ヲ専属管轄國家機関ニ委託スベキ事件ノ減少ニ努ムベシ
右調整ニ必要ナル企業関係者全員ノ代表権ハ専ラドイツ労働戦線ニ属ス
他ノ団体ヲ組織シ此ノ種ノ活動ヲナスコトヲ許サズ

第八條　ドイツ労働戦線ハ國民社會主義共同体「歓喜力行」團ヲ支援ス
ドイツ労働戦線ハ職業教育ニ力ヲ盡スベシ
ドイツ労働戦線ハ更ニ一九三四年一月二〇日ノ法律ニヨッテ委任セラレ

タル各種ノ使命ヲ遂行スベシ

第九條　本令第一條ニ掲ゲタル舊諸団体並ニ其ノ補助乃至補佐団体若クハ財産管理部乃至経済企業組織ノ財産ハ之ヲドイツ労働戦線ノ財産トス
本財産ハドイツ労働戦線ノ相互扶助施設ノ基本財産トス
最モ有為ノ國民同胞ノタメニ更生ノ途ヲ拓キ自活ノ道ヲ立テシメ事情ノ許ス限リ自己ノ土地ニ於テ生計ヲ営マシムルタメドイツ労働戦線ハ其ノ相互扶助施設ニ依リテ加盟員各自ノ困窮ノ場合ニ於ケル生存権ヲ保證スベシ

第十條　本令ハ公布ノ日ヨリ之ヲ施行ス

第二章　國民労働秩序法及び労務関係法

第一節　國民労働秩序法

第一款　總説

國民社会主義革命が労働法に齎らした革新は刮目すべき成果を提供した。ナチス革命以後僅か一年足らずにして誕生した國民労働秩序法が其れである。假令愼重な配慮からであらうが実体的労務関係を規律する労務契約的法は未だ出現せざるとするも、労務組織の基礎は既に固められたのである。後は只與へられた方向への展開あるのみである。

社会民主主義旧労働秩序の破壊から國民社会主義新労働秩序の建設へ。茲に階級主義、民主主義、利己主義に基く旧労働法体系は崩壊しナチスの指導理念

に基く労働法体系が樹立されたのである。國民労働秩序法同時にナチス労働法の特色は次の点にあると云はれる。

一、経営共同体の理論

民族共同体の結成を目指すナチスに取っては最早経営に於ける雇傭主と被傭者との階級対立は許されない。両者の関係は機能的に分化した職業身分的関係として把握せられ企業者も労働者も共に生産のために協同すべき共同体関係に立つと云られるのである。茲に階級主義の完全に払拭された経営共同体が高唱せられるのであって彼の伊太利労働憲章が組合國家主義労働秩序の下に多分に階級対立の名残を止めてゐるのとは其の趣を異にする。と同時に共同体関係に於て始めて法と倫理は融合し共同体に基く名誉、信頼、忠実の人格的観念が法の分野に採取されたのである。

二、指導者原理

共同体には最早民主主義的無政府状態は許されない。対立抗争の関係は指導服従の関係に代替せしめられねばならぬ。指導者の絶対的権限は又重大な

る責任に裏附けられる。経営共同体の指導者は斯る権限と責任を有する。

三、公共利益への奉仕

経済從って経営は私利追求の道具ではない。資本は経済に、経済は民族、國家に奉仕すべく利己主義は其の存在を許されない。資本家も労働者も只管民族、國家の福祉に努むべきである。

四、経営個別主義

経済の最下部組織たる経営の具体的性格は尊重せられねばならない。從って形式的な劃一主義は無意味である。労働條件の如きも各経営内に於て其の事情に應じ決定さるべきである。集団的規制は極力排斥さるべきである。

以上が國民労働秩序法に於ける特色とせられるものであるが、斯る基本思想が如何に各具体的場合に顕現されて居るか順次検討して見たい。

第二款　ナチス労働憲章の成立

一九三三年一月三〇日ナチスの政権獲得以前に於ける社会民主主義政府時代所謂ワイマール体制時代の労働法の特色は單的に云へば階級対立を承認せるマルキシズム的労働観に基く所謂集団主義的労働法（*das kollektive Arbeitsrecht*）であると云ふことが出来る。即ちそれは一方に集団的に組織された被傭者団体を他方に集団的に組織された雇傭主団体を対立せしめ其等の団体間の階級闘争乃至社会的闘争の結果を法律として承認し、斯くの如くにして作られた法の実現の為に國家が権力を以て各団体の構成に就ても又汎布、活動に就ても之を援助すると云ふ建前であった。之等の根拠となるべきは所謂ワイマール憲法であって其の第百五十九條は「労働條件及ビ経済條件ノ維持改善ノ為メニスル結合ハ何人ニ対シテモ又如何ナル職業ニ対シテモ其ノ自由ヲ保障ス此ノ自由ヲ制限シ又ハ妨害セントスル約定及ビ処置ハ無效トス」と規定して団体組

線或は団結の自由を保障すると共に、第百六十五條第一項後段は「雇傭主側及ビ被傭者側ノ団体並ニ此等ノ団体ノ協定ヲ承認ス」と規定して所謂集団主義的労働法の原則を明示して居るのである。斯る憲法的保障の下に階級対立的労働法体系が展開されたのであり、其れは一九一八年一二月二三日附労働協約労務者使用人委員会労働争議仲裁ニ関スル命令（Verordnung über Tarifverträge, Arbeiter- und Angestelltenausschüsse und Schlichtung von Arbeitsstreitigkeiten）に基く一九二八年三月一日附労働協約令（Tarifvertragsverordnung）、一九二〇年二月四日附経営協議会法（Betriebsrätegesetz）、一九二六年一二月二三日附労働裁判所法（Arbeitsgerichtsgesetz）等一連の諸法に於て之を見ることが出来る。

民族共同体（Volksgemeinschaft）の建設を標傍し国民の統一を貴ふナチスの立場から見れば、国民を階級闘争に依り分裂抗争せしめた社会民主主義或は共産主義のマルキシズム的世界観、労働観に基く集団主義的労働法の体系が其の最も嫌忌すべき敵手であった事は云ふ迄もない。ナチスの綱領（Pro-

一一九

一二〇

gramm der nationalsozialistischen Deutschen Arbeiterpartei）に於ても見らるゝ如く、階級的イデオロギーの打破、企業者並に労働者の単一共同戦線の樹立を唱ふる立場よりすれば正に資本と労働は生産の為めに相共同し而して又生産を通じて国民全体に奉仕すべきことが要求せられるのである。即ち一九三三年三月二十三日独逸国会に於けるヒットラーの演説に於て述べられたる如く、「国民は経済の為めに生産するのでなく又経済は資本の為に存在するのでもない。否寧ろ資本は経済に経済は国民に奉仕すべきである」と称せられる所以である。

社会民主主義的旧労働秩序を破壊し国家社会主義的新労働秩序を建設するに際しナチスは如何なる方策を取ったか。其の法的根拠をなすものは一九三三年三月二十四日民族及ビ国家ノ艱難ヲ排除スルタメノ法律（Gesetz zur Behebung der Not von Volk und Reich）通称「授権法」（Ermächtigungsgesetz）である。此の法律は広く社会民主主義的憲法に基き確立されたる基本原則及び基本権に添って何等の拘束を受くることなく自由に法律の改廃をなす権限を政府に与ふるものであるが（第一條、第二條）、之に基き旧労働秩序破壊の為め一九三三年四月四日附「経営代表委員会及ビ経済団体ニ関スル法律（Gesetz über Betriebsvertretungen und über wirtschaftliche Vereinigungen）に依り従来各経営に於ける労務者の利益の代表機関たる経営代表委員会（Betriebsvertretung）の改選延期が命ぜられ及国家的及経済的委員を委員会より駆逐する権限が政府に与へられた（第一條）。又労働裁判所に於ける訴訟代理に関しては従来の雇傭者団体、被傭者団体に代ってナチス団体に訴訟代理権を取得せしめ（第四條）、集団主義的労働秩序の担手たる労働組合の切崩しを策したのである。又私法的な労働関係に就ては従来の賃金乃至労働條件の效力を其の儘維持せしめることゝし被傭者及び雇傭主には暫時の休戦協定をなさしめ、賃銀引下、同盟罷行、工場閉鎖等の防遏を計った。

然し乍らナチス的新労働秩序建設の為めの国家的積極政策の実現は之を以て完全となすを得ない。茲に於て既に述べたる「独逸労働戦線」が一九三三年五月一〇日に結成され企業に関与する者の大同団結を計り従来の労働組合に代置

一二一

一二二

せしめられる一方、労務関係を規制する為め一九三三年五月一九日附労働管理官法（Gesetz über Treuhänder der Arbeit）を制定した。労働管理官の任務は「新社会秩序ノ成立ヲ見ルニ至ル迄被傭者、団体個々ノ雇傭主又ハ雇傭主ノ団体ニ代リ法律的拘束力ヲ以テ労働協約締結ノ條件ヲ規制スル」（第二條第一項）点に存するのである。即ち賃銀其他の労務條件の一般的規制は国家機関たる労働管理官（Treuhänder der Arbeit）が労働協約の当事者に代り独自の立場に於て之を決定するのである。単なる代理或は当事者の意思の補充をするのではない。更に労働管理官は広く労働平和（Arbeitsfriede）の強力なる監視者として労働平和維持の為め広汎なる権限を附与されてゐる。斯くて新社会秩序準備の為め労働管理官が主軸となって活動することゝなった（第二條第二項、同第三項）（註）。

（註）　労働管理官は国の官吏であり、各大経済区に配置せらる。其の選任は国総理大臣が州政府と協議の上州政府の推薦した人物中より採用を見る（第一條）。緊急の場合を除き労働管理官は州政府又は其の指定する

官廳と連絡を保つべく又各官廳の助力を求めることが出来る（第三條）。

然し乍ら労働管理官法は当初より暫行的なものとして予定されて居つたし又労働管理官に包括的なる独裁的権限を附與するとしても之を以て全般の労務組織及び労務関係の決定的担当者たらしめることは不可能である。茲に於て與にナチス的世界観、労働観に基く包括的労働組織法或は基本法の創設が期待されるのである。一九三四年一月二〇日附國民労働秩序法（Gesetz zur Ordnung der nationalen Arbeit）の制定は正に此の要望に應へたものである。茲に於てナチス「労働憲章」は始めて確立せられナチス的新労働秩序の礎石が置かれた。國民労働秩序法の出現に依り社会民主主義的階級イデオロギーに基く労働旧秩序は完全に抹殺せられ、旧秩序の強力なる支持者たる経営協議会法、労働協約令等は完全に廃止され爾他のものに就ても大修正の斧鉞を蒙つた。本法は一名労働秩序法（Arbeitsordnungsgesetz 略称 AOG）と称され、全七章七十三箇條より成る。その編成左の如し。

一二三

一二四

第一章　経営の指導者及び信任協議会
第二章　労働管理官
第三章　経営規則及び賃率規則
第四章　社会的名誉裁判
第五章　解約告知保護
第六章　公共事業に於ける労働
第七章　附則

本法の施行令としては一九三四年三月一日附國民労働秩序法第一次施行令（Erste Verordnung zur Durchführung des Gesetzes zur Ordnung der nationalen Arbeit）以下一九三四年三月一〇日附同第二次施行令、一九三四年三月二八日附同第三次施行令、一九三四年四月九日附同第四次施行令、一九三四年四月一三日附同第五次施行令、一九三四年四月二七日附同第六次施行令、一九三四年六月二一日附同第七次施行令、一九三四年九月二八日附同第八次施行令、一九三五年二月一五日附第九次施行令、一九三五年三月四日附同第十次施行令、一九三五年三月二八日附同第十一次施行令、一九三五年四月八日附第十二次施行令、一九三五年四月十三日附同第十三次施行令、一九三五年一〇月一五日附第十四次施行令、一九三五年一二月一四日附同第十五次施行令、一九三六年五月二〇日附同第十六次施行令、一九三七年五月五日附同第十七次施行令、一九三七年八月二三日附同第十八次施行令、一九三七年九月二四日附同第十九次施行令、一九三八年一二月二四日附同第二十次施行令、一九四〇年四月二五日附同第二十一次施行令が存在する外、一九三九年九月一日附労働法規変更補充命令（Verordnung zur Abänderung und Ergänzung von Vorschriften auf dem Gebiete des Arbeitsrechts）が存在する。右の中重要なものは第二次施行令、第三次施行令、第十次施行令乃至第二十一次施行令である。

本法に関する主なる著書を示せば左の如し（年代不順）。

Hueck – Nipperdey – Dietz, Gesetz zur Ordnung der nationalen Arbeit 1939.

一二五

一二六

Mansfeld – Pohl – Steinmann – Klause, Die Ordnung der nationalen Arbeit, 1934.
Nikisch, Das Gesetz zur Ordnung der nationalen Arbeit, 1934.
Dietz, Gesetz zur Ordnung der nationalen Arbeit, 6 Aufl., 1940.

其の他 Hueck, Nikisch, Dietz, Herschel, Haftler, Reuter, Goerrig, Kasper 等の労働法教科書を挙げることが出来る。其の他各個別問題の単行本論文は無数にある。尚今次大戦後の文献としては Nikisch, Kriegsarbeitsrecht, 1940 がある。

邦文著書としては左の如し。

杉村・齋藤著　ナチスの法律
協調會著　ナチス労働法
後藤清著　労働法と時代精神
新独逸国家大系第七巻法律篇 3
中川與之助著　ナチス社会政策の研究

後藤清著　統制経済法と厚生法
中川與之助著　ナチスの社会建設の原理
シュルツ著 東城忠雄訳　ナチスの社会政策
ガルシュテット著 藤田五郎訳　ナチスの社会政策

第三款　経営共同体

国民社会主義革命は民族共同体（*Volksgemeinschaft*）の建設を目的とした。而も民族全体を其の生活の凡ゆる部面に於て共同体化せんとするものである。民族の経済生活部面も其の例外をなすものではない。即ち経済は民族共同体の経済であり民族国家に奉仕すべきものである。経済の最下部組織たる経営は従って民族・国家に奉仕すべき使命と組織を持たねばならぬ。社会民主主義的旧労働秩序に於けるが如く経営は単に私利を追求する営利組織であることを許されぬのである。茲に於てナチスは経営共同体（*Betriebsgemeinschaft*）

一二七

の建設を其の指導理念として掲げる。国民労働秩序法が「経営ニ於テハ企業者ハ経営ノ指導者（*Führer des Betriebes*）トシテ又使用人及ビ労務者ハ其ノ従者（*Gefolgschaft*）トシテ共ニ其ノ経営ノ目的ノ促進並ニ民族及ビ国家ノ共同利益ノ為メニ働クベキモノトス」（第一條）と規定し又「経営ノ指導者ハ本法ノ定ムルトコロニ従ヒ従者ニ対シ其ノ経営内ノ総テノ事項ニツキ決定ス」「経営ノ指導者ハ従者ノ福祉ヲ計リ従者ハ指導者ニ対シ経営共同体ニ基ク忠誠（*Treue*）ヲ持スベキモノトス」（第二條）と規定したのは経営に対して正に上述の如き使命と組織を與へんとしたものである。即ち経営は「民族及ビ国家ノ共同利益ノ為メニ」存立すべきものであり、其処に於ては企業者は彼の集団主義的労働法秩序の下に於ける「資本家」の如く只管自己の利潤のみを追求し、「労働者」を搾取することは許されない。と同時に従者たる労働者も亦単に賃銀と引換に労働力を提供し可能なる限り資本家からより多くを收奪せんとするが如きことは許されない。単に雇傭主（*Arbeitgeber*）、被傭者（*Arbeitsnehmer*）として私の利益の為めに対立抗争する階級主義は完全に否定されな

一二八

ければならぬのである。即ち民族共同体の一員として企業者は国家目的に副ふ如く経営を指導すべきであり、従者亦其の一員として国家目的に奉仕する経営共同体関係が成立せねばならぬのである。企業者は精神的労働を従者は肉体的労働を共に労働が民族国家に奉仕する所以を意識して経営共同体労働共同体の建設に努力せねばならぬ。斯くて労働は名誉であり歓喜であり光栄であり民族国家に対する偉大なる寄與貢献であると共に経営は精神的及び肉体的労働者の共同体となるのである。個人主義的階級対立関係から全体的主義的共同体関係へ、嘗ては階級闘争を事として社会経済を破壊した労資の関係は今や責任と信頼、保護と忠誠の共同体関係となり国家経済の発展に資す可きこととなったのである。

第四款　指導者原則

既に述べたる共同体思想（*Gemeinschaftsgedanke*）と並んでナチスの

一二九

高唱する指導理念は指導者思想（*Führergedanke*）或は指導者原理（*Führerprinzip*）である。共同体の組織及び運営は旧労働秩序に於けるが如く民主主義的多数決主義を基調とするものであってはならぬ。其処には有能なる單一人が不覇独立なる指導的地位を有し権威と責任を以て共同体の運営に当らねばならぬとせられるのである。然らば経営共同体は如何に指導運営さる可きであるか。国民労働秩序法第一條の述ぶる如く企業者が企業者であると同時に経営の指導者として、使用人及び労務者は其の従者として共同体関係に立つ。即ち旧労働秩序の下に於けるが如く雇傭主と被傭者とを相対立せしめる並列的闘争関係は一掃せられ指導者と従者との間の垂直的指導服従関係であらねばならぬとせられたのである。

斯る指導服従の共同体関係の創設は決して企業者に対し所謂独裁者的専断を許すものではない。従前の経済的利益に依ってのみ結び付いた機械的な経営組織に対し健全な倫理的基礎に支持された共同体を云はゞゲゼルシャフト的な経営からゲマインシャフト的な其れへと転向せしめんとするものである。此処に

一三〇

於ては國民労働秩序法第二條第一項の明記する如く企業者は経営指導者として総ての決定権を掌握してゐるのであるが、同時に指導者は國民労働秩序法第二條第二項の規定する如く従者の福祉を計り之を保護する義務を負担し、従者は忠実義務を負ふ。斯る保護義務忠実義務に支へられた、責任、信頼の関係であることを銘記すべきである、従前の個人主義的法秩序の下に於て乖離せしめられて居た法と倫理は全体主義的法秩序の下に於て翕然相融合すること、なつたのである。

（附記）　経営共同体が指導者原理に運営せらるゝ共同体関係であり其処に於ては名誉と責任、保護と忠実の観念が支配すべきことは次節に於て述べる独逸法学院労務関係法草案第一條に於て「労務関係は名誉（*Ehre*）、忠実（*Treue*）及び保護（*Fürsorge*）に基く共同体関係（*Gemeinschaftsverhältnis*）とす」と規定せるに依りても首肯せらるゝ処である。斯る観念の強調は「独逸固有法の復活」を目指すナチスにとつては甚だ都合よく独逸古法の忠勤契約（*Treudienstvertrag*）との牽関を推察せしむるものであつて、独逸法

一三一

一三二

に於ける雇傭契約の起源を主君と臣下との間の忠勤契約に求めたオットー・ギールケ（*Otto Gierke*）の論稿「雇傭契約の起源」（*Die Wurzeln des Dienstvertrages*）に対するナチス学者の関心は俄かに高まつたのである（石田博士「民法研究Ⅰ」、末川博士「民法に於ける特殊問題の研究第二巻」所載右に関する論文参照）。雇傭契約の起源を忠勤契約に求むることには賛否様々である。之に反対するものは其の起源を中世手工業のツンフトに於て、其の親方と職人との関係の中に之を求めんとするものである（後藤「統制経済と厚生法」一八三頁以下）。其の法史的興味又は論証の正誤・・・は孰れにもあれ、注意すべきことはナチスの経営共同体は中世のものでもなければ近世のものでもない。現代の労務組織乃至労務関係の形態である。現代の形態として把握すれば其れで必要且つ充分である。

第五款　経営の指導者

既に述べたる如き指導者原理に基き企業者は経営共同体に於て「経営の指導者」となり使用人及び労務者は「従者」として之に従属する。経営の指導者は経営の指揮権と経営に関する一切の事項の決定権を有することは既に國民労働秩序法第一條及び第二條第一項に於て見たる所であるが、経営の指導者が其の独自の立場に於てなすべき決定の範囲は次の如きものである。

一、経営内の労働秩序に関する事項

例之　経営の円満なる運営、従者の共同作業に関し必要なる事項の如きである。即ち労働開始時間、終了時間、労働中の従者の態度、経営に於て従者の恪守すべき事項等之である。

二、労働條件の決定

例之、賃金、休暇、労働時間、解約告知期間等之である。

三、従者の為にする福利施設の設置及び管理。尤も一定の場合に於ては経営の指導者と雖も其の決定権に制限を受けるのであつて例之工場監督制度、労働裁判所制度、社会的名誉裁判制度及び労働管理官制度之である。後に述ぶる

一三三

一三四

信任協議会（第五條、第六條第二項）は或意味では経営の指導者に協力するものであるが、之は指導者に対して助言を提供する諮問機関に過ぎないものである。経営の指導者の決定事項中最も重要なるものは後に述ぶるが如く経営規則の作成（第二十六條）に依る従者の労働條件の決定之である。

企業者は企業者たる事実に基いて経営の指導者となる。経営指導者の地位は選任に基くものではない。尤も企業者と雖も経営共同体の本旨に背く行為がある場合には後に述ぶる名誉裁判の手続に依り其の地位を奪はれる場合がある（第三條第三項、第三十六條以下）。法人其の他の団体に於ては法定代理人を経営の指導者とする（第三條第一項）。従つて商法の会社等に於ては多数の企業者が複数の経営指導者となる場合があり得る。此等の場合をも考慮に入れて代理の委任が認められてゐる（第三條第二項）。

経営の指導者には斯の如き広汎なる権限と権威が認められて居るのであり、斯る指導服従の関係に於て従者は只管忠実の義務を以て指導者の決定を遵守する（第二條第一項、第二項）。此の様な垂直的指導服従関係は旧労働秩序に於

ける並列的闘争関係と鮮やかな対照をなす。即ち労働者の団結又は経営に於ける被傭者の利益を代表する経営代表と雇傭主又は其の団体を両当事者とする協定の如きは全然認められない。指導者の斯る広大なる権限に対応し、又其の義務責任は重大でなければならぬ。企業者と雖も又経営共同体の一員として「民族及ビ国家ノ共同利益ノ為メ」（第一條）奉仕すべきものであるが故に「其ノ経営共同体ノ内部ニ於ケル地位ニ応ジテ負ヘル義務ヲ良心ヲ以テ遂行スベキ責任ヲ有ス」るのであり「殊ニ常ニ自己ノ責任ヲ自覚シ全力ヲ挙ゲテ経営ノ為メニ盡シ且ツ公共ノ福利ヲ計ルコトヲ要ス」（第三十五條）るのである。従って自己の協力者たる従者に対して其の福祉保護を計る義務を有するのは勿論、従者を経営の一員として其れに適はしき尊敬を以て遇することを要する。次節に於て述ぶる独逸法学院労務関係法草案に於て従者に対する保護義務（Fürsorgepflicht）として「企業者は従者の名誉に適はしき取扱をなす義務を負ふ。企業者は経営関係及び労務給付の種類に依り許さるゝ範囲内に於て労務関係の埒内に於ける従者の福利（Wohl）に留意することを要す。企業者は特に労働

一三五

中の従者の心身の危険防止並に善良なる風俗及び体面の維持に留意することを要す」（第六十八條）と規定されて居るのは此の謂に外ならない。従って企業者が其の社会的義務乃至責任に違反して其の名誉ある地位を毀損する場合、例之其の権力的地位を濫用して従者の労働力を搾取するとか、或は従者の名誉を毀損するが如き場合には（労働秩序法第三十六條第一項第一号）名誉裁判所の手続に依り訴追、処罰され、場合に依っては経営の指導者たる地位を剥奪せられるのである（第三十八條）。（社会的名誉裁判 Soziale Ehrengerichtsbarkeit に関する第三十五條乃至第五十五條、其の手続を決定したる国民労働秩序法第三次施行令、第二十一次施行令の詳細に就ては第四章労働司法を参照ありたい）。

一三六

第六款　信任協議會

指導者原理に依れば経営の指導者と従者の間には経営共同体関係に基く責任信頼の緊密なる関係が無ければならぬ。然も現代の企業に於ける如く大経営主義の発達せる時代に於ては必ずしも両者の関係は然く簡単ではない。更に加ふるに同じく経営共同体の一員でありとは云へ現実には両者に一応の利害の対立の存在し得べきことは社会的名誉裁判の存在に徴しても明白である。茲に於て両者の意見の疎通を計ると共に、協力者としての従者の使命を一層有効に発揮せしめ併せて或る程度経営の指導者の専権を内部的に制肘し得べき諮問機関として信任協議会（Vertrauensrat）の設置を見たのである。

信任協議会は常時二十人以上の従業員を有する経営に設置せらるものであって、従者の中から指導者に依って選任されたる信任委員（Vertrauensmänner）並に経営指導者を以て構成される。指導者は信任協議会を指揮する（第六條第一項）。其の定数は左の如くである。

従業員二〇名乃至四九名の経営……………二名
従業員五〇名乃至九九名の経営……………三名
従業員一〇〇名乃至一九九名の経営………四名

一三七

従業員二〇〇名乃至三九九名の経営………五名

其の他従業員三〇〇名を増加する毎に一名を加へ最高十名以内である。同時に各信任委員の代理人を設くることを要する（第七條）。信任委員たる資格は、(イ)一年以上当該経営の従者たること、(ロ)満二十五才以上たること、(ハ)二年以上同時又は類似の職業又は営業部門に従事せること、(ニ)公民権を有すること、(ホ)独逸労働戦線に所属すること、(ヘ)挺身奉仕する宣誓をなすこと以上である（第八條）。信任委員は経営指導者の任命する処であるが、之には二つの條件が必要である。(イ)国民社会主義経営細胞組織首領（Obmann der nationalsozialistischen Betriebszellen = Organization）と協議の上信任委員及び代理人の推薦名簿（Vorschlagsliste）を作成すること。協議成立せざる場合には後述の労働管理官が信任委員を任命する（第九條）。(ロ)従者が其の名簿に就き賛否の秘密投票を行ふ（同條）。候補中或者に就ては之を抹消して否認することを得る（国民労働秩序法第二次施行令第八條、尚信任委員の選任及び投票の細目規定に就ては同施行令第一條乃至

一三八

第十四條参照）。信任委員の任期は一箇年、名誉職である（第十一條、第十三條）。信任委員たる資格の消滅事由は、(イ)辞任、(ロ)経営の脱退、(ハ)期間の満了、(ニ)労働管理官の解任、(ホ)名誉裁判所の判決確定である（第十四條）。信任委員は経営の指導者に依り選任せらるゝも解任さるゝことなく、又解約告知に就き特別の保護の存する点より見れば（第十四條第一項、第二項）、経営指導者に対して或る程度独立せる地位を保有してゐる。

信任協議会の任務は経営指導者の諮問機関たる点にあり、経営共同体の円満なる運営の為めに其の内部の信頼関係の維持増進を計る外、(イ)労務給付の改善(ロ)一般的労働條件特に経営規則の制定、実施、(ハ)経営保護の実施、改善、(ニ)経営所属者相互間及び所属者と経営其のものとの結合の強化、(ホ)共同体全員の福祉に役立つ一切の措置に就て協議する。其他経営共同体内部の紛争の解決を計る（第六條第一項、第二項）。信任協議会は旧労働秩序の下に於ける経営代表委員会に代るものである。従つて其の任務、構成に就ても著しく相違してゐることは謂ふ迄もない。此の事は旧経営代表委員会が雇傭主に対し専ら被傭者の

一三九

利益を代表擁護することを以て其の使命となせる点又委員の選出方法に就ても将又委員会の指揮者如何に就ても見受けられる処である。然し乍ら信任協議会は経営指導者の完全なる諮問的従属機関である訳ではない。其処には或る程度の独立性従つて企業者に制肘を加へる権限を保有してゐるのである。前述したる如き信任委員の地位の若干の独立性或は経営の指導者が経営上の事項に就き決定をなす前提として必ず諮問することを要するが如きは其の一例であるが、其の外に信任協議会は一般的労働條件特に経営規則の制定に関する指導者の決定が経営の経済的又は社会的事情に合致せずと認めらるゝ時は信任委員過半数の決議を以て労働管理官に訴願（Anrufung）することが出来る（第十六條）。斯る訴願に基き労働管理官は指導者の決定を変更又は廃止する権限を有するのであるが（第十九條第一項第三号）、信任協議会の此の権限は甚だ重要な意味を有するのである。此の限りに於て経営指導者の独立的権限が或る程度の制限を蒙ることは明白である。尤も信任協議会が此の権限を濫用することは許されない。斯くては何等旧経営代表委員会と選ぶ所はない。法律も亦此の点につい

一四〇

て備ふる所がある。例へば(イ)信任委員の資格の制限、(ロ)訴願以前に於ける信任協議会の協議（第二次施行令第十五條）、(ハ)労働管理官の解任権、(ニ)社会的名誉裁判に依る訴追（第三十五條、第三十六條）の如き之である。尚斯る訴願に於て過半数信任委員の議決の存すること或は過半数の信任委員が経営指導者に対し信任協議会の開催を請求し得るが如きは（第十二條）通常の純然たる諮問機関と異る所である。

第七款　労働管理官

国民労働秩序法制定以前旧社会民主主義的労働秩序より国民社会主義的の其れへの転回に当り、労働管理官（Treuhänder der Arbeit）が極めて重要なる使命を果した事は既述の如くである。斯る労働管理官制度は其の恒久的制度として労働秩序法に包摂せられ一層具体的な形態に於て其の重要なる形成的権限乃至監視的職権を発揮することゝなつた。労働管理官制度は既述の如く

一四一

工場監督制度、労働裁判制度及び社会的名誉裁判制度と並んで経営共同体の円満なる運営を外部より保障せんとするものであり、又就中其の尤なるものである。労働管理官は其後官名の変更を受け一九三七年四月一日以降は国営管理官（Reichstreuhänder der Arbeit）と称することゝなつた。国労働管理官は云ふ迄もなく国営吏であり国営労働大臣の監督に服し国政府の指令、指示に服し、所定の所在地に駐在し所定経済区域（Wirtschaftsgebiet）を管轄する（第十八條）。其の経済区域並に所在地を示せば左の如くである。

経済区域	所在地
一、東プロイセン	ケーニヒスベルグ
二、シユレージエン	ブレスラウ
三、ブランデンブルグ	ベルリン
四、ポンメルン	シユテツテイン
五、ノルドマルク	ハムブルグ
六　ニーダーザクセン	ハンノーバー

一四二

七、ウエストファーレン
　　ニーダーライン　　　エッセン
八、ラインランド　　　ケルン
九、ヘッセン　　　フランクフルト（マイン）
一〇、ミッテルエルベ　　　マグデブルグ
一一、チユーリンゲン　　　ワイマール
一二、ザクセン　　　ドレスデン
一三、バイエルン　　　ミユンヘン
一四、西南独逸　　　カールスルーエ
一五、ザールファルツ　　　ザールブリユッケン

右は一九三八年一二月二四日附第二十次施行令に依る調査である。各経済区域は更に地区（Bezirk）に細分されるが省略する。

國労働管理官は「労働平和ノ維持」者であり一般國家経済を担当する總ての

企業家、使用人及び労務者をナチス的労働秩序の精神に副ふて教化すべき崇高なる任務を有すると共に、國家機関として経営共同体の円満なる運営を監視し法の命ずる所に従ひ必要ある場合には各個の労務関係に干渉を試みねばならぬ。又其の管理区域内に於ける國政府の社会行政の管掌者として労務者の生活殊に労務條件の向上に努力すべきである。其の為め労働秩序法に於ては國労働管理官は極めて広汎なる権限を附與されて居る（第十九條第一項）。

一、信任協議会の設立及び事務の執行を監督し紛議の生じたる場合には之を決定する（第十九條第一項第一号）。
二、信任委員を任免する（第二号、第九條第二項、第十四條第二項）。
三、信任協議会の訴願に就き決定する。場合に依っては経営指導者の決定を廃止し自ら必要なる規制をなす（第三号、第十六條）。
四、大量解雇の場合に就き期間を決定する（第四号、第二十條）。
五、経営規則に関する規定の実施を監督する（第五号、第十六條以下）、
六、準則（Richtlinie）及賃率規則（Tarifordnung）を制定し其の実施を

監督する（第六号、第三十二條）。
七、社会的名誉裁判の施行に就き協力する（第七号、第三十五條以下）。
八、細目規程に基き社会政策的事項に就き國政府に報告する（第八号）。

斯くの如き権限に基き國労働管理管は労務組織乃至労務関係に対し監督権及び形式的権限を保有するのであるが、其の任務の完全なる遂行を期する為め労働秩序法は二箇の機関を設けてゐる。即ち労働管理官は其の管轄区の一般的又は基本的問題を諮問する為め管内の各種部門より専門家を召集し専門家諮問会（Sachverständigenbeirat）を設置することが出来る。其の専門家の四分の三は独逸労働戦線が職業並に経済部門に依り推薦したる管内の経営所属者推薦名簿中より之を任命し、他の四分の一は管内の適当なる人物中より之を任命する（第二十三條第一項、第二次施行令第十七條）。更に國労働管理官は各個の問題に就き諮問する為め専門家委員会（Sachverständigenausschuß）を召集することを得る。此の場合には当該問題に関する管内の適当なる者たるを以て足り専門家諮問会の如き厳格なる制限は存在しない（第二十三條第

三項、第二次施行令第十八條）。尚國労働管理官の外に特殊の使命を有する特別労働管理官（Sondertreuhänder der Arbeit）が存在するが之は次款に於て説明する。

第八款　経営規則及び賃率規則

集団主義的旧労働秩序の下に於て華かな役割を演じたる労働協約（Tarifvertrag）の壊滅した廃墟の跡にナチス新労働秩序は労務関係規制の為め三箇の手段を採用した。経営規則（Betriebsordnung）、労働管理官の準則（Treuhänderrichtlinie）及び賃率規則（Tarifordnung）即ち之である。此の中後二者は國労働管理官に依り制定され特定の経営に其の範囲を限定せられざるが故に前者に対し超経営規則と呼称することが出来よう。

経営規則は常時二十名以上の使用人及び労務者を有する経営の指導者が従者の為制定するところのものであり（第二十六條）、経営規則には左の如き従者

の労働條件が記載される（第二十七條第一項）。
一、通常一日の労働時間並に休憩の開始及び終了
二、労務報酬支給の時期及び種類
三、出来高又は歩増（Akkord oder Gedinge）労働の経営に於ては出来高又は歩増労働の算定基準
四、賠償金の定めあるときは其の種類及び取立に関する規定
五、告知期間の制限なくしてなし得る労務関係解約告知の理由但し法定の事由に非る場合に限る。
六、法律の定むる範囲内に於て経営規則又は労務契約中に労務関係の違法的解約に対する賠償金の定めがあるときには其の使途
其他経営規則には右の強制的記載事項の外労務報酬の額及び其他の労働條件或は経営の秩序、経営内に於ける従者の態度、災害豫防に関する規定を設けることが出来る（第二十七條第一項）。経営規則に於て労務報酬を定める場合には従者の労務給付に相應して報酬支給が可能なる如く余裕のある規準を以て最低

一四七

額を定めねばならない。其の他特別の労務給付に就ても適当なる報酬を配慮すべきである（第二十九條）。経営規則及び後述の賃率規則は従者の見易い適当な場所に之を掲示することを要する（第三十一條）。経営の指導者に依り制定されたる経営規則は斯くて経営所属者全部に対し最低條件として法定拘束力を有するのである（第三十條）。之に基き労務関係の條件が規制されるのである。経営規則は恰も従前の産業條件（Gewerbeordnung）に基く就業規則（Arbeitsordnung）に代るべきものである。従って産業條例の就業規則に関する規定にして第二十七條の記載條件と重複するものは其の効力を失ふべく、其の他の規定は効力を失はない。従者に対する賠償の負担は経営の秩序又は安全を害する場合にのみ之をなすことを得る。其の額には一定の制限があり、賦課するや否やは経営協議会のある場合には其の諮問を経なければならぬ（第二十八條第一項、第二項）。賠償金の使途に就ては之を独逸労働戦線の歓喜力行団（K. d. F.）の費用に充当することゝなって居る（第二次施行令第二十條）（註）。

（註）　公企業の経営に於ける経営規則に該当するものは勤務規則（Dien-

一四八

stordnung）である。詳細は次章公企業労働秩序法に於て見られたい。

経営規則は経営指導者の制定するものなるが故に其の内容は経済全般より考へ将亦個々の経営の事情に鑑み必ずしも妥当であるとは限らない。其処で経営規則の内容に制限を加へ或ひは又経営規則を持ため小経営の労務関係を規律する為め國労働管理官は「経営規則及ビ各個ノ労務契約ノ内容ニ対スル準則（Richtlinie）ヲ発スル」ことが出来る。準則は経営規則及び労務契約の内容を如何に規則すべきか指示を與へるに過ぎぬから賃率規則の如く直接個々の労務契約の内容を規制するものではない。又賃率規則の如き法的拘束力を有しないから其の効力も比較して薄弱である。但し経営の指導者は之を遵守すべき義務を負ひ、義務履行の有無は國労働官の監督を受ける（第十九條第一項第六号）。準則は既に述べたる専門家委員会（第二十三條第三項）の諮問を経て後制定されるのであるが今次大戦後行政手続簡易化の趣旨に依り諮問は不必要となった（一九三九年九月一日附労働法変更補充令Verordnung zur Abänderung

一四九

und Ergänzung von Vorschriften auf dem Gebiete des Arbeitsrechts 第三條第一項）。
賃率規則は一群の経営に対し労働條件の最低條件を規律するものである。之に依り國労働管理官は労務関係形式の窮極の権力的地位を保有するのである。即ち國労働管理官は其の管轄地区内の同一部類の経営の従者を保護する為め緊急の必要あるときは専門家委員会に諮問の後之を制定することを得るのである。賃率規則は其の適用を受くる労務関係に対し最低條件として法的拘束力を有する。従って之と異る経営規則の規定は其の最低條件が賃率規則の條件に劣る時は無效となる（第三十二條第二項）。賃率規則は旧労働秩序の下に於ける労働協約に該当するものであるが其の職能は相異る。賃率規則は飽く迄も止むを得ない場合の例外的手段であって経営指導者の定むる経営規則を補充する最低條件を以て其の内容とする、経営指導者の決定は依然として労働條件確定の主たるものであり、経営の指導者原理は何等害されるものではない。此の点労働協約が嘗って労務関係規制の一次的地位を占めたるとは大いに異るところである、

一五〇

賃率規則は一群の経営に対して制定されるものであつて個々の経営には制定せられるものでないが今次大戦勃発と共に各個の経営にも賃率規則が認められることゝなつた（前掲労働法規変更補充命令第三條第二項）。

準則又は賃率規則が労働管理官の管轄地区を著しく超えて制定さるべき必要の存するときには國労働大臣は特別労働管理官を設くることを得る。特定任務処理の場合も同様である（第三十三條第一項）。此の場合國労働大臣の委任なき限り通常の労働管理官は其の地区内に於て特別労働管理官の定めたる準則及び賃率規則の施行を監視せねばならぬ（同第三項）。

（経営規則及び賃率規則に関する文献として次の著書を掲記しておく。

Hemmicke, Die Tarifordnung nach dem Gesetze zur Ordnung der nationalen Arbeit vom 20. Januar 1934, 1936.

Wenzel, Die Rechtsnatur einer Betriebsordnung nach dem Gesetz zur Ordnung der nationalen Arbeit, 1938.

Zocher - Mende, Tarif = und Dienstordnung 1940

第九款　解約告知保護

解約告知保護（*Kündigungsschutz*）は不当なる解雇に対して従者を保護することを主たる任務とする。経営共同体に基く忠信、信頼の関係に於ては経営の指導者、従者孰れの側よりするも不当なる解約告知の存すべからざるは云ふを俟たない。然し乍ら斯る場合は多く経済的強者たる企業者の場合に敢行さるゝが故に斯る規定が存在するのである。

常時一〇人以上の従業員を有する経営の従者が同一の経営に一箇年以上従業し経営の事情に基かざる不当に苛酷なる解約告知を受けたときは告知到達後二週間以内に原則として経営協議会の証明書を添へ労働裁判所に告知の撤回を出訴することを得る（第五十六條）。裁判所が告知の撤回を判決したるときは企業者は告知の撤回か損害賠償か孰れを判決送達後三日以内に決定せねばならぬ。期間を徒過する場合は損害賠償を選んだものと見做される（第五十七條）。損

害賠償の決定は被告知者の経済状態及び経営の経済的能力を適当に考慮し又労務関係の継続期間に従つて計算される。但し最終年度の報酬の十二分の四を超ゆることを得ない。解約告知保護の制度は旧労働秩序下に於ける経営協議会法第八十四乃至第九十條に規定せられて居たのであるが斯法廃止に伴ひ収容せられたのである。

茲に注目すべきは個々の従業員の場合でなく大量解雇の場合である。即ち常時一〇〇名未満の従業員を有する経営に於て九名以上の従業員を解雇せんとするとき及び常時一〇〇名以上の従業員を有する経営に於て従業員の一〇分の一又は五〇名以上の従業員を四週間以内に解雇せんとする時は企業者は國労働管理官に書面を以て豫め申告することを要する。此の場合解雇は國労働管理官の同意ある場合の外申告の到達後四週間の経過に依り始めて效力を有する。國労働管理官は此の期間を申告の後最大限二箇月迄延長することが出来る。他方企業家には其の間操業短縮、報酬縮少を許可することが出来る。通常特定の季節に繁忙となる季節経営（*Saisonbetriebe*）又は通常一箇年中三箇月以下

の活動をする定期経営（*Kampagnebetriebe*）に於て其の特殊性に基く解雇には之は適用されない（第二十條）。本條は既に廃止を見たる従前の経営休止に関する命令（*Stillegungsverordnung*）の保護規定を収容したるものである。

第十款　結　語

以上が國民労働秩序法の素描である。我々が事実を率直に眺むる限りナチス的労働所秩序の建設が一應成功したことは否定出来ぬであらう。民族國家への奉仕形態としての経営共同体、企業者を経営の指導者とし使用人、労務者を従者とする指導服従関係、其等を支持する名誉、信頼、忠実、保護の義務、責任の紐帯、此等経営共同体の円満なる運営を後見する労働管理官、此等一連の制度は確かに鮮かな労務組織の有機的構成である。今や我國に於ても労資一体、事業一家、産業報國の呼声が高い。惜しむらくは其等は一の空しき呼号には非るか。蓋し其の基底たる組織が欠除して居るからである。ナチスの思想が空疎

な復古主義を超えて現実の労働生活を実定的に把握せる点は甚だ関心に値する。市民法より社会法へ、社会法より國民法への潮流が正当でありとするならば、ナチス労働憲章も亦國民法的労働秩序建設に取って貴重なる資料たるべきであらう。よし其の民族偏重の謬見は之を論外とするも。

附録

國民労働秩序法

目次

國民労働秩序法（一九三四年一月二〇日附）

Gesetz zur Ordnung der nationalen Arbeit vom 20. Januar 1934 (RGBl. I.S. 45)

第一章　経営ノ指導者及ビ信任協議會

Erster Abschnitt. Führer des Betriebes und Vertrauensrat

第一條　経営ニ於テハ企業者ハ経営ノ指導者トシテ又使用人及ビ労務者ハ其ノ従者（Gefolgschaft）トシテ共ニ其ノ経営ノ目的ノ促進並ニ民族及ビ國家ノ共同利益ノ為メニ働クベキモノトス

第二條　㈠　経営ノ指導者ハ本法ノ定ムルトコロニ従ヒ従者ニ対シ其ノ経営内ノ総テノ事項ニツキ決定ス

（二）経営ノ指導者ハ従者ノ福祉ヲ計リ従者ハ指導者ニ対シ経営共同体（*Betriebsgemeinschaft*）ニ基ク忠誠（*Treue*）ヲ持スベキモノトス

第三條　（一）法人及ビ其ノ他ノ団体ニアリテハ法定代理人ヲ以テ経営ノ指導者トス

（二）企業者又ハ法人其他ノ団体ニアリテハ法定代理人ハ経営ノ指揮ニ責任ヲ以テ当ルベキ者ニ其代理ヲ委任スルコトヲ得但シ自ラ経営ノ指揮ヲナサザル場合ニ限ル其他重要ナラザル事件ニツイテハ之ヲ他ノ者ニ委任スルコトヲ得

（三）経営ノ指導者ガ第三十八條ニ従ヒ名誉裁判所ニ依リ指導者タル資格ヲ剥奪サレタルトキハ別ニ経営ノ指導者ヲ定ムルモノトス

第四條　（一）行政（*Verwaltungen*）モ亦本法ニ所謂経営ト見做ス

（二）同一ノ指揮ニ依リ主タル経営ト結合サルル附属経営（*Nebenbetriebe*）及ビ経営ノ一部ガ主タル経営ヨリ遠隔ノ地ニアルトキハ独立ノ経営ト見做ス

（三）本法ノ規定ハ第三十二條及ビ第三十三條ヲ除キ海洋内水航行船舶及ビ航空機並ニ其ノ乗組員ニハ之ヲ適用セズ

第五條　（一）常時二〇人以上ノ従業員ヲ有スル経営ニ於テハ従者中ヨリ信任委員（*Vertrauensmänner*）ヲ設ケ指導者ノ諮問ニ應ゼシム信任委員ハ指導者ト共ニ並ニ其ノ指揮ノ下ニ経営ノ信任協議会（*Vertrauensrat*）ヲ構成ス

（二）同種ノ経営ノ為メ単独ニ又ハ其ノ家族ト共ニ就業スルコトヲ主タル業務トスル家内工業者モ亦信任協議会ニ関スル規定ニ所謂従者トス

第六條　（一）信任協議会ハ経営共同体内部ニ於ケル相互ノ信頼ヲ増進セシムベキ義務ヲ有ス

（二）信任協議会ハ労務給付ノ改善一般的労働條件特ニ経営規則（*Betriebsordnung*）ノ制定並ニ実施、経営保護ノ実施並ニ改善全経営所属者相互並ニ経営トノ結合ノ強化及ビ共同体全員ノ福祉ニ役立ツ一切ノ措置ニツキ協議スル任務ヲ有ス信任協議会ハ更ニ経営共同体内部ニ於ケル一切ノ

紛議ノ解決ヲ計リ又経営規則ニ基ク罰ノ決定ニ先立チ諮問ニ應ズベシ

（三）信任協議会ハ其ノ個々ノ任務ヲ特定ノ信任委員ニ委任スルコトヲ得

第七條　（一）信任委員ノ数ハ左ノ如ク定ム

従業員二〇名乃至四九名ノ経営……………二名
従業員五〇名乃至九九名ノ経営……………三名
従業員一〇〇名乃至一九九名ノ経営………四名
従業員二〇〇名乃至三九九名ノ経営………五名

（二）選出数ハ従業員三〇〇名ヲ増ス毎ニ信任委員一名ヲ増加シ一〇名ヲ以テ最高トス

（三）信任委員ト同数ノ代理人ヲ設クルコトヲ要ス

（四）信任委員ノ選任ニ際シテハ使用人労務者及ビ家内工業者ヲ適宜配慮スヘシ

第八條　信任委員ハ満二五才以上ニシテ一箇年以上当該経営又ハ企業ニ所属シ

且ツ二箇年以上同種又ハ類似ノ職業又ハ営業部門ニ従事シタルモノニ限ル信任委員ハ公民権ヲ有シ独逸労働戦線ニ所属シ模範的人格ヲ以テ知ラレ何時ニテモ民族国家ノ為躊躇スルコトナク盡スベキ旨誓フコトヲ要ス本法施行後第一回目ノ信任委員任命ニ於テハ一箇年経営所属ノ條件ハ之ヲ適用セズ

第九條　（一）経営ノ指導者ハ毎年三月国民社会主義経営細胞組織首領ト協議ノ上信任委員及ビ其ノ代理人ノ名簿ヲ作成ス従者ハ該名簿ニ就キ直チニ秘密投票ニ依リ賛否ヲ決スベシ

（二）推薦スベキ信任委員及ビ其代理人ニ就キ経営ノ指導者ト国民社会主義経営細胞組織首領トノ間ニ協議整ハザルトキ又ハ信任協議会ガ其他ノ理由ニ依リ成立セザルトキ特ニ従者ガ名簿ニ賛成セザルトキハ労働管理官ハ必要数ノ信任委員及ビ其ノ代理人ヲ任命スルコトヲ得

第十條　（一）信任協議会ノ構成員ハ国民労働記念日（*Tag der nationalen Arbeit*）（五月一日）ニ従者ノ面前ニ於テ其ノ職務遂行ニ当ツテハ唯経営

及ビ全民族共同体ノ福祉ノ為メ自己ノ利益ヲ棄テ、奉仕シ生活及ビ勤務ニ於テ経営所属者ノ模範タルベキコトヲ儀式ヲ以テ宣誓ス

(二) 第九條第一項所定ノ時期以後信任協議会設立ノ條件ヲ経営ニ於テ具備スルトキハ信任委員ノ任命（第九條）及ビ信任協議会ノ義務履課ヲ直チニ実施スベシ

第十一條　信任協議会ノ職務ハ義務履課ノ後開始シ——通常五月一日——四月三十日毎ニ終了ス

第十二條　信任協議会ハ必要ニ応ジ経営ノ指導者之ヲ召集ス信任委員半数ノ請求アルトキハ之ヲ召集スベシ

第十三條　(一) 信任委員ノ職務ハ名誉職トシ其ノ職務ニ対シテハ報酬ヲ支払フコトヲ要セズ其ノ任務遂行ニヨリ必要ナル労働時間ノ欠勤ニ対シテハ通常ノ賃金ヲ支払フベシ必要ナル費用ハ経営指導者側之ヲ支弁ス

(二) 信任協議会ニ課セラレタル任務ノ正常ナル遂行ニ必要ナル設備及ビ事務用品ハ経営指導者側之ヲ提供スベシ経営ノ指導者ハ信任委員ニ任

一六三

務遂行ニ必要ナル指示ヲ与フ義務ヲ負フ

第十四條　(一) 信任委員ノ職務ハ任意ノ辞任ノ外其ノ経営ヨリノ脱退ト共ニ消滅ス信任委員ノ勤務関係ノ解約ハ之ヲナスコトヲ得ズ但シ経営休止又ハ経営分割ノ為必要ナルトキ若クハ告知期間ノ制限ナク勤務関係ノ解約ヲナシ得ル理由ニヨルトキハ此ノ限リニ非ズ

(二) 労働管理官ハ物的又ハ人的不適格ノ故ヲ以テ信任委員ヲ解任スルコトヲ得解任サレタル信任委員ノ職務ハ信任協議会ニ対スル労働管理官ノ書面ニヨル決定通知ト共ニ消滅ス

(三) 信任委員ノ職務ハ更ニ第三十八條第二号乃至第五号ノ刑罰ニ処スル名誉裁判所ノ判決確定ト共ニ消滅ス

第十五條　脱退又ハ一時支障アル信任委員ニ代リ推薦名簿記載ノ順位ニ従ヒ補充委員トシテ代理人ヲ充ツ補充委員ナキトキハ信任協議会ノ残余期間ニ付キ労働管理官新ニ信任委員ヲ任命ス

第十六條　一般的労働條件殊ニ経営規則（第六條第二項）ノ制定ニ関スル経営ノ指導者ノ決定ガ経営ノ経済的又ハ社会的事情ニ合致セズト考ヘラルル時ハ断ル決定ニ対シテ信任協議会ノ過半数ヲ以テ直チニ労働管理官ニ書面ヲ以テ訴願スルコトヲ得経営ノ指導者ノナセル決定ハ訴願（Anrufung）ニヨリ効力ヲ停止サルルコトナシ

第十七條　経済上又ハ技術上同種ノ若シクハ経営ノ目的ヲ同ジクスル数個ノ経営ガ同一ノ企業者ノ管理ニ属スル時ハ企業者又ハ自ラ経営ヲ指揮セザル場合ハ其任命セル経営ノ指導者ハ社会的事項ヲ諮問スルタメ各経営ノ信任協議会ヨリ一名宛ノ顧問（Beirat）ヲ任命スベシ

第二章　労働管理官

Zweiter Abschnitt Treuhänder der Arbeit

第十八條　(一) 國労働大臣ガ國経済大臣國内務大臣ト協議ノ上区劃ヲ定メタル大経済区ニ労働管理官ヲ置ク労働管理官ハ國官吏ニシテ國労働大臣ノ監督ヲ受ク其ノ所在地ハ國経済大臣ト協議ノ上國労働大臣之ヲ定ム

一六五

一六六

(二) 労働管理官ハ國政府ノ訓令（Richtlinie）及ビ指示（Weisung）ニ服ス

第十九條　(一) 労働管理官ハ労働平和ノ維持ニ努ムベシ此任務遂行ノタメ左ノ権限ヲ有ス

1　信任協議会ノ設立及ビ事務執行ヲ監督シ紛議ニ際シ決定ス
2　第九條第二項及ビ第十五條ニ依リ経営ノ信任委員ヲ任免ス
3　第十六條ニ依ル信任協議会ノ訴願ニ付キ決定ス経営指導者ノ決定ヲ廃棄シ自ラ必要ナル規制ヲナス
4　第二十條ニ依ル予告ノ解雇ニ付決定ス
5　経営規則ニ関スル規定（第二十六條以下）ノ実施ヲ監督ス
6　第三十二條ニ定ムル要件ニ依リ準則（Richtlinie）及ビ賃率規則ヲ制定シ其ノ実施ヲ監督ス
7　第三十五條以下ニ依ル社会的名誉裁判ノ施行ニ付キ協力ス
8　國労働大臣及國経済大臣ノ細目規程（Anweisung）ニ従ヒ

常ニ社会政策的事象ニ付キ國政府ニ報告ス

(二) 國労働大臣及ビ國経済大臣ハ法律ノ範囲内ニ於テ労働管理官ニ対シ他ノ任務ヲ委任スルコトヲ得

(三) 労働管理官ハ第一項第三号ノ事項ノ審理ヲ専門委員会（Sachverständigenausschuss）（第二十三條第三項）ニ委任スルコトヲ得其ノ決定ハ労働管理官ニ留保サル

第二十條 (一) 経営ノ企業者ハ左ノ場合労働管理官ニ対シ豫メ文書ヲ以テ申告スルコトヲ要ス

a 常時一〇〇名未満ノ従業員ヲ有スル経営ニ於テ九名以上ノ従業員ヲ解雇スルトキ

b 常時一〇〇名以上ノ従業員ヲ有スル経営ニ於テ従業員ノ一〇の分ノ一〇又ハ五〇名以上ノ従業員ヲ四週間以内ニ解雇スルトキ

(二) 第一項ニ依リ豫メ申告スベキ解雇ハ申告ガ労働管理官ニ到達シタル後四週間経過以前ニ於テハ労働管理官ノ同意アル場合ニノミ效力ヲ有

ス労働管理官ハ又同志ニ遡及カヲ附與スルコトヲ得労働管理官ハ申告ノ後最大限二箇月ノ経過以前ハ解雇ガ無效ナル旨命ズルコトヲ得前二段ニ依リ解雇ガ有效ナル時ヨリ四週間以内ニ解雇セザルトキハ申告ナキモノト見做ス期間ノ制限ナキ解雇ノ権利ハ此限リニ非ズ

(三) 企業者ガ第二項ニ定ムル時ニ至ル迄従業員ヲ全時間労働セシムルコトヲ得ザル状態ニアルトキハ労働管理官ハ企業者ガ其ノ間経営ニ於テ労働時間短縮（労働延長）ヲ実施スルコトヲ許可スルコトヲ得但シ其ノ際一従業員ノ一週労働時間ハ二十四時間以下ニ下ルコトヲ得ズ労働延長ノ場合企業者ハ操短従業員ノ賃金又ハ俸給ヲ適当ニ引下グルコトヲ得但シ引下ハ一般ノ法律又ハ契約ノ規定ニ依リ労務関係ノ終了スベキ時ヨリ效力ヲ有ス

(四) 通常特定ノ時期ニ繁忙トナリ（季節経営 Saisonbetriebe）又ハ通常一箇年中三箇月以下ノ活動ヲナス経営（定期経営 Kampagnebetriebe）ニ於テハ其ノ経営ノ特殊性ニ基ク解雇ニ対シテハ第一項乃至第三項ノ規定ヲ適用セズ

第二十一條 國労働大臣ハ経済区ノ大サ及ビ特殊ノ経済関係ニヨリ必要ナルトキハ労働管理官ノ下ニ受任者ヲ置ク國労働大臣又ハ労働管理官ハ特定ノ地区又ハ特定ノ営業部門ニ於ケル自己ノ任務或ハ特定任務ノ全部又ハ一部ヲ之ニ委任スルコトヲ得受任者ハ國務大臣及ビ管理官ノ指示（Weisung）ヲ受ク

第二十二條 (一) 労働管理官ノ其ノ任務遂行ノ為メ発セル書面ニヨル一般的訓令ニ繰返シ故意ニ違反シタルモノハ罰金ニ処ス其ノ情特ニ重キ場合ハ罰金ニ代ヘ又ハ罰金ト共ニ禁錮ニ処スルコトヲ得刑ノ訴追ハ労働管理官ノ告訴ヲ俟ッテ之ヲ行フ

(二) 社会的名誉毀損ニヨリ公刑ニ処セラレタル行為ノ訴追ハ公刑ノ判決ニヨリ妨ゲラルルコトナシ

第二十三條 (一) 労働管理官ハ其職務区域ノ一般的又ハ基本的問題ノ諮問ノ為メ管内ノ各種経済部門ヨリ専門家諮問会（Sachverständigenbeirat）

ヲ召集ス専門家ノ四分ノ三ハ独逸労働戦線ノ推薦名簿ヨリ選出スベキモノトス、労働戦線ハ先ヅ諸種ノ職業団体及ビ経済部門ヲ考慮ノ上管理官管轄地区内経営ノ信任協議会所属者中適当ナル人物ヲ過半数推薦スベシ・管理官ハ専門家総数ノ四分ノ一ヲ其ノ管轄地区内ノ他ノ適当ナル人物中ヨリ任命スルコトヲ得

(二) 國政府ノ法律ニヨリ経済上ノ職能組織ガ実施サル、場合ニ於テハ独逸労働戦線ノ指名スベキ委員ヲ当該組織ト協議ノ上推薦スベシ

(三) 労働管理官ハ尚個々ノ場合ニ付キ諮問ノ為メ専門委員会（Sachverständigenausschuss）ヲ召集スルコトヲ得

第二十四條 就任ニ先立チ専門家ハ労働管理官ニヨリ宣誓セシメラルベシ専門家ハ最善ノ知識ト良心ヲ以テ公平ニ其ノ職務ヲ執行シ特殊ノ利益ヲ追求スルコトナク唯民族共同体ノ福祉ノ為奉仕スベキコトヲ宣誓スベシ宣誓ノ履行ニ就テハ民事訴訟法第四百八十一條（官報一九三三年第I部八二一頁）ヲ準用ス

第二十五條　管理官並ニ総テノ官廳ハ其ノ權限ノ範囲内ニ於テ本法実施ニ際シ共助スベシ

第三章　経営規則及ビ賃率規則

Dritter Abschnitt Betriebsordnung und Tarifordnung

第二十六條　常時二十名以上ノ使用人及ビ労務者ヲ有スル経営ニ於テハ経営ノ指導者ハ経営ノ従者（第一條）ノ為メ経営規則（Betriebsordnung）ヲ作成スベシ

第二十七條　(一)　経営規則ニハ左ノ労働條件ヲ記載スベシ

1. 通常一日ノ労働時間並ニ休憩ノ開始及ビ終了
2. 労務報酬支給ノ時期及ビ種類
3. 出来高又ハ歩増（Akkord oder Gedinge）労働ノ経営ニ於テハ出来高又ハ歩増労働ノ算定基準

4. 賠償金ノ定メアルトキハ其種類及ビ取立ニ関スル規定
5. 告知期間ノ制限ナクシテナシ得可キ労務関係解約告知ノ理由但シ法定ノ事由ニ非ザル場合ニ限ル
6. 法律ノ定ムル範囲内ニ於テ経営規則又ハ労務契約中ニ労務関係ノ違法的解約ニ対スル賠償金ノ定メアルトキハ其ノ金額ノ使途

(二)　他ノ法令ニ於テ就業規則（Arbeitsordnung）ニ就キ第一項ノ規定ヲ超ユル強行規定アルトキハ其規定ハ有効トス

(三)　経営規則ニハ法定ノ規定ノ外労務報酬ノ額及ビ其他ノ労働條件更ニ経営ノ秩序経営内ニ於ケル従業員ノ態度及ビ災害豫防ニ関スル規定ヲ設クルコトヲ得

第二十八條　(一)　従業員ニ対スル賠償ノ負課ハ経営ノ秩序又ハ安全ヲ害スル場合ノ外之ヲ課スルコトヲ得ズ金銭ニヨル賠償ハ平均一日労働賃銀ノ二分ノ一ヲ超ユルコトヲ得ズ但シ重大且ツ特ニ顕著ナル違反ニ対シテハ平均一日労働賃銀金額迄之ヲ課スルコトヲ得賠償金ノ使途ハ国労働大臣之ヲ定ム

(二)　賠償ノ負課ハ経営ノ指導者又ハ其ノ受任者ニヨリ信任協議会アル場合ハ其ノ諮問ヲ経テ（第六條）之ヲ行フ

(三)　第一項及ビ第二項ノ規定ハ経営規則ノ定メナキ経営ニ於ケル労務契約ニ依ル賠償ノ負課ニ就テモ之ヲ適用ス

(四)　経営規則ノ定メアル経営ニ於テハ告知期間ノ制限ナキ労務関係解約告知ノ法定事由ハ労務契約ニヨリ拡張又ハ増加スルヲ得ズ

第二十九條　経営規則ニヨリ労務者及ビ使用人ノ労務報酬ヲ定メントスルトキハ各経営所属者ノ給付ニ應ジテ報酬ヲ支給スル余地ノ存スル如キ標準ヲ以テ最低額ヲ定ムベシ其他特別ノ給付ニ対シテモ適当ナル報酬ヲ支給シ得ル如ク考慮スベシ

第三十條　経営規則ノ規正ハ経営所属者ニ対シ最低條件トシテ法的拘束力ヲ有ス

第三十一條　(一)　経営規則及ビ其経営ニ適用サレ得ベキ賃率規則ノ印刷物ハ経営ノ各部毎ニ適当ナル経営所属者ノ見易キ場所ニ掲示スベシ

(二)　経営規則ハ其ノ中ニ他ノ時日ヲ定メザル限リ掲示ノ翌日ヨリ効力ヲ有ス請求アルトキハ経営従業員ニ対シ経営規則ノ印刷物ヲ交付スベシ

第三十二條　(一)　労働管理官ハ専門家委員会ニ諮問ノ後（第二十三條第三項）経営規則及ビ各個ノ労務規約ノ内容ニ対スル準則（Richtlinie）ヲ発スルコトヲ得

(二)　労働管理官ハ其ノ管轄地区内ノ同一部類経営ノ従業員ヲ保護スル為メ労務関係規則ノ最低條件ヲ制定スル緊急ノ必要アルトキハ専門家委員会ノ諮問ヲ経テ（第二十三條第三項）書面ヲ以テ賃率規則（Tarifordnung）ヲ定ムルコトヲ得第二十九條ハ之ニ適用サル賃率規則ノ規定ハ其適用ヲ受クル労務関係ニ対シ最低條件トシテ法的拘束力ヲ有ス之ニ反スル経営規則ノ規定ハ無効トス労働管理官ハ賃率規則ニ於テ其ノ適用ヲ受クル労務関係並ニ従業関係ヨリ生ズル民事訴訟事件ニ就キ労働裁判所法ニ依リ協約当事者ガナシ得ルト同ジ範囲ニ於テ労働裁判権ヲ排除スルコトヲ得

(三) 準則及ビ賃率規則ハ労働管理官之ヲ公示スベシ

第三十三條 (一) 管理官ノ管轄地区ヲ著シク超ユル適用範囲ニ於テ第三十二條第一項ノ準則又ハ賃率規則ヲ制定スル必要アルトキハ國労働大臣ハ其規則ノ為メ特別労働管理官（Sondertreuhänder der Arbeit）ヲ任命ス更ニ國労働大臣ハ特定任務ノ処理ノ為メ特別管理官ヲ任命スルコトヲ得

(二) 特別労働管理官ニ就イテハ第十八條第二項第二十二條第二十三條第三項第二十四條第二十五條及ビ第三十二條ヲ適用ス

(三) 労働管理官ハ其ノ地区内ニ於テ特別管理官ノ定ムル準則及ビ賃率規則ノ施行ヲ監視スベシ但シ特別ノ場合ニ於テ國労働大臣ガ特別管理官ニ其任務ヲ委任シタル場合ニハ此限リニ非ズ

第三十四條 通常單独又ハ其家族及ビ二名以下ノ使用人ト共ニ労働スル家内工業経営者ニ就テハ其注文主ニ対スル関係ニツキ第三十二條第二項第三項及ビ第三十三條ヲ準用ス國労働大臣及ビ労働管理官ハ其他ノ家内工業経営者仲介者（Zwischenmeister）及ビ其他被傭者類似ノ者ヲ其経済的ニ独立

一七五

セザル故ヲ以テ之ト同様ニ取扱フコトヲ得

第四章 社會的名誉裁判

Vierter Abschnitt Soziale Ehrengerichtsbarkeit

第三十五條 経営共同体ノ各所属者ハ其ノ経営共同体ノ内部ニ於ケル地位ニ應ジテ負ヘル義務ヲ良心ヲ以テ遂行スベキ責任ヲ有ス各所属者ハ経営共同体内ニ於ケル其ノ地位ニ基キテ受クル尊敬ニ値スルコトヲ其ノ行動ニ依リテ示スベシ殊ニ常ニ自己ノ責任ヲ自覚シ全力ヲ挙ゲテ経営ノ為メニ盡シ且ツ公共ノ福利ヲ図ルコトヲ要ス

第三十六條 (一) 経営共同体ニ基ク社会的義務ニ対シ重大ナル違反アリタルトキハ社会的名誉ノ毀損トシテ名誉裁判所之ヲ処罰ス左ノ場合ニハ斯ル義務違反アリタルモノトス

1 企業者経営ノ指導者又ハ其他ノ監督者ガ其経営上ノ権力的

一七六

地位ヲ濫用シ悪意ヲ以テ従者タル所属者ノ労働力ヲ酷使シ又ハ其名誉ヲ毀損シタルトキ

2 従者タル所属者ガ悪意ヲ以テ従者ヲ煽動シ経営内ノ労働平和ヲ危殆ナラシメ殊ニ信任委員トシテ故意ニ経営指導ニ対シ不法干渉ヲ加ヘ又ハ引続キ悪意ヲ以テ経営共同体内ノ共同体精神ヲ攪乱シタルトキ

3 経営共同体ノ所属者ガ繰返シ軽率ニ労働管理官ニ対シ理由ナキ抗告（Beschwerde）又ハ申立（Antrag）ヲナシ若クハ管理官ノ書面ニヨル訓令（Anordnung）ニ対シ執拗ニ違反シタルトキ

4 信任協議会ノ構成員ガ其ノ任務執行ニ於テ知リ且ツ秘密ヲ要スル旨告ゲラレタル機密ノ指示経営上又ハ業務上ノ秘密ヲ権限ナクシテ公表シタルトキ

(二) 官吏及ビ軍人ハ社会的名誉裁判ニ服スルコトナシ

第三十七條 第三十六條ニ定ムル社会的名誉毀損ノ名誉裁判ニ依ル訴追ノ時效ハ一年トス時效ハ名誉毀損ノ行ハレタル日ヨリ始マル

一七七

第三十八條 名誉裁判ノ刑罰ハ左ノ如シ

1 戒告（Warnung）

2 譴責（Verweis）

3 一万ライヒスマルク以下ノ罰金

4 経営ノ指導者（第一條乃至第三條）タル資格又ハ信任委員（第五條以下）ノ職務執行ノ資格ノ剥奪

5 従来ノ労働場所ヨリノ放逐但シ其際名誉裁判所ハ法定又ハ協定解約告知期間ト異ル期間ヲ定ムルコトヲ得

第三十九條 (一) 経営所属者ニ対シ罰スベキ行為ニ就キ公訴ノ提起アリタルトキハ同一事実ニヨル名誉裁判手続ハ之ヲ中止スベシ

(二) 刑事手続ニ於テ無罪ノ判決アリタルトキハ其手続ニ於テ審理セラレタル事実ガ其レ自体刑法ニ規定セラルル行為ノ構成要件ト独立ニ名誉裁判ノ処罰ノ対象トナルトキニ限リ名誉裁判手続ヲ行フ

(三) 刑事手続ニ於テ有罪ノ判決アリタルトキハ名誉裁判所長ハ名

一七八

誉裁判手続ヲ執行スルヤ否ヤヲ決定スベシ

第四十條　次條以下ノ規定ニ別段ノ定メナキ限リ名誉裁判手続ニ就イテハ州裁判所ノ管轄ニ属スル訴訟事件ノ手続ニ関スル刑事訴訟法ノ規定及ビ裁判所構成法第百五十五條第Ⅱ号第百七十六條第百八十四條乃至第百九十八條ノ規定ヲ準用ス輪番ノ共助ハ之ヲ行ハズ

第四十一條　(一)　社会的名誉ノ毀損ニ就イテハ労働管理官ノ起訴（Antrag）ニ基キ其各管轄区ニ置カルベキ名誉裁判所（Ehrengericht）之ヲ処断ス

(二)　名誉裁判所ハ国司法大臣ガ国労働大臣ト協議ノ上任命スル司法官ノ裁判長及ビ経営ノ指導者及ビ信任委員各一名ノ陪席員ヲ以テ構成ス経営ノ指導者及信任委員ハ第二十三條ノ標準ニ依リ独逸労働戦線ノ作成セル推薦名簿ヨリ名誉裁判長之ヲ選任ス選任ハ名簿ノ記載順序ニ従フ但シ成可ク被告ト同一ノ営業部門ニ属スル者ヲ選ブベシ

第四十二條　裁判長ハ陪席員ヲシテ其任務遂行ニ先立チ職務上ノ責務ヲ良心ヲ以テ遂行スベキ旨宣誓セシムベシ

一七九

一八〇

第四十三條　社会的名誉ノ毀損ニ対スル経営所属者ノ告発ハ其ノ経営所在地ヲ管轄スル労働管理官ニ証拠物ヲ添ヘ書面ヲ以テ之ヲナスコトヲ要ス労働管理官ガ告発其他ノ方法ニヨリ社会的名誉ノ重大ナル毀損ノ事実ヲ知リタルトキニ遅滞ナク事実ヲ確ムルコトヲ要ス特ニ被疑者ヲ訊問シ名誉裁判所ニ対スル起訴ヲ決定スベシ労働管理官ノ名誉裁判手続開始ノ請求ハ管理官ノ調査シタル結果ヲ添ヘテ之ヲナスベシ

第四十四條　名誉裁判長ハ必要アルトキハ更ニ調査ヲ自ラ行ヒ又ハ命令ヲナスベシ

第四十五條　名誉裁判長ハ名誉裁判手続開始ノ請求ヲ理由ナシトシテ却下スルコトヲ得請求ノ却下アリタルトキハ却下ノ決定送達ノ日ヨリ十週間以内ニ名誉裁判所ニ本案ノ審理ヲ請求スルコトヲ得

第四十六條　(一)　名誉裁判長ガ労働管理官ノ起訴ヲ理由アリト認ムルトキハ戒告、譴責若クハ百ライヒスマルク以下ノ罰金ノ決定ヲナスコトヲ得被疑者及ビ労働管理官ハ斯ル決定ニ対シ決定送達ノ日ヨリ一週間以内ニ名誉裁判所ニ書面ヲ以テ又ハ書記局（Geschäftsstelle）ニ記録シテ異議ヲ申立ツルコトヲ得

(二)　正規ノ期間内ニ異議ノ申立アリタルトキハ名誉裁判ノ本案審理ヲ開始ス但シ開始前ニ異議ノ取下アリタルトキハ此ノ限リニアラズ

第四十七條　(一)　名誉裁判長自ラ決定ヲ行ハザルトキハ（第四十六條第一項前段）名誉裁判所ノ口頭弁論ノ期日ヲ定ムベシ

(二)　名誉裁判所ハ、公開口頭辯論ノ結果ニ基キ自由裁量ヲ以テ判決ヲ行フ裁判所ハ申請及ビ職権ヲ以テ證人及ビ鑑定人ヲ宣誓ノ上訊問シ其他ノ証拠方法ノ蒐集ヲ命ズルコトヲ得審理ノ公開ハ名誉裁判長之ヲ禁止スルコトヲ得

第四十八條　(一)　労働管理官ハ本案ノ審理ニ立会ヒ意見ヲ提出スル権限ヲ有ス

(二)　被告人ハ本案ノ審理ニ際シ書面ニヨル委任ヲ以テ辯護士ニ代理セシムコトヲ得

第四十九條　(一)　名誉裁判所ノ判決ニ対シテハ労働管理官ハ常ニ、又被告人ハ

一八一

一八二

百ライヒスマルク以上ノ罰金又ハ第三十八條第四号及ビ第五号ノ刑ノ一ヲ以テ処断セラレタルトキニ限リ、上訴ヲ提起スルコトヲ得。上訴裁判ハ国名誉裁判所（Reichsehrengerichtshof）之ヲ行フ

(二)　上訴ハ判決送達ノ日ヨリ二週間以内ニ名誉裁判所ニ書面ヲ以テ又ハ書記局ニ記録シテ之ヲ為ス上訴ノ提起アリタルトキハ刑ノ執行ヲ停止ス

第五十條　国名誉裁判所ハ国労働大臣ノ同意ヲ得テ国司法大臣ノ任命スル二名ノ上級司法官ニシテ其ノ一名ハ裁判長トシ他ノ一名ハ陪席員トシ更ニ経営ノ指導者信任委員及ビ政府ノ定メタル者各一名ヲ陪席員トシテ之ヲ構成ス第四十一條第二項第二段ノ規定ハ之ヲ準用ス

第五十一條　(一)　国名誉裁判所ハ名誉裁判所ノ判決ノ凡テニ付テ再審査ヲ行フ国名誉裁判所ハソノ決定ニ拘束サルヽコトナク異議申立アリタル判決ヲ自由裁量ヲ以テ変更スルコトヲ得

(二)　国名誉裁判所ノ手続ハ第四十二條第四十四條第四十七條第二

項及ビ第四十八條ヲ準用ス

第五十二條　國労働管理官ハ名誉裁判所ニ対スル其ノ申請ヲ名誉裁判長ノ決定又ハ第一審ノ判決言渡アル前ニ取下グルコトヲ得

第五十三條　(一)　金銭罰ニ基ク收入ハ國労働大臣ガ別段ノ定メヲナサヾルトキハ國庫ニ收納スベキモノトス

(二)　金銭罰ノ宣告アリタル決定ノ執行ハ宣告裁判所ノ書記ノ交付スル執行文ニヨル決定ノ謄本ニ基キ労働管理官ニヨリ民事訴訟事件ニ於ケル判決ノ執行ニ関スル規定ニ從ツテ之ヲ行フ

第五十四條　経営ノ指導者若クハ信任委員ノ資格ノ剥奪又ハ労働場所ヨリノ放逐ノ言渡シアリタルトキハ労働管理官ハ其ノ判決ノ執行ヲ監視スベシ

第五十五條　(一)　名誉裁判所並ニ國名誉裁判所ノ物的並ニ人的費用ハ國ノ負担トス

(二)　手續ノ費用ハ全部又ハ一部ヲ被宣告者ニ負担セシムルコトヲ得

一八三

第五章　解約告知保護

Fünfter Abschnitt Kündigungsschutz

第五十六條　(一)　使用人又ハ労務者ニシテ同一ノ経営又ハ企業ニ一ケ年以上從業シタル後解約告知ヲ受ケタル者ハ其経営ガ常時十人以上ノ從業員ヲ有スルモノタル限リ其ノ告知ガ不当ニ苛酷ニシテ且経営状態ニ基カザルモノナルトキハ告知到達ノ日ヨリ二週間以内ニ労働裁判所ニ告知ノ撤回ヲ求ムル訴ヲ提起スルコトヲ得

(二)　前項ノ訴ハ其ノ経営ニ信任協議会ノ設ケアルトキハ信任協議会ガ從業継續ニツキ協議セルモ效果ナカリシ旨ノ證明書ヲ添付スルコトヲ要ス解約告知ヲ受ケタル者ガ其ノ到達ノ日ヨリ五日以内ニ信任協議会ニ申請シタルモ信任協議会ガ申請後五日以内ニ證明書ヲ與ヘザリシコトヲ証明シタルトキハ之ヲ添付スルコトヲ要セズ

第五十七條・(一)　裁判所ガ解約告知ノ撤回ヲ判決シタルトキハ職権ヲ以テ企業

一八四

者ガ其ノ撤回ヲ拒ミタル場合ニ対スル賠償ヲ判決ノ中ニ定ムルコトヲ要ス

(二)　企業者ハ労働裁判所法第六十二條第一項第二段ニ基キテ判決ノ假執行ヲ排除サレザル限リ判決送達ノ日ヨリ三日以内ニ被告知者ニ対シ解約告知ノ撤回又ハ賠償ノ孰レヲ企業者ガ選択スルカヲ申渡スベシ前段ノ期間内ニ選択ヲナサヾリシトキハ損害賠償ヲ選ビタルモノト看做ス其ノ期間ハソノ満了前郵便函ニ投函シタルコトヲ以テ足ル企業者ガ解約告知ノ撤回ヲ選ビタルトキト雖モ判決ニ対シ上訴ノ権利ヲ失ハズ上訴ニヨリ訴ノ棄却アリタルトキハ其ノ時ヨリ解約告知ノ撤回ハ其ノ效力ヲ失フ

(三)　上訴審ノ判決ニ於テ別ニ賠償ヲ定メタルトキハ第二項ノ期間ハ上訴判決到達ノ日ヨリ新タニ始マルモノトス

第五十八條・損害賠償ノ決定ハ先ヅ被告知者ノ経済状態及ビ経営ノ経済的給付能力ヲ適当ニ考慮スベシ賠償ハ労務関係ノ継續期間ニ從ツテ算定ス但シ最終年度ノ労働報酬ノ十二分ノ四ヲ超ユルコトヲ得ズ

第五十九條　解約告知ヲ撤回シタルトキハ企業者ハ被告知者ニ対シ告知ヨリ雇

一八五

傭ヲ継續スルニ至ル迄ノ期間ニ対シ賃金若クハ俸給ヲ支拂フベキモノトス民法第六百十五條後段ノ規定ヲ準用ス企業者ハ被告知者ガ其ノ中間期間中失業救済若クハ公的救護ノ財源中ヨリ受クル公法上ノ給付アルトキハ之ヲ計算シテ其ノ額ヲ給付官廳ニ返還スルコトヲ要ス

第六十條　被告知者ガ其ノ間ニ新タニ雇傭契約ヲ締結シタルトキハ前企業者ノ下ニ継續シテ働クコトヲ拒ムコトヲ得此ノ場合ニ於テハ被告知者ハ第五十七條第二項及ビ第三項ノ規定ニヨル企業者ノ申渡ヲ受領シタル後遅滞ナク遅クトモ其後三日以内ニ口頭若クハ郵便ニヨリ企業者ニ之ヲ表示スルコトヲ要ス表示セザリシトキハ拒否権ヲ喪フ拒否権ヲ行使シタルトキハ賃金若クハ俸給ハ解約ヨリ新労働関係ニ入リタル日マデノ期間ニ対スルモノノミヲ與フルモノトス第五十九條第二段及ビ第三段ヲ準用ス

第六十一條　(一)　告知期間ノ制限ナキ解約告知ヲ受ケタル労務者若クハ使用人ハ此ノ告知ヲ無效ナラシムベキ手續ニ於テ同時ニ告知ガ次ノ正当ナル告知期間ニ於テ有效ト看做サルヽ場合ニ対シテモ亦第五十六條ニヨル告知ノ撤

一八六

回ヲ請求スルコトヲ得請求ハ第一審ノ口頭辯論ノ終結前ニ限リ之ヲナスコトヲ得告知ノ日ヨリ二週間以内ニ訴ノ提起アリタルトキハ第五十六條第一項ニ定ムル期間ニヨリタルモノト看做ス此ノ場合ニ於テハ第五十六條第二項ノ規定ハ之ヲ適用セズ

(二) 第一次ノ場合ニ於テ撤回ノ請求ガ認メラレタルトキハ第五十七條ニヨリ決定セラレタル賠償ニヨリ告知ノ效力発生ニ至ルマデノ期間ニ対スル賃銀請求權ハ之ヲ失フコトナシ

第六十二條　第五十六條乃至第六十一條ハ法律若クハ賃率規則ニ定メラレタル義務ニ基ク解約告知ニハ之ヲ適用セズ

第六章　公共事業ニ於ケル労働
Sechster Abschnitt Arbeit in öffentlichen Dienst

第六十三條　國、州、國立銀行、独逸國鉄道株式会社、國有自動車道路会社、地

一八七

方團体（地方團体聯合）及ビ其他ノ社團、財團、公法上ノ営造物ノ行政並ニ経営ノ使用人及ビ労務者ニハ本法第一章乃至第五章ノ規定ヲ適用セズ此ノ点ニ関シテハ特別法ヲ以テ之ヲ定ム

一八八

第七章　附則
Siebenter Abschnitt Schluss- und Übergangsvorschriften

第六十四條　(一) 國民労働秩序法ニ就テハ其ノ施行ニ対スル措置及ビ第六十四條第七十條及ビ第七十二條ノ附則ハ公布ノ日ヨリ第七十三條ノ規定ハ一九三十四年四月一日ヨリ之ヲ施行ス其他ノ規定ハ第六十五條乃至第六十九條ニ定ムル法令ノ変更トトモニ國労働大臣ガ國経済大臣ノ同意ヲ得テ別ノ期日ヲ定メザル限リ一九三四年五月一日ヨリ之ヲ施行ス

(二) 國労働大臣ハ國経済大臣ノ同意ヲ得テ又第六章ニツイテハ併セテ國大蔵大臣及ビ國内務大臣ノ同意ヲ得テ本法ノ施行並ニ補充ノタメ命令及ビ一般行政規定ヲ発布シ且ツ本法ノ規定ヲ除外スル権限ヲ有ス

第六十五條乃至第七十三條　（略）

一八九

第二節　労務関係法

第一款　総説

ナチス独逸に於て労務関係は如何に規制されて居るか。即ち企業者と従者との間に於ける私法的な権利義務関係は如何になつて居るか。此の点に就ては未だ真にナチスの世界観を基調とした総括的な立法は存在しない。恐らく近き将来に於てはナチス労働憲章たる国民労働秩序法と相呼応する意味に於てナチスは新しき労務契約法乃至労務関係法を創造することであらう。其れ迄は労務契約に関する規定を含む無数の単行法が依然として規範力を持つのである。労務関係に就ては旧態依然として民法、商法、産業條例（Gewerbeordnung）、普通鉱業法、臨時農業労働條例が現行法である。尤も前節に於て記述したる国民労働秩序法は私法的な内容を包含してゐるし又直接間接に労務関係に劃期的

な革新を齎らした事は事実である。共同体思想に基く忠信関係の強調、経営規則・賃率規則を通じての労働管理官の広汎なる形成的権限さては解約告知保護の問題等皆然らざるはない。更に又数次の賃銀立法、労働時間法、少年保護法等が労務関係に重要なる変革を遂げた事も事実である。然し乍ら労働秩序法は本来労務組織を主眼とする立法であつて実体的な企業者従者間の権利義務関係を規制するには充分でない。云はゞ個人対立的労資関係を共同体的の其れに陶冶する教育法に過ぎないのである。又個々の単行法は所詮局部的な任務に甘んずる外はないとすれば茲に真に包括的なナチス労務関係法の待望されるのは当然であらう。之を俟つて始めてナチス労働法は完成を見る。

第二款　労務関係法草案の成立

一九三八年六月独逸法学院労働法委員会（*Arbeitsrechtsausschuss der Akademie für Deutsches Recht*）は「労務関係法草案」（*Entwurf eines Gesetzes über das Arbeitsverhältnis*）を発表した。四年の辛苦の末完成されたるもの、素より草案には過ぎないが、将来現はれるであらう独逸労務関係法の外貌を示すものとして甚だ興味深きものがある。既に一九二三年綜合的立法を意図して「労働契約法草案」が発表されたことがあるが、之が階級対立の立場からものされたに対し今次の草案はナチス的共同体思想に基くものである。同草案は独逸法学院研究報告第八号として発表されてゐる。通称「アカデミー草案」（*Akademie-Entwurf*）と呼ばれるもの、全七章百二十八箇條より成る。其の編成は左の如し。

第一章　総則
第二章　労務契約
第三章　労務関係上の義務
第一節　従者の義務
第一款　労務の給付
第二款　特別の忠実義務

第三款　競業制限約款
第二節　企業者の義務
第一款　賃銀
第一項　総則
第二項　現物報酬
第三項　出来高賃銀
第四項　売上歩合
第五項　利益歩合
第六項　特別手当
第七項　支払日
第八項　賃銀の保全
第二款　立替金及び費用の返還
第三款　就業
第四款　保護義務

一九五

一九六

尚参考論文としては次のものがある。

Mansfeld, Zum Entwurf eines Gesetzes über das Arbeitsverhältnis.
Hueck, Die Begründung des Arbeitsverhältnisses.
Nikisch, Die Bedeutung der Treupflicht für das Arbeitsverhältnis.
Nipperdey, Die Pflicht des Gefolgsmannes zur Arbeitsleistung.
Denecke, Das Wesen des Lohnes nach dem Akademie=Entwurf eines Arbeitsverhältnisgesetzes und die praktischen Folgerungen daraus.
Dersch, Der Erholungsurlaub in Akademie=Entwurf eines Gesetzes über das Arbeitsverhältnis.
Richter, Endigung des Arbeitsverhältnisses.
Pawelitzki, Das Ruhegeld in Akademie=Entwurf eines Gesetzes über das Arbeitsverhältnis.
("Deutsches Arbeitsrecht" Heft 7/8 Juli/August 1938. 6 Jahrgang.)

第三款　労務関係法草案の特質

一、指導理念

労務関係法の指導理念は同時に労働法一般の指導理念に聯関する。即ち彼の國民労働秩序法に於て顕示せられたる指導原則こそは同時に以て労務関係に於ける其れで無ければならぬ。恰も労働秩序法第一條、第二條に於て闡明せられ

一九七

一九八

た原則に相應ずるが如く本草案の冒頭第一條には「労務関係ハ名誉（Ehre）忠実（Treue）及ビ保護（Fürsorge）ニ基ク共同体関係（Gemeinschaftsverhältnis）トス」と述べて其の根本的原則を掲げてゐる。即ち労務関係は共同体関係であり、此の共同体関係は「名誉」「忠実」「保護」の義務の上に築かるべき事を要求するのである。

個人主義理論から共同体理論へ。此は労務関係法丈けの問題ではない。個人と個人との債権関係として個人主義的法律関係として捕へられた労務契約（Arbeitsvertrag）から共同体としての労務関係（Arbeitverhältnis）へ即ち財産権的交換（vermögensrechtliche Austausch）から人格権的共同体（personenrechtliche Gemeinschaft）へと転回したのである。之單に辞句の問題としてゞは無く「労務契約法」が「労務関係法」と称せらるゝ所以である。恰も労働秩序法に於て高唱せられた「経営共同体」（Betriebsgemeinschaft）の理念は茲に其の具体的な展開を示してゐると云ふことが出来るであらう。

果して然らば労務関係の前提條件たる労務契約は如何に把握されてゐるか。之は近時契約理論の転回が云々される時甚だ興味のある問題である。此の点草案第一條第二項は「労務契約ハ労務関係ヲ基礎ヅケ形成スル合意トス」と規定し一見何の特記すべき点も無きかに思はれる。然り。此の点は率直に云へば甚だ徴温的といはざるを得ないであらう。然し乍ら問題はこの「労務契約」なる語の意義如何にある。ナチス学者は労務関係の成立の為めには矢張り「意思の合致」を必須とする。而してこの合意を「労務契約」なる術語で示したのは此の語が労働法上根強い慣用語であるが故である。而して例へ契約の語を用ひたとしても、それは債権的な交換契約を意味するものではなく共同体を成立せしむる契約である。草案が労務関係を現はすに「共同体関係」としたのは正に此の謂に外ならぬ。従つて従来労務契約が財産権に属する「交換行為」と解された為め給付の各分割が考へられたのであるが、ナチス労働法の立場よりすれば、それは「継続的共同体」を成立させる労務契約であると解せらるゝのである。従つて斯くの如き観点よりすれば民法第六百十一條乃至第六百三十條の雇傭

一九九

二〇〇

契約に関する規定はナチス労働法の概念と相容れず全然その適用を見ない事となる。草案第四條第二項の規定は之を明示して居る。又注意すべきは民法全体が適用されないのではなく爾餘の規定は其等が「本法又ハ労働共同体経営共同体（*arbeits- und Betriebsgemeinschaft*）ノ本質」と異らざる限り適用を見るのであつて共同体思想の批准を要するとなすのである（同條同項）。此事は普遍的に云つて労務関係の形成に就ては「労働共同体経営共同体ノ基本観念又ハ其ノ意味目的ニ依リ或ハ明文ニ依リ強行規定タル法規」（第五條）に拘束されるといふのである（*Hueck, Die Begründung des Arbeitsverhältnisses*）。

草案が共同体関係に基く名誉　忠実　保護を高唱せることは既に第一條に於て見た。同條に於ては労務関係は企業者と従者の人的な結合（*persönliche Verbundenheit*）として従者は全労働力を挙げて企業に奉仕すべく個々の労働力の切賣の如きは極力排撃さるべしとされる。企業者従者は相互に厳格なる忠実義務を負はねばならぬ。草案第十九條は「従者ハ最善ノ力ヲ以テ企業者及ビ経営ノ福利（*Wohl*）ノ為メ盡ス」べく「企業者及ビ経営ノ正当ナル利益ニ反スル一切ノ行為ヲナスベカラズ」と規定し従者の忠実義務の原則を宣言する反面、第六十八條は「企業者ハ従者ノ名誉ニ適ハシキ取扱ヲ為ス義務ヲ負フ企業者ハ経営関係及ビ労務給付ノ種類ニ依リ許サルル範囲内ニ於テ労務関係ノ埒内ニ於ケル従者ノ福利ニ留意スルコトヲ要ス企業者ハ特ニ労働中ノ従者ノ心身ノ危険防止並ニ善良ナル風俗及ビ体面ノ維持ニ留意スルコトヲ要ス」と規定して企業者の忠実義務保護義務を明示した。尤も忠実義務保護義務なるものはナチス労働法に依つて始めて取上げられたものではない。然し斯る義務が共同体思想に於て始めて其の真価を見出すべきは敢えて言を俟たないであらう。

二、形式上の特質

草案の一特色は労働法規の統一綜合にある。従来の労務契約は商業使用人、工業労務者及び使用人、農業及び森林労務者、鉱山労務者、家事使用人等に分裂してゐたのであるが本草案に於て統一綜合され草案は原則として一切の労務者

二〇一

二〇二

に適用を見る。

更に注意すべきは従来の如き労務者（*Arbeiter*）と使用人（*Angestellte*）の区別の排せられた事である。ナチスの労務関係に於ては共同体の観念こそ第一義であつて労務者と云はず使用人と云はず共に民族、国家及び経営の発展の為めに努力すべしとする。法案が使用人に就き特に差別を設くるのは現実と慣習の必要に基く場合のみに限られてゐる。

法案の用語に就て注目すべきは上述の如く労務者使用人を含めて従者（*Gefolgsmann*）と称し之に対して雇傭主を称して企業者（*Unternehmer*）と称して居る事である。従来の如く雇傭主（*Arbeitgeber*）被傭者（*Arbeitsnehmer*）なる名称は遺棄された。蓋し労働は與へる（*geben*）ものでもなく取る（*nehmen*）ものでもないからである。

従者の観念に対立して企業者が経営の指導者となること、即ち経営の指導者原則については既に國民労働秩序法に於て述べたから重言しない。

三、内容上の特質

第三條は法解釈の基準を示して曰く「労働生活ニ於ケル総テノ意思表示及ビ法律行為ハ名誉、忠実及ビ信頼（Vertrauen）保護ニ基ク労働共同体経営共同体ノ精神ニ適スル如ク解釈スベシ」となしてゐる。以下各個具体的場合に於ける法案の内容を解説して見やう。

(イ) 従者の義務

従者は真の労働共同体経営共同体の精神に則り自己に与へられたる肉体的、精神的全能力を発揮し其の労働義務を履行すべきである（第十三條）。其の為めには単に契約に於て定められたる労務に服するのみならず緊急の場合には契約以上の労務契約以外の労務にも服すべきである（第十五條）。労務給付の種類、範囲、時及び場所については各場合に就き当事者の合意、賃率規則、経営規則、勤務規則に依るべきである（第五條、第十四條）。

従来労働法の教科書や草案で屡々論ぜられた従者の尊敬、服従の義務は本草案に於ては別段規定はない。此の点は「従者」なる名称の示す如くナチスの指導者原理よりすれば従者に尊敬義務の存すべきは自明の理と云ふことが出来やう。服従の義務についても同様である。只経営内の秩序に関しては企業者に必要な権限が明記されてゐる（第十四條）。

従者の忠実義務（第十九條）に就ては既に述べた所であるが、更に従者は営業上及び経営上の秘密を保守する義務がある。例へば技術工程、製造方法、仕入元、販路、顧客名簿、貸借表、原価計算表等に就き斯る義務が存する（第二十一條）。秘密保守義務に就ては労働法に之が特別規定を設くるか或は従来通り「不正競争防止法」（Gesetz gegen den unlauteren Wettbewerb）の規定に委ねるか問題となつた所である。然し乍ら不正競争防止法は刑罰規定であり其の儘之を労務関係法に採取することは難色があり、他方民法の保護丈では不充分である。本草案第二十三條は同法の援用を明記して居る。

該業制限約款（Wettbewerbsabrede）に就ての現行法規は区々である。商業使用人に就ては商法に、技術使用人に就ては産業條例に規定があるが其の他の従者の不正競争防止の約定に就ては何等の特別法もない。本草案は此等の不統一を矯め総ゆる種類の従者を包含する総括的規定を設けた（第二十四條乃至第三十一條）（Nipperdey, Die Pflicht des Gefolgmannes zur Arbeitsleistung）。

(ロ) 企業者の義務

1 賃銀

草案第三十三條は「本法ニ於ケル賃銀トハ其ノ労働関係ニ依リテ生ジタル一切ノ報酬ノ外従者及ビ其ノ家族ニ対スル恩給（Ruhegeld）ヲ含ム」と規定し賃銀の意義を明記して居る。此規定は本法の範囲内に於て然るべき旨定めたものであり、従つて所得税、保険掛金の基準たるものではない。

草案は時間給（Zeitlohn）に就き経営の正規労働時間を超過するものを超過労務（Überstundenvergütung）を、法定最長労働時間たる八時間を超過するものを時間外労務（Mehrarbeitszuschlag）として之に時間外労務割増金（Mehrarbeitszuschlag）を支払ふべき旨規定して居る（第三十五條）。

労務の受領遅滞、給付障碍に関する第三十六條、第三十七條は独逸民法第六百十五條、第六百十六條に該当する規定である。本草案に於て経営障害（Betriebsstörung）中の賃銀を支払ふべしとせるは（第三十六條第二項）指導者原理に依り企業者が経営内諸般事項の全決定権を持つ以上斯る負担は当然なりとせるに依る。尤も此の障碍が「当該職業部門全体又ハ当該地方ノ全地域ニ発生シタル場合ハ従者ハ賃銀ノ半額ヲ請求スル」ことが出来るに過ぎない。

其の他法案は現物報酬（Sachbezüge、第三十九條、第四十條）、出来高払賃銀（Akkordlohn Gedingelohn 第四十一條乃至第四十四條）、売上歩合（Umsatzanteil, Provision 第四十五條乃至第四十九條）、利益歩合（Gewinnanteil 第五十條乃至第五十二條）、特別手当（Sonderzuwendung, Provision 第五十三條乃至第五十六條）の各種賃銀に就いて規定して居る。現物

報酬に関する規定は新たなる規定であり、利益歩合の規定も新規のものである。要は賃率規則、経営規則中に具体的詳細に規定さる可きを期待するに過ぎない。特別手当は大戦前は請求権無しとせられて居たのであるが、戦後社会民主主義独逸時代に於て労働組合の努力に依り此等の特別手当を就業規則に包含せしめ請求権を認めしめた。草案は大戦前の状態に復帰したものであるが、同時に共同体思想に基き手当支給の余力ある場合には従者に之を支給すべき旨規定したのである。

以上は賃銀に関する規定の概要であるが、問題は法案を通じて如何にナチスの賃銀本質論が具現されあるかである。企業者と従者との関係が財産権的交換関係に非ずして人格的共同体関係であるならば賃銀は最早債権関係に基く労務給付の単なる対價乃至は反対給付ではない筈である。共同体に於ては労働力の切賣は許されない訳である。労働共同体経営共同体が忠実と保護の義務に依って支へられて居るものならば賃銀は保護義務の発動に基くものであり断じて労務給付と直接の対價関係があり得可からざる筈である。ナチス賃銀立法の窮

極の理想が此処にあることは容易に推察出来るのであるが、法案を通じて見たる現実は必ずしも理論的ではない。寧ろ旧来の方法を踏襲して居ると思はれる点もある。例之国民労働秩序法第二十九条は「労務者及ビ使用人ノ労務報酬ヲ定メントスルトキハ各経営所属者ノ給付ニ応ジテ報酬ヲ支給スル」と規定し、又既述の法案第三十五条に於て所定労働時間を超過する労働に対して特別の超過時間給を支拂ふが如き規定は明らかに賃銀は労務の反対給付なる旧套を墨守する例と考へることが出来るであらう。然し乍ら草案に於ては此のみに盡きるに非ずして共同体に基く忠実保護義務の原則の表現と見らるゝ條項も之を有する。法案第三十四條が「賃率規則、経営規則又ハ労務契約ニヨリテ明ラカナラザル場合労務者ハ適当ナル賃銀ヲ受ク」と規定せる如き、又休暇中の賃銀、労務関係終了後に支拂はるゝ賃銀（第三十八條　第八十五條）の如き現在又は過去の労務に対する反対給付とは考へられず一の労働共同体経営共同体の一般的義務より流出するものと考へらるゝであらう。假に賃銀と労務が給付と反対給付の関係にありとするも一般の履行不履行に関する規定の適用の大前提とした草案

第四條第二項の精神に照し其の適用が果して労働共同体経営共同体の本質に一致するや否やは厳に検討を要する。共同体なるが故に例之経営の危急に当っては賃銀の切下も容認することを必要とするし、未拂又は減額の賃銀を他日請求することが忠実義務に違反する場合も存するであらう（草案第十五條参照）。又一方従者にある障害があって労務給付が困難となる場合に企業者が普通の賃銀を支拂ふべき場合も存するであらう。否労務者が全然労務給付不能となる場合にも賃銀支拂を継続すべき場合が存するであらう。然も之は企業者の倫理的な慈善思想に非ずして労働共同体経営共同体の本質たる忠実保護の義務から発生する企業者並に労務者の法的義務である。其の典型的例証としては法案第三十七條が其れであって「従者ガ過失ナクシテ労務給付ヲ阻害セラレタルトキハ従者ハ其ノ阻害ノ継続期間中過大ナラザル期間ニ就キ賃銀請求権ヲ有ス」と規定してゐるのである。従って一時的の病気とか国民的義務の履行等の場合には之に該当するものと考へ得る。尤も之に就ては経営の負担能力につき配慮のあることは注意さるべきであらう。要之ナチス賃銀立法は此の草案に関する限

り其の理論を理想的に展開したるものとは考へ難い。其れにも不拘従来の立法より前進して一層理想に接近しつゝ共同体思想に基く賃銀立法を展開して居ることは否定出来ない。企業者も従者も民族の構成員として民族国家に経営の活動を通じて奉仕する時賃銀の面より見ても其れが恰も国家と官吏との報酬関係に類似接近しつゝあるのは又故無しとせないであらう。然も賃銀の問題こそは労務関係に於て決定的なる課題たるに於てをやである（*Dencke, Das Wesen des Lohnes nach dem Akademie = Entwurf eines Arbeitsverhältnisgesetzes und die praktischen Forderungen daraus*）。

2. 保護義務

企業者の保護義務が成法的根拠を持つたのは今に始まる事ではない。既に独逸民法第六百十八條は「使用者ハ労務ノ性質ノ許ス限リ労務者ノ生命及ビ健康ヲ保護スル為メ労務ノ執行ニ供スベキ場所、装置又ハ器具ヲ適当ニ施設及ビ維持シ且ツ労務ガ使用者ノ指図又ハ指揮ノ下ニ為サルル場合ハ適当ニ之ヲ整理

スルコトヲ要ス」と規定し義務不履行に依る損害賠償に就ては不法行為に関する規定を準用してゐる。其他商法第六十二條、産業條例第百二十條以下にも保護義務に関する規定が存在した。然し乍ら此等の規定に於ては保護義務の内容が狭少であり、義務不履行の場合如何なる程度の救済を認むるか疑問であり独逸大審院の判例も極めて狭く解して居た。共同体を高唱するナチスが保護義務を拡張強化したるは寧ろ当然である。即ち国民労働秩序法の規定は論外とするも前掲第六十八條の原則規定に続いて「企業者ノ保護義務ハ労働保護法が従者ノ利益ノ為メニ企業者ニ課シタル義務並ニ社会保険ニ於テ従者ノ請求権保全ノ為メ企業者ニ課シタル義務ノ履行ヲ含ムモノトス」（第六十九條）と規定し保護義務を拡張した。従者が企業者の義務違反の場合単に労務給付の拒否権を有するのみならず請求権を有することは云ふを俟たぬ所である。

3　休暇（Urlaub）

有給休暇に就ては従来立法は存しなかつた。只少年保護法第二十一條に見え

る丈である。何故にナチス労働法に於て特に之が取立て、明記されたか。其れは休暇なるものが必ずしも休暇を与へらるゝ従者個人の利益たるに止まらず独逸民族育成の大目的に合致するが故に外ならない。即ち休暇は単に私人の報酬の一部或ひは賃銀の追加給付と解さるべきものではない。即ち第七十四條は「國民体力保持（Erhaltung der Volkskraft）ノ要求ニヨリ従者各人ハ労務ノ休養ト心身ノ新タナル精力ヲ得ンガ為メ其ノ生計ヲ制限セズルコトナク一年一回若干期間ノ休暇ヲ得ルコトヲ必要トス此ノ故ニ労務関係ニ依リ全部又ハ大部分ノ労働力ヲ要求セラルル従者各人ハ各暦年中有給休暇ヲ受クル権利ヲ有ス此ノ権利ハ拋棄ヲ許サザルモノトス」と規定し前述の精神を強調して居るのである。殊に休暇中依然賃銀全額支払を継続すべきことを規定し（第八十條）其の保護を計る一面、休暇制度の趣旨を徹底せしむる為め休暇期間中休暇の目的に反する有償行為をなすことを得ず、違反せる場合は其の日数に応じ賃銀請求権を喪失せしめることとした（第八十一條）。最短休暇期間は各暦年六日間とし（第七十五條）、新たに就職後六箇月にして休暇請求権の発生する旨規定し

た（第七十六條）（Dersch. Der Erholungsurlaub in Akademie＝Entwurf eines Gesetzes über das Arbeitsverhältnis）。

4　恩給（Ruhegeld）

ナチスの理論に依れば恩給は従前の如く単なる債権関係の其れではない。経営共同体の一員が疾病、老齢の故を以て労働関係より脱退する場合には共同体は此の者を世話すべきである。共同体の一員を放任する事は共同体の倫理観の許す所ではない。斯る観点からして企業者に恩給支払の義務を認めたのである。然し乍ら本草案に於ては一般的な経営の恩給制度を設けたのではない。草案第八十五條は経営規則、賃率規則及び当事者の合意に依りて現に存在する恩給規定を確認したに過ぎないのであつて此の点徹温的たるを免れない。蓋し各経営の負担能力に対する配慮に基くものであらうが、一面従者に対しては社会保険、使用人保険の制度が発達し居る点其の他各経営に退職金制度の存する点に鑑み養老制度としての恩給の不振となるのも一應は首肯出来る。既に述べたる如く

恩給の支給が共同体関係に基く企業者の忠実義務に依るものであるとすれば従者が企業者又は経営に対し不信行為の存する場合には企業者は従者に対し恩給の支給を中止することを得る訳である（第八十六條第一項）。又経営の負担能力を考慮に入れ経済関係に就て事情の変更がある場合には一定の條件の下に全部又は一部の恩給の支給を停止し得る旨規定した（第八十六條第二項）。又破産の場合に適当なる保護方策を立てゝ居る（第八十七條）（Pawelitzki. Das Ruhegeld in Akademie＝Entwurf eines Gesetzes über das Arbeitsverhältnis）。

（八）　労務関係の移轉

草案は従来未解決の儘放置かれた労務関係の移轉に就き次の如く規定する。即ち一経営が全体として他人の手に移る場合には其の新たなる企業者は既存の労務関係に入ることゝなる。此事は移轉の即日に実現される。経営の移転は斯くて従者を其の請求権に就ても就業関係に於ける地位に就き之を変更せしめる

ことはない。従って此処に新規業者も旧企業者も共に従者の請求権に対して責任を負ふ結果となる。旧企業者は移転以前に支払期日の到達せる請求権に就ては連帯債務者となり、経営移転の日に解約が告知せられ請求権の支払期日が移轉後労務関係の終了する日以前に到来する請求権に就ては保証人となるのである（第九十條第一項、第二項）。労務関係の爾後の継続期間中に発生せる請求権に就ては新企業者が責任を負ふことは言を俟たない。

（ニ）　労務関係の移轉

草案は此の点に就ては広く現行法規を攝取綜合してゐる。但し之迄よりも総括的な、より長き告知期間を設くる外其他の保護規定をも定めてゐる。又注目さるべきことは次の点である。

1　求職時日の許與

草案第百十條は「解約告知後又ハ有效期間中ニアル労務関係ノ終了以前ニ於

テ企業者ハ従者ノ請求アルトキハ従者ニ対シ他ノ就職場所ヲ探スニ充分ナル時日ヲ與ヘ且ツ其ノ期間中ノ賃銀ノ支拂ヲ継続スベシ」と規定し従者の保護を計って居る。此の規定は独逸民法第六百二十九條に相應するものであり企業者の義務を拡大するものである。

2．証明及び通告

之は従来民法、商法、産業條例等に存した規定を集大成止るものである。従前と同じく通常は勤務の種類及び期間に関する証明をなすのみであるが従者の請求ある場合には労務の給付及び勤務状態に迄及び更に最終の賃銀及び労務関係終了の理由をも証明せしめることが出来る（第百十一條第一項）。然も右証明は単に事前のみでなく労務関係の終了後も之を請求することが出来る（同條第二項）。企業者は証明に於ける不当なる記載に依り損害賠償の責任を負ふのみでなく亦企業者が知り又は知り得べかりしに不拘不正確な通告を第三者に與へたる場合亦同様である（第百十四條、第百十六條）。斯くの如く其の範囲の

拡大せられたのは労務関係に基く保護忠実義務の表現として企業者の義務を重大ならしめんが為めに外ならぬ。

（ホ）　團体労働（Gruppenarbeit）

団体労働は経営団体（Betriebsgruppe）と自発労働団体（Eigengruppe）とに分かれる。自発労働団体は多数の従者が或種の共同の労務に従事する為め組織したる団体例之ゲノッセンシャフト、有限責任会社、組合の如きものを云ふ。此の点企業者が自己の従者中より選抜組織したる経営団体と異るのである。後者に於て企業者が指導者原理に基き自由に選抜組織する訳であるが既に企業者と従者との間には労務関係が成立してゐるのであるから問題はない。団体員内部間の団体労働に基く損益の共同分担式如何が問題である。又団体の代表者に就ては若干問題が存する。即ち経営団体に於ては企業者の任命したる団体指導者（Gruppenführer）の他に経営団体を代表して企業者と賃銀の約定を結ぶ代表者（Sprecher）が選任されることである。従者の選任せる代表者は又信

任委員（Vertrauensmann）とも異る。蓋し賃銀に関する限りよく従者の利益を代表せしめんが為めである。尤も団体指導者を代表者に選任することを妨げない（第三十七條乃至第百十九條）。

（ヘ）　間接労務関係（Mittelbares Arbeitsverhältnis）

間接労務関係とは従者（主たる従者 Hauptgefolgsmann）が他の従者を引入れて労務に服せねばならぬか或は他の従者を引入れることに依つてのみ労務に服し得ると云ふことが企業者に於て認容せられねばならぬ場合に於て企業者と第三者たる従者との間の関係を指称する。本草案に於ては主たる従者（又は仲立親方 Zwischenmeister）が自己の名に於てなすか企業者の名に於てなすかを問はず企業者と第三者との間に労務関係の生ずることを規定したのである。従つて間接労務関係に於ては一切の企業者の義務が適用される（第百二十條乃至第百二十二條）。

第四款　結　語

以上甚だ簡略ながら独逸法学院労務関係法草案を通観した。思ふに本草案の意義は既に述べた処であるが一應之を取纒めて述ぶれば次の如くである。

一、総括的労務関係法であること

即ち本法の出現に依りて従来雑多に錯乱して居た諸々の法典は茲に綜合集大成され整然たる体系の下に包攝せられた。本法に依り労務関係乃至労務契約に関する限り諸法即ち民法典商法、産業條例、戦時農業労働條例及び使用人の解約告知期間ニ関スル法律は其の姿を没することゝなり其の産業部門の如何を問はず凡ゆる労務者使用人は本法に基き労務関係の規律を受くることゝなる。

二、労働共同体経営共同体思想に基くナチス的労務関係法であること、

既に第三款で見たる如くナチス的共同体思想に基き労働共同体経営共同体の

名の下に一切の労務関係は一人の人格権的共同体関係として把握せられ、共同体関係に基く名誉、忠実、信頼、保護の観念が強調せられ、此の事は労務関係の諸々の問題に就て極めて鮮かな展開を示してゐる。特に忠実義務、保護義務の高揚が労務関係に於て新生面を開拓したることは既に前款に於て実証とたるが如くである。茲に於て抽象的なる指導理念が其の着実なる展開を見てゐるのである。

三、極めて現実的なる実利性、伸縮性を兼備してゐること

本草案を一見したるものが何等奇異、新規と見做すべき規定を発見せざる如き感想を持つのは一面に於て本草案の周到なる用意に依るものである。契約の革新理論を求むる者には労務契約の解明にも甚だ物足りなさを感ぜられるであらう。然し乍ら斯くの如き包括的な法典に於ては其の対象となるべき経営並に其の労務関係の複雑多様なるを思へば本草案の持つ伸縮性殊に任意規定の範囲を可成り広汎となし強行規定の場合に於ても最低條件を規定するが如き方法には一面不満足を感ぜしめられると共に其の着実なる漸進的方法

が労務関係の如き最も広き労務者使用人層の緊要なる生活利益と結び付く限り又是認さるべきものであらう。茲にナチスの掲げた理想と現実との激しい摩擦の断面が看取されるのである。

さり乍ら斯くの如き立法は右に述べたる三の理由に依り案外早く成法化するに非るやと推察さるゝのである。其れ迄幾多の批評、改正を蒙ることであらう。以て他山の石として此の國に於ける労働立法乃至労務関係法研究の貴重なる資料たるべきを確信する。

附録

獨逸法學院勞務關係法草案

目次

第一章　総則

第一條　(一)　労務関係ハ名誉（Ehre）忠実（Treue）及ビ保護（Fürsorge）ニ基ク共同体関係（Gemeinschaftsverhältnis）トス．此ノ共同体関係ニ於テ従者（Gefolgsmann）ハ企業者ノ為メ経営内又ハ其他ニ於テ自己ノ労働力ヲ役立タシム．

(二)　労務契約ハ労務関係ヲ基礎ヅケ形成スル合意トス．

第二條　営利ヲ目的トセズ主トシテ宗教、慈善又ハ矯風、教育或ヒハ医療復業ニ従事スル場合ニハ労務関係ナシ．

第三條．労務生活ニ於ケル総テノ意思表示及ビ法律行為ハ名誉忠実及ビ信頼（Vertrauen）保護ニ基ク労働共同体経営共同体（Arbeits= und Betriebsgemeinschaft）ノ精神ニ適スル如ク解釈スベシ．

第四條　(一)　特別法ニ別段ノ規定ナキ限リ労務関係ニ就テハ本法ノ規定ヲ適用ス．

(二)　雇傭契約ニ関スル民法ノ規定ハ適用ナシ．民法中其他ノ規定ハ本法又ハ労働共同体経営共同体ノ本質ニ依リ異リタル結果ヲ生ゼザル限リ之ヲ適用ス．

第五條　労働共同体経営共同体ノ基本観念又ハ其ノ意味目的ニ依リ或ハ明文ニ依リ．強行規定タル法律規定及ビ賃率規則、経営規則　勤務規則（Tarif=Betriebs=oder Dienstordnung）中変更ヲ許サゞル規定ハ労務関係ノ形成ニ際シ企業者及ビ従者ヲ拘束ス．

第二章　労務契約

第六條　(一)　労務契約（第一條第二項）ハ特別法ニ於テ別段ノ規定ナキ限リ方式ヲ要セズ．

(二)　労務関係ガ一年以上ノ期間ニツキ約セラル、時ハ労務契約ハ書面ヲ以テ締結サルベシ．然ラザル時ハ不定期間ニツキ成立セルモノトス．

(三)　書面ヲ以テ締結シタル労務契約ハ印紙税ヲ要セズ．

第七條　労務契約ノ合意ガ書面ヲ以テナサレタル時ハ各当事者ハ何時ニテモ他ノ当事者ノ署名シタル謄本ヲ請求スルコトヲ得．

第八條　従者ハ賃率規則経営規則又ハ勤務規則ニ規定ナキ場合ニハ現物報酬（Sachbezüge）ノ種類、数量及ビ支払日ニ関シ企業者ノ署名シタル書面ヲ請求スルコトヲ得．

第九條　(一)　錯誤、詐偽又ハ強迫ニ因リ労務契約ヲ取消ス権利ハ労務ニ服スルト同時ニ消滅ス．取消権者ハ爾後告知期間ナクシテ労務関係ヲ解約スルコトヲ得．

(二)　個々ノ労働條件ニ関スル合意ノ取消権ハ之ニヨリ妨ゲラル、コトナシ．

第十條　(一)　企業者ハ従者ヲ使用シタル期間ニ就キ従者ニ対シ其行為能力欠除ニ因ル労務関係ノ無效ヲ主張スルコトヲ得ズ．

(二)　其他労務関係無效ノ場合ニ就テハ其ノ無效ヲ相手方ガ知ラサル向ハ企業者並ニ従者ハ事実服務シタル就業期間ニツキ無效ヲ主張スルコトヲ

得ズ

第十一條　従者保護ヲ目的トスル法律ニ違反セル故ヲ以テ個々ノ労働條件ニ関スル合意ガ無效ナル場合ト雖モ之ガ為メ其他ノ契約ノ效力ハ妨ゲラルルコトナシ．約定セル賃銀ガ労働給付ノ價値ニ対シ甚ダシク不均衡タル為メ賃銀ノ合意ガ無效ナル時亦同ジ．

第三章　労務関係上ノ義務

第十二條　企業者及ビ従者ハ其ノ義務ノ履行ニ当リ労務関係ノ本質、労務生活ニ関與セル職域ノ正当ナル観念及ビ個々ノ場合ニ於ケル経営上並ビニ人的関係ニ適ハシキ注意ヲ拂フコトヲ要ス．

第一節　従者ノ義務

第一款　労務ノ給付

第十三條　従者ハ真ノ労働共同体経営共同体ノ精神ニ則リ自己ニ與ヘラレタル

肉体的精神的全能力ヲ発揮シテソノ労働義務ヲ履行スベシ

第十四条　労務給付ノ種類、範囲　時及ビ場所ハ第五条ノ原則ニ従ヒテ規定セラルベシ、同条又ハ本法ノ諸規定ニ其ノ定メナキモノニ就テハ企業者之ヲ規定ス、

第十五条　従者ハ企業者ノ危急ヲ傍観スルヲ得ズ、忠実義務ニ従ヒ緊急ノ場合ニ於テハ契約上ノ労務以上又ハ契約上ノ労務ト異ル労務ニ服スベシ、異リタル労務ニ移リタルコトヲ理由トシテ賃銀ヲ減ゼラルルコトナシ、

第十六条　従者ハ自ラ労務ノ給付ヲナスベキモノトス　但シ別段ノ合意ヲナシタルカ又ハ特別ノ事情アル場合ニハ此ノ限ニアラズ、労務給付ノ請求権ハ従者ノ同意アル場合ニ限リ之ヲ譲渡スルコトヲ得

第十七条　企業者ハ従者ノ賠償スベキ材料工具機械ニ対スル損害ヲ労働時間以外ニ於テ従者自ラ補填スルコトヲ許スベシ、但シ企業者ニ於テ此ノ許可ヲ与フベキモノト期待セラルル事情アル場合ニ限ル、

第十八条　(一)　従者ガ故意又ハ重大ナル過失ニヨリ労務ニ服セザルカ又ハ之ヲ

棄テタルトキハ企業者ハ履行又ハ損害賠償ニ代ヘ損害ノ立証ナクシテ補償ヲ要求スルコトヲ得、此ノ場合補償額ハ通常ノ解約告知期間ノ満了迄ノ日数ニ対シ平均日給額ヲ乗ジタル金額トス、但シ其ノ補償総額ハ労務者ニアリテハ週給平均額、使用人ニアリテハ月給一箇月分ヲ超ユルコトヲ得ズ、

(二)　前項ノ場合ニ於テ企業者ハ其ノ労務関係継続期間中他ノ企業者ニ雇傭セラレサル事ヲ其労務者ニ要求スル事ヲ得。但企業者カ要求ヲ為スヘキ正当ノ利害ヲ有スル限度内ニ於テノミ其要求ヲ為シ得ルモノトス

(三)　企業者が

1.　従者ヲ誘ヒ違法ニ就業セシメズ又ハ労務関係ノ法的終了以前ニ之ヲ去ランメ

2.　其ノ情ヲ知リテ他ノ企業者ニ対シ労働義務ヲ負フ従者ヲ雇傭スル

トキハ其ノ企業者ハ他ノ企業者ニ対シ労務者ト連帯シテ損害賠償ノ義務又ハ本条第一項ノ補償義務ヲ負フ、

第二款　特別ノ忠実義務（*Besondere Treupflichten*）

第十九条　従者ハ最善ノ力ヲ以テ企業者及ビ経営ノ福利（*Wohl*）ノ為メ尽スベシ、企業者及ビ経営ノ正当ナル利益ニ反スル一切ノ行為ヲ為スベカラズ、

第二十条　操業工程上ノ損害又ハ障害ガ発生セントシ又ハ既ニ発生シタルトキハ従者ハ遅滞ナク之ヲ企業者ニ報告スベシ、労務上ノ障害ニ就テモ同様成可ク速カニ報告スベシ、

第二十一条　(一)　従者ハ自己ニ伝達セラレ又ハ他ノ方法ニ依リ知レル営業上及ビ経営上ノ秘密ヲ其ノ労務関係ノ継続中ニ於テ利用シ又ハ他人ニ漏洩スベカラズ、

(二)　従者ニ対シ労務関係ノ期間終了後ニ於テモ尚営業上及ビ経営上ノ秘密ノ利用ヲ制限スル合意ハ競業制限約款（第二十四条乃至第三十一条）ノ規定ニ従フ、

(三)　従者ガ違法ニ営業上又ハ経営上ノ秘密ヲ漏洩シ其ノ責ニ任ズベキ場合ニ於テ其ノ背任行為ノ利益ヲ受ケタル企業者ガ其ノ違法ナルコトヲ知リ又ハ知リ得ベカリシトキハ其ノ企業者ハ従者ト共ニ其ノ責ニ任ズベシ、

第二十二条　(一)　従者ハ其ノ行為ガ競業ニ依リ企業者ニ損害ヲ与フル場合ニ於テハ企業者ノ同意ナクシテ他ノ企業ニ従事シ或ハ企業者、出資者、従者トシテ又ハ其他ノ方法ニ依リ、個々ノ法律ニ関与スルコトヲ得ズ、企業者ガ労務契約ノ締結ニ際シ右ノ行為ヲ知ルニカ、ハラズ其ノ廃棄ヲ明文ヲ以テ約セザル場合ニハ同意アリタルモノトス、

(二)　従者ガ前項ノ義務ニ違反シタルトキハ企業者ハ損害賠償ニ代ヘ従者ガ自己ノ計算ニ於テナシタルモノト看做サシメ其ノ行為ヨリ生ジタル報酬ニシテ他人ノ計算ニ計上セラレアルモノヲ引渡スカ又ハ其ノ請求権ヲ譲渡スベキコトヲ請求スルコトヲ得、

(三)　請求権ハ企業者ガ違反行為ヲ知リタルトキヨリ三箇月ヲ経過

シタルトキハ時効ニ依リ消滅ス、違反行為後五年ヲ経過シタルトキハ企業ノ知ルト否トヲ問ハズ時効ニ依リ消滅ス、

第二十三條　不正競業防止法（Gesetz gegen den unlauteren Wettbewerb）ノ規定ハ効力ヲ妨ゲラルヽコトナシ、

第三款　競業制限約款（Wettbewerbsabrede）

第二十四條　(一)　従者ニ対シ労務関係終了後ノ一定期間ニ亘キ其ノ営業行為ヲ制限スル合意（競業制限約款）ハ書面ヲ以テ之ヲナスコトヲ要ス、

(二)　未成年者ハ競業禁止約款ヲナスコトヲ得ズ、

第二十五條　(一)　企業者ノ正当ナル営業上ノ利益ニ貢献セザルカ又ハ其ノ補償金（第二十六條）ヲ考慮スル場合不当ニ従者ノ生活ヲ圧迫スルトキハ競業制限約款ハ無効トス、

(二)　約款ハ二年以上タルコトヲ得ズ、技術者ニアリテハ五年以上タルコトヲ得ズ、

二三七

第二十六條　(一)　企業者ハ競業制限約款期間中毎月末ニ於テ一定ノ補償金ヲ従者ニ支払フベキ義務ヲ負フ、補償額ハ最後ニ受取リタル賃銀額ヲ基準トシ最初ノ二箇年間ハ少クトモ其ノ半額、其ノ以後ニアリテハ少クトモ全額トス、但シ何レノ場合ニアリテモ年額最低一五〇〇ライヒスマルクタルコトヲ要ス、当該従者ガ欧洲以外ノ地ニ就職スルカ又ハ年収ガ一二〇〇〇ライヒスマルクヲ超過スルトキハ本項ノ義務ハ免除セラル、

(二)　賃銀ガ売上歩合其他ノ変動スル収入トシテ定メラレテ居ル場合ニハ最後ノ三年間ノ平均額ニ基キ補償額ヲ計算ス、労務関係ノ存続ガ三年以内ナルトキハ其ノ継続期間ノ平均額ニ依ル、

(三)　従者ガ単ニ営業上又ハ経営上ノ個々ノ秘密ノ利用ノミヲ禁ゼラルヽ場合（第二十一條第二項）ニ於テハ第二項ヨリモ少額ノ補償額ヲ約定シ又ハ労働裁判所ニ於テ決定スルコトヲ得、

(四)　補償金ノ請求権ハ賃銀トシテノ優先権及ビ保護ヲ受ク、

第二十七條　(一)　従者ハ補償金ノ支払ヲ受クル期間中労働ニ依リテ取得スル金

二三八

額又ハ悪意ニ依リ取得ヲ怠リタル金額ヲ以テ既ニ支払期ニ達セル補償金ニ充ツベシ、但シ補償金額ト該取得額トノ合計ガ最後ニ受取リタル賃銀額ヨリモ十分ノ一以上超過スルカ又ハ競業制限約款ヨリ生ジタル住所変更ノ場合ニ四分ノ一以上ヲ超過スル場合ニ限ル、従者ハ其ノ取得額ヲ証明スル義務ヲ負フ、

(二)　自由刑服役中ハ補償義務ナシ、

第二十八條　従者ノ過失行為ニ因リ期間ヲ附セズシテ労務関係解消ノ権利ヲ生ジタルニ基キ企業者ガ解約ヲ告知スル場合ニ於テハ補償義務ヲ負ハズ、

第二十九條　(一)　従者ハ左ノ場合ニ於テハ書面ニ依ル告知ヲ以テ競業制限約款ヨリ離脱スルコトヲ得、

1　企業者ノ過失行為ニ因リ従者ガ期間ヲ附セズシテ労務関係ヲ解約スル権利ヲ得タルタメ解約ヲ告知スル場合

2　従者ニ関スル著シキ事由ナキニ拘ラズ企業者ガ労務関係ノ解約ヲ告知シ且ツ其ノ通告ニ際シ競業制限約款ノ継続期間ニ対シ補償トシ

二三九

テ最後ノ賃銀金額ヲ支払フベキ旨ノ約束ヲナサヾル場合

(二)　第一項第一号及ビ第二号ノ告知ハ労働関係解約ノ告知後遅クトモ一箇月以内ニ企業者ニ通達セラルベキモノトス、

(三)　第一項ノ権利ハ之ヲ豫メ除斥又ハ制限スルコトヲ得ズ

第三十條　企業者ハ労務関係ノ終了迄書面ヲ以テ競業制限ヲ拋棄スルコトヲ得、此ノ場合ニ於テハ補償請求権ハ拋棄後六箇月ノ経過ヲ待チテ後初メテ消滅ス、

第三十一條　従者ガ労務関係ノ終了後ニ於テモ其ノ営業行為ヲ制限スベキ旨第三者ニ於テ責任ヲ引受クベキ合意ハ無効トス、

第二節　企業者ノ義務

第一款　賃銀

第一項　総則

第三十二條　労務給付ガ報酬ノ為メニノミナサレタルモノト周囲ノ事情ニ依リ

二四〇

判断セラルル場合ニ於テハ合意ナキ場合ト雖モ従者ハ其ノ労務関係ニ於テ給付シタル労務ニ対スル賃銀ノ請求権ヲ有ス、

第三十三条　本法ニ於ケル賃銀トハ其ノ労務関係ニ依リテ生ジタル一切ノ報酬ノ外従者及ビ其ノ家族ニ対スル恩給ヲ含ム、

第三十四条　賃銀ノ種類及ビ額ガ賃率規則、経営規則又ハ労務契約ニ依リテ明ラカナラザル場合ニハ労務者ハ適当ナル賃銀ヲ受ク

第三十五条　(一)　時間給（Zeitlohn.）ノ場合ニ於テ経営内ノ所定労働時間ヲ超ユル超過時間（Überstunden）ニ対シテハ特別ノ報酬ヲ支払フベシ（超過時間給 Überstundenvergütung）

(二)　法定最高労働時間ヲ超ユルトキハ此ノ時間外労務（mehrarbeit）ニ対スル賃銀ハ四分ノ一ノ割増金（Zuschlag）ヲ附加シテ支払フベシ　但シ賃率規則、経営規則、勤務規則又ハ労務契約ニ別段ノ規定アル場合ハ此ノ限リニ非ズ（時間外労務割増金（mehrarbeitszuschlag））

(三)　超過時間又ハ時間給労働ニ対スル報酬ガ合意ニ依リ又ハ慣習

上既ニ週給又ハ月給ニ含マルヽ場合ニハ超過時間給及ビ時間外労務割増金ハ之ヲ支払フコトヲ要セズ、労務準備（Arbeitsbereitschaft）、豫備的又ハ補充的労務（Vorbereitungs=oder Ergänzungsarbeit）若クハ緊急状態ニ於ケル労務ノ場合ニ於ケル時間外労務割増金亦同ジ、

第三十六条　(一)　企業者ノ過失ニ因リ労務ガ給付セラレザルカ又ハ企業者ガ労務ノ受領ニ就テ遅滞ニ陥リタルトキハ従者ハ爾後給付ノ義務ヲ負フコトナク賃銀請求権ヲ有スルモノトス

(二)　従者ノ過失ニ因ルコトナク経営上ノ理由（経営障碍 Betriebsstörung）ニ依リ労働不能ニ陥リタル場合亦同ジ、経営障害ガ当該職業部門全体又ハ当該地方ノ全地域ニ発生シタル場合ハ従者ハ賃銀ノ半額ヲ請求スルコトヲ得、

(三)　労務ノ不給ガ企業者ノ責ニ帰スベカラザル事由ニ因ルトキハ企業者ハ賃銀ヲ拒絶スルコトヲ得　但シ其ノ支払ニ依リ経営ノ存立、自己ノ生存又ハ自己ノ法定扶養義務ノ履行ヲ危殆ニ陥ラシムル場合ニ限ルモノ

トス、

(四)　従者ハ労務ノ不給ニ依リテ節約シ又ハ之ニ基キ他所ニ於テ取得シ若クハ悪意ヲ以テ取得スルコトヲ怠リタル額ヲ賃銀ニ充当セシムルコトヲ要ス、

(五)　企業者ノ過失ニ因ル労働不能ニ対スル賃銀請求権ハ豫メ之ヲ排除又ハ減少スルコトヲ得ズ、

第三十七条　(一)　第三十六条ノ場合以外ニ於テ従者ガ過失ナクシテ労務給付ヲ阻碍セラレタルトキハ従者ハ其ノ障害ノ継続期間中過大ナラザル期間ニ就キ賃銀請求権ヲ有ス

(二)　労務契約ニ於テ労務関係ノ継続ガ少クトモ一年ニ対シ又ハ不定期間ニ対シ締約セラレアルトキハ労務者ニアリテハ十四日使用人ニアリテハ六週間ヲ以テ過大ナラザル期間トス、従者ガ此ノ期間ニ対シ賃銀ヲ受取リタルトキハ同一暦年度中ノ其ノ後ノ新タナル障害ニ就テハ新タナル賃銀請求権ヲ生ズルコトナシ、

(三)　同様ノ理由ニ因リ全従者ノ十分ノ一ニシテ少クトモ十人ノ従者ガ労務給付ヲ阻碍セラレタルトキハ企業者ハ賃銀ヲ拒絶スルコトヲ得、

(四)　従者ハ障害ニ因リテ節約シ又ハ他方面ヨリ受領シタル額ヲ賃銀ニ充当セシムルコトヲ要ス、但シ従者ガ障害事故ノ為メ支出増加ヲ来サザリシ場合ニ限ル・

(五)・従者ノ障害ニ因リ期間ヲ附セズシテ解約ヲ告知セラレタルトキハ従者ハ賃銀請求権ヲ有ス、　但シ正規ノ告知期間ノ終了迄ヲ以テ其ノ最高額トス、

(六)　本条ノ規定ト異リ従者ニ不利ナル約定ハ賃率規則経営規則勤務規則又ハ書面ニ依ル個々ノ約定ヲ以テノミ之ヲ為スコトヲ得、

第三十八条　(一)　従者ガ配偶者卑属又ハ父母ヲ遺シテ死亡シ従者ガ其ノ死亡迄主トシテ其ノ労務取得ヨリ此等ノ者ノ扶養費ヲ支出シ居リタル場合ニ於テ疑義ヲ生ジタルトキハ従者ガ過失ナキ疾病ノタメ労務給付ヲ阻碍セラレタル場合ニ第三十七条第一項及ビ第二項前段ニ因リ要求シ得ベカリシ額ヲ埋

葬料（Sterbegeld）トシテ此等遺族ニ於テ請求スルコトヲ得、遺族ガ数人ナルトキハ平等ノ持分ヲ有ス。

（二）埋葬料ノ権利者ガ従者ノ死亡ニ因リテ受取ル収入ハ死亡者又ハ埋葬料権利者自身ノ保険掛金其ノ他之ニ類スル給付ヨリ生ジタルモノニアラザル限リ、之ヲ埋葬料ニ充当スルコトヲ得。

第二項　現物報酬（Sachbezüge）

第三十九条　賃銀トシテ経営自身ノ生産品ヲ約シタルトキハ、其ノ経営ニテ生産スル中位ノ品質ノ生産品ヲ給付スベキモノトス

第四十条　（一）従者ノ身上ニ存スル理由ニ因ラズシテ現物報酬ガ給付セラレ得ザルトキハ、企業者ハ其ノ地方ノ慣習上ノ金額ヲ現金ニテ支払フベキモノトス　企業者ニ遅滞ノ存スルトキハ、従者ノ其レ以上ノ請求権ハ之ニ因リテ妨ゲラルルコトナシ

（二）従者ノ身上ニ給付不履行ノ理由ノ存スルトキハ、従者ハ其ノ給

付不履行ニ因リテ企業者ガ節約シ得タル額ヲ限度トシテ賠償ヲ要求スルコトヲ得、

第三項　出来高払賃銀（Akkordlohn）（Gedingelohn）

第四十一条　出来高払賃銀ハ、普通ノ労務者ガ其ノ能率ヲ向上セシメタルトキハ之ニ応ズル歩増ヲ与フルガ如クニ約定スルコトヲ要ス、此ノ歩増ハ同様ノ時間給労務者ノ賃銀以上ナルベキモノトス

第四十二条　従者ガ出来高払賃銀ニテ雇傭セラレタル場合ト雖モ、企業者ガ過失ニ因ラズシテ契約上ノ出来高払仕事ヲ提供シ得ザルカ又ハ経営上ノ関係ガ一時間ニ時間払労働ヲ必要トスルトキハ慣習上又ハ適当ナル時間給ヲ以テ労務ニ服スベキモノトス。

第四十三条　従者ガ仕事ノ失敗ノ責ヲ負フベキ場合ニ於テハ使用ニ堪ヘザル製品ノ出来高払賃銀ヲ要求スルコトヲ得ズ、価格ノ低下ヲ来シタルノミナル

トキハ之ニ応ジテ賃銀ヲ減額ス、但シ事後ノ改修ヲ行ヒタルトキハ此ノ限ニ在ラズ。

第四十四条　出来高払ノ仕事ガ未完ノ儘断絶シタルトキハ従者ハ既ニ完了シタル部分ニ応ジテ出来高払賃銀ヲ受取ルベキモノトス、従者ガ断絶ノ責ニ任ズベキ場合又ハ従者ガ重大ナル理由ナクシテ労務関係ヲ解消シ若クハ重大ナル理由ニ因リテ解約ヲ告知セラレタル場合ニ於テ其ノ未完ノ仕事ノ為メ企業者ノ喪失セル価格ニ就テハ従者ノ請求権ハ減少スベキモノトス

第四項　売上歩合（Umsatzanteil）（Provision）

第四十五条　従者ガ自ラ行ヒタル取引又ハ仲介シタル取引ニ対シテ歩合ヲ約セラレ居ルトキハ其ノ労務関係ノ継続中ハ自ラ之ニ関与セザルモ其ノ従者ニ紹介セラレタル得意又ハ自ラ取引関係ヲ作リタル得意トノ間ニ締結セラレタル取引若クハ自己ノ持場タル地区ニ於テ締結セラレタル取引ニ対シテモ

売上歩合ヲ給セラルベキモノトス、但シ第四十七条ニ従ヒ此等ノ取引ニ就テ他ノ第三者ニ売上歩合ヲ支払ハザル場合ニ限ル、

第四十六条　（一）売上歩合ノ請求権ハ取引ノ履行ニ因リテ発生ス、販売行為ニ在リテハ代金ノ受取ニ因リ受取金額ノ割合ニ応ジテ発生ス、停止条件附契約ニ在リテハ其ノ条件ノ成就ニ因リテ発生ス、

（二）企業者ノ行為ニ因リ取引ガ約定通リニ履行セラレザルトキ従者ニ共同責任ナキカ又ハ取引ノ相手方ニ重大ナル事由ガ存スル場合ニ於テハ従者ハ売上歩合ノ金額ヲ請求スルコトヲ得、本項ハ強行規定トス、

第四十七条　従者ノ労務関係ノ終了後ニ於テ始メテ締結又ハ履行セラル、取引ヲ仲介又ハ成立セシメタル従者ハ此等ノ取引ニ対シ売上歩合ヲ請求スルコトヲ得、

第四十八条　売上歩合ハ遅クトモ営業年度ノ終末ニ決算シ決算後遅滞ナク支払フコトヲ要ス、但シ各月ノ終末ニハ適当ナル一部支払ヲ為スベキモノトス、

第四十九条　（一）決算ニ際シ従者ハ売上歩合支払ノ根拠トナルベキ取引関係ノ

帳簿ノ抄本ヲ要求スルコトヲ得。故意ノ作為ニ関シ正当ナル疑ノ存ズル場合ニハ従者ハ自己又ハ宣誓セル計理士ニ対シ取引帳簿ノ提示ヲ求ムルコトヲ得、企業者ハ従者ノ指定シタル宣誓セル計理士ニ帳簿ヲ提示スルヲ以テ足ルモ自ラ其ノ費用ヲ負担スベキモノトス.

(二)　前項ハ強行規定トス.

第五項　利益歩合（Gewinnanteil）

第五十條　(一)　従者ニ対シ其ノ事業ノ利益分配ガ約サレアル場合ニ於テハ其ノ営業年度ノ純益ニ基キ利益歩合ヲ算定ス。純益ハ企業者ニ於テ商業上ノ原則ニ基キ算定スベク此ノ場合ニ於テハ既往年度ノ損失ハ之ヲ計算セザルモノトス、企業ノ一部門ニ就テノ利益分配又ハ限定的ナル商業ノ一部門ニ就テノ利益分配ノ場合ニ在リテモ他ノ事業部門又ハ他ノ商業部門ノ損失ハ之ヲ計算セザルモノトス.

(二)　法律又ハ定款ニ依リ法人ノ法定代理人ノ利益歩合ノ計算ヲ定メ

二四九

アル場合ハ其ノ規定ハ利益歩合ヲ受クル従者ニモ亦之ヲ適用ス.

二五〇

第五十一條　従者ハ利益計算書（Bilanz）ノ謄本ヲ要求スルコトヲ得、利益結果ノ検査ノ為メ必要ヲ生ジ且一定事情ニ関スル企業者ノ秘密保持ノ重要ナル利益ニ衝突セザル範囲内ニ於テハ従者ハ帳簿其ノ他取引書類ヲ自ラ閲覧シ又ハ宣誓セル計理士ヲシテ閲覧セシムルコトヲ得。企業者ハ従者ノ指定シタル宣誓セル一名ノ計理士ニ対シテノミ閲覧ヲ許可スヲ以テ足ル、但シ其ノ費用ヲ負担スルモノトス.

第五十二條　利益歩合ハ収支計算書ノ決定ト同時ニ又普通ノ商業上ノ執務状態ニ於テハ過失ニ因ル遅滞ナクシテ計算ヲ決定シ得ベカリシ時期ニ於テ直チニ支拂ハルベキモノトス、約束シタル最低額ハ営業年度末ニ支拂フコトヲ要ス、労務関係ガ当該営業年度内ニ開始又ハ終了シタルトキハ従者ハ其ノ期間ニ應ズル利益歩合ヲ受取ルベキモノトス、

第六項　特別手當（Sonderzuwendung）（Provision）

第五十三條　一定ノ事由ニ因リ経営内ニ特別手当ノ慣行アル場合ニ於テハ従者ガ其ノ條件ヲ充タシタルトキ、直チニ特別手当ニ対スル請求権ヲ有ス、疑アル場合ニ於テ企業者ガ取引ノ完結クリスマス其ノ他同様ノ場合ニ三年間継続シテ特別手当ヲ支給シタル時ハ特別ノ慣行アルモノト推定ス.

第五十四條　(一)　疑ヒアル場合ニハ特別手当額ハ前営業年度ト同額トス、

(二)　特別手当ノ支給セラレタル既往諸年度ニ比シ当該年度ノ企業利益ガ減少シタルトキハ企業者ハ之ニ應ジテ特別手当ヲ減額スルコトヲ得、利益皆無ノ場合ニハ特別手当ノ支給ヲ全廃スルコトヲ得、

第五十五條　特別手当ノ支給セラレアル場合ニ於テハ企業者ハ当該従者ノ身上ニ重大ナル理由ヲ存スル場合ニ於テノミ特定ノ従者ニ就キ其ノ支給ヲ全廃又ハ減額スルコトヲ得、

二五一

第五十六條　特別手当支給ノ條件ノ発生前ニ労務関係ガ終了スルトキハ従者ハ特別手当ノ一部分ト雖モ要求スルコトヲ得ズ.

二五二

第七項　支拂日

第五十七條　賃銀支拂期限ハ一ケ月ヲ超ユルコトヲ得ズ、一週間以上ニ亘ル労務関係ニ於テハ労務者ノ賃銀支拂期限ハ一週間トシ使用人ノ賃銀支拂期限ハ一ケ月トス、

第五十八條　支拂ハ支拂期限ノ末日後三日以内ニ行フコトヲ要ス、但シ一部支拂トシテ労務者ニ在リテハ少クトモ各十日毎ニ使用人ニ在リテハ少クトモ一ケ月毎ニ収入ノ概算高ノ支拂ヲ受クル場合ニ於テハ最終ノ決算及支拂ハ最長一ケ月間延期スル事ヲ得

第五十九條　賃銀支拂日ガ日曜日又ハ法律ノ認メタル休日ニ当ルトキハ従者ハ休日ノ前日ニ賃銀ノ支拂ヲ要求スルコトヲ得.

第六十條　第五十七條前段、第五十八條及ビ第五十九條ノ規定ハ現金賃銀ノミヲ受ケ原料費ヲ受取ラザル従者ニ就テ強制規定トス

第六十一條　従者ハ賃銀支拂ノ度毎ニ支拂金額、計算及控除額ヲ認メタル計算書ノ交付ヲ請求スルコトヲ得、従者ハ此ノ請求権豫メ除斥スルコトヲ得ザルモ賃銀ヲ受取リタル後遅滞ナク請求セザルトキハ消滅ス、

第八項　賃銀ノ保全

第六十二條　民事訴訟法又ハ其ノ他ノ法律ガ賃銀ノ差押ヲ禁ジタルトキニハ賃銀ノ支拂日以前ニ従者ニ対シテ之ガ処分若クハ相殺ヲ行ヒ又ハ留置権ヲ行使スルコトヲ得ズ、別段ノ法律行為ノ約束又ハ賃銀留置ノ合意若クハ賃銀請求権ノ剝奪ヲ約シタル約定ハ其ノ限リニ於テ無効トス、従者又ハ其ノ家族ノ状態改善ニ資スル施設ノ為ニスル約定ハ此ノ限ニ在ラズ、

第六十三條　㈠　従者ノ故意ニ因ル違法行為ニ基キ企業者ニ加ヘラレタル損害ノ賠償請求及第十八條第一項ノ補償請求ノ充当ニ就テハ無制限ニ賃銀ノ留置及相殺ヲ為スコトヲ得、

㈡　法律ノ認ムル罰金ハ賃銀ノ差押制限ニ拘ラズ之ヲ控除スルコトヲ得、

第六十四條　㈠　賃銀ハ従者ニ対シ現金ニテ支拂フコトヲ要ス、現金拂ヲ為サザルトキハ従者ノ申出ニ依リ賃銀支拂日後ノ第二日目ニ処分シ得ル支拂証券ヲ以テ支拂フコトヲ得、労務契約ニ於テ現金以外ノ報酬ヲ約シタル場合ニハ本項ヲ適用セズ、

㈡　生活必需品、工具其ノ他ノ日用品ハ従者ノ賃銀ヨリ控除シ之ヲ従者ニ交付スルコトヲ得、但シ厳密ニ従者ノ希望ニ因ル場合ニ限定セラルベク且従者自身ノ必要限度ニ於テスル外原價ヲ以テ交付スル場合ノミニ限定スベキモノトス、住居及ビ土地利用ニ就テモ亦之ニ準ズ、此ノ場合ニ於テハ原價ノ代リニ地方ノ慣習ニ従フ家賃及ビ地代ニ據ルベキモノトス、

㈢　企業者ガ他ノ手段ニ依リ賃銀ヲ支拂ハントスル場合ニ於テモ賃銀請求権ハ消滅セズ、爾後ニ於テ普通ノ賃銀支拂ガ行ハレタル為メ従者ガ最初ニ受取リタル丈ケ餘分ニ受取リタルコトユナリタルトキハ従者ハ國労働大臣ノ指定スル機関ニ其ノ剰余分ヲ返還スルコトヲ要ス、

第二款　立替金及費用ノ返還

第六十五條　㈠　労務ノ遂行ニ必要ナル経費又ハ従者ガ当時ノ事情ニ依リ必要ト認メザルヲ得ザリシ経費ハ疑ハシキ場合ニ於テハ企業者ニ於テ之ヲ負担スベキモノトス

㈡　企業者ガ従者ニ対シ必要額ヲ前渡シタル場合ニ於テノミ従者ハ此等ノ費用ヲ負担スベキモノトス、其ノ費用ガ同時ニ従者自身ノ用ニ供セラルルカ又ハ従者ガ就業ノ権利ヲ有スル限度内ニ於テ従属者ハ之ニ比例スル前渡金ヲ請求スルコトヲ得、本項ノ規定ハ強行規定トス、

第六十六條　企業者ガ従者ノ出頭ヲ求メタルトキ疑ハシキ場合ニ於テハ労務関係不成立ニ終リタル場合ニ於テモ適当ナル立替金ヲ企業者ニ於テ従者ニ賠償スベキモノトス、

第三款　就業

第六十七條　㈠　就業義務ニ就テ別段ノ合意ナキトキト雖モ従者ノ要求アリタルトキハ企業者ハ従者ノ地位ニ應ジタル仕事ニ就カシムルコトヲ要ス、

㈡　企業者ガ従者ノ就業ヲ不当ト認ムルトキハ既ニ其ノ合意アル場ト雖モ企業者ハ就業ヲ斥クルコトヲ得、特ニ企業者ノ義務上ノ裁断ニ依リ就業ガ採算ニ合セザル場合又ハ経営共同体ノ共同動作ガ危殆ニ陥ル惧レアル場合ニハ其ノ就業ヲ斥クルコトヲ得ルモノトス、

㈢　企業者ガ第一項ノ義務ヲ履行セザルトキハ損害賠償ニ関スル一般規定ノ外民法第八百四十二條ヲ適用ス、損害賠償ノ請求権ハ豫メ之ヲ排除又ハ制限スルコトヲ得ズ、

第四款　保護義務（Fürsorgepflicht）

第六十八條　企業者ハ従者ノ名誉ニ適ハシキ取扱ヲ為ス義務ヲ負フ、企業者ハ

経営関係及ビ労務給付ノ種類ニ依リ許サルル範囲内ニ於テ労務関係ノ枠内ニ於ケル従者ノ福利（wohl）ニ留意スルコトヲ要ス、企業者ハ特ニ労働中ノ従者ノ心身ノ危険防止並ニ善良ナル風俗及ビ体面ノ維持ニ留意スルコトヲ要ス、

第六十九條　企業者ノ保護義務ハ労働保護法ガ従者ノ利益ノ為ニ企業者ニ課シタル義務並ニ社会保険ニ於テ従者ノ請求権保全ノ為企業者ニ課シタル義務ノ履行ヲ含ムモノトス

第七十條　従者ガ書類、器具又ハ材料ヲ企業者ノ保管ニ委ネ又ハ労務給付、経営関係ノ都合上従者ノ衣服其ノ他ノ用品ノ一時預ヲ必要トスル場合ニ於テハ企業者ハ其ノ安全ナル保管ヲ可能ナラシムルコトヲ要ス、

第七十一條　(一)　従者ガ家庭内ニ同居スル場合ニ於テハ従者ハ労務関係ニ於ケル自己ノ地位ニ鑑ミ且家庭関係ニ適応セル睡眠及ビ居住ノ場所ヲ請求スルコトヲ得、

(二)　企業者ハ寝室及ビ居室、給養、労働及休養時間ニ就キ従者ノ

健康、風儀及宗教ノ命ズル所ニ従ヒ設備並ニ指示ヲ為スコトヲ要ス、

(三)　従者ハ家庭ノ秩序ニ従ヒ且企業者ノ指示ヲ遵守スベキモノトス、

第七十二條　(一)　家庭内ニ同居スル従者ガ疾病ニ罹リタルトキハ企業者ハ六週間迄給養及ビ医療ヲ與フルコトヲ要ス、

(二)　左ノ場合ニ於テ企業者ノ義務ハ存セザルモノトス、

(イ)　法律上又ハ契約上ノ保険ニ依リ若クハ公共ノ医療施設ニ依リテ給養及医療ガ與ヘラルル場合

(ロ)　疾病ガ従者ノ故意又ハ重大ナル過失ニ因ル場合

(ハ)　労務関係ノ終了シタル後、但シ企業者ガ従者ノ疾病ヲ理由トシテ期間ヲ附セズ解約ヲ告知シタルトキ之ニ基キ生ジタル労務関係ノ終了ニ就テハ此ノ限ニ在ラズ、

(三)　給養及医療ハ従者ヲ病院ニ入院セシメテ之ヲ為スコトヲ得、

(四)　療養費ハ病気中支払フベキ賃銀ニ充当スルコトヲ得、

第七十三條　第六十八條、第六十九條、第七十一條及第七十二條ノ違反ニヨリ生ズル損害賠償請求権ニ就テハ民法第八百四十二條及ビ第八百四十七條ヲ適用ス、

第五款　休暇（Urlaub）

第七十四條　国民体力保持（Erhaltung der Volkskraft）ノ要求ニ依リ従者各人ハ労務ノ休養ト心身ノ新タナル精力ヲ得ンガ為メ其ノ生計ヲ制限スルコトナク一年一回若干期間ノ休暇ヲ得ルコトヲ必要トス、此ノ故ニ労務関係ニ依リ全部又ハ大部分ノ労働力ヲ要求セラル、従者各人ハ各暦年中有給休暇ヲ受クル権利ヲ有ス、此ノ権利ハ抛棄ヲ許サザルモノトス、

第七十五條　賃率規則、経営規則、勤務規則又ハ労務契約ニ規定ナキ場合ハ類似ノ労務関係ニ於ケル慣行ニ従ヒテ休暇期間ヲ定ム、休暇ハ最短六日間ノ労働日トス、

第七十六條　賃率規則ニ別段ノ規定ナキ場合ニ於テハ新タニ雇傭セラレタル従

者ハ中断ナク六ケ月間労務関係ヲ継続シタル後休暇ヲ受クルモノトス、但シ従者ガ同一暦年度ニ於テ既ニ休暇ヲ得ザリシ場合ニ限ル、

第七十七條　五月一日以前ニ労務関係ガ終了スルトキハ従者ハ従来ノ企業者ニ対シ其ノ暦年度ニ対シ休暇請求権ヲ有セス、既ニ休暇ヲ與ヘラレ居ルトキニハ休暇期間ニ対シ支払ヒタル賃銀ノ返還ヲ請求スルコトヲ得ズ、

第七十八條　企業者ハ従者ノ希望ヲ適当ニ考慮シ休暇ノ時期ヲ適当ノ時期ニ決定スルコトヲ要ス、休暇ハ継続的ニ與フルコトヲ要ス、区分シテ休暇ヲ與ヘ得ル場合ハ、従者ガ之ニ同意シタルトキ又ハ緊急ノ事由ノ存シ且一区分ガ最短六日ノ労働日ナル場合ニ限ル、

第七十九條　従者ガ過失ニ因リ翌年四月一日迄請求ヲ為スコトヲ怠リタルトキハ休暇請求権ハ消滅ス、本條ノ規定ハ従者ノ不利益トナル如ク之ヲ変更スルコトヲ得ザルモノトス

第八十條　(一)　休暇中従者ハ賃銀全額ヲ支給セラルベキモノトス、休暇期間中其ノ経営ノ正規労働時間以下ノ就業ガ行ハレタル為メ疑義ヲ生ズル場合ニ

モ本規定ヲ適用ス、賃銀計算ニ於テハ超過時間（第三十五條第一項）ハ之ヲ考慮セザルモノトス

(二)　賃銀支拂日ガ休暇期間中ナルトキハ從者ニ対シ其ノ相当額ヲ前拂ヒスベキモノトス、

第八十一條　從者ハ休暇中ニ於テ休暇ノ目的ニ反スル有償行為ヲ為スコトヲ得ズ、此ノ禁止ニ違反スル行為アリタル日数ニ應ジ賃銀請求権ヲ喪失スルモノトス、

第八十二條　(一)　労務関係ノ解約ヲ告知シタルトキハ出来得ル限リ其ノ告知期間内ニ於テ休暇ヲ與フベキモノトス、但シ経営上又ハ一身上ノ重大ナル事由ガ之ヲ許サザル場合ハ此ノ限ニ在ラズ

(二)　休暇許與以前ニ労務関係ガ終了シタルトキハ從者ガソノ休暇中ニ取得スベカリシ賃銀額ノ支拂ニ依リ休暇請求権ハ消滅スルモノトス、其ノ他ノ場合ニアリテハ休暇請求権ヲ消滅セシムルコトヲ得ザルモノトス、

(三)　消滅ニ依ル賃銀ノ請求権ハ之ヲ讓渡スルコトヲ得ズ、消滅ニ

依ル賃銀ハ賃銀ニ関スル優先権及保護ヲ受ク、

第八十三條　從者ガ忠実義務ニ対スル重大ナル違反行為アリタルタメ期間ヲ附セズシテ解雇セラレタルトキハ休暇請求権ヲ喪失ス、

第八十四條　労務関係ガ短期間ナルヲ常トスル経済部門ニ就テハ國労働管理官ハ特別賃率規定（休暇傳票其ノ他）ニ依リ休暇ヲ確保スルコトヲ得、此等ノ場合ニ於テハ本法ノ休暇規定ハ此ノ特殊規定ノ内容及目的ニ背反セザル範囲内ニ於テ適用セラルベキモノトス、

第六款　恩給（Ruhegeld）

第八十五條　從者及ビ其ノ家族ニ対スル恩給ノ給與ハ企業者及ビ從者間ノ合意又ハ賃率規則若クハ経営規則ノ規定ニ從フ、恩給ノ約定ハ労務関係ノ終了後ニ為サレタル場合ト雖モ方式ヲ要セザルモノトス、恩給ノ合意アルトキハ從者ハ之ニ関シ企業者ノ署名セル書面ヲ要求スルコトヲ得、

第八十六條　(一)　恩給権者ガ企業者、経営共同体又ハ民族共同体ニ対スル義務ニ対シテ重大ナル違反行為ヲナシタル為メ企業者ノ履行ヲ期待シ得ザルニ至リタルトキニハ企業者ハ爾後ノ恩給支拂ノ義務ヲ免レ又ハ恩給関係ヲ解消スルコトヲ得、

(二)　企業者ノ関知セザル経済関係ノ変動ノ結果支拂ガ経営ノ存立自己ノ生活又ハ自己ノ法律上ノ扶養義務ヲ危胎ニ陥ルコトニ依リテノミ為サレ得ル限リ企業者ハ恩給ノ一部又ハ全部ノ支拂ヲ拒絶スルコトヲ得、適法ナル拒絶ノ場合ニアリテハ延滞支拂金ニ対スル請求権ハ支拂期日後一年間ノ経過ニ依リ最終的ニ消滅ス、

第八十七條　(一)　破産宣告ノ場合ニ在リテハ、最後ノ一年間ノ未拂恩給債権ハ最高限度月額百五十ライヒスマルクヲ以テ破産法第六十一條第一号ノ優先債権トス、破産開始後ニ支拂期日ノ到来シタル恩給債権ハ同一額迄且破産開始後ノ一年間ヲ限度トシテ破産法第五十九條第二号ニ因ル破産財団債務トス、恩給給與ノ條件ガ破産手続中ニ成立シタル場合亦同ジ、

(二)　其ノ他ノ恩給債権ニ就テハ破産法ノ規定ニ從フ、

第三節　消滅時効

第八十八條　賃銀請求権及前拂金返還請求権ハ二年ノ時效ニ因リテ消滅ス、時效ハ請求権ノ期日到来セル年ノ終了ト共ニ進行ヲ開始シ、賃銀前拂ニ就テハ労務関係ノ終了シタル年ノ終了ト共ニ進行ヲ開始ス、

第八十九條　損害賠償又ハ補償（第十八條）請求権ハ損害ヲ受ケタル者ガ損害ノ事実及賠償義務者ヲ知リタル時ヨリ三年ノ時效ニ依リテ消滅ス、其ノ事実ヲ知リタルト否トヲ問ハズ損害ヲ加ヘタル行為後三十年ノ時效ニ依リテ消滅ス、

第四章　労務関係ノ移轉

第九十條　(一)　経営ガ全体トシテ他人ニ移轉シタルトキハ新企業者ハ移転ノ日ヨリ現存スル労務関係ニ入ルモノトス、移転ガ個々ノ部門ノ整理又ハ個々ノ経済部門ノ抛棄ト同時ニ行ハルル場合亦同ジ、從来ノ企業者ト新企業者

ト ノ間ノ合意ニ依リ之ト異ル取極メヲ為スモ無效トス、

(二) 從来ノ企業者ハ、從者ノ諸請求ニ対シ新企業者ト共ニ次ノ義務ヲ負担ス、

(イ) 移転以前ニ支拂期日ノ到来セル請求権ニ就テハ連帯債務者トス、

(ロ) 經営移転ノ日ニ解約ガ告知セラレ、請求権ノ支拂期日ガ移転以後労務関係ノ終了スル日以前ニ到来スル請求権ニ就テハ保証人トス、

(三) 第二項ノ規定ハ強行規定トス、

第五章 労務関係ノ解消

第一節 期間ノ経過

第九十一條 (一) 一定ノ期間ヲ定メテ成立シタル労務関係ハ其ノ期間ノ経過ニ依リテ終了ス、労務関係ノ継続期間ガ合意ニ基キ其ノ労務ノ性質又ハ目的ニ依リ定マル場合亦同ジ、

(二) 第一項ノ場合ニ於テ労務関係ノ終了ガ暦日ニ因リテ定メラレザルトキ從者ニ於テハ予見シ得ザルモ企業者ニ於テ予見シ得ル限リ企業者ハ労務関係ノ将来ノ終了ヲ正当ナル時期ニ從者ニ告知スルコトヲ要ス、告知ト労務関係ノ終期トノ間ニ通常ノ告知期間ニ相当スル期間ノ存スルトキハ其ノ告知ハ何レノ場合ニ於テモ正当ノ時期ニ為サレタルモノトス、過失ニ因リ告知ヲ怠リタル企業者ハ損害賠償ノ責ニ任ズ、但シ最高限トシテ通常ノ告知期間ノ賃銀ノ支拂ヲ以テ足ル、企業者ノ告知シタル時期ニ未ダ労務ノ終了セザルトキハ從者ハ労務関係ノ続行ヲ拒絶スルコトヲ得、

(三) 從者ノ不利益トナルガ如キ第二項ノ規定ト異リタル規定ヲ設クルコトヲ得ズ、

第九十二條 (一) 從者ガ一年以上同一経営又ハ企業ニ就業シタル後、期間ノ経過ニ依リテ労務関係ガ終了スル場合ニ於テ其ノ経営ガ当時十人以上ノ從者ヲ有スルトキハ、從者ハ労務関係ノ続行ヲ訴求スルコトヲ得、但シ其ノ非続行ガ不当ニ苛酷ニシテ且其ノ経営ノ事情ニ依ラザル場合ニ限ル

(二) 訴訟ハ企業者ガ從者ニ労務関係ノ終了ヲ告知シタル後二週間以内ニ於テ告知ナキ場合ハ労務関係ノ終了後二週間以内ニ提起スベキモノトス、

(三) 其ノ他ノ事項ニ就テハ国民労働秩序法（Gesetz zur Ordnung der nationalen Arbeit）第五十六條第二項第五十七條乃至第六十二條ヲ準用ス、

第九十三條 契約期間ノ満了後企業者ガ之ヲ知リテ尚労務ヲ継続セシムルトキハ企業者ガ遅滞ナク之ヲ否認セザル限リ労務関係ハ不定期ニ延長セラル、モノトス

第二節 通常ノ解約告知

第九十四條 (一) 労務関係ガ期間ヲ定メズシテ締結セラレタルトキハ各当事者ハ第九十六條乃至第百二條ノ規定ニ依リ解約ヲ告知スルコトヲ得、告知ハ就業以前ニ於テモ之ヲ為スコトヲ得

(二) 告知者ガ告知期間ノ経過前ニ其ノ告知ヲ取消シタルトキ、他ノ当事者ガ遅滞ナク之ニ異議ヲ述ベザルトキハ、告知ハ其ノ効力ヲ失フ、

第九十五條 告知期間ガ一週間以上ナルトキ告知ヲ為シ得ル最終日ガ日曜日又ハ法定休日ニ当ル場合ニアリテハ其ノ翌日タル労働日ニ告知ヲ為スコトヲ得

第九十六條 (一) 労務者ノ労務関係ハ二週間ノ告知期間ヲ以テ毎月ノ十五日又ハ月末日迄ニ、使用人ノ労務関係ハ六週間ノ告知期間ヲ以テ暦年ノ各四半期末日迄ニ解約ヲ告知スルコトヲ得、

(二) 他ノ告知期間ヲ約シタルトキハ其ノ期間ハ両当事者ニ対シテ平等ナルコトヲ要ス、之ニ違反シタルトキハ長期ノ告知期間ヲ両当事者ニ適用ス、

第九十七條 中断ナク一年以上同一経営又ハ企業ニ就業シタル労務者ノ場合ニアリテハ、並ニ使用人ニ就テハ告知期間ハ少クトモ一 ナルコトヲ要ス、告知期間ハ月末ニ終了スル如ク定ムベキモノトス、別段ノ合意ハ無效トス、

其ノ合意ニ代ヘ本條ノ規定ヲ適用ス.

第九十八條 (一) 従者ガ少クトモ三十才以上ニシテ同一ノ経営又ハ企業ニ――年以上就職シタルトキハ最短告知期間ハ労働者ニアリテハ――箇月間、使用人ニ在リテハ――箇月間ニ延長セラル、モノトス.

(二) 勤続期間――年以上ノ使用人ニアリテハ、告知期間ハ更ニ――箇月ニ延長セラル、国労働大臣ハ本規定ノ適用ヲ一定ノ専門工（Facharbeiter）ノ団体ニ拡張スルコトヲ得.

(三) 本條ノ場合ニ於テハ労務者ニアリテハ暦月末、使用人ニ在リテハ暦年ノ四半期末ニ於テノミ告知期間ヲ終了セシムルコトヲ得、

(四) 本條ノ規定ヨリモ短キ期間ヲ定メタル合意ハ無効トス、其ノ合意ニ代ヘ本條ノ告知期間ヲ適用ス

第九十九條 (一) 従者ガ其ノ年ニ於テ少クトモ一万二千ライヒスマルクノ賃銀ヲ取得スルカ又ハ外国所在ノ企業ニ就職シ且企業者ガ解約ヲ告知シ企業者自ラ其ノ帰還費用ヲ負担スル場合ニ於テハ第九十七條及第九十八條ニ異ル

二六九

合意ヲ為スコトヲ得.

(二) 企業者ガ告知期間ノ経過後只管歓迎シテ六ケ月以内続ケテ就業セシムル場合ニ於テハ第九十七條及第九十八條ヲ適用セズ、

(三) 国労働大臣ハ第九十七條及第九十八條ヲ個々ノ職業又ハ営業部門ニ対シテ除外スルコトヲ得、

第百條 従者ガ期間ヲ定メズ見習又ハ助手トシテ雇傭セラレタルトキハ両当事者ハ告知期間ヲ附セズシテ何時ニテモ解約ヲ告知スルコトヲ得、若シ告知期間ヲ約シタルトキハ其ノ合意ハ双方ニ平等ナルコトヲ要ス、労務関係ガ三ケ月以上存続スル時ハ第九十六條乃至第九十九條ノ規定ヲ適用ス、

第百一條 労務関係ガ終身ニワタリ又ハ五年以上ノ長期ニ対シテ約セラレタルトキハ従者ハ五年以後六ケ月ノ告知期間ヲ以テ暦年四半期ノ終リ迄ニ何時ニテモ解約ヲ告知スルコトヲ得、

第百二條 国民労働秩序法、公企業労働秩序法、重傷者ノ就業ニ関スル法律、分娩前後ノ就業ニ関スル法律ニ於ケル解約告知制限ハ其ノ效力ヲ妨ゲラル

二七〇

ヽコトナシ、国防、体育、労働奉仕（Arbeitsdienst）防空、赤十字其ノ他類似ノ公共施設ノ為ニ発セラレタル解約告知ノ禁止亦同ジ(注)、

（註）本委員会ハ労働秩序法第五十六條以下ノ規定ヲ小企業ヲ始メ一切ノ経営ニ拡充適用センコトヲ提唱ス、

第三節　特別ノ解約告知

第百三條 重大ナル理由ノ存スルトキハ各当時者ハ告知期間ヲ附セズシテ労務関係ノ解約ヲ告知スルコトヲ得、労働共同体及ビ経営共同体ノ意義及ビ本質ニ従ヒ更ニ労務関係ノ種類ニ従ヒ、両当事者ノ忠実義務ヲ考慮シ告知者ニ対シ労務関係ノ継続ヲ期待シ得ザルトキハ重大ナル理由ガ存スルモノト看做ス、

第百四條 告知期間ヲ附セザル解約告知ノ重大ナル理由トハ、特殊事情ガ別異ノ判断ヲ正当トセザル限リ左ノ如シ、

(一) 企業者ニ於ケル場合

二七一

1. 企業者、其ノ家族、代理人又ハ他ノ労務者ニ対シテ重大ナル名誉毀損ガ行ハレタルトキ
2. 経営ノ危険防止ノ為定メラレタル諸規定及指示ニ違反シタルコトニ依リ同僚タル労務者ニ対シ、軽卒ニ危害ヲ及ボシタルトキ
3. 忠実義務ニ対スル重大トル違反殊ニ秘密遵守義務（第二十一條）競業制限約款（第二十二條）及ビ収賄禁止ニ対スル違反行為ノアリタルトキ
4. 従者ガ継続的又ハ永続的ニ労働不能ニ陥リタルトキ
5. 労働義務ニ対シ執拗ナル過失ニ基ク違反行為ノアリタルトキ

(三) 従者ニ於ケル場合

1 企業者ガ従者ヲ就業セシムベキ義務ニ対シ、反覆的ニ又ハ継続的ニ違反行為ヲ為シタルトキ
2 保護義務ニ対スル重大ナル懈怠ノアリタルトキ
3. 従者ニ対シ重大ナル名誉毀損ガ行ハレタルトキ

二七二

4　休暇ヲ與フル義務又ハ賃銀支拂義務ガ反覆履行セラレザルトキ、

第百五條　(一)　労務関係ニ対シ正規（第九十六條）ノ法定告知期間ヨリモ長期ノ告知期間ガ適用セラレタルトキハ各当事者ハ正規ノ法定期間ヲ以テ解約告知スルコトヲ得、但シ此ノ告知ヲナシ得ル場合ハ労務関係ノ即時解約ガ正当ナラザルモノヽ、労働共同体及ビ経営共同体ノ意義並ニ労務関係ノ種類ニ鑑ミ又ハ予見シ得ザル情勢ノ変化ニ顧ミ現ニ適用中ノヨリ長期ノ告知期間ノ満了迄労務関係ヲ継続スルコトヲ其ノ告知者ニ期待シ得ザル場合ニ限ルモノトス、

(二)　第一項ト同一條件ヲ具備スル場合ニアリテハ一年以上ノ期間ニ対シテ確約セラレタル労務関係ニ就テモ正規ノ法定期間ヲ以テ労務関係ノ期間満了以前ニ解約ヲ告知スルコトヲ得、

第百六條　相手方ノ責ニ帰スベキ契約違反行為ヲ原因トシテ告知ガ為サレタルトキハ其ノ違反者ハ労務関係ノ解消ニ因リテ告知者ノ蒙リタル損害ヲ賠償

二七三

スル義務ヲ負フモノトス、

第百七條　重大ナル理由ニ因ル告知ノ権利（第百三條並ニ第百四條）及ビ第百五條ニ依ル期日前ノ解約権ハ之ヲ除外又ハ制限スルコトヲ得ズ、不当ナル拡張ハ許サレザルモノトス

第四節　死亡

第百八條　労務関係ハ従者ノ死亡ニ依リテ終了ス、

第百九條　(一)　労務ガ全部又ハ主トシテ企業者個人ニ対シ直接給付スベキモノトナルトキハ労務関係ハ企業者ノ死亡ニヨリテ終了ス、

(二)　前項ノ場合ニ於テハ死亡以前ニ発生セル請求権ノ外正義公平ニ従ヒ更ニソレ以上ノ報酬ヲ従者ニ與フベキモノトス、

第五節　求職時日ノ許與

第百十條　解約告知後又ハ有効期間中ニアル労務関係ノ終了以前ニ於テ企業者

二七四

ハ従者ノ請求アルトキハ従者ニ対シ他ノ就職場所ヲ探スニ充分ナル時日ヲ與ヘ且其ノ期間中ノ賃銀ノ支拂ヲ継続スベシ、

第六節　証明及ビ通告

第百十一條　(一)　企業者ハ労務関係ノ解約告知以後又ハ有効期間中ニ在ル労務関係ノ終了前適当ノ時期ニ於テ従者ニ対シ其ノ勤務ノ種類及ビ期間ニ関シテ詳細ナル記述ヲ為シタル証明ヲ與フル義務ヲ負フ、此ノ証明ハ従者ノ請求アルトキハ給付及ビ勤務状態ニ及ブベキモノトス、尚従者ハ最後ノ賃銀及ビ労務関係終了ノ理由ノ記述ヲ求ムルコトヲ得、

(二)　労務関係終了前ニ與ヘラレタル証明ハ企業者ニ於テ假証明ト特記スルコトヲ得、此ノ場合ニ於テハ企業者ハ労務関係ノ終了後最終証明ヲ與フベキモノトス

(三)　第一項及ビ第二項ノ規定ハ強行規定トス、

(四)　従者ノ申立ニ依リ当該地方ノ警察署ハ無料ニテ且印紙ヲ貼布

二七五

スルコトナク証明書ヲ與フルコトヲ要ス、

(五)　失業保険ノ目的ノタメニスル企業者ノ証明義務ハ本條ニ依リ妨ゲラルヽコトナシ、

第百十二條　企業者ノ代理人ガ証明書ヲ與フルトキハ企業者ニ代リテ與フル旨ヲ証明書ニ明記スルコトヲ要ス

第百十三條　従者ガ労務関係ノ終了後六ヶ月以上ヲ経タル後証明書ヲ要求シ企業者ニ対シ之ヲ期待シ得ベカラザルトキハ企業者ハ証明書ヲ與フルコトヲ要セズ、

第百十四條　企業者ハ左ノ行為ヲナスコトヲ得ズ、

1.　従者ノ同意ナク第百十一條規定以外ノ内容ヲ其ノ証明書中ニ包含セシムルコト

2.　豫メ書式トナリ居ル従者ノ証明書式中ニ書式以外又ハ許容以外ノ書入レヲ為スコト、

3.　従者ノ証明書又ハ他ノ書類中ニ外見シ得ザル方法ヲ以テ其ノ

二七六

従者ヲ指定スル記号ヲ附スルコト．

4．従者ノ同意ヲ得ズシテ其ノ証明書ヲ留置スルコト

第百十五條　従者ノ遺族タル配偶者又ハ卑属ハ従者ノ死後ニ於テ証明書（第百十一條乃至第百十四條）ヲ要求スルコトヲ得．

第百十六條　企業者ガ第百十四條ニ違反シタルトキ又ハ証明書中ノ従者ノ行動勤務状態，給付，賃銀額，労務関係ノ終了ニ関スル記述ニ於テ若クハ第三者ニ與ヘタル通告ニ於テ企業者ガ其ノ不正確ナルコトヲ知リ又ハ知ルベカリシトキハ従者ハ損害ノ証明ヲ要セズ，最後ノ賃銀ノ一ケ月分ヲ限度トシテ適当ナル補償金ヲ要求スルコトヲ得．但シ更ニ其レ以上ノ損害賠償ノ要求ヲ妨ゲズ．

第六章　團体労働及間接ノ労務関係（*Gruppenarbeit und unmittelbares Arbeitsverhältnis*）

二七七

第一節　経営團体（*Betriebsgruppe*）

第百十七條　企業者ガ多数ノ従者ヲ共同ノ出来高拂労働ニ於テ一ノ労務団体（*Arbeitsgruppe*）（*Kameradschaft, Kolonne*）ニ組織シタル場合ニ於テ勤務規則又ハ経営規則ニ其ノ規定ヲ欠クトキハ其ノ労務団体ノ選定シタル代表者（*Sprecher*）トノ間ニ賃銀高ヲ約定スベキモノトス．労務団体ハ企業者ノ任命シタル団体指導者（*Gruppenführer*）ヲ自己ノ代理人トナスコトヲ得．

第二節　自発労働團体（*Eigengruppe*）

第百十八條　(一)　多数ノ従者ガ共同労務ノ給付ニ就テ団体ヲ結成シ其ノ団体ガ企業者トノ間ニソノ共同労務ノ給付ニ就テ契約ヲ締結シタルトキハ其ノ団体ノ各員ト企業者間ニ労務関係ヲ生ズルモノトス．

(二)　前項ノ労務関係ハ疑ハシキトキハ全員ノ為メ且全員ニ対スル

二七八

効力ヲ附シテノミ之ヲ解消スルコトヲ得．

第百十九條　(一)　企業者ガ団体ノ各員ガ総賃銀額ニ対スル各員ノ割当分ヲ受取ルコトナキヤウ注意スベキ場合ニハ従者ノ要求アリタルトキハ例ヘ総額一括拂ノ契約トナリ居ル場合ト雖モ企業者ハ団体員各個ニ対シ直接其ノ割当分ヲ拂渡スコトヲ要ス．

(二)　企業者ノ定メタル期間内ニ企業者ガ分配基準ノ報告ヲ受ケザルトキハ団体員各個ノ賃銀ニ対スル慣習上ノ基準ナキ場合ニ限リ企業者ハ総賃銀額ヲ頭割リニシテ支拂フコトヲ得．

第三節　間接労務関係

第百二十條　一人ノ従者ガ数人ノ他ノ従者ヲ採用シテ労務ノ給付ヲスベキ場合又ハ其ノ従者ガ他人ヲ採用スルコトニ依リテノミ労務給付ヲナシ得ルコトヲ企業者ニ於テ知リ得ベカリシトキハ相互約定ノ有無ニ拘ハラズ其ノ第三者ト企業者トノ間ニ労務関係成立ス（間接ノ労務関係）．

二七九

第百二十一條　(一)　前條ノ場合ニ於テ主タル従者（*Hauptgefolgsmann*）又ハ仲立親方（*Zwischenmeister*）ガ其ノ助力者ニ賃銀ヲ支拂ハザルヤウ注意スベキ場合ニ於テ其ノ賃銀ハ契約上主タル従者ニ支拂フベキ総賃銀ノ一部ナル場合ト雖モ助力者タル労務者ノ要求アル場合ハ企業者ヨリ助力者ニ対シ直接賃銀ヲ支拂フベキモノトス．

(二)　主タル従者ガ企業者ノ定メタル期間内ニ助力者タル従者ト約定セル賃銀ヲ企業者ニ報告セザルカ，又ハ賃銀高ガ約定セラレザリシトキハ企業者ハ助力者タル従者ニ対シ慣習上又ハ適当ナル賃銀ヲ支拂フコトヲ得．

第百二十二條　第百十八條第一項及第百十九條乃至第百二十一條ハ強行規定トス．

第七章　附則

第百二十三條乃至第百二十八條（略）

二八〇

第三章　公企業労働秩序法

第一節　総説

第一款　公企業労働秩序法を國民労働秩序法より分離して規定せる理由

一九三四年一月二〇日の國民労働秩序法第六十三條は、公共事業に於ける労働（die Arbeit im öffentlichen Dienst）に就て、國法の規定を適用せざる旨規定し、特別法に依る規制を留保したのである。曰く、「國、州、國立銀行、独逸國鉄道会社、國自動車道路企業、自治体（自治聯合体）並ビニ公法上ノ社団、財団及ビ機関ノ事業及ビ経営ニ於ケル使用者及ビ労働者ニハ本法第一章乃至第五章ノ規定ヲ適用セズ。此等ノ事項ニ関シテハ特別法ヲ以テ之ヲ定ム」。

二八一

而して此の特別規定が即ち公企業労働秩序法に依って行はれたのである。

本法も、其の根本思想に於ては、國民労働秩序法と全く同様であって、特に取立てゝ言ふべきことはない。即ち階級闘争思想を排し事業共同体（Dienstgemeinschaft）の採用、経営民主主義を駆逐して指導者責任主義を採れる事、信頼関係としての労働関係の形成、硬直せる賃率的條件の排斥、業績主義（Leistungsprinzip）の承認、社会的名誉裁判の実施に依って労働生活に於ける名誉と良心を保護すること等である。此等の原則を國の公経済（öffentliche Wirtschaft）即ち公共事業に適用するに当っては、それが、國家的経済活動の特別なる需要と矛盾せざる限り認む可きであるが、尚公共事業の特殊性を考慮せねばならなかった。其の特殊性は、特に公共事業の担当する個々の任務の固有の性質に存するのである。例へば、公法上の事業主体に依る高権的権限の行使、國或は州の最高官廳の懲戒と監督とに服する公共事業の主脳者の地位、主脳者が自ら政治上の責任を負担するか、或は其の地位が非常に政治上の影響を受ける事等である。又、公共事業に於ては、地域的或は産業部門的観点より

二八二

する個別的考慮が、非常に限定された範囲に於てのみ許されること、即ち、総ての公共事業の単一的統一性と言ふ事も注意せられねばならぬ。とり分け重要な相違は、私企業の指導者が自ら責任を負担し、自己の全責任に於て行動せねばならぬのに反し、官公営事業等の指導者は、公職の範囲に於てのみ之と関係を有し、監督官廳の指示を遵守し、経営の危険は或る程度に於て租税に転嫁されることがある、と云ふ事である。斯かる相違は、公共事業の指導者が往々官吏たる性質を有する事に依って強化されることになる。

斯くして、公共事業に於ける労働秩序法の考察は、如何なる程度に於て公共事業の特性を維持するか、此の特性が如何なる程度迄、國家がドイツ私経済の為に形成した原則、即國民労働秩序法の採用せる原則よりの分離を必要とするか、と云ふ点に焦点が落されることになる。

二八三

第二款　本法の概観と國民労働秩序法との主要相違点

一、本法の構成

本法は二十五個條より成る單行法であるが、先づ、其の概観を示せば次の如き構成を採って居る。

第一條　公共事業の概念
第二條乃至第十五條　公共事業の指導者及び信任協議会
第十六條乃至十九條、二十一條　勤務規則及び賃率規則、並びに公共事業に就ての特別管理官
第二十條　社会的名誉裁判
第二十二條　解約告知保護
第二十三條　本法適用範囲の例外

二八四

第二十四條　國立銀行總裁の權限

第二十五條　本法の施行

尚、信任協議会、賃率規則、社会的名誉裁判に関する國民労働秩序法に対して発せられる施行規則は、本法第十五條、第十八條第三項、第二十條第一項に於て準用せられてゐる。

又、本法の施行に関しては、既に、一九三四年四月十五日附第一次施行令、一九三四年九月二八日附第二次施行令、一九三四年九月二八日附第三次施行令、一九三八年二月二六日附第四次施行令、一九三九年二月七日附第五次施行令が公布されて居るが、此の中第四次施行令が極めて重要な内容を有し、公企業中央管理官、專門家委員会、信任協議会、企業顧問等に関する規定を為して居る。

二　本法と國民労働秩序法との重要なる差異

(一) 先づ、高権的支配権を行使する官公事業（öffentliche Verwaltungen）に於ては、信任協議会は設置されない。其の他の公共事業に於ては、私経済

の場合と同様に之を設置するのが原則であるが、所轄國大臣若くは州大臣は、信任協議会を設置せざる可き旨訓令することも出来る。

(二) 勤務規則（Dienstordnung）の施行は強行的ではない。

(三) 一群の公共事業に就て、共通勤務規則を施行することも可能である。

(四) 一般的労働條件、殊に勤務規則の形成に関する公共事業指導者の決定に対し、國民労働秩序法第十六條、第十九條第一項第三号の場合と異り、信任協議会の多数から労働管理官に抗告する事が出来ない。

(五) 公共事業に就いては、特別管理官（Sondertreuhänder）が任命せられる。此の特別管理官は、経営組織の領域に於て必要な決定を為す地区労働管理官の地位を有するものである。彼は勤務規則の内容並びに個々の労働契約の締結に就いて準則（Richtlinien）を制定公布し、或は、公共事業に属する使用人及び労働者の勤務関係を、賃率規則に依って規制する事が出来る。

彼は更に、社会的名誉裁判に於て、労働管理官の為す可き仕事を管掌する。

特に本法第十二條、第十四條、第十八條、第二十條を参照ありたい。

(六) 管理官の一般的訓令（die allgemeine Anordnungen）は刑罰に依る保護を受けないけれども、社会的名誉裁判の保護の下に立つ。

(七) 公共事業の指導者に対する名誉裁判手続の開始には、監督官廳の同意を必要とする。

(八) 解約告知の保護に関する國民労働秩序法第五十八條以下の規定は、勤務規則や賃率規則に依つて少くとも同等の解約告知保護が保障されて居る限り、適用されない。

(九) 告知義務に関する國民労働秩序法第二十條の規定は、公共事業には適用されない。

第三款　本法の適用範囲

一、公企業の三類型

公企業労働秩序法が、公企業に就てのみ適用せらるることは言ふ迄もないが、

所謂公企業（öffentliche Dienst）の概念乃至は範囲は必ずしも明瞭とは云へない。從つて、本法の適用範囲を確定する為には、其の前提として、公企業の範囲を法的に確定して置くことが當然に必要となって来るのである。本法第一條が、本法の意義に於ける公企業の範囲を限定してゐるのは、正に此の故に外ならぬ。本法に依れば、公企業は三個の範疇に分類されてゐる。

(1) 官業（öffentliche Verwaltungen）　即ち國、州、自治体（自治聯合体）其の他公法上の社団、財団、機関、並びに独逸國鉄道会社、國自動車道路企業、國立銀行の事業（公企業労働秩序法第一條第一項a）。此処に所謂öffentliche Verwaltungenとは、必ずしも其の意義は明確ではないが、國家其の他公共的任務を目的とする上掲の公法人の業務局（Dienststelle）の意味であると解して差支ない。而して、公法上の社団とは、地域的社団及び本法自ら明瞭に指示した事業主体の外、例へば、職業紹介失業保険中央局、國文化院並びに其の下級団体、國食糧職分団、教会、ナチス党等を数へることが出来る。

(2) 公的経営（Öffentliche Betriebe）

(イ) 官公経営（Regiebetriebe）　即ち、上掲の公法上の主体の二に依って運営せられ、且つ斯かる官廳の総括的な業務上の監督に服する経営（Regiebetrieb）である。従って、私法上の法人型態に依る経営の如きは二の類型には包含せられない。而して官公経営が、経済的目的に従事しない場合には、直ちに以て公的経営（Öffentliche Betriebe）として、本法の適用を受けるものとされるのであるが、経営が「経済的目的ニ従事スル場合ニハ、其ノ目的トスル経済的需要ノ充足が、其ノ全部若シクハ大部分ニツキ、法律又ハ事実上ノ慣行ニ依ッテ、國其ノ他ノ公法人ノ手ニ留保セラレテ居ル場合ニノミ公的経営ト看做ス（公企業労働秩序法第一條第一項b）。此処に所謂る「経済的目的ニ従事スル」と云ふのは、収益の意図を以て経営すると云ふ意味に限定せらる可きではなく、私経済的活動の形態を以て経済的需要の充足を求し得る企業経営は、総て経済的目的に従事するものと理解せらるべきである。又「経済的需要」も、文化的又は衛生保健的其の他

二八九

非物質的需要に対立する意味の狭義に解せらるべきではなく、私経済に依っても充足され得る総ての需要の意義に理解すべきものとされる。従って、此等の活動は、國其の他の公法人の固有任務の範囲に属するものではなくして、私経済に所属する性質のものなのである。本法が、此の種の経営に就いて、其の経済的需要の充足が特別規定若しくは事実上の慣行に依って國其の他の公法人の手に留保されて居るや否やの確定を要求し、此の條件が具備する場合にのみ公的経営として本法の適用範囲に属せしめたのは、正に之が為めに外ならぬ。例へば、國郵便事業の経営の如き、之が適例を為す。

(ロ) 特定の会社経営（Gesellschaftsbetriebe）　即ち独立の法人格を有する経営（Betriebe mit eigner Rechtspersönlichkeit）にして、國其の他の公法人が資本の所有其の他の方法に依り、之に決定的な影響を與へてゐるものである。更に、具体的に言へば、(1) 所掲の國其の他の公法人が直接若しくは間接に資本の半ば以上を有するもの（共同経済的経営若しくは

二九〇

混合経済的経営）、又は機関に於ける多数決の獲得其の他の方法に依り、経営の指導に決定的な勢力を有する場合である。而して、経営が経済的目的を遂行するものである場合には、(2) の後段に於て論述した條件を具備する場合にのみ公的経営と看做される（公企業労働秩序法第一條第一項c）。尚、此処に所謂共同経済的経営（Gemeinwirtschaftliche Betriebe）とは、私法上の法人型態、例へば株式会社や有限会社等の型態に於て運営せらるゝ経営に於て、國其の他の公法人が其の全財産を所有し、従って、直接の指導を行ふ場合を云ふ。又混合経済的経営（Gemischtwirtschaftliche Betriebe）とは、私法人型態に於ける経営に於て、民間の私的資本と政府資本とが共に存する場合に呼ばれるのである。

二、公企業を三類型に分属するの意義及び疑はしき場合の決定

(1) 上述した公企業の分類は、大体に於て次の如く表示することが出来るであらう。

二九一

- 公企業（Öffentliche Dienst）
  - 官業（Öffentliche Verwaltungen）
  - 公的経営
    - 官公経営（Regiebetriebe）
    - 会社経営（Gesellschaftsbetriebe）

（官公経営・会社経営 → 官公営事業）

斯かる分類の中、其の法律的取扱に於て意義を有するものは、官公経営と会社経営との区別、即ち、上述の(2)と(3)との間の区別である。換言すれば、公企業労働秩序法中の、第三條第三項の規定（特殊の場合に於ける信任協議会の設置及び其の権限の限界に関する國又は州大臣の命令権）、第十六條第二項（社会的名誉裁判と懲戒裁判との関係及び名誉裁判の審理開始と監督官廳との関係）は、会社経営たる公企業には適用せられないのである。

次に Verwaltung と Betrieb との区別を為す意義は、高権的権力を行使する Verwaltung に於ては信任協議会が設置せられないこと、更に、或る施設が Verwaltung である場合には、それが経済的目的に従事する限り公企業労働秩序法の適用を受けるのであるが、之に反し Betrieb との区別は甚だ不明確であって、本法に於ても其の概念規定を欠いて居る有様で、或る

二九二

施設が一体Verwaltungに属するや、或はBetriebに属するやの決定は甚だ疑問たる場合が多い。学説に於ても、必ずしも一致した見解はない様である（註）。実際上は、此の両者を区別する実益は本法の解釈適用上極めて僅少であるから、両者を一括して「官公営事業」と呼び、会社事業たる公企業と対立せしむるを以て充分ではないかと思ふ。

（註）　VerwaltungとBetriebとの区別に付いて、例へばE. Schillingは次の様に説いて居る（Zeitschrift für öffentliche Wirtschaft. 1934. S.134 ff.）――Betriebとは、財貨及び動力の開発、又は人或は財貨の運送若しくは動力の移送を目的とする施設を言ふ。而して、此処に謂ふ財貨は物的財のみに限られ、権利は含まれない。銀行券や無記名証券の如く、権利が物に化体して居る場合でも同様に理解すべきである。例へば、国印刷局の如きはBetriebと見られるけれども、有価証券を売買する銀行其の他銀行類似の施設は、Verwaltungと見らるべきである。然らばVerwaltungは如何と言ふに、国其の他

法律所定の公法人の施設にして、社団の目的を実現する為めのものであり、上記の説明よりしてBetriebたるの条件を具備せざるものである。此の概念規定は、勿論甚だ不充分であって、固有の行政との区別など甚だ明瞭を欠くものであるがVerwaltungの概念を積極的に解明することは殆ど意義少い、と。

之に対し、Mansfeld-Pohl-Steinmann-Krauseは次の様な見解を述べてゐる（Die Ordnung der nationalen Arbeit, 1934, S.568－569）。即ち、Betriebの概念はもっと広く把握せらるべきであって、銀行、保険、病院等の企業も包含せしむべきである。で、結局に於てBetriebは、一般に収益目的に向けられた経済的の自営活動で、一般的経済取引に参加するものを意味する。個々の場合に、公共的任務確保の為めに収益目的が欠けてゐる場合でも差支ない。然るにVerwaltungと言ふ場合には、第一義的に既存価値の保存に向けられた官庁的並びに官庁類似の施設を問題とするのである。例へば、

博物館や図書館等の如きである、と。

(2) 経営（Betrieb）を公企業と私経営とに分属せしめるの意義は、特に次の諸点に於て之を発見することが出来る。

(イ) 信任協議会の設置に就いて。公企業労働秩序法第三條第二項に依れば、公企業たる経営に就ては、管轄國大臣又は州大臣は公企業に信任協議会を設置せざるべき旨を決定することが出来る。

(ロ) 第三條第三項に基く管轄大臣の命令権を以てする信任協議会の構成並びに其の権限に就いて、管轄大臣の命令権は私経営に就いては認められない。

(ハ) 國民労働秩序法第十六條に依れば、一般的労働條件特に経営規則に付いて為す経営指導者の決定に関し、信任協議会から労働管理官に対して抗告を為すことが認められてゐるが、公企業たる経営の信任協議会には斯かる権限は認められない。

(ニ) 公企業たる経営は、特別管理官（Sondertreuhänder）の管轄に属し、

労働管理官の管轄に属しない。

(3) 経営が公企業に属するや私経営に属するや疑はしき場合の決定

國労働大臣が、國内務大臣其の他関係國大臣の同意を経て、之が決定を為す（法第一條第二項）。然し、或る施設が果してVerwaltungに属するや、又はBetriebに属するやの決定権に就いては、何等規定する所がない。

三、私経営並びに私施設を公企業と同視する権限

國労働大臣は、関係各國大臣の同意を得て、他の総ての経営並びに施設を公企業と看做すことが出来る（法第一條第三項）。例へば、一群の経営集団に付き、其の大部分が公企業に属するやうな場合には、公企業に属せざる経営をも公企業と同視して行くことが、全経営集団の統一的取扱の為めに望ましいからである。

第二節　指導者原則

指導者と從者との信頼關係を以て新労働契約法の出発点と考すべきこと、從って、個人主義的世界觀に対應する債務法的關係として指導者と從者との關係を基礎付けることを排斥すべきことは、國民労働秩序法に於ける根本原則と何等異る所がない。即ち「公企業ノ指導者ハ本法ニ依リテ規制セラルル總テノ關係事項ニ付キ、当該事業ニ從事スル労務者及ビ使用人ニ対シ從者（Gefolgschaft）トシテ之ニ決定ヲ與フ」るものであり（法第二條第一項）、「指導者ハ從業者ノ福祉ヲ図ル」ものである。之に対し、「從業者ハ指導者ニ対シ、事業共同体（Dienstgemeinschaft）ノ基礎タル忠誠ヲ致シ、又其ノ職務ノ遂行ニ当リテハ、公職ニ在ル自己ノ地位ヲ自覺シテ全國民ノ模範」たるべきである（法第二條第二項）。

公企業の指導者としては、先づ官公営事業にあつては、当該官廳の長官が之

二九七

に当ること勿論である。会社経営たる公企業に於ては、國民労働秩序法の場合と区別すべき必要を見ないから、同法第三條の規定が準用せられ（法第二條第一項後段）、法人其の他人的集団の法定代表者を以て経営指導者とする。次に経営指導者の代理人の設定に関する國民労働秩序法第三條第二項の規定は、公企業の総てのものに対し一般的に準用せられる（法第二條第一段後段）。

從者の概念は、國民労働秩序法の場合と全く同様に解してよい。從者の中には、官吏は勿論包まれない。疑問となるのは、官吏候補者であるが、之は本法の適用を受けるものと解するのが適当であると解されてゐる。

尚、公企業指導者の決定権、その監護義務　並びに從者の忠実義務の意義に就ては、國民労働秩序法第二條を參照せられ度い。

二九八

第三節　信任協議會

第一款　信任協議會の設置

國労働秩序法に依れば、信任協議会は言ふまでもなく、指導者と信任委員とを其の構成員とする経営共同体の機関であるが、此の指導者と從者との信任協議会に依る結合と言ふ原則的思想は、公企業の特殊性の前に如何なる修正を受けて居るであらうか。屡々指摘せるが如く、高権的権能（Hoheitsbefugnisse）を行使する官業（Öffentliche Verwaltung）に就いて信任協議会を設置し得ないと言ふことが、その最も著しい特色である。その他の公企業に就いては、私経済の場合と同様に、原則的に之を設くるのである。その権能は、國民労働秩序法に依る信任協議会と大同小異であると解して差支ない。

二九九

一、高権的施設（Hoheitsverwaltung）

本法第三條第一項に依れば、高権的権限の行使なき公企業にして、常時二十名以上の從業者を使用するものに在りては、「從者ヨリ選任セラレタル信任委員公企業指導者ノ諮問ニ應ズ。信任委員ハ指導者ト共ニ、又指導者ノ指導ノ下ニ信任協議会ヲ構成ス」。例外的に信任協議会の設置なき高権的施設、即ち高権的権限を行使する官営施設とは、國家的支配の適用に依つてのみ其の目的を到達し得る施設の意味である。從つて、國家は官権力として「臣民」に対立するのであつて、同位的私人として「市民」に対立する場合ではないのである。此の種に属するものとしては、先づ財政権、警察権、裁判高権、軍事高権の担当者たる事務局を挙げることが出来る。又、高権的権限を行使する公法上の社団としては、手工業会議所や商業会議所の如きが之に属する。此の種の施設に於ては、國家的権威に基いて存在するものであり、その意思形成は公共の需要並びに國家的指示にのみ依存するので、特に信任協議会の協力を必要としないのである。斯かる施設に於ても、指導と從者との忠実関係に基く協同の必要

三〇〇

なることは云ふ迄もない所であって、事業協同体の思想と相容れないが為めでは決してない。

具体的の場合に、公企業が公権的施設に属するや否やの決定権は、所轄國大臣或は州大臣が之を有する。所轄大臣は、尚、其の所管に属する公企業の如何なるものに付き信任協議会を設置せざる可きかの決定権をも有する（法第三條第二項）。

二、命令に依る信任協議会の構成並びに其の権限の制限

國、州及び自治群合体の官営公企業が、國或は州領域の大部分に渉るか、又は数個の自治体に跨る場合、並びに独逸國鉄道会社、國自動車道路企業、國立銀行に就いては、所轄國大臣又は州大臣は、命令を以て、信任協議会の構成及び公企業の組織に関する同協議会の権限の限界を規定する。而して、同一事務局の所管に属する数個の公企業の共通事項に関し一個の信任協議会を設くるときは、各個の信任協議会より信任委員を任命することが出来るのである（法第

三條第三項）。此の取扱は、旧経営協議会法第六十一條に照應するものであるが、会社型態たる公企業には適用無きこと、既に指摘した通りである。所轄大臣の此の命令権は特に信任協議会の組織に関する決定に関するものであるが、本法の一般的基本的規定に関せざる限りに於てのみ認められる。従って、例へば、後述するが如き、信任委員及び其の代理人名簿の作成、其の資格條件、従者の同意権等に関する本法の規定は、此の命令権に依って変更し得るものではない。尚又、所轄大臣の命令権に依る本法の変更は、恣意的に行はれることは許されないのであって、官営公企業の組織に於ける特殊性に依って條件付けられねばならないのである。

第二款　信任協議會の任務及び其の活動

一、其の任務

公企業に於ける信任協議会の任務は本法第四條の規定するところであるが、

その内容は國民労働秩序法第六條と全く変る所がない。従って、其の具体的の内容は同法の説明に譲り、此処には本法第四條の規定を掲記するに止めて置かう。即ち、同條第一項の規定に依れば「信任協議会ハ公企業ノ全従業者ノ協同体内ニ於ケル相互ノ信頼ヲ深メ、且國民協同体ノ為メニ模範的ニ其ノ職務ヲ遂行スルノ義務ヲ有ス」る。次に、同條第二項に依れば、「信任協議会ハ、労働給付ノ改善、一般労働條件特ニ勤務規則（第十六條）ノ形成及ビ実施、経営原設ノ実施及ビ改善、公企業ノ全従業者ノ結合関係ノ強化、共同体全成員ノ福祉ニ関スル総テノ措置ヲ協議スルノ任務ヲ有ス。信任協議会ハ、更ニ公企業内ニ於ケルアラユル紛争ノ調停ニ努ム可シ」

而して、其の第三項に依れば、「信任協議会ハ其ノ個々ノ任務ヲ特定ノ信任委員ニ委任スルコトヲ得」ることになってゐる。

二、其の活動

信任協議会の職務（Amt）は、信任委員の就任宣誓後——原則として五月一

日——に始まり、四月三〇日を以て終る（法第九條）。而して、信任協議会の招集は、公企業指導者の必要に基いて行はれるものであり、又、信任委員の半数の請求ある場合にも、協議会を招集すべきものである（法第十條）。此等の点に就いては、國民労働秩序法第十一條及び第十二條を参照せられ度し。

三、紛争事件の決定

信任協議会の構成及び事務執行（Bildung und Geschäftsführung）に就いて生じたる紛争事件に関しては、所轄特別管理官が之を決定する（法十四條）。公企業に於ける有效なる協調の成立せざる場合、利害関係者より特別管理官に対して為される申立を予想したものである。此の紛争事件の申立に対しては、管理官は決定を為す義務を有するものと解されて居る。其の限り、管理官は実質的には労働裁判所の地位を有するものと解してよい。本法第十四條の此の規定は、國民労働秩序法第十九條第一項第一号所定の労働管理官の任務に当るものであるが、特別管理官は紛争決定権のみを有し、監視権（Überwaching）は之を有しない。尚、特別管理官の決定は関係当事者を拘束する。

四　国民労働秩序法施行規則の準用

国民労働秩序法中信任協議会に関する規定の実施細則は、本法の信任協議会に之を準用する（法第十五條）。

第三款　信任委員（Vertrauensmann）及び其の代理人

一　其の員数

信任委員の員数は本法第五條の規定する所である。国民労働秩序法第七條の規定と全然異る所がないから、極めて簡単に説く。即ち、

従業者二〇名以上四九名以下の公企業に於ては、二名

従業者五〇名以上九九名以下の公企業に於ては、三名

三〇五

従業者一〇〇名以上一九九名以下の公企業に於ては、四名

三〇六

従業者二〇〇名以上三九九名以下の公企業に於ては、五名

而して、信任委員の数は、従業者三〇〇名を加ふる毎に一名を増加するけれども、最高一〇名を超えることは許されない（法第五條第二項）。信任委員の代理人は、信任委員と同数設くることを要する（同條第三項）。

二、其の任命

先づ、信任委員の資格條件としては、年齢二十五才以上にして少くとも一年間当該公企業に所属せるものなることを要する。而も彼は、公民権を有し、独逸労働戦線に所属し、模範的人格を具備し、常に国民国家のために献身するの保証を為せるものでなければならぬ。但、本法施行後行はるべき第一回の選任に就いては、一年間当該公企業に所属せることを要すと言ふ條件は、之を除去することが出来る（法第六條）。

(1)　次に、信任委員の選任は如何にして行はれるかと言ふに、公企業の指導者が其の選任権を有する。指導者と並んで信任協議会が存在すると言ふことは、指導者思想の極めて重大なる表現であるが、信任委員は従者に依つて選任せらるゝのではなくして、指導者自身によつて選任せらるゝのである。併し、指導者は其の独断を以て之を決定するのではなく、「毎年三月、ナチス経営細胞組織監督者（Obmann der nationalsozialistischen Betriebsorganisation）ノ同意ヲ得テ信任委員及ビ其ノ代理人ノ名簿ヲ作成ス」るのであり、此の名簿の作成ありたるときは、直ちに「従者ハ無記名投票ニ依ツテ当該名簿ニ対スル賛否ヲ決定」せねばならぬ（法第七條第一項）。従つて、実質的に見れば、結局に於て、信任委員の任命に就いては、公企業指導者とナチス経営細胞組織監督者と従者との三者の一致を必要とする結果と為るのである。

(2)　公企業の指導者が、信任委員名簿作成に関しナチス経営細胞組織監督者の同意を得ることが出来なかつた場合、或は特に従者が信任委員名簿を否認した場合には、所轄特別管理官（法第十八條）は法律所定の必要数の信任委員

三〇七

及び其の代理人を任命することが出来る（法第七條第二項）。

三〇八

三、其の地位

信任委員及び其の代理人は、公企業の指導者を通じて、国民労働記念日に（五月一日）その従者の面前に於て誠実に職務を遂行すべきことを儀式を以て宣誓すべき義務を負ふ。信任委員及其の代理人は、私益を顧みず、常に国民協同体の福祉を図り、且其の生活並びに職務の遂行に於て衆の模範たらねばならぬ（法八條一項）。国民労働秩序法第十條に依れば、信任協議会の総ての構成員、従つて経営指導者若くは其の代理人も亦宣誓を為すべき義務を負担する。然るに、本法に於ては、公企業の指導者は此の義務を負担することなく、信任委員のみが此の義務を負担する。此の差異は、公企業の指導者は原則として官吏であるから、更に改めて宣誓を為すの必要がない、と言ふ事情に基くものである。

尚、選任手続の原則は、従者の名誉に対する賛否決定手続に必要な期間とし

て五月一日前二ヶ月の存在を必要とするのであるが、此の名簿作成に関する所定期間の経過後に、公企業に於ける信任協議会設置の條件が具備するに至るときは、任命の手続は直ちになされ、其の宣誓を執行せしむることを要する（法第八條第二項）。

信任委員の職は名誉職であって、之に報酬を與ふることは出来ない。けれども、其の任務遂行の為めに当然停止する労働所得や、任務遂行に必要なる経費は補償せられる（法第十一條第一項）。又、信任協議会が其の負担する任務の遂行に必要なる施設及び事務要品は公企業の指導者に於て提供することを要し、指導者は更に、信任委員に対し、その遂行すべき任務に必要なる啓示（Auskünfte）を與ふべき義務を負ふ（法第十一條第二項）。此等の点は、國民労働秩序法第十三條と変る所がないのであるが、唯注目すべき特殊性は、公企業の必要に應じて指導者の啓示義務が制限されてゐる、と言ふ点である。即ち、「國民及ビ國家ノ利益ヲ害スルニ至ルベキコト無キ限リ」此の義務を負担するのである。

四、其の職務の消滅

「信任委員ノ職ハ、信任委員ガ公企業ヨリ脱退スルト共ニ消滅ス。但、自由意思ニ基ク辞職ノ場合ハ此ノ限リニ非ズ。雇傭関係ノ解約告知ハ、告知期間ニ依ラズシテ解約ヲ為シ得ル理由アル場合ノ外、所轄特別管理官ノ承認アリタル場合ニ限リ之ヲ為スコトヲ得」（法第十二條第一項）。「所轄特別管理官ハ、信任委員ヲ物的若シクハ人的ニ不適任ト認ムルトキハ、之ヲ解職スルコトヲ得。信任委員ノ職ハ、特別管理官ガ書面ヲ以テ信任協議会ニ決定ノ通知ヲ為スト同時ニ消滅ス」（法第十二條第二項）。「信任委員ノ職ハ、國民労働秩序法第三十八條第二号乃至第五号ノ罪ニ付キ名誉裁判所ノ為セル判決ノ既判力発生ト同時ニ消滅ス」（法第十二條第三項）。

此の規定に依ると、消滅原因としては、(イ)辞職、(ロ)公企業よりの脱退、(ハ)名誉裁判所の有罪判決、(ニ)特別管理官に依る解職等を数へることが出来るが、此等は國民労働秩序法第十四條と殆ど変る所がないので、重ねて説明するの必要

はあるまい。然し、(ホ)解約告知に依る場合は、両法の間にかなりの相違が見られるので、此の相違を略説する。

國民労働秩序法に依れば、労働契約の解消を困難ならしめることに依って、信任委員の職が保証されて居るのである（國民労働秩序法十四條第一項）。即ち、信任委員に対する解約告知は原則として無効であり、唯例外的に次の二場合にのみ許されるのである。一は経営休止（Betriebsstillegung）の場合であり、他は告知期間無くして解雇を為し得る場合（fristlose Entlassung）である。此の二場合以外には、信任委員に対する労務関係の解約告知は許されないのであって、労働管理官の同意を得て解約告知を為す可能性は存在しない。然るに、公企業労働秩序法にあつては、解約告知の可能性が遥かに拡張せられて居り、「雇傭関係ノ解約告知ハ、告知期間ニ依ラズシテ解約ヲ為シ得ル理由アル場合ノ外、所轄特別管理官ノ同意ヲ得タル場合ニノミ之ヲ為スコトヲ得」（法第十二條第一項）とせられたのである。同意なくして為されたる解約告知は固より無効である。又、同意を必要とするのは、信任委員在職中に行はれる

解約告知にのみ限られることと言ふ迄もあるまいが、在職中に為される解約である限り、労務関係が信任委員の任期終了後に発生する場合と雖も、矢張り同意を必要とする。尚、経営の休止や事務局の廃止を理由とする解約告知と雖も、國民労働秩序法の場合と異り、公企業労働秩序法に於ては特別管理官の同意を得なければならぬ。

五、補欠委員（Ersatzmänner）

信任委員が退任したる場合、若くは長期間執務し得ざる事情あるときは、代理人は推薦名簿（Vorschlagslist）に記載したる順序に従ひ之が補欠となる。代理人が無いときは、信任協議会の残余の任期間に付き、所轄特別管理官が新たに信任委員を任命する（法第十三條）。

第四節　企業顧問（Unternehmensbeirat）

企業顧問は特殊の場合に於ける企業者の諮問機関であつて、公企業労働秩序法に於ては認められてゐなかつたが、一九三八年二月二六日の本法第四次施行令に依つて始めて定められた制度である。即ち　此の企業顧問なるものが設置せられるのは、公企業労働秩序法の意味に於ける経営（Betrieb）にして、経済的又は技術的に同種性を有し　又は経営目的を共同にする数個のものが「同一企業者」の手中に存する場合である。斯かる場合には、公企業中央管理官（Reichstreuhänder für den öffentlichen Dienst）（後述）は、社会的事項に付き、企業者又は其の任命せる企業指導者（企業者自ら企業を指導せざる場合）の諮問に應ずる為めに、個々の信任協議会より顧問を選任すべきことを訓令することが出来る。併し、此の制度は、国、州、市町村（市町村併合体）の官営公企業や　国有自動車道路企業又は国立銀行に依りて運営せらるゝ経

三一三

営には適用せられない（第四次施行令第八條）。

一、企業顧問の形成

企業顧問の構成員は、企業者又は企業指導者が、独逸労働戦線中央経営監督の同意を得て選任するもので、選任は信任委員中のみから之を為すことが出来るのである。其の員数は一〇名を超えることを得ない。其の顧問の選任に当つては、個々の経営の重要性、其の種類の相違、従者の結合状態等を適当に考慮せねばならぬ（第四次施行令第九條第一項）。

而して、企業者若くは企業指導者と独逸労働戦線中央経営監督との間に意見の一致を見ざるときは、公企業中央管理官が、企業顧問の構成員を選任する（第四次施行令第十條）。

二、企業顧問の任務

企業顧問に対する諮問事項としては、公企業労働秩序法第四條第二項所定の

三一四

諸措置が挙げられる。但、信任協議会に諮問すべき総ての又は多数の経営に就いて、企業者又は企業指導者が其の決定を留保して居る場合に限られる。此等の諸措置に関し、企業顧問に諮問せる場合には、個々の経営の信任協議会に諮問することは必要がない。当該企業の総ての又は多数の経営に就いて実施せらるゝ「共通勤務規則」は　公企業労働秩序法第十六條に依り個々の経営に就いて施行せらるゝ勤務規則に代る。但　個々の経営に於ける其の特殊の関係に基く補充を妨げない。共通勤務規則の效力に関しては、其の規定に服する労働関係に付き最低條件として法律的拘束力を有すること、一般の場合に付き後述する所と全く同様である（第四次施行令第十一條第一項）。

斯くの如く、企業顧問は、同一企業者に属する多数の経営が存する場合に、その多数の経営に関する企業者の諮問機関であるから、個々の経営のみに関する措置は、企業顧問の管轄の範囲に属しない（第四次施行令第十一條第二項）。

三一五

第五節　特別管理官、公企業中央管理官及び専門委員会

一、特別管理官（Sondertreuhänder）

(1) 公企業に於ける特別管理官は、私経済的経営に於ける労働管理官（国民労働秩序法第十八條以下参照）に代るもので、国労働大臣が、国大蔵大臣その他関係所管国大臣の同意を得て、一群の公企業に就て之を任命するのである（法第十八條第一項前段）。此の特別管理官は特に後述する「準則」及び「賃率規則」の制定に関して重大なる意義を有するものであるが、此の問題に就いて特別管理官の存在を必要とする理由は、総ての公企業はその統一的取扱と云ふ観点から法律的規制が為さるべきであり、従つて地域的若くは部局的観点は排除されねばならぬ、と云ふ点である。

特別管理官は、労働管理官と異り、国の官吏ではない（国民労働秩序法第

三一六

十八條參照)。けれども「國政府ノ準則及ヒ指示(Weisung)ニ拘束しされ、又、獨逸官廳と労働管理官の職務上の共助に関する國民労働秩序法第二十五條の規定も準用せられる(法第十九條第一項)。

(2) 特別管理官の職務に関しては、労働管理官の職務規定たる國民労働秩序法第十九條と異り、公企業労働秩序法は何等列挙的に掲記してはゐない。が之を通覧するに、其の職務は、経営組織の領域は勿論、経営以外の労働條件の決定、更には名誉裁判の分野に迄及んでゐるのである。即ち、重要なるものは次の通りである。

(イ) 法律所定の場合に於ける信任委員の任命(法第七條第二項)。
(ロ) 信任委員の存在中に為される解約告知に対する同意(法第十二條第一項)。
(ハ) 信任委員の解任(法第十二條第二項)。
(ニ) 補缺信任委員無き場合の新たなる信任委員の任命(法第十三條)。
(ホ) 信任協議会の構成並びに其の事務執行に関する紛争事件の決定(法第十四條)。

三一七

(ヘ) 準則及び賃率規則の制定(法第十八條)。
(ト) 社会的名誉裁判に於ける職務(法第二十條、國民労働秩序法第三十五條以下参照)。

(3) 特別管理者の任命無き場合は、所轄労働管理官が、経営組織並びに、名誉裁判に関する特別管理官の職務即ち上揭(イ)(ロ)(ハ)(ニ)(ホ)(ト)の職務を管掌する(法第二十一條)。

二、公企業中央管理官(Reichstreuhänder für den öffentliche Dienst)

(1) 中央管理官の任命

労働管理官は大経済区(größere Wirtschaftsbezirke)に配置せられ、特別管理官は一部の公企業に就いて任命せられるに対し、公企業中央管理官は全國地域に就いて任命せられ、その本據をベルリンに置く。中央管理官に関する公企業労働秩序法第十九條第一項が準用せられるのである(第四次施

三一八

行令第一條)。

(2) 中央管理官の職務

公企業に於ける労働生活の統一的な社会的保護の確保の為に、其の特殊性を考慮して、公企業中央管理官は次の職務を担當する。

國労働大臣は、國大蔵大臣、國内務大臣其の他所轄國大臣の同意を得て、中央管理官に之以外の職務を担当せしめることが出来る(第四次施行令第二條)。

(イ) 信任協議会の構成及び其の事務執行の監督。
(ロ) 公企業労働秩序法第七條第二項、第十二條第一項第二項、第十三條及び第十四條所定の特別管理官の職務の管掌。
(ハ) 第四次施行令第四條の條件に從つて為す準則及び賃率規則の確定及び其の実施の監督。
(ニ) 公企業労働秩序法第二十條第一項に依る社会的名誉裁判に関する特別管理官の任務の管掌。

三一九

(3) 特別管理官との関係。

公企業の労働秩序法第十八條に依る職務、即ち、準則並びに賃率規則制定の任務遂行の為めにする特別管理官の任命は、中央管理官の設置に依つて妨げられることがない。特別の場合には、準則並びに賃率規則の実行を監督する為にも、特別管理官を任命することが出来る(第四次施行令第六條)。

三、専門家委員会(Sachverständigenausschuß)

専門家委員会は管理官の諮問機関である。特別管理官の諮問機関としての専門家委員会に就いては公企業労働秩序法第十九條が、中央管理官の諮問機関としての専門家委員会に就いては第四次施行令第五條が夫々規定してゐる。

(1) 特別管理官の諮問機関たる専門家委員会

専門家委員会は、國労働大臣が関係國大臣の同意を得て任命せる必要員数の専門委員を以て之を構成する。其の最高員数に就いては特に定むるところがない。國労働大臣は、更に　独逸労働戦線の提出せる推薦名簿より四名の

三二〇

専門家委員を任命する。独逸労働戦線は、信任委員中より適任者（労務者及び使用人）を選び、之を当該名簿に記載せねばならぬ。特別管理官は別に二名の専門家委員を任命する（法第二九條第二項）。而して、此等の専門家委員には宣誓に関する國民労働秩序法第二十四條の規定が準用せられるのである（法第十九條第三項）。

専門家委員会は、公企業労働秩序法第十八條に依る準則及び賃率規則の決定に就いて、特別管理官の諮問に應ずるのである。而して諮問事項は之に限定せられてゐるのであって、此の点に於ては、國民労働秩序法に依る専門家委員会が、其の他の事項に就いても個々の場合に諮問の為め労働管理官に依って招集せられ得るのと趣を異にする（國民労働秩序法第二十三條第三項参照）。尚、國民労働秩序法に於ては、専門家委員会は労働管理官のみによって構成されるのに反し、公企業労働秩序法に於ては、寧ろ主として政府に依って任命せられる、と言ふ点も注目すべき区別の一つである。

(2) 中央管理官の諮問機関たる専門家委員会

本委員会は、國防大臣が関係國大臣及び独逸労働戦線の推薦に基いて任命した必要数の専門家委員を以て構成せられる。中央管理官は、更に、個々の場合に、他の専門家委員を附加することが出来る（第四次施行令第五條第一項）。尚準則及び賃率規則の決定が、國食糧職分団又は國文化院に属する公企業に関する限り、独逸労働戦線は相互的了解に基いて其の推薦を為さねばならない。此の点は、公企業労働秩序法に依る特別管理官の諮問機関たる専門家委員会の形成に付いても同様である（第四次施行令第五條第三項）。

中央管理官は第四次施行令第四條に依る準則及び賃率規則の決定に付いて、専門家委員会に諮問せねばならぬ。中央管理官は尚其の他の場合に於ても諮問の為めに専門家委員会を構成することが出来る（第四次施行令第五條第四項）。

第六節　労働法的基礎の規制

第一款　勤務規則（Dienstordnung）

一　勤務規則の制定

公企業の指導者は、当該公企業の使用人及び労務者に対し、勤務規則を実施することが出来る。勤務規則は、國民労働秩序法第二十六條以下の定むる経営規則に相当するもので、公企業指導者が其の一般的な制定実施権を持って居るのである。然し、之を制定実施すべき強制は存しない。指導者が其の必要と認めて之を制定する場合には、従業者の勤務秩序及び勤務態度に関する規定の外、法律規定の範囲内に於ける労働賃銀及び労働條件に関する規定を設くることが出来る。勤務規則を制定する場合には、特別労務給付に対し適当なる報酬を與ふるの途を講ずるやう考慮せねばならぬ（法第十六條第一項）。けれども、其

の内容に就いて、國民労働秩序法第二十七條の場合と異り、本法に拘束せられることはないのであって、謂はゞ效力規定（Mussvorschrift）的なものとは解されてゐない。

勤務規則は、其の制定公布に先立ち、信任協議会の諮問を経ねばならぬ（法第四條第二項参照）。勤務規則の制定なき場合、信任協議会は之を制定すべきことを議題にすることは出来るが、之を制定せざる旨の指導者の決定又は勤務規則の内容に付いて、管理者に抗告することは出来ない。此の点は、國民労働秩序法（第十六條、第十九條第一項第三号）と著しく異る所である。國家は労働條件形成の最後の責任を負担するものであるが公企業にあっては、指導者の公法上の地位等よりして、充分なる保障が既に與へられてゐる、と言ふのが斯かる相違の根拠である。

二　共通勤務規則（Gemeinsame Dienstordnung）

一群の公企業が共通の管理に属するときは、其の指導者は共通勤務規則を制

定することが出来る。一群の公企業が上級事務局又は監督官廳の共通の業務監督に服するときも亦同様である。共通勤務規則に於ては、労働裁判所法第四十八條第二項に記載する紛議に付て、當該地域に管理權を有しない労働裁判所に対し、管理權を與ふる旨を規定することが出来る（法第十六條第二項）。

三、勤務規則の法律的效力

勤務規則の該規定は、公企業の所属者に対し、最低條件として法律的拘束力を有する（法第一七條）。此の点は、國民労働秩序法第三十條と同樣である。

第二款　準則（Richtlinien）及び賃率規則（Tarifordnung）

公企業労働秩序法第十八條は、國民労働秩序法第三十二條に相当するものであつて、私経済的経営に於けると同樣、公企業に於ても、管理官は、勤務規則

三二五

三二六

の内容又は個々の労働契約の締結に対する「準則」に依り、或は労働條件の形成に関する賃率規則に依り、公企業に於ける労働秩序の形成を支配し得る。

一、準則

先づ、一群の公企業に就いて任命せられたる特別管理官は「当該一群ノ公企業又ハ其ノ個々ノモノニ付キ、勤務規則ノ内容ニ対スル準則、及ビ使用人並ビニ労務者トノ個々ノ労務契約ノ締結ニ関スル準則ヲ、專門家委員会ノ協議ヲ経テ決定スルコトヲ得。但、使用人トノ個々ノ労務契約ノ内容ハ、使用人保険ニ定メラレル限度ヲ超過セザルモノニ限ル」（法第十八條第一項）。使用人保険の限度は当時七二〇〇ライヒスマルクであつたが、一九三九年二月七日の第五次施行令第一條に依れば、其の内容が使用人保険の定むる限度を超える使用人に就いても、國大藏大臣が関係國大臣の同意を得て準則に依る規制に同意したるときは、準則を定め得ることゝなつた（後述の賃率規則に就いても同樣である）。

次に企業中央管理官が、公企業の集団又は其の個々のものに付き準則を制定し得ることは、上述の規定と全く変りがない（第四次施行令第四條第一項）。

二、賃率規則

(1) 「特別管理官ハ、其ノ管轄ノ範囲内ニ於テ專門家委員会ノ協議ヲ経タル後公企業ニ付キ特シクハ公企業ノ個々ノ集団又ハ地区ニ付キ、第一次所定ノ使用人並ビニ労働者ノ勤務関係（準則に関して前述せる所参照）ヲ、法律規定ノ限界内ニ於テ賃率規則ヲ以テ定ムルコトヲ得」（法第十八條第二項）。國民労働秩序法第三十二條第二項に依れば、「労働管理官ノ管轄地区内ニ於クル一経営集団ノ從業者保護ノ為メ、労務関係ヲ規律スル上ニ最低條件ノ確定ヲ不可欠トスルトキ」と云ふことが、賃率規則制定の前提條件であるが、公企業労働秩序法は何等かゝる要件を要求してゐない。公企業に於ては、從業者の保護は、企業指導者の官廳的地位、業務監督その他の方法を以て保障されてゐるので、賃率規則制定の理由は、寧ろ、公企業の各部門に於ける労働

三二七

三二八

條件の統一的形成に在りと解されてゐる。尚、公企業に於ける賃率規則は、公企業の集団又は地区が限度となるのであつて、個々の公企業に就いては、勤務規則に依る規整のみが問題となり、賃率規則に依る規整は問題とならない。

公企業中央管理官の制定する賃率規則に付いても、上述せるところと殆ど変る所が無い（第四次施行令第四條第二項）。

(2) 賃率規則の規定は、其の適用を受ける労務関係に対し、最低條件として法律的拘束力を有する。次に、勤務規則上の関係が問題となるが、賃率規則に反する勤務規則の規定は適用せられない（法第十八條第二項後段、第四次施行令第四條第二項後段）。國民労働秩序法第三十二條第二項に依れば、斯かる場合には勤務規則は無效であるとしてゐるので、純法理的に見れば其の間に相違がある訳であるが、実際上に於ては殆ど違ひがあるまい。

三、準用規定

國民労働秩序法第三十二條第二項第四段（労働裁判権の排除）及び同條第三項（準則及び賃率規則の公布）並びに其の施行規則は、準則及び賃率規則に準用せられる（法第十八條第三項、第四次施行令第四條第三項）。

第三款　解約告知保護（Kündigungsschutz）

「國民労働秩序法ノ解約告知保護ニ関スル第五章第五十六條以下ノ規定ハ、公企業ニ於ケル労務者及ビ使用人ニ之ヲ準用ス。但シ公企業又ハ其ノ集団ニ付キ其ノ従者ガ勤務規則若クハ賃率規則ニ依ッテ少クトモ同等ノ價値アル解約告知保護ヲ受クル場合ニ於テハ、國労働大臣ハ所轄國大臣ノ同意ヲ得テ、当該公企業若ハ当該集団ニ付キ命令ヲ以テ前段ノ規定ヲ除外スル権限ヲ有ス」（法第二十二條）。本條の意義及び説明に関しては、國民労働秩序法中の解約告知保護の項を参照せられたい。

第七節　社會的名誉裁判

社会的名誉裁判に依る所謂「社会的名誉の原則」は、國民労働秩序法の倫理的基礎確立を意味するもので、共同体の原則及び指導者原則と共にナチス新労働秩序法の三大原則を為してゐることは云ふ迄もない。此の名誉裁判制度は、勿論公企業の場合にも準用せられるのである。即ち「國民労働秩序法第四章社会的名誉裁判第三十五條以下ノ規定及ビ其ノ施行規則ハ、公企業ノ所属者ニ之ヲ準用ス。但、労働管理官ノ職務ハ、所轄特別管理官之ヲ管掌ス」（法第二十條第一項）。而して公企業ノ指導者に対する名誉裁判の審理開始は、監督官廳の承認が必要である（法第二十條第二項後段）。

社会的名誉裁判と懲戒裁判との関係に就いては、「官吏又ハ兵士ニ対スル懲戒裁判ノ適用ハ、名誉裁判ニ依ル懲罰ヲ排除ス」（法二十條二項前段）と規定して居る。併し、その他の懲戒裁判に服従すること、例へば、職分団や党の懲戒裁判権に服することは、本法の社会的名誉裁判を排除するものではない。

第四章　労働司法

第一節　社會的名誉裁判（Soziale Ehrengerichtsbarkeit）

第一款　総説

新しい独逸社會秩序の基礎は労働に対する根本的態度であつて、指導者の思想・犠牲心・公共心と並んで労働の名誉なる概念が国民労働秩序法にとりあげられた。企業家と従業員との共同生活を社會的名誉の概念で保證する類似の規定を定めた國は、今まで世界中どこにもなかつた。

個別的統制として沿革的にこの観念を吸入したものとしては組合規約（Zunft）に於ける會員の名誉維持、更に商事裁判及び海員審判所（Kaufmanns= und Seemannsgerichte）等がある。此他に構成員の會に於ける名誉秩序違反につき制裁を定めた辯護士會則、醫師會則等が重要な意義を持つた。しかし社會的名誉の観念は新しい独逸労働法にとつて之等と全く異つたものである。社會的名誉裁判は個々の階級に別々のものでなく、経営共同体に属する総ての独逸國民を共通に包含するものである。社會的名誉裁判の根本観念は今迄の労働法にとつて全く新しい類似のものを発見することを得ないものである。自由主義と階級闘争の時代にあつては、社會的名誉の観念は労働法の領域に於ては全然不知の世界であつた。たゞ　権関係としてのみ理解されてゐたことがらこの社會的名誉の観念により一大変質をとげることになつたのである。

新しい國民社會主義の独逸は合理と名誉の観念を実行に移したのである。党の全國組織部長で独逸労働戦線の全國指導者であるライ博士（Dr. Ley）はかつて、これに関し次の様な定義を下した。「社會的名誉の観念は、ナチス思想の中心点をなすものであり、これによつて各人はそれぞれ等しい價値のある一部分として國民建設の業に協力するといふ喜ばしい意義を共へられる。そして又従来は独逸國民の持つ金銭財寶によつて評價を下してゐたが、かうした制限も右の概念によつて撤廃されるに至つた。要するに社會的名誉の概念は、独逸労働者の國民の復帰を完成し、民族共同体を最終的に実現し、又全独逸人を一體の民族として二度と分散することないやうに堅固に結合させる新しい法律の基礎をなすものである」と。

而してこれに関する法制はローマ法的なものより離れたゲルマン的法感情である。

即ち経営の指導者とその従属者の間の忠誠勤務契約によつて労務関係が一つの新しい倫理的基礎の上に持ち来らされ、労務契約によつて定められてゐる義務によつてのみならずこの忠誠勤務契約より来る社會的理念の命ずるところに従つて従属者の行動は経営共同体の精神に従はねばならない。

これについての基準的法律は一九三四年一月二十日の國民労働秩序法（Gesetz zur Ordnung der nationalen Arbeit vom 20. 1. 1934）の第一條及び第三五條である。

それは

第一條　経営ニ於テハ企業者ハ経営ノ指導者トシテ又使用人及ビ労務者ハソノ従属者トシテ共ニ其ノ経営ノ目的促進並ニ國民及ビ國家ノ共同利益ノタメニ働クモノトス

第三十五條　経営共同体ノ各所属者ハソノ経営共同体ノ内部ニ於ケル地位ニ應ジテ負ヘル良心ヲ以テ義務ヲ遂行スベキ責任ヲ有ス。各所属者ハ経営共同体内ニ於ケルソノ地位ニ基キテ受クル尊敬ニ値スルコトヲソノ行動ニヨリテ示スベシ。殊ニ常ニ自己ノ責任ヲ自覚シ全力ヲ挙ゲテ経営ノタメニ盡シ且ツ、公共ノ福利ヲ圖ルコトヲ要ス

この主義の命題を活動的なものにし、経営共同体又は國民共同体に対する責務に違反する國民をしてそのことなき様釋明する為労働秩序法は第四章に「名誉裁判権」＝Soziale Ehrengerichtsbarkeit＝を設けた。

余はこの名誉裁判権即ち独逸國の内外に於て既に現はれたる法律・命令・官憲服務規律等にその比を見ないものについて新しい独逸國民社會主義の労働法

に於けるこの制度を紹介しようと思ふ。

而してこゝで注意すべきことは、名誉裁判手続は大体辯護士の名誉裁判手続に準據して制定せられ尚その他刑事訴訟法・裁判所搆成法を準用してゐる所が多いのであるが、其處には自ら限界があつて、寧ろこの手続に於ける使命は、簡易敏速に之等の手続を處理することであつて、従つて自ら手続には相當の差異が要求されるのである。

第二款　名誉裁判手續（das ehrengeri-chtliche Verfahren）

――法的根據・原則的事項――

名誉裁判手続は一九三四年一月二〇日の國民労働秩序法（以下單に労働秩序法とする）第三十五條乃至第五十五條にその法的根據を持ち、これに、一九三四年三月二十八日の施行令をもつて搆成され、刑事訴訟法及び裁判所搆成法を

三三七

その補充的なものとして準用してゐるのである。而して労働秩序法第四十條に從へば、第四十條以下に別段の定めなきときは名誉裁判については、州裁判所の管轄に属する刑事訴訟事件の手続に関する刑事訴訟法の規定及び裁判所搆成法第百五十五條第二号、第百七十六條、第百八十四條乃至第百九十八條の規定を準用す。但し、檢事の共助は之を行はざるものとす、となつてゐるのである。

重要なことでないが、労働秩序法第四十條は一つの編輯誤謬（Redaktions-fehler）をおかしてゐることが目につくのである。

即ち同條は州に属する管轄の刑事事件の手続を準用するといふのであるが、これは辯護士法（一八七八年七月一日）第六十六條にその文章を採用したのであるが、しかし辯護士法の発生の當初に於ける州の刑事裁判所は、最も重要な刑事裁判所であつて、第一審でもあつたがその後の所謂エミンゲル命令によつて変更された（一九二四年一月四日《Emminger＝Verordnung》）のである。最初に刑事部は重要な第一審刑事裁判所であつたが前述の命令より大部分の刑事事件は第一審を区裁判所の管轄とした（單独刑事又は陪審制）。之等の区裁

三三八

判所に於ける手続は、裁判が判事の自由裁量による判決であるが、州裁判所に於ては、國裁判所に於ける如く訴訟等に関して嚴格の規整が法規上要求されてゐるのである。それ故吾人は前述のことがらにて明瞭になつた如く、労働秩序法第四十條の讀み方を州裁判所の代りに区裁判所とすべきである。実質的な考慮に於ては兎角その誤謬は別段大切な意味はないのであるが、労働秩序法の施行令（以下單に施行令とする）第二十條により裁判官の自由裁量により判決されることが絶對的に明確にされてからはこの誤謬は單に学説的な意味を有するに過ぎなくなつた。

以上の如く刑事訴訟法及び裁判所搆成法は全体の名誉裁判手続に準用されるのである。その際、労働秩序法第四章により第一審の手続ばかりでなく、労働管理官の捜査手続、控訴手続、執行手続、恩赦手続をも理解すべきである。

三三九

第三款　個々の手續の經路

――労働管理官の捜査手續――

名誉裁判手続に於ては檢事の共助は行はれないのである（労働秩序法第四十條第二項）。檢事の職務区域は名誉裁判手続に於ては、労働管理官の手に移されるのである。労働管理官は起訴官廳であり、彼は名誉裁判手続に於て訴の提起を専属になすのである。即ち彼は捜査を指揮し、訴を提起し、公判に於て公訴の追行に當るのである。

労働管理官の地位は國家の官吏であることはあだかも檢事の地位と同様である（労働秩序法第七十三條）。

彼は國労働大臣の監督に服するのである。この監督は事件と事務上に及ぶのであつて、國労働大臣はその他名誉裁判所の經費、使用人関係並に法律関係、書記、會計等のことにも一括して干與するのである。國労働大臣は同時に服務

三四〇

規律上の最高官廳である（労働秩序法第七十二條）。労働管理官は國経済大臣の同意により國労働大臣の発したる命令に服することを要する。彼は他の國家官吏と同様特別の保護を受け同時に嚴しき公私法上の責任を負はされてゐるのである。

労働管理官は総ての名誉裁判に可罰的に違反したる行為及實状を調査する義務を有する（合法主義、Legalitätsprinzip. 労働秩序法第四十三條第二項）。

しかし彼はその被疑者の訴を提起するか否かは自由に決定をなすことを得るのである。従つて名誉裁判手続は便宜主義である（Opportunitätsprinzip）。

社會的名誉の毀損に対する経営所属者の告発は、その経営所在地を管轄する労働管理官に證據物を添へ書面を以て之をなすことを要する。労働管理官は告発その他の方法に依り重大なる名誉毀損の事実を知りたるときは遅滞なく事実を確め、殊に被疑者を訊問し、名誉裁判所に対する訴の提起を決し労働管理官

の名誉裁判手續開始の請求は管理官の調査したる結果を添へて之を為すのである（労働秩序法第四十三條参照）。

社會的名誉裁判に違反する行為については労働秩序法第三十六條に四種の構成要件を個別的・制限的に列挙してゐる。

(イ)　企業者・経営の指導者若くはその他の監督者がその経営上の権力的地位を濫用し悪意を以て従属者の地位にある者の労働力を酷使し又はその名誉を毀損したるとき（第三十六條第一号）

(ロ)　従属者の一員が従属者を悪意に煽動して経営内の労働平和を危殆ならしめ殊に信任委員として意識的に経営指導に対し許すべからざる干渉を加へ又は経営共同体内の協同精神を継続的に悪意を以て攪乱したるとき（同條第二号）

(ハ)　経営共同体の所属者が繰返し労働管理官に対し軽卒にも理由なき抗告又は申立をなし若くは管理官の書面による命令に対し執拗に違反したるとき（同條第三号）

(ニ)　信任協議會の構成員がその任務の執行に於て知り且つ秘密を要する旨告げ

られたる内密の指図経営上並に事務上の秘密を権限なきに拘はらず公表したるとき（同條第四号）

労働管理官は捜査を開始する前に先づその管轄に属するや否やを調べることを要する。労働秩序法第四十三條第一項に従へば、彼の地区の経営所属者の経営に属する総ての名誉違反者に對し管轄権を有するのである。その名誉違反は経営の地位に於て又は地位外のことについての違反であるかは問題にならない。捜査に関しては被疑者の陳述を聴取する以外には別段に明文上の制限はない。訴の提起については證據物の添付の必要なることは當然である（労働秩序法第四十三條第一項）。

被告は出頭の義務を有しない。この事は施行令第十二條に従つて明瞭であり、名誉裁判手続に於ては拘留・一時的禁錮・勾引等は被告について行はれないことが一般的であり、押收（Beschlagnahme）並に臨檢（Durchsuchung）は許容せられない。此点に於て刑事訴訟手続と重大な差異がある。刑事訴訟手続に於てはこの標準は本質的に證據の保全並に被告の逃亡等より来る危

険の急迫よりして檢事又はそれ以上裁判所によりてこの事は考へられないのである。

事態の発見については労働管理官は被告に不利益のことがらのみならず罪の軽くなる有利な状況をも捜査することが必要である。

事態の説明に関しては労働管理官は證人及び事実を知つてゐる者の召喚を行ふことを得る。しかし之等の事件の具体的形成が全訴訟に亘つて動かすべからざる客體であるにも拘らず名誉裁判手続に於ては、之等の者は労働管理官の面前に出頭したり又は被告に不利益に説明することを強制されない。

之等の者はたゞ労働管理官が間接に裁判所を通じ又は直接に権利保護申請をなしたる場合にのみその義務を負ふのである。

更に労働管理官は必要に應じて檢證（Augenscheinseinnahme）を行ふ。

然し乍ら法律は彼等に（證人及事実を知れる者）に對し自白を強要しない。宣誓はたゞ管轄裁判所の直接権利保護申請によつてなされる（施行法第二十七

條）。

捜査手続に於て宣誓が行はれるのは刑事訴訟法第六十五條、即ち事態の急迫又は将来の手続に於ける事実認定の資料として重要な結果を惹起する點として要求されるものである場合にのみである。

労働管理官は権利保護申請（Rechtshilfeersuchen）をなす一つの官廳であって、決して如何なる場合にもそれ以上権限を拡張することを得ないのである。この権利保護申請が名誉裁判所によって却下された場合には労働管理官は刑事訴訟法第三百四條を準用して抗告をなすことを得る。その抗告につき被申請官廳はその労働管理官の権利保護申請につき他の地位にある官廳等の意見に基き却下等につき判断をなすのである。斯る場合には全然根本的な法律的救済手段はなくただ職務監督の抗告が許されるのである。裁判所構成法（以く以）第百五十九條の方法は斯る場合考慮されないのである。それは名誉裁判所の捜査手続の場合及び裁判長のなす捜査の場合にのみ用ひられる。

裁判所構成法第百五十七條乃至第百五十九條は権利保護申請関係に於て裁判

三四五

所間に適用され、裁判所と労働管理官との間には適用はないのである。

この捜査手続の他に司法警察官及他の行政官廳の又は工業監督官廳の情報等が加はるのである。之等の諸官廳の共助義務は施行法第二十七條によって生ずるのである。

之等の共助については他の法律がさうであるやうに労働秩序法第二十五條に於ても個々的の規定はないのである。

労働管理官の職務執行については他の諸官廳の共助は常に必要である。裁判所構成法による普通裁判所の共助に関する規定は無数にあるのである。

捜査は被疑者の事物及土地管轄がその労働管理官に属しない場合及び捜査の結果による判断が反対に公益的見地に不適當と認められる場合に中止されるのである。

前述の如く労働管理官は一つの國家官廳であるが彼は特に労働秩序法第二十一條による職務を遂行するにあるのである。

労働管理官は捜査を閉鎖したら直ちに訴の提起について決定をしなければな

三四六

らない（労働秩序法第四十三條第二項）。

上述の如く彼は手続開始の申立につき義務付けられてゐない。彼は自由裁量によって適宜に決定をなすことを得る。労働秩序法第四十三條により次のことが推論される。即ち労働管理官は可罰的な名誉違反行為が存在する場合にも合目的的見地より名誉裁判手続の開始を断念することを得るのである。

労働管理官は労働秩序法第十八條第二項に依り、政府の指示又は命令に従はなければならない。その職責は國労働大臣に対して有し、政府又は國労働大臣は、捜査手続により導き出された可罰的な名誉違反行為に対し訴の提起あるに拘らずその手続開始の断念を、合目的的見地により命ずることを得るのである。

労働管理官は常に公益的見地及び経営共同体の事情とその被告の属する経営共同体全体の関係等を判断して決定をなすことを要する。労働管理官の訴の提起は適當な書面によることを要する（労働秩序法第四十三條第三項）。この訴の提起は重要な訴訟前提であって、訴の提起がなく、又取消があった場合には刑事訴訟法第二百六十條に従って手続は停止されるのである。

三四七

訴の提起の書面については特別の方式はないが、被告の犯した重要な行為の一部分及び管轄等を表示することを要する（刑事訴訟法第二百條参照）。

更に刑事訴訟法手続と差異あるのは労働管理官は名誉裁判所に対するこの申立を名誉裁判長の決定（簡易手続に依る、後述）、又は第一審の判決言渡ある前に取下げることを得ることである（労働秩序法第五十二條）。彼は被告の同意なしに之をなし得る。これに對し刑事手続に於ては公訴提起により公判・豫審のあった場合には許されないのである（刑事訴訟法第百五十六條）。

名誉裁判手続に於ける訴追の時效は一ケ年を以て完成するのが原則である。それは名誉毀損の行はれた日より始まり暦算によって経過する（労働秩序法第三十七條）。

時效の效力は総ゆる手続の段階に於て考慮さるべきである。時效は手続を決定を以て終了せしめ本案判決に於ては判決によって終結せしめられる。免訴の言渡がなされる。

時效の中断（die Unterbrechung der Verjährung）は施行法第二十八

三四八

係により労働秩序法第四十四條第一項、第五十二條の狭い枠内（Rahmen）の労働管理官の各行為によって為される。

時效中断と同時に考へられべきは同一事実が刑事事件の事実と競合してゐる場合の處置である。これについては労働秩序法は左の如く答へてゐる。

労働秩序法第三十九條

(一) 経営所属者ニ對シ罰スベキ行為ニ付告訴アリタルトキハ同一事実ニヨル名誉裁判手続ハ之ヲ中止ス。

(二) 刑事訴訟手続ニ於テ無罪ノ言渡シアリタルトキハソノ手続ニ於テ審理シタル事実ガ刑法ニ定ムル事実ト独立シテ名誉裁判ノ目的トナルトキハ名誉裁判手続ヲ行フ。

(三) 刑事訴訟手続ニ關シ刑ノ言渡シアリタルトキハ名誉裁判長ハ名誉裁判手続ヲ施行スルヤ否ヤニ付決定スベシ。

三四九

第四款　名誉裁判長のみに依る決定

（簡略手續）

名誉裁判手続開始の請求を受理したる名誉裁判長は、事実の審理を開始し、理由なしとして之を却下し（労働秩序法第四十五條）、又起訴を理由ありとして単独にて決定をなすことを得る（労働秩序法第四十六條）。又決定をなさないときは（労働秩序法第四十六條第一項後段）名誉裁判の口頭辯論の期日を指定するのである。

名誉裁判長が労働管理官の起訴を理由ありと認むるときは、戒告・譴責若くは百ライヒスマルク以下の罰金の決定をなすことを得る。被告及び労働管理官はかゝる決定に対し決定送達の日より一週間以内に名誉裁判所に書面を以て、又は書記課に記録して異議を申立つることを得る。正規の期間内に異議の申立ありたるときは名誉裁判の公判を開始す。但し開始前に取下ありたるときはこの限りでない（労働秩序法第四十六條）。

三五〇

刑事訴訟手続と異るのは裁判長が刑の量定につき労働管理官の申立に拘束されずに自由に決定をなし（刑事訴訟法第百八條参照）、秩序罰又は罰金等被告の経済的関係を考慮してなすことを得るのである。

第五款　名誉裁判所に於ける手續

（第一審）

(一) 名誉裁判所の構成

名誉裁判手続に於ける第一審裁判所は名誉裁判所である。名誉裁判所は各管理官區に一つ宛管理官廳所在地に設けられる。名誉裁判手続は合議制（Spruchkollegien）であって、名誉裁判所は國司法大臣が國労働大臣の同意を得て任命する司法官の裁判長及び経営の指導者並に信任委員各々一名の陪席員を以て構成し、経営の指導者及び信任委員は第三十三條により独逸労働戦線の作成

三五一

する推薦名簿（Vorschlagsliste）より名誉裁判長之を選任す。選任は名簿の記載順に從ひ、被告人と同一の営業部門に属する者にして最も有為なる人物を選ぶことを要するのである（労働秩序法第四十一條第二項）。之等の陪席員の任命は刑事事件手続の陪審制と同様裁判長の指名に依るのであってその任期は三年間である。

尚、この構成員に対しては刑事訴訟法の準用により除斥、忌避、回避が行はれ得るのである。

(二) 固有の手續

名誉裁判長は労働管理官の名誉裁判手続による起訴があった場合に公判期日の指定をなし、又は之を却下することを得る（前述）。

起訴事実が豊富に明確にされてゐない場合には彼自身に於て捜査を更に続行することを得るのである。彼はそのために労働管理官に差戻して補充して貰ふ必要はない。

三五二

この捜査は刑事訴訟手続の豫審に相當するものであつて、又比較さるべきである。

今や事実がより明確にされた場合に彼は簡略手続による決定をすることなく又起訴を却下することなく本案審理の公判期日を指定するのである。

労働秩序法第四十五條に從へば名誉裁判長は起訴を理由無しとして却下することを得る。之等の規定は彼に名誉裁判手続の拒否及び中止を命ずることを得せしめるのである。

例へば名誉毀損が重大でなく（微罪）又は被告が名誉裁判手続の管轄に屬しない場合等を考慮したる當然の規定である。

然して決定は尚労働管理官の起訴に對して言及され得る。即ち彼が不適法な起訴をなしたる場合である。此の場合には一週間以内に追完の申立を労働管理官はなすことを得るのである。斯くして初めて公判期日の指定はなされるのである。

尚、刑事訴訟法第二百十一條に從へば新事実の発見又は顕著な證據方法が出

三五三

現したる場合には一旦決定したる却下手続の後でも手続開始が再び採用されるのである。以上の手続は大体刑事訴訟手続と酷似してゐるのである。

公判に於ては次の三つの方法が考へられる。

(イ) 労働管理官が名誉裁判手續開始の請求を口頭によつて取下げる場合（労働秩序法第四十五條）

(ロ) 労働管理官又は被告が決定に對して異議を申立てること（同法第四十六條）

(ハ) 合議によつて決定をなすこと

(三) 公判の準備手續

公判に於ては労働秩序法第四十條に依り刑事訴訟手続に於ける口頭辯論手続が準用される。公判の準備手続は名誉裁判長の仕事である。

名誉裁判長は公判期日を指定し必要な召喚を行ふ（施行法第十三條第一項）。最初に出頭すべきは労働管理官である（施行法第十七條第一條）。その場合の形式については別段規定がない。名誉裁判長は労働秩序法第四十五條によれば

三五四

先づ口頭辯論開始を命じ、被告に名誉違反事実及び證據を示すのである（施行法第十七條第二項）。尚、召喚狀には本人の闕席又は代理人の不出頭に於ても判決さるべきことある旨を附加すべきである（施行法第九條第一項）。被告の出頭を命じ得るこの權利は手續の促進のため名誉裁判長に許容し又は許容すべき實益を有するのである。

施行法第十二條によつて被告の拘留又は勾引も許されるが、不在者に對しては實際上不能である。

召喚と公判期日との間は少くとも一週間の期間を要する。もしこの期日に満たない場合には被告は更に別の期日の指定を求め得るのである。

被告人の他に辯護人が召喚される。この場合雇主は常に召喚されるが他の者は、選任屆を名誉裁判所に出したる場合にのみ召喚されるのである（刑事訴訟法第二百十八條参照）。

その他に證人、事件を熟知せる者等の召喚も行はれる。裁判所は被告の違反事実摘出をなした者の報知を労働管理官に傳へなければならない（刑事訴訟法

三五五

第二百十九條参照）。

裁判長が被告の告発者の召喚を拒絶したる場合には被告は、此等の者を間接に執達吏をして召喚をなさせることを得る（刑事訴訟法第三十八條）。被告によつて間接に召喚された者、即ち、證人、事件の関與者の住所及び氏名は労働管理官に告知すべきである。（刑事訴訟法第二十二條第一項）。

(四) 公判に於ける準據法

公判の基礎となる規定は労働秩序法第四十七條第二項、第四十八條、施行法の第十九條から第二十三條、並に労働秩序法第十四條その他刑事訴訟法の諸規定である。

名誉裁判手続は前述の如く刑事訴訟手続のやうに固定的なものでない。従つて公判に於ける根本理念は敏速と簡易化である。名誉裁判長は公判を彼の義務に於いて自由に適宜に進行さすことを得るのである。

三五六

公判手続に於ける順序及び諸規定はこゝでは中心点ではあるが、大体刑事訴訟手続の準用によるのであるから寧ろ如何に差異があるかを述べるにとゞめることゝする。

この場合刑事訴訟法第二百四十三条並に労働秩序法第四十条が指摘さるべきである。

労働管理官の起訴によりはじめて開始決定（Eröffnungsbeschluß）がなされるのである。

名誉裁判長は廷内警察権を有し、労働管理官は公判に参加し起訴事実を申立てる権利を有するのである（労働秩序法第四十八条第一項）。

次に刑事訴訟手続と根本的に異ることは、刑事訴訟手続に於ては弁護士の必要的口頭弁論が要求される場合があるが、名誉裁判手続に於てはたゞ労働管理官のみが必要的に呼び出されるのである。訴の提起については代理が許される。その場合の代理人は労働秩序法第二十二条の法定代理人であることを必要としない。

三五七

尚労働管理官は公判が傍聴禁止（Ausschluß der Öffentlichkeit）の場合に於ても在廷することを得るのは自明のことがらである。次に刑事訴訟手続と異るのは被告への闕席を許される場合に於ても尚本案審理を開催さることを得るのであって、その前提としては當然に適法な召喚が行はれることを要するのである。

公判に於ては證據の説明及び違反事実の説明が要求され、たとへ全然口頭弁論をなさなくてもそれは行はれるのである。刑事訴訟法第五十一条、第七十条、第七十七条の諸規定はこの場合準用される。

採證手続に於て刑事訴訟手続と異る所は、労働秩序法第四十七条第二項、施行法第二十条乃至第二十二条である。

採證の方法については施行法第二十条乃至第二十一条に規定されてゐる。採證手続に於ては何等の拘束的規定を有しない。裁判長は彼の自由心證によって決定することを得るのである（労働秩序法第四十七条参照）。

かくの如き主権は今迄弁護士法にのみ存した所である。たゞ一つの制限は、

三五八

公判外に於ける證人又は事実を熟知せる者の陳述は労働管理官及び被告に知らすべきことである。然して更に重要なことは、刑事訴訟法に於ては、直接證據が、證據方法としてより重要な意味を持つのであるが（刑事訴訟法第二百五十条）、名誉裁判手続に於ては直接證據と間接證據とは共に重要であってその間に差異なきことである。刑事訴訟に於ては、證據能力として次の様な原則がある。即ち、或犯罪事実の證明は或人の知覚（Wahrnehmung）は公判に於て訊問に答へた場合によってのみ證據力を持ち、それ以前の手続に於て訊問によって得た記録によることを得ないのであるが、名誉裁判はこの原則に拘束されないのである。

名誉裁判に於ては寧ろ本案審理外に於ける證人の陳述に重要点を見出すのであ（施行法第二十一条参照）。これに対して反対意見の学者、例へばデーネル（[illegible]（a. a. O. S. 165））の如きは書證よりも直接本案審理に於ける陳述がより印象的であるとして名誉裁判にも前述の原則の適用を主張するのであるが、名誉裁判手續の特質として前述の如く別に採證については何等の拘束

三五九

はないのである。

宣誓又は宣誓なしの陳述は刑事訴訟手続に従ふ（刑事訴訟法第六十六条参照）。

しかし、名誉裁判手続に於ては被告へは公判の出頭につき強制されてゐないことに注意すべきである。採證の決定は先づ第一に労働管理官、次に被告に詳細に説明さるべきである。

労働管理官は反問する権利を有し、被告は最終陳述の権利を有するのである。公判期日に於ける審理及び弁論の結果訴訟が裁判をなすに熟するときは、名誉裁判所、被告事件に付終局的裁判を下さなければならない。この場合に所謂形式的裁判と実体的裁判があることは刑事訴訟手続と同様である。

終局的裁判の種類は、手続の中止、管轄違の判決、棄却の裁判、免訴の判決、無罪の判決、刑の免除の判決、有罪の判決等である。

手続の中止は、訴訟条件の前提の欠缺、例へば労働管理官の正當な手続による訴の取下のあった場合等になされ、免訴判決の例としては時效、恩赦等が考へられる。

三六〇

判決は被告の全態度より裁量して一ヶだけ云渡すべきである。

第二審に於ては評決は「三分の二」の一致を以て決定す（第二審は「五分の四」である）るのである（刑事訴訟法第二百六十三條参照）。

次に罪　の計算に於て刑事訴訟法と異る所を説明する。

即ち、刑事訴訟法に於ては、一罪数罪の計算に於て、連続犯、牽連犯、想像的併合罪、集合犯等に関して手続上一罪として處分されるが、その他は併合罪として特別の取扱を受けるのであるが、名誉裁判手続はこの点に於ても異色を見せ、総て同時に裁判に附せられたるものは一罪として取扱ふのである。

法は名誉裁判手続に於ては違反者の個々の違反事実を罰するのでなく、その人全人格の反社會名誉的態度及びその反社會的心理を罰するのである。それ故多数の手続が同一被告について進行しつゝあるときはそれを一ケのものに結束してこれを處断するのである。

判決は宣告されねばならない。尚これは労働管理官及被告に告知さるべきである。その期間については労働秩序法第四十九條第二項に規定がある。

口頭辯論に於ける内容は記録に残すべきである（刑事訴訟法第二百七十二條準用）。

名誉裁判の判決は独逸國民の名に於てなされる。判決の形式については別段の制限規定はない。判決以外に独逸國民――分肢的地位に於ける――の社會的制裁に服すべきである。

第六款　國名誉裁判所に於ける手續（第二審）

名誉裁判所手續に於ける上訴審裁判所はベルリンの國名誉裁判所である。一般の訴訟が三審制度よりなるのを通常とするのに對して名誉裁判手續は二審制度である。こゝでは控訴のみで上告はないのである。

第二審たる國名誉裁判所に於ける配役は、國労働大臣の同意を得て國司法大臣の任命する二名の上級司法官――うち一名は裁判長――経営指導者、信任代

表者各一名――之は独逸労働戦線の推薦名簿の中から採るものにして任期三ケ年――及び國政府の指名ある者一名を陪席員として構成する（労働秩序法第五十條施行法第五條第四條第十條）。

上述の如く國名誉裁判所は控訴裁判所である。立法者が三審制度を避けたのは名誉裁判手續を促進することの用意であった。このことよりして法的安全の確保について危険が感ぜられるが、最終審としてそれの組織及びその特質を考へる場合にはこの危惧はまぬがれ得ると云はねばならぬ。

労働秩序法第四十九條は名誉裁判所の判決に対し控訴することを許容する旨規定してゐる。この判決に対して労働管理官は常に制限なく控訴をなすことを得るが、被告はたゞより重大な事件についてのみ出来る。即ち被告人の側からは、一〇〇ライヒスマルクを超える秩序罰又は二つの重罰（資格剥奪もしくは仕事場からの放逐）に處する判決を受けた場合にのみ之を提起し得るのである。

名誉裁判手続に於ける國名誉裁判所に対する控訴があれば刑事訴訟法に於けると同様の効力、即ち停止の效果及び移審の效果を発生するのである。國名誉

裁判所による仲裁は許されない。刑事訴訟法により控訴の期間は二週間であってその控訴については別段の理由を要しない。

國名誉裁判所に於ける公判は別に名誉裁判所と異るものがない。即ち證人及び鑑定人の訊問も行ひ得る。

尚辯護人を以て被告を代理させることも許容される（労働秩序法第四十七條第四十八條）。裁判長は公判を開き又は捜査を続行することを得る。

名誉裁判長は口頭辯論の結果につき、申立に拘束されることなく自由裁量を以て判決を下すことを得る（労働秩序法第五十一條第二項、第四十二條、第四十七條第二項参照）。

即ち第一審の判決は國名誉裁判所によって事後審が行はれ、その場合同裁判所は第一審裁判官のなした事実認定に拘束されることなく（覆審）、自由に裁量することを得る（労働秩序法第五十一條第二項）。

このことは重要な点であって所謂、不利益変更禁止の原則（*Grundsatz des Verbotes der reformatis in peius*）の適用はないのである。

国名誉裁判所は第一審の判決を破毀することを得るし又被告により重罪を科することをもなし得るのである。

以上の刑事訴訟法に於ける原則より離れたことは労働秩序法による指針であると考へるのである。

仲裁に関する規定の適用なきことは前述の如くであるからこれに関する刑事訴訟法第三百二十二條を拡張解釋して決定により又は公判に於ける判決によつて之を拒否すべきである。反對に刑事訴訟法第三百二十九條の適用はないのである。尚被告の許可なしの闕席は、手続をそのまゝ進行させ得るのである（施行法第十九條参照）。

次に控訴が訴訟要件を缺く場合には却下され、管轄違ひの場合には移送が行はれる（刑事訴訟法第三條第二項）。

国名誉裁判所は控訴が適法に行はれ理由條件が充された場合には第一審判決を破毀する判決をなすのである。

事件を第一審裁判所たる名誉裁判所に差戻す場合は第一審に於て訴訟秩序の

違反ありたる場合に許される。

判決は労働管理官及被告に（宣告の際不在の場合）送達される。

その他の手続は第一審で説明したることゝ大差ないので省略する。

名誉裁判手続は上告審が認められてゐないのでこの第二審の判決宣告により確定するのである（恩赦等後述）。

第七款　抗告手續

控訴と並んで抗告について施行法第二十四條に規定がある。労働秩序法第四十條に刑事訴訟法の準用が規定されてゐる。

抗告については国名誉裁判所の裁判長が審理又は決定の権限を有するのである。

抗告は総ての第一審の名誉裁判所に於ける決定に對して許容され、尚裁判長の判決外の命令に對して行はれるのである。例へば手續の停止、第一審裁判所

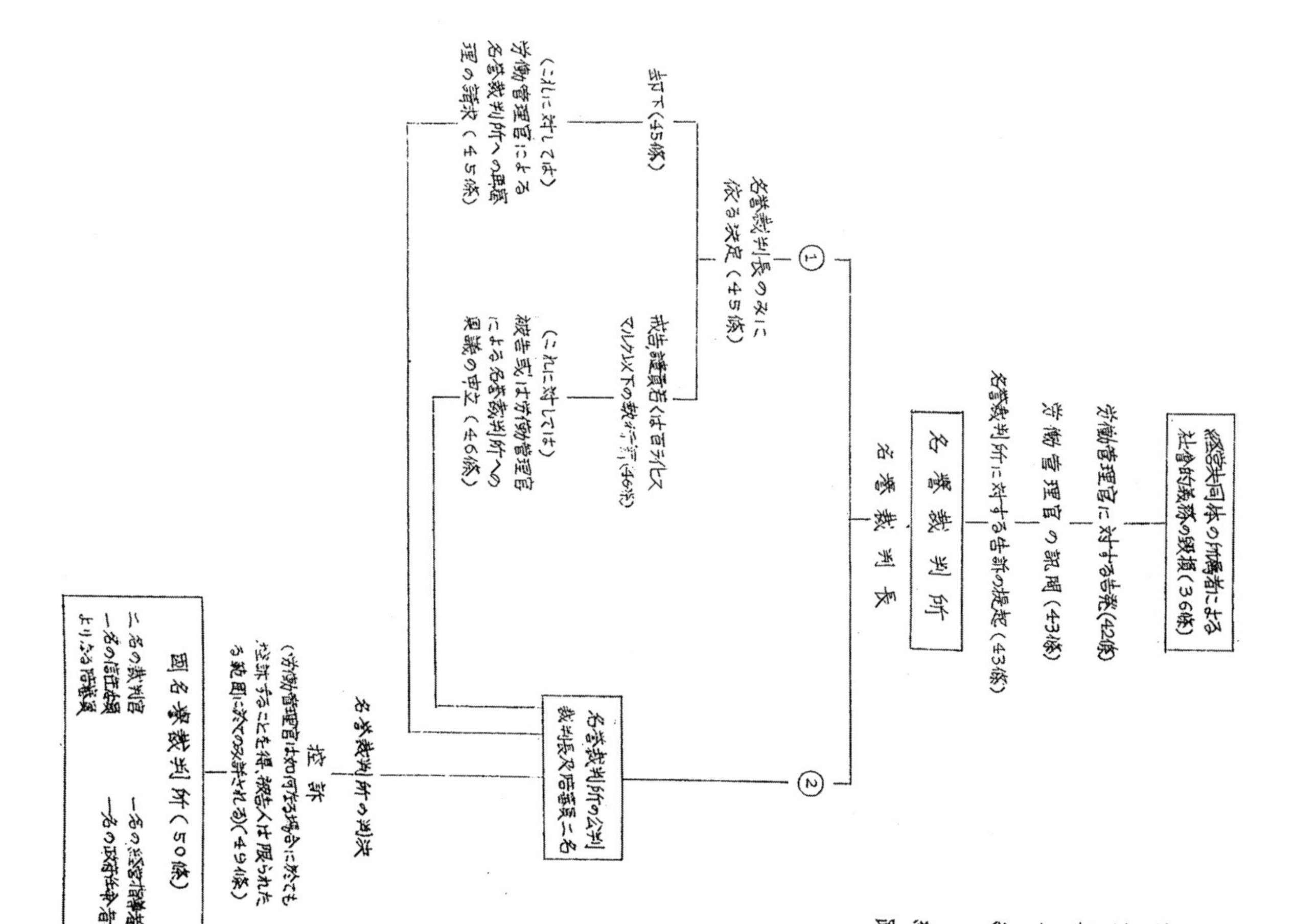

に対する権利保護請求の同裁判所による拒否その他種々あるわけである（第一審に於ける本論文の決定命令の個所を参照）。

抗告は刑事訴訟法第二百一条を準用してなされる。この場合には被告は抗告をなすことを得ないのである。即刑事訴訟法と異り労働秩序法は公判に於て形式的に決定するのである。一般には抗告権者は被告、労働管理官、更に證人、事実を知れる者並に他の決定又は命令に該當する者である（刑事訴訟法第三〇四條）。

第一審の裁判長は抗告が理由ありと認めたならば三日間以内に國名誉裁判所の裁判長に差出すことを要するのである（刑事訴訟法第三百六條第二項参照）。

その他は刑事訴訟法と大体同様なるを以て省略することにする。

第八款　訴訟費用

通常の訴訟手続と異り、訴訟費用については確固たる規定をもたない。

三六七

名誉裁判所並に國名誉裁判所の物的人的費用については國の負担とする規定がある（労働秩序法第五十五條第一項、尤もこの場合は厳格なる意味の訴訟費用ではない）。

尚労働秩序法第五十五條第二項には手續の費用は全部又は一部を被告に負担せしむることを得としてあって、名誉裁判所並に國名誉裁判所は自由に決定をなすことを得るのである。刑事訴訟手続に於てはこれと異るのである（註を見よ）。

名誉裁判所は、被告の資産状態等を考慮して低廉を第一とすることを要する。尚この費用の決定に對しては國名誉裁判所に對して抗告をなすことを得る。

（註）　刑事訴訟法第四百六十五條

判決、略式命令及ビ審理ヲ中止スルトコロノ裁判ハ、総テ訴訟費用ヲ負担スベキ者ヲ決定セネバナラヌ。ソノ原則ハ有罪ノ言渡ヲ受ケタ者ガ裁判上ノ費用（裁判所ノ手数料、證人ニ対スル支出）、裁判外ノ費用（被告人、私訴當事者ノ必要的支出）及ビ裁判執行ノ費用ヲ負担スルニ在ル。

三六八

無罪ノ言渡ノ場合ニハ費用ハ國家ノ負担トスル。取下ゲラレタル、又ハ棄却セラレタル上訴ノ費用ハ上訴ヲ為シタル者ニ於テ負担スベキデアル。

第九款　判決の執行

名誉裁判手續の判決の執行については労働秩序法第五十三條及び第五十四條にその規定がある。執行は判決の種類によった適當な方法によって行はれる。

(イ)　金銭による罰に基く収入は國労働大臣が別段の定めをなさゞるときは國庫に收納すべきものとす（労働秩序法第五十三條第一項）。

(ロ)　金銭による罰の宣告ありたる決定の執行は宣告裁判所の書記の交付する執行文による判決の謄本に基き労働管理官により民事訴訟事件に於ける判決の執行に關する規定に從つて之を行ふ（同法同條第二項、民事訴訟法第七百四條参照）。

(ハ)　経営の指導者若くは信任委員の資格の剥奪又は労働場所よりの退去の言渡

三六九

しありたるときは労働管理官はその判決の遂行を監視すべし（労働秩序法第五十四條）。

尚次に注意すべきは名誉裁判手続に於ける執行に於ては刑事訴訟法に於ける「刑の時效」は考へられないことである。即ち公訴の時效のみであって刑の時效は入る餘地はこゝではないのである。

第十款　再審手續

再審については労働秩序法に何等規定がない。これについては同法第四十條の規定により刑事訴訟法の準用に依る（刑事訴訟法第三百五十九條以下）。即ち再審は原判決が可罰的行為、例へば證人の偽證、文書偽造又は法を枉げる行為の影響の下に為されたることが證明せられた場合、又は原審の判決の認定を動かすに足るところの新しき事実若くは證據が提出せられたる場合に許される（刑事訴訟法第三百五十九條）。

三七〇

再審は有罪の判決を言渡されたる者の利益又は不利益の為に請求せられ得る。請求により再審が命ぜられたときは事件は全部新たに審理する。その結果無罪の宣告あるとき、若し刑の執行を受けたものがあれば損害賠償がなされる。ただし賠償は事実上の損害にとゞまり精神上の損害に及ばない（一八九八年五月二十日の法律）。

第十一款　恩赦及び大赦

労働秩序法の最初には恩赦・大赦手続について規定がなくそれが許容されることが考へられなかつた。しかし之等の手続が全然名誉裁判手続から排斥されたものとは考へられない。

一八七八年七月一日の弁護士法（同法の名誉裁判手続に於ける影響は前述）には明確に之等の手続を許容する規定は見当らないのである。

学者は同法に於ては許容されるものと解釈した。法の担当者である国家が、

三七一

他の法の領域に於てこれを認めてゐることからして如何なる理由よりしても名誉裁判手続に於て之がないとは考へられない。

この問題は一九三五年六月二五日の名誉裁判手続に於ける経営指導者及び信任委員に対する恩赦手続を許容する法律が出てから完全に解決された（独逸国官報1、一〇九六頁）。

三七二

第二節　労働裁判所制度

第一款　総則

労働関係から生ずる係争の労働裁判所による解決については、一九三四年四月十日の改正（独逸国官報1、三一九頁）にかゝる一九二六年二月二十三日の労働裁判所法（独逸国官報1、五〇七頁）がある。尚、一九三五年三月二十日の変更（独逸国官報1、三八六頁）がある。

今日の国家に於ける労働関係から生ずる係争は、昔日の集団的闘争による、ストライキ、工場閉鎖等に対し何等一般的規整を設けることなく単に特別の場合に公共の福利治安維持等の場合に之を禁じ国家が法條を設けて干渉するのは例外とされたこととは著しく異る様になつた。

環境の著しく変化したる、労働関係当事者の労働及び経営共同体の一分肢的存在と考へられるやうになつた今日では今迄のやうな係争解決方法は考慮の余地をなくしたのである。

ナチス前既に企業法と並んでの労働法について、労働はもはや商品でない、それはワイマール憲法が特に指示した様に国家の特別なる保護を受けねばならぬものであり、財産権が個人の私有に属するものであると共に、大いに公法上の意義を具有するものであると同じく、否一層強い理由をもつて労働力の保全発達を考慮すべきである。

このことは過去の時代の調停制度が集団主義的階級的闘争の調整にすぎなく、労働協約及び経営協定を成立せしめる為に国家的助力を与へるに過ぎないもの

三七三

は対象を喪失したと言はねばならない。

之等は労働管理官の発する労働条件規則又は指導者原理に従ひ経営指導者の発する経営規則に依つて行はれる。

然して特別裁判所（Sondergerichte）として考察されるものに行政裁判所、国鉄道裁判所等があるが、就中労働裁判所は其の組織が後述する如く、第一審の労働裁判所のみが特別裁判所として設置され、上級審たる労働裁判所は通常裁判所に編入されてゐることに注意すべきである。他のものは地方裁判所若くは大審院の一民事部たる地位にあることは他の特別裁判所と異る所である。

次に注意すべき総則を説明することにする。

㈠　労働事件の概念

イ、企業者及び従業員間の民事訴訟事件にして労働関係若くは徒弟関係に基くもの、労働契約若くは、徒弟契約の存否に関するもの、労働関係若くは、徒弟関係の締結に付ての商議に基くもの及び労働関係若くは徒弟関係の効力に

三七四

基くもの並に不法行為に基く民事訴訟事件にして労働関係若くは徒弟関係と、関聯あるもの、但し訴訟事件の目的物が従業員の発明にして単に発明に対する報酬若くは補償の請求権に関せざるもの及び商法典第四百八十一條に従ひ船舶乗組員に属する者の訴訟事件を除く（第二條第一項第一号）。

従業員相互間の民事訴訟事件にして共業に基くもの及び不法行為に基くものにして労働関係又は徒弟関係と関聯あるもの（第二條第一項第二号）。

第一項の事件に対する管轄は訴訟が権利承継人又は法律上本来の当事者に代りて訴訟をなすの権利を有する者の行ふ訴訟に付ても亦存するものとす（第二條第二項）。

ロ、企業者若くは従業員に対する訴並に企業者若くは従業員の第三者に対する訴が第二條に該当せざる場合に於てもその請求が第二條に掲ぐる種類の民事訴訟事件にして区労働裁判所に繋属せるもの、若くは法律上若くは直接の経済上の関聯よりして区労働裁判所に属し且つその訴の提起に付き専属的管轄を定むるものに非ざるときは之を區労働裁判所に提起することを得。但し、

三七五

第二條第一号後段により除外する訴訟事件は他の事件と牽連あるときと雖も之を区労働裁判所に提起することを得ず（第三條第一項）。

私法人とその法律上の代理人との間の民事訴訟事件も亦合意により之を区労働裁判所に提起することを得（第五條第二項、第三條第二項）。

以上の事項に関する裁判は労働裁判所之を行ふのである（第一條）。

（二）　従業員の観念

（イ）本法に従業員とは労働者及び使用人を指し且つ徒弟を含むものとす、家内労働法第二條による報酬の保護を受くる者及び営業的家内労働に使用さるゝことなく労働契約関係に立たずして特定の他人の委託を受けて、その計算により労務を給付し且つ経済的に独立せざる故を以て従業員に類似するものと看做され得る者は労働者及び使用人と看做す（第五條第一項）。

（ロ）公法上及び私法上の法人及び社団の法律上の代理人並に公務員及び陸海軍軍人軍属たるの資格ある者は従業員にあらず（第五條第二項）。

三七六

（三）　労働裁判所の審級及び構成

（イ）労働裁判所を分ちて区労働裁判所（Arbeitsgerichte）（第十四條乃至第三十二條）、地方裁判所（Landesarbeitsgerichte）（第三十三條乃至第三十九條）、國労働裁判所（Reichsarbeitsgericht）（第四十條乃至第四十五條）とす（第一條第二項参照）。

（ロ）労働裁判所は学識ある裁判官と企業者及び従業員の階級より選定せる陪席員とを以て構成す。企業者及従業員の階級より出されたる陪席員は区労働裁判所に於ては区労働裁判所判事の職務を、州労働裁判所に於ては、同裁判所の判事の職務を、國労働裁判所に於ては同裁判所の判事の職務を行ふ（第六條）。

（四）　訴訟代理（Prozessvertretung）

独逸労働戦線と関係なき企業者及び従業員のために行ふべき法律相談機関の

三七七

指導者及び使用人にして、かゝる代理行為の外別に裁判に於ける法律事件の処理を営業として行はざるもの及び辯護士にして各事件毎に独逸労働戦線よりその代理を委託せられたる者に限り訴訟代理人又は輔佐人たることを得、その他裁判所に於ける他人の訴訟事件の處理を営業として行ふ者は訴訟代理人又は輔佐人たることを得ず（第十一條第一項、その後変更あり）。

州労働裁判所及び國労働裁判所に於ては當事者は訴訟代理人たる辯護士をして代理せしむることを要す。独逸裁判所の認むる辯護士は凡て代理人たることを得。

國労働大臣は國経済大臣及國司法大臣の同意によりその他の機関をしてその全員の訴訟代理に付之を第一次の独逸労働戦線の法律相談機関と同一に取扱ふことを命令を以て定むることを得（以上第十一條）。

上述の如く代理については民事訴訟法一般規定と異ることに注意を要する。この点については手続の三審級によつて区別が設けられる。即ち最下級審に於ては當事者は任意自ら出廷して差支ないが、代理人を致する場合は前述の者を

三七八

要するのである。

第二審、第三審に於ては辯護士強制が行はれることに注意を要する。

(五)　手数料及び費用

手数料については手続を安くしたいといふ要求につき特別な規整が設けられてゐる（第十二條参照）。

その他一般通則として民事訴訟に比して特殊とする所は期間を民事訴訟に比して一般に短く定めたことであつて、繫屬事件を出來るだけ一期日にて終了せしむる様になしたこと及び法律上の共助については裁判所構成法を準用してゐるのである。

三七九

三八〇

第二款　労働裁判所の組織

第一項　區労働裁判所

総説に於て説明したる如く労働係争の特性からして裁判に當る人々が當該労働生活内に於ける事情に殊に精通してゐることが要求されること、尚訴訟法的の處理は特に敏速・簡單に解決される為に、特別裁判所の必要を生じたのである。之等の裁判所を一括して労働裁判官廳（Arbeitsgerichtsbehörden）と稱するのである。その下級審と上級審と異ることは総則に於て説明した通りである。次に区裁裁所の構成について大略述べることにする。

(一)　設置（Errichtung）

区労働裁判所は独立の裁判所として（区裁判所と全然分離）州司法省（Landesjustizverwaltung）が最高社會行政官廳（beste Landesbehörde für die Sozialeverwaltung）の同意を得て通常之を区裁判所の管轄区域内に設置す。即ち

一州内の数個の区裁判所の管轄區域若くは一州内の一個若くは数個の区裁判所の管轄區域の一部特に統一的産業地域、及び数個の州若くはその一部地域、特に統一的産業地域、この場合に於ては前述の関係最高官廳之を設置するのである（第十四條参照）。

(二)　行政及び監督（Verwaltung und Dienstaufsicht）

行政及び監督の事務は州最高社會行政官廳の同意を得て州司法省之を行ふ。州司法省は州最高社會行政官廳の同意を得て行政及び監督の事務を下級機関に委任することを得、特に区労働裁判長に、又数名の裁判長の存する場合にはその一名に委任することを得（第十五條）。

(三)　構成（Zusammensetzung）

区労働裁判所は裁判長（Vorsitzende）、裁判長代理（stellvertretende Vorsitzende）及び陪席員（Beisitzer）の必要数（erforderlichen Anzahl）を以て組織す。陪席員は各半数を企業者及び従業員より選出すべし（第十六條第一項）。

三八一

三八二

区労働裁判所の各部（Kammer）は一名の裁判長並に各一名の企業者側及び従業員側の陪席員を以てその定員数とす（第十六條第二項）。

(四)　部の形成（Bildung von Kammer）

部の数は州最高社會行政官廳の同意を得て州司法省之を定む。

労働者の訴訟事件及び使用人の訴訟事件に付ては各別の部を形成す。両種の従業員に関係を有するときはその何れが主たる関係を有するかにより部の管轄を決定す。特別の理由存するときは州司法省は最高社會行政官廳の同意を得て労働者及び使用人に付き各別の部を形成せざる旨定むることを得。必要ある場合は特定の職業及び営業並に労働者若くは使用人の特定の部類の訴訟事件に付て専門部を形成することを得。その形成については州最高社會行政官廳の同意を得て州司法省之を決定す。手工業の訴訟事件については専門部（Handwerksgericht）を設置す。

州司法省は州最高社會行政官廳の同意を得て使用人部又は専門部の管轄を擴張して他の区労働裁判所の管轄区域若くはその一部に及ぼすことを得。特に統一的産業地域に関する場合に之をなすことを得。他の州の地域への拡張は該州管轄最高官廳の同意を得て之を行ふものとす（以上第十七條）。

(三) 裁判長の任命及び法律上の地位

裁判長及び裁判長代理は州最高行政官廳の同意を得て州司法省之を任命す。任命は労働法及び社會問題について知識と經驗とを具備せる者に對してのみ行ふことを要す。裁判長及び裁判長代理たる者は原則として通常裁判官である。

裁判長及び裁判長代理は一年以上九年未満の任期を以て任命す。重任は之を妨げず、専任として在職期間三年を超過したるときは裁判長は之をその終身の間任命することを得。裁判官に適用すべき停年法規は区労働裁判所の裁判長にも亦之を適用す。

裁判長及び裁判長代理は既に官吏として宣誓したる場合を除きその就任前

三八三

州裁判長の面前に於て職務の履行に付き宣誓することを要す。

裁判官の職務の一時的執行の資格に関する州法律の規定は裁判長としての一時的職務執行につき之を準用す。但し一時的職務執行は六週間を超過することを得ず。

地位としての裁判長及び裁判長代理は州の司法官としての権利及び義務を有す。一定の任期を以て任命せられたるものはその在職期間中之等の権利及び義務を有す。裁判所構成法第八條及び第九條の規定並に専任裁判長に付てはその他に裁判所構成法第七條の規定を準用す。兼任の裁判長及び裁判長代理に報酬を與ふべきや否やは州政府之を定む。

一時的に専任裁判長に任命せられたる國又は州の終身官吏はその任期終了するときは之を從前の官職と同等の價値ある官に復職せしむ。

裁判長としての在職期間は國又は州に対する職務執行期間として計算すべきものとす（第十八條及び第十九條）。

(六) 陪席員の任命及びその資格

三八四

陪席員の任命及びその資格については第二十條、第二十一條に規定がある。これによると、

陪席員は州上級官廳により州裁判所長の同意（*Einvernehmen mit-dem Präsidenten des Landgerichts*）を得て之を三年間任命す。陪席員は労働戦線並に第二十二條第二項第二号に掲ぐる団体の提出せる推薦名簿の中より適當なる割合を以て之を選定す。ドイツ労働戦線は名簿の作成につき企業者及び從屬者の同数を選び且つ同法律により經済上の職業身分（*eine ständische Gliederung der Wirtschaft*）の設けられたるときはその身分の同意を得べし。

労働者側及び使用人側の陪席員に付ては第十七條第二項に從ひ格別の部を設けざる場合を除き原則として格別の推薦あることを要す。

陪席員はその服務前裁判長の面前に於て職務の履行に付き宣誓することを要す（第二十條）。

陪席員の資格（*Voraussetzungen für das Beisitzeramt*）として要

三八五

求されるのは

(イ) 独逸國の國籍を有し且つ年齢二十五歳を超過せる男子及び女子にして区労働裁判所の管轄区域内に於て引続き一年以上企業者又は從業員として從事せる者なることを要す。

(ロ) 公民権、公務員に任命せられ得る資格又は經営の指導者となり若くは信任委員たるべき資格を剥奪せられたる者、若くは公民権若くは公務員たるべき資格の剥奪せらるべき重罪又は軽罪の公判手続の開始を受けたる者並に裁判所の命令により自己の財産處分を制限せられたる者は陪席員の職につくことを得ず。

(ハ) 労働裁判所の官吏及び使用人は陪席員に任命することを得ず。

(ニ) 同時に企業者及び從業員双方の陪席員たることを得ず。

(ホ) 任命の前提要件たるの缺陥が後日に至りて発見せられたる場合又は後日に至りて生じたるときは州裁判所長は陪席員の職を免ず、その決定前陪席員を訊問することを要す。決定は確定的なるものとす（以上第二十一條）。

三八六

尚次に第二十二條に企業者側陪席員に對する特則（Besonderheiten für Unternehmerbeisitzer）及第二十三條に從業員側陪席員に對する特則がある。これ等は期間的に使用人を雇傭せざる者や、自然人に非る企業者等に関して細則を定め、失業者と雖も從業員側の陪席員たることを得る旨を定めたものである。

（七）陪席員たる職務引受の拒絶（Ablehnung des Beisitzeramts）

(1)左に揭ぐる者は陪席員たることを拒むことを得る。

(イ)滿六十五歳を超えたる者

(ロ)疾病又は廃疾により職務の執行に堪へざる者

(ハ)他の名誉職として公共の事務を担任し陪席員の引受を期待し得ざる者

(ニ)任命以前既に六年間労働裁判所の陪席員たりし者

(ホ)女子にしてその家族に對する配慮のため職務の執行が著しく困難なる事を證明したる者

(2)上級行政官廳は州裁判長の同意を得て拒否の理由ありや否やを決定す。そ

三八七

の決定は最終的のものとす（以上第二十四條）。

（八）陪席員の地位及びその保護、罷免並に制裁

陪席員の地位は名誉職（第二十五條第一項）であってその職務の執行に基く事業上の損失及び費用に對する補償及び旅費を受け之に関しては区労働裁判所裁判長最終的に之を決定する（同條第二、三項）。尚從業員側の陪席員についてはその不利益を課することを得ない様に規定しこれの違反については罰金の制裁があるのを注意するを要す（第二十六條）。

陪席員が職務執行につき法廷に出頭せずその他の義務違反ありたるときは秩序罰に處することを得、之に對しては抗告を許し重大なる職務違反ありたるときは罷免することを得るのである（第二十七條、第二十八條）。

（九）陪席員委員會

二以上の部を有する区労働裁判所に於ては州裁判長は三名の企業者側陪席員及び三名の労働者若くは使用人側陪席員を任命し陪席委員會を組織す。該委員會は區労働裁判所の監督裁判長若くは最古参裁判長の指揮の下に協議す。

三八八

陪席員委員會成立したるときは部の形成、事務の分配、陪席員の各部への配屬及び陪席員の法廷への召喚に関する表の作成に先だち陪席員委員會の意見を徴することを要す。委員會はその他の事項についても区労働裁判所長、行政官廳及び監督官廳に對して陪席員の希望を傳達することを得（第二十九條）。

（一〇）その他事務の分配、部の構成、陪席員の呼出、事務所の設置等に関し第三十條以下三十二條に規定あるも別段特別に異りたるものなきを以て省略す。

第二項　州労働裁判所

（一）設置

州労働裁判所は州最高社會行政官廳の同意を得て州司法省之を州裁判所に設置す。第十四條第二項の規定を之に準用す。

州労働裁判所は州裁判所所在地以外のその管轄区域内の他の場所に之を設置することを得（第三十二條第一項、第二項）。

三八九

（二）行政及び監督

行政及び監督の事務は州最高社會行政官廳の同意を得て州司法省之を行ふ。州司法省は州最高社會行政官廳の同意を得て行政及び監督の事務を下級官廳特に州裁判所長及び州労働裁判所裁判長に若くは裁判長多数ある場合はその一名に委任することを得（第三十四條）。

（三）組織・部の形成

州労働裁判所は裁判長、裁判長代理及び陪席員の必要数を以て組織す。企業者側及び從業員側は陪席員の各半数を選出す。

州労働裁判所の各部は一名の裁判長及び各一名の企業者側及び労働者若くは使用人側の陪席員を以て職務執行上の定足数とす。

その他の点に就ては州労働裁判所の部は裁判所構成法に於ける州裁判所の民事部と同一に之を取扱ふ。

部の数は州最高社會行政官廳の同意を得て州司法省之を定む（第三十五條第一項乃至第四項）。

三九〇

(四) 裁判長及び陪席員

裁判長及び裁判長代理は州最高社會行政官廳の同意を得て州裁判所の裁判長及び常任裁判官の中より州司法省之を任命す。州労働裁判所の所在地に州高等裁判所ある場合に於ては州高等裁判所の裁判官を充つることを得

任期は州裁判所若くは州高等裁判所に屬する期間とす。任命は任命を受けたる者の同意ありたる場合にのみ之を取消すことを得。

裁判長及裁判長代理の任命は労働法及び社會問題について知識と經驗とを具備せる裁判官のみを之に任命すべきものとし州裁判所又は州高等裁判所にかゝる裁判官の存せざる場合には裁判官たる資格を具ふる適當なる人物を任命することを要す（第三十六條）。

その他の陪席員の任命及び地位並に罷免については第二十條第一項及び第三項並に第二十一條乃至第二十八條の規定を準用す（第三十七條第二項）。

(五) 陪席委員會

州労働裁判所に陪席委員會を組織す。第二十九條第一項第二段及び第二項

の規定は之を準用す（第三十八條）。

(六) 部の組織、事務の分配

事務年度の開始前に於て州労働裁判所長は州労働裁判所の裁判長の票決権者の助力を得て事務を州労働裁判所の各部に分配す。裁判長、裁判長代理及び陪席員の各部への配屬も亦同様の方法による。

陪席員の新職務開始に先だち改めてその配置を行ふ。裁判長及び陪席員は同時に数部に屬することを得。

ベルリン労働裁判所の事務分配（第一段、第二段）は一は州司法省之を決定し他は各裁判長によりその事務年度に對し多数決を以て選びたる二名の州労働裁判所の票決権者の助力を得て州裁判所長之を行ふ。

陪席員は裁判長が事務年度及び陪席員の新職務期間開始に先だち第三十八條後段の規定に從ひ作成したる表の順序に從ひ之を法廷に呼出すことを要す（第三十九條）。

第三項　國労働裁判所

(一) 設置

國労働裁判所は之を國裁判所に設置す（第四十條）

(二) 組織、部の形成（Zusammensetzung, Bildung von Senaten）

國労働裁判所は裁判長としての國裁判所部長（Senatspräsidenten beim Reichsgericht）、裁判長代理としての國裁判所部長又は國裁判所判事（Reichsgerichtsräten）、裁判官の陪席員としての國労働裁判所判事及び裁判官ならざる陪席員の必要数を以て之を組織す。裁判官たらざる陪席員は各半数宛企業者側及び從業員側より之を任命す（第四十一條第一項）。

國労働裁判所の各部は一名の裁判長、二名の陪席判事及び各一名の企業者側及び從業員側の陪席員を以て職務執行上の定足数とす（第二項）。その他の點に付ては國労働裁判所の部は裁判所構成法に於ける國裁判所の民事部と同一に之を取扱ふ（第三項）。

部の数は國労働大臣の同意を得て國司法大臣之を定む（第四項）。

(三) 裁判官たる構成員（Richterliche Mitglieder）

國労働裁判所の裁判長、裁判長代理及び裁判官たる陪席員は労働法及び社會問題に付て特殊の知識と經驗とを具備せる裁判官のみにより之を任命すべきものとす（第四十二條）。

(四) 裁判官たらざる陪席員（Nichtrichterliche Beisitzer）

裁判官たらざる陪席員は國司法大臣の同意を得て國労働大臣之を任命しその任期を三年とす（第四十三條第一項）。

陪席員は満三十五歳に達し且つ長く独逸國内に於て企業者若くは從業員たるものなるべし。その罷免は國裁判所長の權限に屬す（第二項）。

その他裁判官たらざる陪席員の任命及び地位に付ては第二十條第一項第二段、第三段並に第三項及び第二十一條乃至第二十八條の規定を準用す（第三項）。

(五) 部の組織、事務の分配（Besetzung der Senate, Geschäftsverteilung）

事業年度の開始に先だち國裁判所長は事務を國労働裁判所の各部に分配す。各部への裁判長、裁判長代理、陪席判事及び裁判官たらざる陪席員の配属も亦同様の方法により且つ陪席員の新職務期間開始に先だち改めてその配置を行ふべし。裁判長、裁判長代理及び陪席判事は同時に数部に属することを得（第四十四條第一項）。

裁判官たらざる陪席員は裁判長が事務年度開始前且つ陪席員の新職務期間の開始前に於て作成したる表の順序に従ひ之を各法廷に呼出すことを要す（第二項）。

(六) 國裁判所の聯合民事部（Vereinigte Zivilsenate）及び國裁判所総會（Plenum）

労働問題に関する國裁判所の聯合民事部若くは國裁判所総會の判決に付ては國労働裁判所各部の各一名の企業者側及び従業員側陪席員之に関與す。該陪席員は之を裁判所構成法第百三十八條に於ける國裁判所構成員と看做す。

三九五

第三款　労働裁判所の手續（Verfahren vor dem Arbeitsgerichts-behörde）

第一項　第一審（Erste Rechtszug）

訴の管轄は訴訟物の價格如何にかゝわらず常に第一審は区裁判所である。労働裁判所法第四十六條乃至第六十三條はこの第一審に於ける手続に関して詳細な規定を設けてゐる。次にその内容を説明する。

(一) 原　則

第一審の判決手続に付ては別段の定なき限り区裁判所の手続に関する民事訴訟法の規定を準用す。第五十四條及び第五十五條の規定は提訴前の和解手続に関する規定に代るものとす。證書訴訟及び為替訴訟に関する規定は之を

三九六

適用せず、一九二四年五月十三日の告示（國法律公報第一部五五二頁）による裁判所事務軽減令も亦之を適用せず（第四十六條）。

(二) 訴の提起、受訴期間及び召喚期間（Erhebung der Klage, Einlassungs und Ladungsfrist）

訴の提起は訴状を区労働裁判所に提出して之をなすか、若くは区労働裁判所に於て口頭申立を記録して之をなす（Mündlich zur Niederschrift anzubringen）ことを要す。

訴は民事訴訟法第四百九十六條第三項前段の規定に拘はらず被告に送達せられたるとき始めて之を提起せるものと看做す、被告に対する答辯書差出の催告は通常之を行はず（第四十七條第一項）。通常の裁判日に當事者は召喚なきも區労働裁判所に出頭して訴訟について辯論をなすことを得。この場合には訴は口頭を以て之を提起す。事件が係争となりたるときは訴の要領を記録に記すことを要す（第二項）。

被告が区労働裁判所の所在地に居住する場合には少くとも期日の二日前に

三九七

訴を送達することを要す。召喚に付ても亦同じ（第三項）。

(三) 管轄（Zuständigkeit）

事物につき管轄違ひ（sachlich unzuständig）なりと言せる確定力ある裁判の拘束力に関する民事訴訟法第十一條の規定及び土地並に事物の管轄を有する裁判所への訴訟の移送に関する民事訴訟法第二百七十六條の規定は区労働裁判所及び通常裁判所相互の関係に付て之を準用す（第四十八條第一項）。

賃率規則に定むる労働関係又は徒弟関係に基く訴訟事件及び労働関係又は徒弟関係の締結に関する商議に基く訴訟事件に付ては労働管理官は民事訴訟法第三十八條乃至第四十條の規定に拘らず賃率規則の中に本來土地の管轄を有せざる區労働裁判所の管轄を規定することを得。前段に定むる規定は又公の行為及び経営に於ける労働秩序法第十六條第二項による一般的服務規律中（Gemeinsamen Dienstordnung）に之を設くることを得（第二項）。

(四) 裁判所職員の忌避（Ablehnung von Gerichtspersonen）

三九八

裁判所職員の忌避の申請については区労働裁判所の部之を決定す（第四十九條第一項）。

労働裁判所裁判官忌避せられたるため定足数を缺くに至りたるときは州労働裁判所はその申請を決定す（第二項）。

前二項の決定に對しては抗告は許されない（第三項、Gegen den Beschluss findet kein Rechtsmittel statt）。

(五) 送達（Zustellung）

第十一條により労働裁判所の法廷に出廷を認めらるゝ独逸労働戦線の法律相談機関及びその類似の機関の指導者及び使用人については民事訴訟法第百八十三條第二項、第二百十二條第五項を準用す（第五十條第一項）。

判決は執行名義（Vollstreckungstitel）の相手方及び控訴、抗告異議の相手方に対し職権を以て之を送達す。その他の場合に於ける當事者への送達は形式を定めず（第二項）。

(六) 當事者自身の出頭（Persönliches Erscheinen der Parteien）

裁判長は訴訟の如何なる程度にあるを問はず當事者自身の出頭を命ずることを得。その他の点に付ては民事訴訟法第百四十一條第二項及び第三項の規定を準用す（第五十一條第一項）。

當事者自身の出頭の命令ありたるに拘らず理由なく缺席しその結果命令の目的を不成功ならしめるときは裁判長は訴訟代理人の認許を拒むことを得。この場合民事訴訟法第百四十一條第三項第二段を準用す（第三項）。

(七) 公　開

判決裁判所の審理は證據調（Beweisaufnahme）及び判決の言渡とともに之を公開す。公開の結果公の秩序特に國家の安寧を害し若しくは善良の風俗に害する虞あるとき若しくは審理若くは證據調の目的が営業上、事業上若くは発明上の秘密なるにより當事者の一方が公開の禁止を申請したるときは区労働裁判所は審理の全部又は一部の公開を停止することを得。和解手続に於ては区労働裁判所は便宜に従ひ公開を停止することを得。この場合裁判所

構成法第百七十三條乃至第百七十五條の規定を準用す（第五十二條）。

(八)
(イ) 裁判長及び陪席員の権限（第五十三條）

口頭辯論に基き判決及び處分は別段の定めなき限り裁判長單独にて之を行ふ。

(ロ) その他裁判長及び陪席員の権限については州裁判所の手続に関する民事訴訟法の規定を準用す。

(九) 和解手續（Güteverfahren）

口頭辯論は他の場所（第百一條乃至第百五條）に於ける和解手続の協定なき限り裁判長の面前に於て當事者間の和解の目的のために辯論を以て開始す。裁判長はこの目的のために自由判断に基き一切の爭点を當事者に説明することを要す。事実を明確にするためには裁判長は即時になすことを得る各種の行為をなすことを得。但し宣誓による訊問はこの限りにあらず（第五十四條第一項）。

和解手続の結果特に事件の解決したる場合は之を記錄に載することを要す

（第二項）。

(一〇) 裁判長の面前に於ける辯論

當事者の一方が和解手続に缺席したるとき若くは和解手続が成立するに至らざりしときは直ちに次の辯論を開始す。直ちに開始し得ざる理由存するときは三日以内に之を開始することを要す（第五十五條第一項）。

當時者の一方の缺席、承認、訴の取下若くは抛棄に基き訴訟辯論を経ずして判決を行ふ場合若くは和解手続に次いで直ちに行ふ辯論に於て裁判を行ひ得べきものにして且つ當事者が一致して之を申請したる場合には裁判長は單独にて裁判す。申請は記錄に載することを要す（第二項）。

當事者の双方が和解手続に缺席したるときは訴訟辯論の期日を定むることを要す。他の場所に於ける和解手続の定めありたる場合に於ても亦同じ。之等の場合に於ては第二項の規定は第一回の辯論に之を適用す（第三項）。

(一一) 訴訟辯論の準備（Vorbereitung der streitigen Verhandlung）

裁判長は訴訟辯論が能ふる限り一回の審理に於て終結し得る様之が準備をなすべし。裁判長は此の目的のために特に證人及び鑑定人を召喚し、職務上の陳述をなさしめ、書面による證據を提出せしめ又當事者自身の出頭を命ずることを得。之等の處置は之を當事者に通知することを要す（第五十六條）。

(二) 部の審理

部の審理は能ふ限り之を一回にて終結せしむることを要す。その不可能なる場合、特に證據調を直ちになす能はざる場合には直ちに續行の期日を言渡すことを要す（第五十七條第一項）。

手續の如何なる程度にあるを問はず和解調停に努力することを要す（第二項）。

(三) 證據調

證據調は区労働裁判所の所在地に於て可能なる限り之を部に於て行ふ。證據調が区労働裁判所の所在地に非ざるも尚之をその管轄区域に於て行ふ場合には之を裁判長に委任することを得。区労働裁判所の管轄区域外に於て之をな

すことを要する場合には之を該区労働裁判所の裁判長に對して若くは地理的理由に基き一層便宜なる場合にはその管轄区域内に於て證據調を行ふ区裁判所に之を委任することを得（第五十八條第一項）。

部は眞實の陳述をなさしむるがために必要なりと認めたるときは證人及び鑑定人に對し宣誓せしむることを得。民事訴訟法第三百七十七條第三項及び第四項の場合に於ては部が同一の理由に基き之を必要と認めたる場合に限り宣誓に代る保證を要求することを得（第二項）。

(四) 闕席手續（*Versäumnisverfahren*）

闕席判決を受けたる當事者はその送達後三日の不變期間（*Notfrist von drei Tagen nach seiner Zustellung*）内に判決に對して抗告を申立つることを得。抗告は区労働裁判所に書状を提出し若くは事務所に於て陳述して書取らしめて之をなすべきものとす。判決の送達と同時に當事者に對してこの點につき書面を以て指示することを要す（第五十九條）

(五) 判決の言渡（*Verkündung des Urteils*）

判決の言渡日に於て即時に言渡を妨ぐる特別の事由あるときは特別の期日を定むることを得。言渡期日は三日を超えて之を定むることを得ず。記録に從ひ判決を行ふ場合に於ても亦同じ（第六十條第一項）。

判決の言渡に際しては双方の當事者の在廷せざる場合を除き裁判理由の要領を告ぐることを要す（第二項）。

言渡の效力は陪席員の在廷したるときと否とにより異なることなし。陪席員を召喚せずして部の判決を言渡す場合には豫め裁判長及び陪席員は判決主文に署名することを要す（第三項）。

判決は事實及び裁判理由と共に裁判長之に署名することを要す。言渡に際して未だ判決を完全に書面に認めざりし場合に於てはその言渡後三日以内に完全に認めて之を事務所に交付することを要す（第四項）。

(六) 判決の内容

費用の額は即時に之を算定し得るものに限り之を判決中に確定することを要す。該決定はその基礎たる訴訟の費用に關する裁判の變更なき限り確定的

なるものとす。日時の懈怠を理由とする賠償及び訴訟代理人若くは補佐人招致費用の補償を目的とする勝訴者の請求は之を認めず（第六十一條第一項）。

訴訟物の價格は区労働裁判所之を判決中に確定す（第二項）。

訴訟物の價格上控訴し得ざる場合に於ても訴訟が特に重要なる意義を有する場合は区労働裁判所は判決中に於て之を許すことを得。区労働裁判所が法律規定の解釋に當り一方の訴訟當事者のために若くは之に對してなしたる判決にしてその手續中に提出せられたるものと異る見解を採りたるときは訴訟は特に重要なる意義を有するものとして控訴を許すことを要す（第三項）。

判決により行爲をなすべき義務を宣言したる場合には区労働裁判所は原告の請求に基き同時に特定の期間内にその行爲を行はざる場合に對し裁判所が自由裁量によりて確定したる賠償額の支拂を被告に命ずることを要す。但しこの場合民事訴訟法第八百八十七條及び第八百八十八條による強制執行をなすことを得（第四項）。

請求の原因に付て先づなされたる中間判決（*Zwischenurteil*）は控訴

に関して之を終局判決（Endurteil）と看做さず（第五項）。

(五) 強制執行（Zwangsvollstreckung）

抗告若くは控訴を認めたる区労働裁判所の判決については假執行をなすことを得（Vorläufig vollstreckbar）。被告が執行によりて回復することを得べからざる損害を受くべきことを疏明したるときは区労働裁判所は申請に基き判決中に於て假執行を控除することを要す。民事訴訟法第七百七條第一項及び第七百十九條第一項の場合に於ては強制執行は同一の要件の存する場合に限り之を停止することを得（第六十二條第一項）。

その他の強制執行及び假差押並に假處分に付ては民事訴訟法第八編の規定を準用す（第二項）。

(六) 特別たる場合の強制執行

手續取消（國民労働秩序法第五十六條以下及び公の行政及び経営に於ける労働統制法第二十二條）については判決の執行力ある正本の附與はその言渡を受けたる者が企業者の賠償を選びたるとき若くは判決の送達後三日以内若

くは労働裁判所法第六十二條第一項第二段に從ひ判決の假執行を控除せられたるときは判決の確定後三日以内に相手方に對し解約告知の取消又は賠償の何れを選ぶやを言明せざりしことを證したるときに限り之をなす、證明は又宣誓に代る保證を以て之を行ふことを得（第六十三條）。

第二項　控訴審

(一) 原　則

区労働裁判所の判決に對しては第七十八條による抗告を許さゞる限り区労働裁判所が確定せる訴訟物三〇〇ライヒスマルクを超ゆるとき若くは区労働裁判所が訴訟を特に重要なる意義を有するものとして控訴を許したるときは州労働裁判所に控訴することを得（第六十四條第一項）。

州労働裁判所に於ける手續について労働裁判所法に特別の定めなき限り控訴に関する民事訴訟法の規定を準用す。但し單独判事の面前に於ける手續に関する規定は之を適用せず、一九二四年五月十三日の告示（独逸國官報1、五三二頁）の裁判所業務軽減令も亦第七條、第八條を除き適用せず（同條第二項）。

裁判所職員の忌避、送達、判決の内容、強制執行、特別なる場合の手續に関する、第四十九條第一項及び第三項、第五十條第一項、第五十一條第一項、第五十二條、第五十三條、第五十六條、第五十八條、第五十九條、第六十條第一項乃至第三項及び第四項第二段、第六十一條第四項及び第六十二條の規定は之を準用す（第三項）。

(二) 控訴の制限

陪席員任命手續の瑕疵を理由として若くは陪席員を任命して職に就かしむることを妨ぐる事由の存したることを理由として控訴をなすことを得ず（第六十五條）。

(三) 控訴提起、期日の決定

控訴期間及び控訴理由提出期間は何れも二週間とす（第六十六條第一項）。口頭辯論期日は控訴が民事訴訟法第五百十九條bに從ひ口頭辯論を経ずして許すべからざるものとして却下せらるゝ場合を除き、遅滞なくこれを決定すべきものとす。訴訟手数料の豫納に関する民事訴訟法第五百十九條第六項の規定は之を適用せず（第二項）。

(三) 新なる事実及び證據方法（Neue Tatsachen und Beweismittel）

民事訴訟法第五百二十九條第一項及び第二項による新なる事実及び證據方法の提出を認むる限り控訴人は之を控訴理由中に掲げ又被控訴人は遅くとも第一回の口頭辯論に於て之を提出することを要す。遅れて之を提出せる場合に於ては證據方法が控訴理由提出後又は第一回の口頭辯論の後に生じたるとき若くは州労働裁判所の自由なる心證によりその遅れたる提出が當事者の過失に基かざる時に限り之をなすことを得（第六十七條）。

(四) 差　戻

区裁判所の手續の瑕疵を理由とする差戻は之を許さず（第六十八條）。

(五) 判　決

判決は部の構成員之に署名することを要す（第六十九條第一項）。

区労働裁判所の判決の言渡ありたる後訴訟物の價額が変更したるときは州労働裁判所は判決中に於て新に確定す（第二項）。

訴訟物の價額上上告の認められざる場合に於ても訴訟が特に重要なる意義を有するときは州労働裁判所は判決中に於て上告を許すことを得（第三項）。

(六) 抗告の排除

州労働裁判所又はその裁判長の決定に對しては民事訴訟法第五百十九條第二項による控訴の却下の場合を除き上訴を許さず（第七十條）。

(七) 特別なる場合の手續

取消の訴（前述）については判決の執行力ある正本はその判決が区労働裁判所の判決を変更して賠償を定めたるとき又はその他の決定をなしたるときに於ては判決を受けたるものが企業者の控訴判決の送達後賠償を選びたるか又は送達後三日以内に解約告知の撤回若くは賠償の何れを選ぶかを言明せざりしことを疏明せるときに限り之を附與することを得。疏明は宣誓に代へ保證を以てなすことを得（第七十一條）。

第三項　上告審（Revisionsverfahren）

(一) 原則

州労働裁判所の控訴審に於ける判決に対しては区労働裁判所又は州労働裁判所により確定せられたる訴訟物の價額が通常民事裁判権に関する上告限度を超ゆるとき又は州労働裁判所が訴訟の重大なる意義を有することを理由として上告を許したるときに於て國労働裁判所に対し上告をなすことを得。假差押又は假處分の命令、変更又は廃止に関する裁判を内容とする判決に対しては上告を許さず、取消の訴に付ても上告を認めず（第七十二條第一項）。

國労働裁判所に於ける手続については労働裁判所法中に別段の定めなき限り上告に関する民事訴訟法の規定を準用す（第二項）。

裁判所職員の忌避、公開、裁判長及び陪席員の権限、判決の内容に関する第四十九條第一項、第五十二條、第五十三條、第六十一條第四項及び第五項

の規定は之を準用す（第三項）。

(二) 上告理由（Revisionsgründe）

上告は州労働裁判所の判決が法律又は個々の労務契約の制度に関する賃率規則の規定を適用せざりしこと若くは不當に適用したることを理由とするときに限り之をなすことを得（第七十三條第一項）。

地域的管轄を不當に認めたること、陪席員任命手続に瑕疵ありたること、若くは陪席員を任命して職に就かしむることを妨ぐる事由の存したることを理由として上告することを得ず（第二項）。

(三) 上告の提起、期日の決定

上告期間及び上告理由提出期間は何れも二週間とす（第七十四條第一項）。

口頭辯論期日は上告が民事訴訟法第五百五十四條aにより口頭辯論を経ずして許すべからざるものとして却下せらるゝ場合を除き遅滞なく之を規定することを要す。訴訟手数料の豫納に関する民事訴訟法第五百五十四條第七項の規定は之を適用せず（第二項）。

(四) 判決

判決言渡の効力は裁判官たらざる陪席員の在廷したると否とにより異ることなし。判決を裁判官たらざる陪席員の呼出を行はず言渡す場合には豫め裁判長及び陪席員が判決主文に署名することを要す（第七十五條第一項）。

判決は事実及び判決理由とともに裁判長及び陪席員之に署名することを要す（第二項）。

(五) 直接上告（Sprungrevision）

区労働裁判所の判決に対して訴訟物の價格が上告限度を超過し且つ相手方の同意ありたるか若くは國労働大臣が國労働裁判所による訴訟の即時の裁判を公共の利益のために必要と認むる旨表示したるときは控訴審を経ずして直接に國労働裁判所に上告をなすことを得。相手方若くは國労働大臣の表示は之を上告状に添ふることを要す（第七十六條第一項）。

直接上告はその提起日の前に既に州労働裁判所に控訴の提起あるときは之、を行ふことを得ず。直接上告を認むる場合はその提起は双方の當事者に対す

る控訴の提起を排除す（第二項）。この場合民事訴訟法第五百六十六條a第三項及び第五項乃至第七項の規定を準用す（第三項）。

(六) 上告的抗告（Revisionsbeschwerde）

民事訴訟法第五百十九條b第二項による即時抗告の裁判は國労働裁判所の管轄に属す。即時抗告に関する民事訴訟法の規定は之を準用す。裁判は裁判官たらざる陪席員を召喚せずして之を行ふ（第七十七條）。

第　四　項　抗告審（Beschwerdeverfahren）

區労働裁判所若くはその裁判長の裁判に対する抗告に関しては区裁判所の裁判に対する抗告に関する民事訴訟法の規定を準用す。抗告に付ては州労働裁判所裁判を行ふ（第七十八條第一項）。

之に対しては更に抗告をなすことを得ず（第二項）。

四一五

第　五　項　再審（Wiederaufnahme des Verfahrens）

再審に関しては民事訴訟法の規定を準用す。但し陪席員任命手続の瑕疵を理由として若くは陪席員を任命して職に就かしむることを妨ぐる事由の存したることを理由として取消の訴を提起することを得ず（第七十九條）。

第　六　項　決定手續（Beschlußverfahren）

第八十條乃至第九十條は之を削除す（§§ 80 bis 90.）（fortgefallen）

第　四　款　労働裁判権の排除

―労働訴訟事件に於ける仲裁事項―

四一六

(一) 原　則

賃率規則による労働関係若くは徒弟関係に基く民事事件に付ては労働管理官は賃率規則中に於て裁判は仲裁裁判所によるべき旨を示して労働裁判権を排除することを得（第九十一條第一項）。

訴訟法律関係の當事者は関係従業員が使用人にしてその労働收入年額が使用人保險法に於て被保險義務者に付き定められたる限界を超過する場合に於ては一般若くは個別的に且つ豫め第二條第一号の民事訴訟事件に對し第一項と同様なる仲裁條項を協定することを得（同條第二項）。

第二項の場合には民事訴訟法第一千二十五條第二項の規定を準用し、仲裁條項が一九三四年四月三日以後に協定せられたるときは第一千二十七條第一項も亦之を準用す（第三項）。

四一七

(二) 妨訴抗辯

労働争議に対する仲裁條項は労働裁判手続に於て妨訴抗辯の理由となすことを得（第九十二條第一項）。

左の場合には抗辯は成立せず（第二項）。

(イ) 訴訟當事者自身が仲裁裁判所の構成員を指名すべき場合に於て原告はこの義務を果したるも被告が原告の催告後一週間以内に指名をなさゞりしとき。

(ロ) 訴訟當事者は指名によらずして労働管理官若くはその指定する機関が仲裁裁判所の構成員を指名すべき場合に於て、仲裁裁判所が未だ設立せられず且つ区労働裁判所の裁判長の定めたる期間内に設立せられざるとき

(ハ) 仲裁條項により設立せる仲裁裁判所が手続の進行を遅延し且つ区労働裁判所の裁判長が仲裁裁判所につき定めたる手続の進行のための期間を經過したるとき

(ニ) 仲裁裁判所が訴訟法律関係の當事者に對して表決の同数のため仲裁裁判を行ひ得ざる旨を告げたるとき

四一八

第二項第二号及び第三号の場合に於ては期間の決定は請求に付き本来管轄を有すべき、区労働裁判所の裁判長が原告の申請に基き行ふ（第三項）。

抗辯の不成立に関する、第二次の所定條件の一が存する場合には、労働訴訟事件に於ける仲裁條項に基く仲裁裁判所の訴訟の裁判は之を排除す（第四條）。

〔三〕　仲裁裁判所の構成

仲裁裁判所は第五十一條第二項に從ひ個々の訴訟事件に付て協定せざる限り同数の企業者及び従業員を以て成立するものとす。中立の第三者も亦之に加ふることを得。公権又は公務員たり得る資格若くは経営の指導者となり若くは信任委員の任務を行使する資格を剥奪せられたる者は之に属することを得ず（第九十三條第一項）。

第一項の規定に準ずる構成を有する施設も亦之を仲裁裁判所と認むることを得。この場合にその構成員中缺けたる者あるときはその規定上の代理人之に代るものとす（同條第二項）。

四一九

未成年者及び聾唖者は仲裁裁判所の構成員たることを忌避することを得、一九三三年四月七日付専任官吏制度の復活に関する法律及びその施行規定に定むるアリアン人に非ざる者は之を忌避することを得。その仲裁裁判所の構成員は裁判官を忌避する権利と同一の條件により之を忌避することを得（同條第三項）。

忌避に付ては本来管轄を有すべき區裁判所の部之を決定す。その決定前に訴訟當事者及び忌避せられたる仲裁裁判所構成員を訊問することを要す。口頭若くは書面の何れを以て訊問をなすべきかは区労働裁判所裁判長之を決定す。口頭の訊問は部に於て之をなすものとす。その決定に対しては上訴を許さず（同條第四項）。

〔四〕　仲裁裁判所の手續

仲裁裁判所の手続は仲裁條項又は第九十五條乃至第百條に別段の定めなき限りその自由裁量により之を定む（第九十四條）。

(イ)　當事者の訊問

四二〇

仲裁裁決を下すに先だって當事者を訊問することを要す。訊問は仲裁條項に別段の定めなき限り口頭によるべきものとす。當事者は自ら出頭するか若くは委任状を具備せる代理人をして代理せしむることを要す。委任状には印紙の貼付を免ず。その認證は之を要せず。仲裁條項に別段の定めなき限り第十一條第一項の規定を準用す。

當事者の一方が正當の理由なくして辯論に缺席したるとき若くは催告ありたるに拘らず答辯をなさざりしときは訊問の義務を果したるものとす（第九十五條）。

(ロ)　證據調

仲裁裁判所はその許されたる證據方法の範囲内に於て證據調をなすことを得。仲裁裁判所は證人及び鑑定人をして宣誓せしめ若くは宣誓に代る保證を要求し若くは受くることを得ず。

仲裁裁判所がその自らなすことを得ざる證據調を必要と認めたるときはその管轄区域内に於て證據調を行ふべき区労働裁判所の裁判長に対し若くは地

四二一

理的理由に基きより便宜多き場合はその管轄区域内に於て證據調を行ふべき區裁判所に対して之を委囑するものとす。仲裁裁判所が證人若くは鑑定人をして真実の陳述をなさしむるために之等の者をして宣誓せしむるの必要ありと認めたる場合も亦之に準じてその手続を行ふべきものとす。法律上の共助に基き生じたる費用の実額は之を裁判所に賠償することを要す。裁判所費用法第七十七條及び第七十九條は之を準用す。

仲裁裁判手続に於ては宣誓による當事者の訊問は之を行はず（第九十六條）。

(ハ)　和　解

仲裁裁判所に於て締結せる和解はその成立の日附を記載し、訴訟當事者及び仲裁裁判所の構成員之に署名することを要す。和解には印紙の貼付を免ず（第九十七條）。

(ニ)　仲裁裁決

仲裁裁決は仲裁條項に別段の定めなき限り仲裁裁判所の構成員の單純多数を以て之を決す。仲裁裁決はその之を下したる日附を記載して仲裁裁判所の

四二二

構成員之に署名し且つ當事者が書面による理由書を明示的に拋棄せざる限り書面を以てその理由を示すことを要す。裁判主任者の署名したる仲裁裁決の正本は之を各訴訟當事者に送達することを要す。送達は書留郵便を以て之をなすことを得。

裁判主任者の署名したる仲裁裁決の正本は仲裁申立に付き本來管轄を有すべき区労働裁判所をして之を保管せしむることを要す。仲裁裁判所の記録若くは記録の一部は之を区労働裁判所に保管せしむることを得。

仲裁裁決は當事者間に於て区労働裁判所の裁決と同一の效力を有す。仲裁裁決には印紙の貼付を免ず（第九十八條）。

(ホ) 強制執行

仲裁裁決若くは仲裁裁判所に於て締結せる和解に基く強制執行は仲裁申立に付き本來管轄を有すべき区労働裁判所の裁判長が仲裁裁決若くは和解につき執行を許すべき旨宣言したるときにのみ之を行ふことを得。裁判長はその宣言前相手方を訊問することを要す。仲裁裁決取消の證明ありたるときは裁

四二三

訴訟の終結に至る迄裁判を延期することを要す。

裁判長の裁決は最終とす。裁決は之を當事者に送達することを要す（第九十九條）。

(ヘ) 取消の訴

仲裁裁判手続の不許可のとき、仲裁裁決が強制法の規定に違反せるとき等については仲裁裁決取消の訴を提起することを得（第百條）。

四二四

經研資料調第六八號（其二）

獨逸に於ける勞働統制の立法的研究（下巻）

昭和十七年四月
陸軍省主計課別班

獨逸に於ける勞働統制の立法的研究（下巻）

独逸に於ける労働統制の立法的研究（下巻）

目次

第二編　労務配置法

第一章　戰前に於ける労務配置法

第一節　政権獲得當初の應急的諸對策

第一款　序　言

一九三三年一月ヒットラーによって率いられるナチス政府が政権を獲得すると同時に解決を迫られた緊急事の一が大量の失業者の救済なりしことは云ふまでもないことである。実際ナチスの政権獲得前に於ける数年間の独逸を襲った未曽有の経済不況は、左の如く多数の失業者を発生せしめたのであった。

一九三〇年一月	三、二一八、〇〇〇人
一九三〇年七月	二、七六五、〇〇〇〃
一九三一年一月	四、八八七、〇〇〇〃

一九三一年七月	三、九九〇、〇〇〇人
一九三二年一月	六、〇四二、〇〇〇〃
一九三二年七月	五、三九二、〇〇〇〃
一九三三年一月	六、〇一四、〇〇〇〃

これによっても知り得る如く、歴年増加する失業者の数は一九三二年、一九三三年には遂に六百万人を超えるに至り、総労働者数の三分の一以上が失業者となるに至ったのである。されば此の失業問題の解決こそ、單にナチス政府にとっての緊急事たりしのみならず、それ以前の諸政府にとっても亦最も重要なる任務の一だったのである。

これらの大量の失業者群のためにナチス以前の諸政府がとった法律的措置を見るに、先づ一九一八年一一月一三日附「失業者保護ニ関スル命令」（Verordnung über Erwerbslosenfürsorge）があげられる。この最初の失業者に對する公共の扶助制度につき規定せる法律的措置に次いで成立せしものとしては、一九二二年七月二二日附「労動紹介法」（Gesetz über die Ar-

…vermittlung）並ニ一九二七年七月一六日附「労働紹介及ビ失業保険法」（Gesetz über Arbeitsvermittlung und Arbeitslosenversicherung）があげられる。

斯くの如く不断に増大する失業者の救済手段として主として公共の扶助、社會保險の制度が採用せられたゝめ、前掲の六百万を超える失業者中、一九三二年度に於ては、失業保險の受給者は三一・四％、救恤手當の受給者は二六・六％、その他公費の受給者は二八・五％に達し、その費用総額は月額約三億八千ライヒスマルク、年額四十五億ライヒスマルクに及ぶ状態となり、第一次大戦前の一九一三年に於ける約一〇億ライヒスマルクに比すれば大約四倍半となるに至つたのである。かゝる公共の扶助或は失業保險制度の下に於て生ずる巨大な負担は、窮迫せる独逸の國民経済に対し耐え難き圧迫となり、國家の財政的基礎を危うくするに至つたばかりか、失業者自身の責任感をも低下せしめ、唯單にその依頼心を助長せしに止る結果となつた。

そこで困窮せる失業者に対し金銭乃至物品を給與するといふ消極的な扶助政

四二七

策並に窮局に於て失業救済といふ慈善事業的色彩を脱却せざる社會保險制度によつて失業問題を解決せんとする方針は、必然的に「手当よりも仕事を與へる」といふ方針に轉換され、これによつて種々の失業対策が樹立されることゝなつたのである。

この「手当よりも仕事を與へる方針」は、ナチス政府が特に強力に実現せんとしたものであるが、それ以前の諸政府の失業対策中にも、右の方針の萠芽は存在してゐたのである。即ち一九三二年秋には、當時政局を担當してゐたパーペン政府によつて「パーペン計画」（Papen-Programm）が設立され、（これは一九三二年九月五日附「経済振興及ビ労働機會増加並ニ確保ノタメノ大統領令」（Verordnung des Reichspräsidenten zur Belebung der Wirtschaft und zur Vermehrung und Erhaltung der Arbeitsgelegenheit）に基いたものである）これによつてパーペン政府は社會保險支給率を引下げると共に、他方に於ては失業者のために新規の労働機會を直接に供與せんとした。次いでシユライヘル政府によつて所謂「即應計畫」（Sofort-Programm）が樹立され、六億ライヒスマルクを以て復舊労働・小移住地建設等が行はれ、また要救済者に對しては特別給付その他を付與することとされた。然し乍らこれらの諸計畫も結局何等見るに足る程の実效をあげずして、遂にナチス政府の成立となつたのであつた。

四二八

ナチス政府は政権獲得と同時に、右のパーペン計画・即應計画等に於ても見られる「手當よりも仕事」といふ根本方針を一層強化して種々の失業對策を実行した。誠に今日見らるゝ整然たる労務配置（Arbeitseinsatz）のための諸方策は、実にこの巨大な数量に上る失業者群に職場を與へ、健全なる経済を再建せんがための應急的な諸方策を出発点としてゐたのである。然らば具体的には如何なる對策が行はれたか、次にその大略について眺めてみよう。

第二款　第一次失業緩和法

初期に於けるナチスの失業対策として第一に注目すべきは、一九三三年六月

四二九

一日附の「失業緩和法」（Gesetz zur Verminderung der Arbeitslosigkeit）である。本法は失業撲滅策の一として実施されたラインハルト計画（Reinhardt-Programm）の基本となつたものである。

本法はその第一章「労働振興」（Arbeitsbeschaffung）に於て、國財政大臣に対し、國民労働振興のために、特に次の諸事業を助成するために、総額一〇億ライヒスマルクに達するまで、労働國庫證券（Arbeitsschatzanweisung）を発行し得る権限を授與した。その事業とは次のものである。

1. 州・市町村・市町村聯合及びその他の公法人の官衙・住宅・橋梁その他の建造物の修繕並に補修工事
2. 農業経営の住宅及び業務用建物の修繕・住宅の分割及び住宅に於て他の用途に供せらるゝ部分の小住宅への改造
3. 郊外の移住
4. 農村移住
5. 治水

四三〇

6. 住民に対するガス・水道・電気の供給

7. 洲・市町村・市町村聯合の地下工事（土木工事）

8. 要救済者への実物給與（本法第一條第一項）

これらの諸事業中、1.3.4.5.及び6に該當する事業は貸付金の交付によりて行ひ（第一條第二項）、2.7.及び8に該當する事業は補助金を交付して行ふこと、とされてゐる（第一條第三項）。而して補助金を交付される者は、2の場合には家屋所有者、7の場合には市町村、市町村聯合、8の場合には地区保護組合（Bezirksfürsorgeverband）である（第一條第三項）。

かゝる貸付金又は補助金の交付には次の諸條件が附せられてゐる。

1. 該工事が國民経済上有益なること、

2. 該工事が貸付金又は補助金の承諾されたる後即時に開始され且つ遅くとも一九三四年七月一日迄に終了さるべきこと。

3. 該工事が資本消費により生ずる將來の負債を正當とし且つ該労働の負載者（Träger der Arbeit）がその工事遂行より生ずることあるべき將

四三一

來の債務を負ふに足る能力ありと認めらるゝこと、

4. 該工事負載者の個人的資力を以てしては相當年月内に完成する可能性が豫測されざる労働なるべきこと、

5. 貸付又は補助されたる資金は、承認されたる工事のためにのみ使用さるべきこと、

四三二

6. 該工事が技術的要求を満足せむべきこと、

7. すべての工事は原則として請負はしめらるべきこと、工事は入札にて請負はしむべきことを要する。尚工事の負載者は中小経営を充分に考慮すべく、必要なる場合には数個企業者を合同せしめ得る。独占的企業者（Generalunternehmer）は原則として排除さるべく、もし之が不可能なる場合も該企業者は出來得る限り多くの中小経営に自己の受註額を分與する義務を負ふ。

8. 企業者の利得は中庸の度を保つべく、不當なる價格釣上を排すること

9. 該工事は人の労働力により遂行さるゝを要し、機械力による補助手段は止むを得ざる時にして且つ人の労働力のみに限定することが工事を不当に騰貴せしめる時に限ること、

10. 独逸産の建築材料が存在しその使用が不當なる騰貴をもたらさゞる限り外國産建築材料を使用せざること〔一九三三年六月二八日附「失業緩和法に基ク労働振興措置ノ施行令」（Verordnung zur Durchführung der Arbeitsbeschaffungsmassnahmen auf Grund des Gesetzes zur Verminderung der Arbeitslosigkeit）第二條〕

更にかゝる事業を行ふに際しては次の諸事項にも留意されねばならぬ。

1. 新規雇傭が必要な場合には從來の失業者、特に子女多きもの、家族を扶養せる者、長期間失業せるものにして、SS、SA等の隊員が先づ考慮さるべきこと。

2. 雇傭されたる失業者中少くとも百分の八十は、失業保険・恐慌救護（Krisenfürsorge）又は公共救護の受給者たるべきこと。

3. 雇傭されたる失業者中には他の労務特に農業的労務に紹介し得べき者を

四三三

含まざること

4. 該工事の負載者が予め労働局と聯絡をとるべきこと（同上施行令第三條参照）。

又、既述7の工事、即ち州・市町村・市町村聯合の地下工事（土木工事）の實施につき與へらるゝ補助金は特に次の諸條件に從ふことゝされてゐる。

1. 國民経済上有益なる工事にして工事負載者のみの財力を以てしては相當期間内に實行し得ざるべき工事なること。

2. 工事の實施が遅くとも一九三三年八月一日に開始さるべきこと

3. 全工事が人間の労働力により遂行さるべく、機械力による補助手段は止むを得ざる時にして、且つ人間の労働力のみに限定することが工事を不當に騰貴せしめる時に限るべきこと。

四三四

4. 個々の労務遂行方法が失業者ならざる専門工の從業を必要とせざる限り、工事には独逸國内の失業者のみが使用さるべきこと。

5. 第七号に從つて使用されたる失業者は労働法の意味する労働関係又は使

団関係に基かざること

(3) 第4号に従ひ使用さるゝ失業者は

(ロ) 失業継続の場合に受け得たるべき失業扶助（保険による失業手當・恐慌手當・福利手當）を受け得。

(ハ) 四労働週間につき需要充足券（*Bedarfsdeckungsschein*）の形で二十五ライヒスマルクの補助手當を國家より受く、該需要充足券を以て指定販賣所に於て衣服類・下着類・家具類等を購入し得。

(ニ) 工事負載者より労働日毎に温い食事又は相當の現金を得ることを得（第一次失業緩和法第二條）。

この第一次失業緩和法に基き実行された諸種の公共事業中最も大規模に、また最も早く着手されたものは土木事業、特に全國内に於ける自動車道路の建設であった。これは一九三三年六月二十七日の「ライヒ自動車道路企業設立法」（*Gesetz über die Errichtung eines Unternehmens "Reichsautobahnen"*）によるものであって、本法によって「独逸ライヒスバーン會社」

（*Deutsche Reichsbahn-Gesellschaft*）の子會社として「ライヒ自動車道路會社」（*Gesellschaft "Reichsautobahnen"*）が設立され、これによって極めて激烈となりつゝあった鉄道と自動車との競争を消滅せしめ、数千キロに達する自動車道路が建設され、合理的な交通網が完成さるゝに至ったのである。この大規模な自動車道路建設のためには夥しい労働力を必要とすることと言ふまでもないことであり、これによって多数の失業者が授職されたことは勿論であるが、かゝる自動車道路網の発達が戦時緊急の時に當って軍事輸送のために素晴らしい効果をあげたことも看過すべきでない。

この他、ライヒスバーンによる大規模な土木工事や、ライン・マイン・ドナウ株式會社（*Rhein-Main-Donau Aktiengesellschaft*）によって行はれたライン・マイン・ドナウ間の運河工事その他の治水工事等はすべて一方に於て失業対策たると同時に他方に於ては有事の際に於ける軍事的效果をも狙った政策だったのである。

ところで斯様に大企模な土木工事、治水工事等の実施或は家屋の建築、修理

等々に対する貸付金、補助金の交付のために、政府は既述の如く一〇億ライヒスマルクを限度として労働國庫證券を発行するのであるが、この労働國庫證券は一九三四年乃至一九三八年の五ケ年間に五回に分って償還されることになって居り（失業緩和法第一章第五條）、而して貸付金の交付を受けた市町村その他は之を通常二〇ケ年内に割賦辨済することを要することになってゐる（一九三三年六月二八日附「失業緩和法ニ基ク労働振興措置ノ施行令」（*Verordnung zur Durchführung der Arbeitsbeschaffungsmaßnahmen auf Grund des Gesetzes zur Verminderung der Arbeitslosigkeit*）第六條本文」、尚もし利子を附する場合には、年利五分を超ゆるを得ずと、されてゐる（施行令第六條第三号）。

この労働國庫證券の償還を確保するために國の特別財産として償還基金が設けられ、國財政大臣が管理することとされた。右の償還基金は、(イ)貸付金の交付を受けた市町村その他が之を國家に返済せる金額、(ロ)國民労働振興のために醵出された任意的寄附金（*Freiwillige Spende*）、(ハ)右寄附金より交付さ

れた貸付金の利子並に辨済金額、(ニ)結婚貸付金（*Ehestandsdarlehen*）（之に就ては後述参照）を交付された者が返却せる金額で構成されるのである（失業緩和法第六條）。

こゝに所謂國民労働振興のための任意的寄附金とは、既述せる失業克服のための諸事業実施の資金として廣く募られるものであって、寄附された現金は諸種の公共事業を行ふための貸付金に使用され、又寄附された國庫證券や州・市町村等の公債類は労働國庫證券償還基金に組入れられる（失業緩和法第三章第五條）。そして寄附者は受領證即ち寄附證券（*Spendenschein*）を交付され（同法第三條）、寄附者はこれを租税軽減のために使用し得るとされたのである（同法第六條並に一九三三年七月二四日附「労働寄附金法施行令」（*Durchführungsverordnung zum Arbeitsspendengesetz*）第三一條参照）。

失業緩和法は以上の如く直接的に諸種の公共事業実施により失業者の減少を策した外に、間接的に種々の就業者増加策を講じてゐる。即ち同法第二章は、工業用又は農業用の機械・器具等の補充を目的とする支出に対しては特に租税

を免じ、之によって労働者使用数を多からしめんと計ったのである。但しこの租税免除の特典を受けるためには次の諸條件が満されねばならない。

1. 新しき品が独逸製品なること
2. 納税義務者が該新品を一九三三年六月三〇日以後一九三五年一月一日以前に調達せること。
3. 新しき品が従来その経営に使用されたる同種の品の補充品たること
4. 新品の使用が納税義務者の経営内の被用者の操業短縮を生ぜしめざることが保證さるゝこと

更に本法はその第五章に於て婚資貸與制度を設け、之によって男子失業者の就職機會を多からしめんとした。

それによると本法実施後婚姻を締結せる者は、一千ライヒスマルクを限度として結婚貸付金（Ehestandsdarlehen）を得ることが出來る。貸付金の交付は、もちろん、婚姻締結後にされるのである。そしてこの結婚貸付金が許可されるためには、次の諸條件に合致せねばならない。

四三九

a. 妻となるべき者が一九三一年六月一日乃至一九三三年五月三一日迄の間に少くとも六ケ月間國内に於て雇傭関係にありたること

b. 妻となるべき者が遅くとも結婚締結の時に婦人労働者たることを止め、若くは貸付金貸與の申請をするときに既に婦人労働者たることを止めてゐること

c. 妻となるべき者は将來夫たるべき者が所得税法の意味する收入を毎月一二五ライヒスマルク以上得て居り、且つ結婚貸付金が完済せられざるかぎり、再び労働に従事せざること（失業緩和法第五章第一條第一項）

尚、こゝに所謂雇傭関係（Arbeitnehmerverhältnis）中には、直系尊属の家事又は経営に従事する場合を包含しないのである（同條第二項）（註）。

（註）　但しこの條件については一九三四年三月二八日附、「結婚奨励法改正法」（Gesetz zur Änderung des Gesetzes über Förderung der Eheschliessungen）並に一九三五年一月二四日附「結婚奨励法第二次改正法」（Zweites Gesetz zur Änderung des Gesetzes über Förderung der Eheschliessungen）によって若干の改正がされてゐる。例へば六ケ月間雇傭関係にありたることを要求せるa項が九ケ月間雇傭関係にありたることと変更され、c項が妻は夫が失業扶助を與へられる意味に於て要救済者と看做されるのでない限り、結婚貸付金を完済するまで労働に従事せざる義務を負ふと改正され、第二項が、直系尊属の家事又は経営に従事せるときも、之を止めたために他人が継続的に雇入れられたときは、之を第一項aの雇傭関係と看做すと改正せる如き、之である。

四四〇

この結婚貸付金の交付申請は、夫たるべき者が自己の住所又は居所を有する市町村に對して之を行ひ、市町村は結婚貸付金を許與するを適當と認めるときは之を管轄財政局へ申請するのである（同條第三項）。而して市町村當局は、結婚貸付金の交付申請をうけたときは、それが既述の諸條件に合致するや否やを吟味するのは勿論、尚次の如き諸事実の存否をも吟味しなければならぬ。

四四一

イ、夫婦の一方の政治上の立場により、彼等が民族、國家のために眞に力を盡すや否や、

ロ、夫婦の一方が遺傳性が精神上・肉体上の疾病を有し、その結婚が民族共同体のために不利益を及ぼすこと無きや否や、

ハ、夫婦の一方の経歴又は素行により、彼等が貸付金の返還義務を履行せざることあるべき事実の有無（一九三三年六月二〇日附「結婚貸付金ノ許可ニ関スル施行令」（Durchführungsverordnung über die Gewährung von Ehestandsdarlehen）第一條・第五條第三項参照）。

もしこれらの事実が存在すれば結婚貸付金は當然許與されないのである。尚夫婦の一方が貸付金申請のときに生命を危険ならしめる傳染病その他の病気になってゐるときも同様である（一九三三年七月二六日附「結婚貸付金ノ許可ニ関スル第二次施行令」（Zweite Durchführungsverordnung über die Gewährung von Ehestandsdarlehen）第四條参照）。

斯様な諸條件が満足せしめられたときは、結婚貸付金が所轄財政局の金庫

四四二

(Kasse) から交付されるのであるが、それは夫に與へられることになつてゐる（失業緩和法第五章第一條第四項）。この貸付金は無利子であるが、夫婦はその返濟に就ては連帶して責任を負ひ、交付後三ケ月を經過してから、以後毎月最初の貸金金額の百分の一づゝを所轄財政局に返濟せねばならぬ（同法第二條第一項、第二項）。但し、貸付金の交付を受けて結婚した夫婦の間に子が生れたときは、子供一人毎に最初交付された結婚貸付金の百分の二十五が免除されることになつてゐるのを注意せねばならない（一九三三年六月二〇日附「結婚貸付金ノ許可ニ関スル施行令」第八條第一項）。かやうな点にナチス政府が失業対策のみならず、國力の根本をなす人的資源の強化、補充に對しても深い注意を拂つてゐることが觀取されるのである。

次に結婚貸付金は現金で與へられずに需要充足券（Bedarfsdeckungsschein）の形で與へられる。當時者はこれを以て特定の販売所に於て家具・什器類を購入し得るのである。そして財政局が指定販賣所に対し需要充足券を現金に兌換するのである（失業緩和法第五章第三條）。

四四三

四四四

需要充足券は一〇乃至一〇〇ライヒスマルクの金額になつて居り、これは勿論、他人に譲渡することを得ない。而して之を使用するときは、貸付金受領者は充足券の裏面に住所、姓名を記入せざるときは販賣所は之を受得ることを得ず、又、かゝる需要充足券は財政局によつて現金に兌換されないのである（一九三三年六月二〇日附「結婚貸付金ノ許可ニ関スル施行令」第九條）。尚販賣所が需要充足券に對し現金を結婚貸付金受領者に給付することも禁止されてゐる。尤も需要充足券で購入した商品の代價が券面記載の金額よりも小額であるため一ライヒスマルク以下の釣銭を現金で交付することは差支ないとされてゐる（同施行令第十二條第一項）。

此處に極めて興味のあるのは、右の結婚貸付金に要する資金の調達方法である。これは独身者に對して課せらるる「結婚補助課金」（Ehestandshilfe）によつて調達されるのであるが、その立案者たるラインハルトの見解によれば、それは決して所謂独身税若くは独身手数料と看做さるべきものではなくして、却つて結婚に對する独身者の援助であるとされるのである(註)。

(註) Fritz Reinhardt, Die Arbeitsschlacht des Reichsregierung, 1933, S.80.

ともあれ結婚補助課金は所得税法所定の收入を有するすべての独身者に課せられるのであつて、それは收入の種類に従つて、賃銀・俸給受領者の結婚補助課金と、納税義務者の結婚補助課金との二に分けられてゐる（失業緩和法第五章第四條）。而して所謂「独身者」（ledige Personen）とは、未婚者並に寡婦若くは鰥夫となり又は離婚せる者にして婚姻中に子女を得ざりし者を指すのである（同法第五條第一項）。尤もこれらの未婚者であつても、(イ)未婚婦人にして所得税法第五二條、第五六條第二項及び第七〇條に依り「小児軽減」（Kinderermässigung）を受くる権利ある者、(ロ)離婚せる妻又は困窮せる兄弟姉妹を扶助するため、少くとも一年以来自己の所得の六分の一を費消せる者、(ハ)五五歳を超えたる者は、結婚補助課金を徴せられないことゝ定められてゐる（同法第五條第二項）。

四四五

四四六

賃銀・俸給受領者の結婚補助課金（Ehestandshilfe der Lohn- und Gehaltsempfänger）は、労賃が月額七五ライヒスマルクに達せざるときは徴收されない。而してその補助課金の率は次の通りである（同法第八條）。

賃銀	七五ライヒスマルク以上	一五〇ライヒスマルク未満	2/100
〃	一五〇　〃	〃　三〇〇　〃　〃	3/100
〃	三〇〇　〃	〃　五〇〇　〃　〃	4/100
〃	五〇〇　〃	〃	5/100

之に對し納税義務者の結婚補助課金（Ehestandshilfe der Veranlagten）の基準となる所得は、その純所得であつて、その率は次の通りである（同法第一二條、第一三條）。

純所得	七五〇ライヒスマルク以上	一三〇〇ライヒスマルク未満	2/100
〃	一三〇〇　〃	〃　三一〇〇　〃　〃	3/100
〃	三一〇〇　〃	〃　五五〇〇　〃　〃	4/100
〃	五五〇〇　〃	〃	5/100

尚賃銀・俸給受領者の結婚補助課金は、使用主が賃銀・俸給の支拂毎に賃銀及び俸給より差引き之を財政局に引渡すことになって居り（同法第九條）、納税義務者の結婚補助課金は所得税の徴集と同時に徴集されることになってゐる（同法第一四條）。

上述の如き結婚奨励策によっていかなる效果が得られたであらうか？

之につき一例をあげると、ハンブルク所在のレームツマ煙草工場は、一九三三年七月末には、最短一ケ年間同會社に於て從業せる婦人労働者及び事務員に對し、同年末迄に結婚する者には現金六百ライヒスマルクの補助を與へ、これによって生じた空席は、なるべく速かに既婚男子を以て補充することを決議した。その他これと同様な決議をして実行に移した會社が多数存在する。かくてこの結婚奨励の措置は民間でも熱心な支持を受け乍ら着々とその效果をあげてゐるのであって、一九三七年夏までに貸與された結婚貸付金は約七五万件に達し、一人當り平均六百ライヒスマルクの割合で貸與されてゐる。而して結婚数は一九二九年には五九万であったのが一九三二年には五〇万に減退してゐたのであ

四四七

るが、この減退は一九三三年中に夙くも完全に取戻されたのである。即ち結婚数は一九三三年には六三万に、一九三四年には七四万に上ったのである。斯くの如く結婚件数が増大すると共に出生兒数も當然に多くなり、かくて一九三二年に於ける九七一一七四の出生兒数は一九三六年には一二七九〇二五に増加したのである。結婚貸付金の交付を受けて行はれた結婚から生れた子女は五五万に達してゐる。また結婚貸付金交付による結婚の多兒性は、同じ時に之を交付されずに為された結婚よりも比率の上で二倍になってゐるのである（註）。

結婚貸付金制度が極めて良好な成果をあげた結果、既に述べた如く最初は六ケ月間雇傭関係にありたることを以て貸付金を許可する一條件としてゐたのに、之を九ケ月間雇傭関係にありたることを要すと改正したりするに至ったのである（一九三五年一月二四日附「結婚奨励法第二次改正法」第一章第一條参照）。

（註）*Deutsche Sozialpolitik: Berichte der Deutschen Arbeitsfront, Zentralbüro, Sozialamt. Zeit 30. 6. 1936. bis 31. 8. 1937*, 邦譯、大原社會問題研究所「独逸社會政策と労働戰線」九一頁、

四四八

尚失業緩和法は、婦人労働者の就職を助けるため女の家事使用人（*Hausgehilfinnen*）を使用する使用主の所得税を減免することにして（同法第四章）。この方策によって婦人家事使用人の失業者数は一九三三年三月に於ける二三万人から一九三五年末の五万人に減少するに至った。

第三款　第二次失業緩和法

第一次の失業緩和法の実施後数ケ月にして第二次失業緩和法（*Zweites Gesetz zur Verminderung der Arbeitslosigkeit*）が一九三三年九月二一日附で成立した。

本法は第一次の失業緩和法の追加補充法として農業負担を軽減し、建築業に對し當業の助成を行ふことによって景気を振興させ、労働機會を多からしめるなど、第一次法の目的とする所を一層徹底的に遂行せんとしたものである。

四四九

國財政大臣は本法第一章第一條により、建築物の修繕及び補完工事の奨励、住宅の分割並に住宅への改造のために五億ライヒスマルクを限度として補助金を支出する権限を授けられた。

その補助金支給の條件は次の通りである（同法第二條）。

1. 建築物所有者が建築物の修繕並に補完工事を行ふため、及び住宅の分割並に住宅への改造を為すために、一九三四年三月三一日迄に費用を支出し、且つ當該工事が國民経済上價値あることが受任官廳によって確認せられたること。
2. 交付された補助金以上に建築物所有者が支辨したる自己資金又は借入資金に對しては年四分の利子を支給す。

この種の補助金はナチス政府によって初めて與へられたものではなく、それ以前に於てもパーペン計画によって五〇万ライヒスマルク、即應計画によっても五十万ライヒスマルクが支出されてゐたのであるが、第二次失業緩和法による補助金はこれらの補助金よりも極めて大規模であり、且つ以前には單に農業

四五〇

経営の建築物について交付されたに止まるが、今回は工業経営上の建築を初め、民間防空を目的とする建築物に對しても補助金が與へられてゐる点に特色を見出す点が出来るのである。

本法によって活発となった建築活動の結果として、一九三三年一月に二四万余を増加してゐた失業者数が一九三四年一月には二〇万五千人を減じ、前年同期に比較すれば五二万五千人の減少を示すに至ったと言はれてゐる(註)。

(註) Reinhardt, a. a. O. S.11.

次に本法第二章は農業地租の引下げを規定してゐる。それによると農業（林業・園藝・葡萄栽培を含む）地租は一九三三年一〇月一日より、年額一億ライヒスマルクを限度として、軽減されるのであって、個々の州の地租引下額は、國財政大臣が決定することゝなってゐる（同章第二章第一條）。

又本法第三章は農業賣上税の引下げをも規定する。即ち、(イ)国内の農業経営内の生産物にしてその引渡しが該生産物の生産者によって為さるるもの、(ロ)か

四五一

かるものではなくても穀物・穀粉・ひきわり麥及び穀物製の麵及び穀物製のパン用品については、賣上税が百分の一引下げられ（同法第三章第一條）、かくて従來の二パーセントの税率が一パーセントとなったのである。

更に本法は新築小住宅（Kleinwohnung）並に自宅（Eigenheim）に對する免税を規定して、獨逸國内に於ける住宅難を緩和すると共に、失業者に就業の機會を多からしめんと計ったのである。即ち夫れによると一九三四年及び一九三五年に落成する小住宅と、一九三四年乃至一九三八年に落成する自宅とに対しては收益税、財産税を免除する他に、州の地租をも免除し、且つ市町村（市町村聯合）の地租の五〇パーセントをも免除することゝなってゐる。尚一九三四年に骨組が完成し一九三五年五月三一日迄に完成する小住宅及び自宅は、一九三四年に落成せるものと看做される（同法第四章第一條第一号）。

斯かる種々の税の免除は、小住宅については一九三八年末迄、自宅については一九四三年末迄、行はれることになってゐる（同條第二号）。

尚本法に所謂小住宅とは、住居に利用し得る面積（これは居室・寝室・台所

四五二

を指す）七五平方米以内を有する住宅を謂ひ、自宅とは、住居に利用し得る面積が一五〇平方米以内の住宅にして、所有者がその家の全部又は少くとも半ばを自己の住居としてゐるものを指稱するのである（同法第一條第三号、第四号）。

ところで第一次世界大戰終結後一九三〇年末迄に約一五〇万の家屋建築が行はれたのであるが、その大部分は通貨安定後の數年間に行はれたため、これらは非常に過重な課税をされてゐた。然るにその後に行はれた新建築は従前に比較すれば低廉な費用を以て足り、しかも種々の免税その他の特典を與へられたため、これらの両者の間には著しい負担の不均衡が生ずることゝなった。かくて本法第五章は、國財政大臣に對し、一九二四年乃至一九三〇年に落成せし新築家屋の地租引下げの為に五千万ライヒスマルクを限度として支出する權限を與へ、以て両者間の負担の不均衡を是正せんとした。

四五三

第四款　その他の失業對策

政権獲得當初に於けるナチスの失業撲滅對策は、既述の第一次・第二次失業緩和法を中心として展開されたのであるが、これ以外にも勿論種々の方策が講じられてゐるのである。その一二を述べると次の通りである。

先づ一九三三年四月一一日附「自動車税法」（Kraftfahrzeugesteuergesetz）によって、同年三月三一日以後警察命令による免許を得た自動車所有者に対し納税義務を免除した。この自動車税免除によって独逸の自動車工業は著しく振興され、従って失業者が就職し得る機會が大いに増加するに至ったのである。

次に一九三三年五月一二日附を以て「婦人家庭使用人失業保険義務免除ニ関スル法律」（Gesetz zur Befreiung der Hausgehilfinen von der Pflicht zur Arbeitslosenversicherung）を制定し、婦人家庭使用人

四五四

の業務に被保険義務を免除し、且つ婦人家庭使用人の疾病保険掛金を軽減し、これらの者の就業機會を増加せんと計ってゐる。又、一九三三年七月一五日附「租税軽減法」（Gesetz über Steuererleichterungen）を制定し、租税公課を減免して間接的に失業救済を試みた。

更に一九三三年九月二一日附を以て「市町村負債借換法」（Gemeindeumschuldungsgesetz — 正確には Gesetz über Umwandlung Kurzzeitiger Inlandschulden der Gemeinden）が発布され、州・市町村等の地方団体をして失業救済事業を効果的に行はしめるために、これらの地方団体の負担軽減の措置がとられてゐる。

本法の目的とするところは、直接的には短期債務の重圧より州・市町村等を救はんとするにあった。而してこの目的を達するために市町村（市町村聯合州を含む）を組合員とする負債借換組合（Umschuldungsverband）が設立されたのである（同法第一條第一項、第十四條、第十五條）。

この負債借換組合は公法人であって、國財政大臣の監督をうける（第一條第

二項）。それは國・州・市町村の徴集する営業税・財産税等を免除されることになってゐる（第一條第三項）。

負債借換組合は最小限度二〇ケ年継続する利子附の債券（Schuldverschreibung）を発行し、之によって市町村等の負へる短期内國債務の借換資金に充當する權限を與へられてゐる（本法第二條）。この利子は一九三六年一〇月一日迄は年利四分、それ以後は年利三分である（同法第三條第二項参照）。

組合員たる市町村は、すべての独逸國内の債權者に對し、その短期債務を右の四分利又は三分利附の長期債務に借換ふべき旨を要求することを得る（第四條）。而してこゝに所謂短期債務とは、既に満期となりたる債務又は一九三五年三月三一日に満期となるべき債務を指称するのであるが、尚市町村が州の計算で徴集せる税金にして本法実施の時迄に未だ州へ支拂ってないものも之に包含されることになってゐる（本法第五條）。

債權者は市町村その他よりの借換申込に接すれば申込の到達後一ケ月以内にその諾否の意思表示をせねばならない。もし之を為さゞるときは承諾せしもの

と看做される（第七條第一項）。

債權者が同意すれば債權者と負債借換組合との間に負債借換の契約が成立し、前者は後者に對して債券交付の請求權を取得し（第八條）、次いで右債券を手交されゝば債權者が市町村に對して有してゐた債權は消滅するのである（第九條第一項）。かゝる負債借換契約の成立と同時に、組合が市町村のために肩代りした金額と同一の債權を市町村に對して有するに至ることは云ふまでもないことである（第三條第二項）。尚組合が市町村のために肩代りする債權額は、元本並に未拂の利子及び債權者が負債借換に對する同意をなす迄に生じた利子を含むとされてゐる（第四條第六項参照）。

もし債權者が借換申込を拒否したならば、その債權は借換申込の日より五ケ年間支拂を停止される。而してかゝる支拂の停止は、元本のみならず、未拂の利子並に支拂停止期間に生じた利子にも及ぶのである（第七條第二項）。

以上の如き方法を以て行はるゝ短期高利債務の長期低利債務への借換は、第一には市町村をして約二〇億ライヒスマルクにも及ぶ短期高利債務の重圧を免

れしめて、その財政状態の改善の為に大いに寄與すると共に、第二には、これら市町村をして種々の公共事業を活発に行はしめ従って失業者に就職の機會を相當豊富に供與することゝなり、失業撲滅方策としても極めて有用なる効果をあげるものと云ひ得るのである（註）。

（註）Reinhardt. a.a.O. S.21.

第二節　その後の計画的労務配置

第一款　序言

前節で概観せし如き、ナチスが政權獲得以来相次いで実施した第一次・第二次の失業緩和法を中心とする諸種の失業對策は、政府の必死の努力によって大体に於て所期の効果を挙げることが出來て、一九三三年初頭に六〇〇万を超えた失業者数が、同年末には実に約二〇〇万を減じ、これらの者はすべて何等かの

労務に就くことを得るに至つたのである。

然し乍らかゝる諸種の措置が、結局、一時的・應急的な措置たるに止り、それによつて得られた成果は、決して全面的に満足し得る理想的な成果だとは言ひ得なかつたのである。詳言すれば、第一に、これらの諸方策によつて失業者の数が絶対的に減少したことは確実であつたが、然しこれは全國各地域を通じて失業者が平均的に減少したのではなくして職を求めて農村より大都市へ流入する人口は、従前よりも増加することも減少することはなかつたのである。かくて全独逸の失業者総数四〇〇餘万人中、ベルリン・ハンブルク・ブレーメン・ライプチツヒその他の八大都市の失業者のみでその数一〇〇万人、即ち総数の四分の一に達する状態だつたのである。

加ふるに減少せし失業者は二五歳未満の青少年失業者が大多数であつて、老年の失業者は依然として就職の機會に恵まれない有様であつた。具体的に云へば、青少年失業者の方は三分の二も減少したのに反し、老年の失業者は漸く三分の一の減少を示したにすぎなかつたのである。

四五九

かくてこれ等の諸欠陥を克服するために、單に應急的なる措置に止まらずして何等かの統制ある計画的方策を講ぜねばならぬこと〻なり、為めに種々の措置がとられるに至つたのであつた。従つて従来の諸方策が應急的な失業対策たりしに反し、今後は次第に、たとへ部分部的にもせよ、計画的な労務配置統制措置が出現すること〻なつたのだ。

四六〇

第二款　労務配置統制法と夫に基く諸訓令

計画的な失業克服対策として第一にあぐべきものは、一九三四年五月一五日附の「労務配置統制法」（Gesetz zur Regelung des Arbeitseinsatzes）である。本法にて「労務配置」（Arbeitseinsatz）なる語を法文中に採入れた最初の法律として特に注目すべき劃期的な立法と云はねばならぬ。

本法によつて労働紹介・失業保険中央局長官（Präsident der Reichsanstalt für Arbeitsvermittlung und Arbeitslosenversicherung）は各方面の労務配置に関する広汎なる命令権を授典せられ失業者多き地区の失業を緩和し、農村よりの出稼を制限禁止し、農業労働者の農村復帰を促進する等のために必要な種々の法律的規制を行ひ得ること〻なつた。今本法の内容を概観すると大体次の通りである。

先づ第一に、労働紹介・失業保険中央局長官は、甚しき失業状態の存在する地区に対し、右地区に於て訓令施行の當日に住所を有せざる者は、豫め労働紹介・失業保険中央局長官の許可を得るに非ざれば、同地に於て労務者又は使用人として雇傭さる〻を得ざる旨を命令することが出来ること〻された（第一條）。

次に労働紹介・失業保険中央局長官は、訓令施行の當日若くはその以前三ケ年間に農業に従事せるものは、豫め同長官の許可を得るに非ざれば、農業経営以外の経営又は農業労働以外の職業に於て雇傭さる〻事を得ざる旨命令し得ること〻されて居る（第二條）。一方労働紹介・失業保険中央局長官が右の權限に基き労働力に対する農業の需要を満さんがために発布する訓令の適用を受ける経

四六一

営の事業主は、同長官の訓令に基き、同令公布の以前に於ける最近三ケ年間に農業に従事したたる労務者又は使用人を解約する義務を負ふのである（第三條第一項）。

更に労働紹介・失業保険中央局長官は、職場移動のために失業者に貸付金又は補助金を給典し得ることにされてゐる（第四條）。尚、同長官は、これらの諸權限をば下級官廳たる州労働廳乃至労働局に委讓し得ること〻なつてゐる（第五條）。

次に労働紹介・失業保険中央局長官の許可を得ずに就職せる者は、就職禁止の訓令の效力発生後に、その就職を禁止された地方へ轉居せるときは、同地管轄の労働局より失業扶助金の給典をうけ得ないと定められてゐる（第七條）。又、要救済者が閉鎖市町村（Sperrgemeinde）即ち彼が就職を禁止されてゐる市町村を立ち去るときは、該市町村の地区保護組合（Bezirksfürsorgeverband）より扶助金の給典を受けることが出来る。但し該要救済者が目的地に於て職場のあることを證明し、又は目的地に於て要救済状態が除去され、

四六二

若しくは減少さるべきことを證明し得る場合に限り扶助金給與を受け得るのである。従ってもしかゝる可能性の存在せざる場合には、帰郷扶助金の交付を受けることが出来るに止まる（第八條）。

尚、故意又は過失によって前述第一條又は第二條の規定に違反して人を雇傭せる事業主は、地區保護組合が必要とせし帰郷費用の全部又は一部を、地區保護組合の申立に基き辨済する義務を負はねばならぬ（第九條）。更に本法に基く諸種の措置によって生じたる損害に對しては、國又は労働紹介・失業保険中央局は全然辨償しないことになってゐる（第一一條）。

最後に本法所定の禁止行為に故意に違反した者は、使用主は言ふまでもなく、労務者及び使用人として雇傭せられたる者と雖も、罰金又は三ケ月未満の禁錮に處せられる。而して過失によって之を犯したる者は一五〇ライヒスマルク以下の罰金に處せられるのである（第一三條）。

上述せる所によって知り得る如く、本法は労働紹介・失業保険中央局長官に對し國民の居住移轉の自由を或る程度制限し、且つ特定の人々の職業選擇の自

四六三

由を制限し得る大なる権限を賦與した極めて重要な内容を有する法律であったのであるが、かゝる強大な権限を與へられた労働紹介・失業保険中央局長官は、次の諸種の訓令を発して労務配置の統制・整備を計らんとしたのである。

イ、先づ挙ぐべきは、ベルリン市を中心とする地域に失業者の大群が蝟集するのを防止することを目的として発布された一九三四年五月一七日附「ベルリン市ニ於ケル労務配置統制ニ関スル訓令」（*Anordnung über die Regelung des Arbeitseinsatzes in der Stadtgemeinde Berlin*）である。

本訓令によれば、一九三四年五月一八日即ち本訓令の実施さるゝ當日にベルリン市に住所を有せざる者は、豫め所轄労働局の許可を得なければ、ベルリン市内に於て労務者又は使用人として雇傭され得ないのである（第一條第一項）。尤もこれには勿論若干の例外が認められてゐる。即ち一年の労賃が三六〇〇ライヒスマルクを超え、且つ少くとも六ケ月間仕事が継続することを文書によって保證さるゝ者や、一九三四年五月一八日にポツダム市やオスト

四六四

ハーフェルラントその他ベルリン市近傍にある本訓令の別表で特に指定された地域に住所を有する者は、右の許可は必要とされないし（第一條第二項）、ベルリン市へ移ることによって夫婦・親子・両親等が共に家族生活を再開し得るときや、必要とさるゝ種類の労働がベルリン市及びその近傍に於ては需要を満足せしめ得ざるときや、労務者又は使用人が従来の職場に於ては得られぬ新しい労働方法その他に関する諸智識が得られるために彼等を雇傭することがその使用價値を増進する時その他の場合には、労働局は特に右の許可を與へることが出来るのである（第二條）。尚、かゝる許可の申請は事業主（使用者）から之を行はねばならない（第三條）。

この「ベルリン市ニ於ケル労務配置統制ニ関スル訓令」が、労務者又は使用人として雇傭さるゝことを制限したものたるに止り、當該人がそれ以外の職業に從事すること、例へば商人或は手工業者として営業することなどをも制限せしものでないことはいふまでもないことである。當時この方策は、唯漫然と職を求めてベルリン市へ蝟集する失業者群を防止制限するにつき非常

四六五

な效果を挙げたと言はれて居り、本訓令実施當時に五〇万と算定されたベルリンの失業者は、一九三七年六月には僅かに九万人に減少したと報告されてゐるのである。

この故にその後間もなく本訓令と同趣旨の訓令がハンブルク、アルトナ、ブレーメンその他の諸都市についても、一九三四年八月三〇日附の「ハンブルク、アルトナ、ヴァンズベック及びハンブルク＝ヰルヘルムスブルクノ諸都市ニ於ケル労務配置ノ統制ニ関スル訓令」（*Anordnung über die Regelung des Arbeitseinsatzes in den Stadtgemeinden Hamburg, Altona, Wandsbek und Hamburg=Wilhelmsburg*）並に同日附の「ブレーメン州域、デルメンホルスト、ノルデンハム（オルデンブルク）及びヴェーゼルミュンデノ諸都市並ニ周囲市町村ニ於ケル労務配置ノ統制ニ関スル訓令」（*Anordnung über die Regelung des Arbeitseinsatzes im bremischen Stadtgebiet in den Städten Delmenhorst, Nordenham (Oldenburg) und Wesermünde und*

四六六

den umliegenden Gemeinden）を以て公布・実施されたのである。

ロ、次に農業労働者の労務配置を規制するために、一九三四年五月一七日を以て「非農業的経営並ニ職業ニ於ケル農業労働力ノ配置制限ニ関スル訓令」（Anordnung über die Beschränkung des Einsatzes landwirtschaftlicher Arbeitskräfte in nichtlandwirtschaftlichen Betrieben und Berufen）が制定されてゐる。

本訓令によつて、本訓令実施の日若くはその以前の最近三ヶ年内に少くとも五二週間以上農業経営内に於て農業労働者・作男（ländliches Gesinde）、旅稼労働者（Wanderarbeiter）（刈取人）、搾乳者、家庭使用人として雇傭されたる者は、豫め所轄労働局の許可を得るに非れば、鉱山、銑・鋼鉄製造業、金属半製品業、精錬業、建築業、建築附属業、煉瓦製造業、ライヒスポスト（Reichspost）、軌道・狭軌の鉄道の建設・保存工事に雇傭さることを得ずとされ（第一條第一項）、又たとへ婦人であつても、右に列挙せる農業的労務に従事せる者は、予め所轄労働局の許可を受くるに非れば、果

四六七

実・野菜加工業、給仕人、コツク、ホテル女中、部屋附女中並に料理店・酒屋の婦人労働者又は使用人として雇傭さるゝを得ずと定められた（第一條第二項）。尚許可の申請は使用主が之を行はねばならない（第二條）。

斯くの如くに、労務配置統制法並にそれに基いて労働紹介・失業保険中央局長官が発した諸訓令が一方に於て大都市への失業者群の流入を阻止すると同時に、他方に於て特に農業労働者の農村復帰を促進せんと努めたことには、極めて深い意義が存するのである。

周知の通りナチス的世界観にあつては独逸國家は血と土地（Blut und Boden）とを紐帯として統一された運命共同体であり、従つて土地に定着せる農民こそ独逸民族更生の眞の源泉であり、且つ彼等こそ土地と純血とを維持するための最も尊重すべき階層であるから、農業部門の安定、繁栄には何物にも増して注意が拂はれねばならないのである。更に実際上の問題としても、独逸が一方に於て極めて高度に発達したる工業國たることは勿論であるが、他方に於てその農業が経済上に有する重要性も決して看過し得ないものが存するので

四六八

ある。一例を挙げると独逸のミルク年産額は二五億ライヒスマルクであつて、一九三七年中に於ける独逸の全製品の輸出額に殆んど等しいのである（註）。

加ふるに食糧農産品の自給自足は早くからナチスが熱心に実現せんとした目標である。然るに独逸に於ける農産物輸入額は漸次に上昇し、ナチス政権成立前の一九三二年には全食糧需要中の國内生産高による自給度は八三％（カロリー換算）、これに巨額の飼料輸入を計算に入れれば眞の自給度は七五％にすぎぬ状態である。

この故に凡ゆる観点から見て農業部門の健全なる発達は最も望ましいことであり、それは如何にしても促進・振興せねばならなかつたのである。然るに當時独逸の農民階層は極めて窮迫せる経済状態に追ひ込められ、大多数の農民は過重なる負債に苦しみ、土地を棄てゝ都會へ流出する傾向が非常に強かつたのである。

ナチス政府はかゝる農民階級の困苦を救済せんがため世襲農地法の制定に依

四六九

て農民の土地を守り、食糧職分団法の制定その他によりて農産物の價格安定を計るなど種々の方策を講じたのであるが、同時に右の労務配置統制法その他に依て、労働力不足に悩む農業部門のために、農業労働力の農村への復帰をも計つたのである。

（註）Economist, Dec. 3. 1938.

第三款　労働力配分に関する命令並に訓令その他

労務配置統制法と共に注目すべきものは一九三四年八月一〇日附「労働力配分ニ関スル命令」（Verordnung über die Verteilung von Arbeitskräften）である。

本令によつて労働紹介・失業保険中央局長官のみが労働力の配分、特にその交替（Arbeitsplatzaustausch）に統制実施する権限を授けられ（第一條）、

四七〇

苟くも労働力の配分に関する限り他の機関は何等の干渉をも行ふことを得ず、報知を求める希望、特に質問紙に基く希望も之を干渉と看做されることゝなつた（第二條）。而して労働力の配分統制を行ふために必要な訓令並に方針は、労働紹介・失業保険中央局長官が経済大臣及び労働大臣の同意を得て定めることになつてゐる（第三條）。

最後にこれらの諸規定及び第三條に基き労働紹介・失業保険中央局長官が発する訓令に違反するものは一九三四年七月三日附の「経済上ノ措置ニ関スル法律」（Gesetz über wirtschaftlichen Massnahmen）第二條による罰則を適用して處罰されることになつてゐる（第四條）。因みに「経済上ノ措置ニ関スル法律」は國経済大臣に對し「独逸経済ノ振興並ニ経済的損害ノ防止及ビ除去ニ付キ必要ナ一切ノ統制措置ヲ講ズル權限」を賦與したものであつて、その第二條の罰則とは「國経済大臣ハ自己ノ公布セル規定ニ違反セル行為ニ対シ懲役及ビ罰金刑又ハソノ何レカヲ科スルコトヲ得、罰金刑ニハ最高額ノ定メナシ」といふのである。

四七一

かやうに強大な労務配置に関する統制権を與へられた労働紹介・失業保険中央局長官は一九三四年八月二八日附を以て「労働力配分ニ関スル訓令」（Anordnung über die Verteilung von Arbeitskräften）を発布した。

本訓令は第一條に於てその効力範囲を定めてゐる。それによると本訓令の諸規定は労務者及び使用人が就業するすべての公私経営並に行政官衛に適用される（第一條第一項）。但し農業経営・山林経営並に家計世帯、内外航路船舶、航空機は除外され（第一條第二項）、又経営（行政官衙）の指導者とその配偶者、両親、子女等との間の従業関係（Beschäftigungsverhältnisse）にも適用されないことになつてゐる（第一條第三項）。

さて本訓令の適用範囲内にある経営（行政官衙）の指導者は、労働紹介・失業保険中央局長官が指定せる期日迄に自己の従業員の構成を調査する義務を負ふ。この調査は労務者及び使用人の年齢構成が、その経営若くは行政官衙の経営技術上及び経済上の諸要求を顧慮した上、二五歳未満の労務者及び使用人よりも、失業せる年長の労務者及び使用人特に子女多き家長を優遇して従業せし

四七二

めることを要求する國家上の見地に合致せるや否やに及ぶを要するのであり、且つ専門労務者（Facharbeiter）並に使用人を規則正しく養成するために不可欠なる青年の確保も顧慮せねばならぬとされる（第二條）。

この調査は、凡ゆる経営（行政官衙）に於て先づ一九三四年九月中に之を実施すべく、その結果及びその後指定さるゝ日時に行はるゝ調査の結果は、経営（行政官衙）の指導者が文書によりて管轄労働局に要求に應じて申告するを要する（第三條第一項）。而して経営（行政官衙）の指導者は、一九三四年十月一日迄に管轄労働局へ二五歳以上及び二五歳未満の労務者が幾人従業してゐるかを男女別にして報告し、且つ労働力の交替の行はるべき範囲及び期間についても報告するを要すとされてゐる（第三條第二項）。

もし経営（行政官衙）の指導者が右の調査を行ふに當り、前述の年長労務者及び使用人優遇に関する國家上の見地を充分考慮せざりしものと労働局が認めるときは、労働局は直ちに経営（行政官衙）の指導者と商議すべく、之によつて意見の合致せざるときは州労働廳にその裁決を求むべきである（第五條第一項）。

四七三

年長労務者及び使用人を以て青年労務者及び使用人に代らしめる所謂「職場交替」の範囲並に期間は、州労働廳長官が決定するのである（第五條第二項）。但しこの決定に対しては経営（行政官衙）の指導者は二週間以内に労働紹介・失業保険中央局長官に対し、延期的効力を有する抗告を提起することを得る。而してかゝる抗告については労働紹介・失業保険中央局長官が裁決を與へるのであるが、その裁決は終局的であるとされる（第五條第三項）。

右の如き調査及び決定に従つて二五歳未満の労務者・使用人が年長の労務者・使用人に代らしめられるのであるが、この場合には、失業せる年長の労務者・使用人を以て、原則として家父特に子女多き家父を以て補充すべきであり、長期に亘り失業せる者、及び公共の補助を受くる労務者及び使用人は特に考慮するを要する（第八條第一項）。尚二五歳未満の者が占める職場を明渡さしめるに當つても、次の場合は例外とされる（第四條）。

イ、既婚の労務者及び使用人

四七四

ロ、自己の労賃を以て家族の扶養をせねばならぬもの
ハ、現に徒弟関係にあり又は徒弟関係終了後一ケ年に満たざる労務者及び使用人
ニ、名誉の勤務を終了して国防軍より除隊せる労務者及び使用人
ホ、少くとも一年間労働奉仕をせし者
ヘ、少くとも一年間農業補助に従事せし者
ト、特別行動隊に属する者、特に
(a) ＳＡ、ＳＳ、鉄兜団の団員並に一九三三年一月三〇日以前に既にかゝる団員たりし者
(b) ナチス労働奉仕団（ＮＳＤＡＰ）団員にして第一番より第五〇万番の団員章を有する者
(c) 一九三三年一月三〇日以前に政治上の指導者として勤務せる者

之に依て見ても所謂「職場交替」（*Arbeitsplatzaustausch*）の制度の実施が他の諸制度、例へば労働奉仕、農業補助労働制などと有機的に関聯を持つ

四七五

やうにされてゐること並に、青年労務者・使用人であつてもナチスに忠誠なる者その他特殊の事情ある者は之を優遇するやう特別な考慮が拂はれて居ることが知られるのであるが、更に原則的に、二五歳未満の者を年長の労務者・使用人に代らしめるときは、経営（行政官衙）の指導者は、不公正なる苛酷さをさけて交替を行ふべき旨が明定されてゐる（第六條）。而してかゝる指導者は、解約さるべき労務者並に使用人をば経済界の他の明いてゐる職場、特に農業・自発的労働奉仕又は農業補助の職場、女子の場合には家政に於ける他の職場にも提し得る方策並に時期について適当なる時に管轄労働局と協議する義務を負ふのである（第七條第一項）。

次に職場交替によつて必要な労働力の補充を行ふに際しては経営（行政官衙）は之を管轄労働局に申請し、労働局は各職場に対し経営（行政官衙）の需要に應ずべき労働力を紹介する。尤も被紹介者の選擇は経営（行政官衙）の自由である。又経営（行政官衙）は指名して失業者を労働局に請求することも出来る（第八條第二項）。尚労働局が右の請求受理後三日以内に労務者・使用人を紹介せ

四七六

ざるときは、経営（行政官衙）は直接雇傭することも出来るが、その際は雇傭する以前に労働局に通告し、被傭人が諸條件を満す者なることを説明せねばならない（第八條第三項）。

以上の如く職場交替制によつて年長労務者・使用人は之を出来得る限り優先的に雇傭せしめられるのであるが、しかし二五歳未満の男女労務者・使用人であつても管轄労働局の許可ありたるときは之を雇傭し得るのであり（第九條）、特に徒弟の場合には、該徒弟が少くとも二ケ年間の徒弟契約書を締結せるとき又はかゝる徒弟契約が徒弟期間開始後四週間以内に締結されたときは、労働局の許可は必要でないのである。尤もかゝる徒弟契約が所定期間内に締結されざるときは該徒弟が速成労務者又は使用人として尚従業するには労働局の許可を必要とする（第一〇條）。

かゝる雇傭許可の申請は勿論経営（行政官衙）指導者から管轄労働局に提出すべきであり（第一一條第一項）、申請を為すに當つては指導者は、二五歳以下の労務者や使用人を雇傭することが既述の年長労務者・使用人優遇の國策を顧

四七七

慮した上で尚必要なりや否やを調査せねばならぬ。而して指導者は該経営又は事業部門に従業せる二五歳以上の者並に二五歳未満の者の数を男女別に区別して、雇傭許可申請のときに報告すると共に、二五歳未満の労務者・使用人の雇傭が必要なる理由をも説明せねばならぬ（第一一條第二項）。

労働局はかゝる申請を受ければ之を審査して許可を定めるのであるが、審査に當つては労働局は、特に専門に養成されたる労務者・使用人に関せざるときは、高度の失業の存在する大都市及び工業地域への移住並に農村離村に反対する労務配置の見地をば考慮せねばならない（第一二條）。又労働局は、二五歳未満の者の雇傭許可を與へるに當り次の者を優遇する旨の條件を附することを得る（第一三條）。

イ、名誉ある勤務に従つた後国防軍より除隊せる者
ロ、特別行動隊（第四條参照）所属員
ハ、少くとも一年間自発的労働奉仕に従事せる者
ニ、少くとも一年間農業補助に従事せる者が豫備教育を受けたる後相應の職

四七八

業に属する時

ホ、二五歳未満の労務者・使用人にして自己の職場を年長者に明渡して経営（行政官衙）より解職されて少くとも一年以上農業・山林業に従事せし者

而して二五歳未満の労務者・使用人の雇傭に就ても所轄労働局が経営（行政官衙）の申請に應じてその需要を満すべき労務者・使用人を紹介することを要するのである。もし申請受理後三日以内に労務者・使用人を労働局が紹介せざるときは、経営（行政官衙）は直接に雇傭するを得る。尚経営（行政官衙）は指名して失業者を労働局に請求することも出来る（第一五條第一項、第二項）。

もし労働局が二五歳未満の者の雇傭許可に關する申請を審査したる後之を拒否する要ありと考へるときは、既述せる第五條の手続きが適用され、労働局は経営（行政官衙）と商議すべく、万一意見の一致を見ざるときは州労働廳長官が裁決するのである（第一四條、第一五條）。

ところで青年労務者・使用人の占めてゐた職場を年長労務者・使用人を以て補充する場合には、その當初に於ては必然的に業績の低下を来さゞるを得ない

四七九

であらう。故にこの点に関し本訓令は特に給付補償制度を定めてゐる。即ちそれによれば、従来二五歳未満の使用人が占めてゐた職場に失業しゐたる専門の豫備教育を受けた四〇歳以上の男子使用人が雇傭され、而して彼が雇傭さるゝ以前の最近三ヶ年内に二年以上公共の失業扶助金を給與されてゐたときは、経営（行政官衙）は申請に基き新雇傭者の劣等給付の補償として補助金（給付補償）をば労働紹介・失業保険中央局より與へられるのである（第一六條第一項）。

但し次の場合には給付補償は與へられないことになつてゐる（第一六條第二項）。

イ、公共の行政官衙が雇傭せる場合

ロ、経営の指名による請求に基き雇傭が行はれた場合

ハ、季節的経営及び農繁期経営の雇傭の場合

而して給付補償は新しく雇傭されたる子女を有せざる四〇歳以上の使用人一人に付き五〇ライヒスマルクを最高額とするのであるが、新規雇傭者が一六歳未満の子女を有するときは子女一人につき給付補償五ライヒスマルクを増すことになつてゐる。尚給付補償は新規雇傭者の雇傭後六ケ月を経たときに終了す

四八〇

るのである（第一六條第三項）。

最後に職場交替制の結果解職されたる二五歳未満の労務者・使用人を経済界の他の方面に就職せしむるためには、既述の如く経営（行政官衙）の指導者に對し労働局と協議すべき義務が負はされてゐるのであるが、之に関し本訓令第一七條は、農林業に存在する空位が農林業従業員を以て充すを要せざる限り、労働局は非農業的経営より退職せる二五歳未満の労務者・使用人を就職に之を利用すべきものとすと定め（第一七條第一項）、且つこれらの者を農林業に紹介することは非営利的労働紹介所又はその他の機関が労働紹介・失業保険中央局長官の委託をうけ、その指図に従つてのみ行ひ得ることゝしてゐる（第一七條第二項）。

尚本訓令の諸規定に違反せる者、例へば労働局の許可を得ずして二五歳未満の者を雇傭せる経営（行政官衙）の指導者、第一七條第二項の規定に違反して二五歳未満の者を農林業の経営に紹介せる者などは、軽きは一五〇ライヒスマルク以下の罰金、重きは三ケ月以下の禁錮に處せられるのである（第二一條）。

四八一

之を要するに「労働力配分ニ関スル訓令」は、結局、職場交替制度の実施に依て年長の扶養すべき子女を多数有する失業者に對し就職上の優先権を與へ、二五歳未満の独身労務者並に使用人は、出来得る限り之を現在の職場より他の職場、特に農業方面へ労働奉仕・農業補助・農業見習その他の形で轉ぜしめて年長労務者・使用人の失業数を減じ、同時に深刻な労働力不足に悩む農村に對して労働力を提供せんと企図したものであつたと言ひ得る。

因みに労働奉仕制度については別項で説明されること故之を省き此處では農業補助（Landhilfe）制度と農業見習（Landjahr）制度とにつき一言して置きたい。

第一に農業補助制度は労働奉仕制度と共に人間と土地とを眞実に結びつけるための重要な方策の一であつて、労働局によつて管理されてゐる。これは労働奉仕団の如く組織されたものではないが、都市の青年男女主として失業者を労働局の手によつて男女農業補助労働者即ち手傳人として個人的又は小集団毎に農場に移住せしめ、農業労働の手傳をさせるのである。

四八二

かゝる補助労働者を採用した農家は之に食物及び住居を提供せねばならぬが、之に対し補助労働者の配置を斡旋した労働局から毎月特定額の補助金を受領し得る。而して補助労働者自身に対しては労働局から小遣銭として毎月特定金額を支給され、且つ補助労働を終へた者には證明書が交付される。この補助労働者の正規の労働期間は六ヶ月であるが、勿論それよりも長期になることもあり且つ農民子弟との結婚の奨励や、農村移住についての優先権の授與などの諸方策を講ずることによつて、彼等を永く農家にとめて置くため種々の努力が拂はれたのである。この制度によつて毎年夏期には約一六万の青年が補助労働に従事したと言はれてゐる（註）。従つてこの制度が数量的な方面に於てのみならず人間と土地との結合を極めて重視するナチス精神を体得せる青年子女を作り出すと云ふ精神的な方面に於ても、相當の效果をあげたことが認められるのである。

（註）　*Statistische Jahrbuch*, 1934. S.300, 1935. S.309 等、尚、エフ・エルマート者、具島兼三郎譯「ナチス準戰時國家体制」二〇一、

四八三

二六九頁参照。

次に農業見習（*Landjahr*）の制度は、一九三四年三月二九日附「農業見習ニ関スルプロシヤ法律」（*Preussisches Gesetz über das Landjahr*）が認めたものであつて、元來は國民、特に青少年学徒に対し健全なる農民の民族的價値を理解せしむると共に國土との結合を深からしめんとする國民教育上の目的によつて設けられた制度である。而してそれによれば、都市の小学校卒業生は卒業後一ケ年間農村に於て共同生活を行ひ身心を鍛練せしめられるのである。故にこの制度は一面に於ては鍛練期間の间は新しき労働力の供給を抑止し、以て間接的に失業緩和の效果をもあげ得ることゝなるのである。尚かゝる農業見習の実習者は一九三五年にはプロシヤのみで約三万に達したと稱せられてゐる。

労働紹介・失業保険中央局長官は前述の「労働力配分ニ関スル訓令」以外に種々の訓令を発してゐるのであるが、全労務配置に特に関係の深いものを二三

四八四

挙げて置くと次の通りである。

イ．一九三四年一二月二九日附「熟練金属工ノ労務配置ニ関スル訓令」（*Anordnung über den Arbeitseinsatz von gelernten Metallarbeitern*）

本訓令は凡ゆる公私の経営及び行政官衙に於て、本訓令実施の日（一九三五年一月一五日）に所轄労働局の管轄地域内に従來住所を有せざりし熟練金属労務者は、該労働局の文書による許可ある場合に限り、住所地外で雇傭することを得と定めたものである。而して本訓令の意味する熟練金属工とは、鉄及び金属工業の専門労働力としての正規の養成過程を終了せし労務者・経営吏員・職長並に技術者である。

本訓令によつて既にこの時代に於ても熟練工不足のため之等の者の移轉の自由を廣汎に制限せる労務配置の方策が必要とされてゐたことが判明するであらう。

ロ．一九三五年一月一九日附「退職的雇傭ニ於ケル年長使用人ニ對スル給付補

四八五

償ニ関スル訓令」（*Erlass über den Leistungsausgleich für ältere Angestellte bei zusätzlicher Einstellung*）

これは一九三四年八月二八日附の既述「労働力配分ニ関スル訓令」第一六條、第一九條により二五歳未満の青年使用人の代りに四〇歳以上の失業せる年長男子使用人を雇傭せるときに経営及び行政官衙が給付補償を與へられる他に、今後は四〇歳以上の男子使用人が新規に雇傭されたときにも、一定條件の下に同様な給付補償が與へられる旨を定めたものであり、之によつても年長使用人を雇傭せしめることに當局が如何に熱心であるかゞ知られる。

ハ、一九三五年一二月三〇日附「農業旅稼労働者ノ労務配置ノ統制ニ関スル訓令」（*Anordnung über die Regelung des Arbeitseinsatzes landwirtschaftlicher Wanderarbeiter*）

本訓令は農業旅稼労働者即ち農業経営又は農業生産物・園藝生産物の加工精製業の季節労働に就業するため春から秋へかけて旅稼ぎをなし、冬に帰宅する労務者の労務配置を統制するため、その募集・紹介等を労働紹介・失業

四八六

保険中央局長官の権限とし、事業主やその委託をうけたる者がこれらの労務者の募集・紹介を口頭・文書・新聞廣告等で行ふことを禁止し、労務者を雇傭するためには予め所轄労働局の許可を要すと定めたものである。

第四款　労務手帳

一、一九三五年二月二六日附「労働手帳実施ニ関スル法律」（Gesetz über die Einführung eines Arbeitsbuches vom 26. Februar 1935）第一條は「独逸経済ニ於ケル労務者ノ適正ナル配分ヲ確保センが為メ労務手帳（Arbeitsbuch）ヲ実施ス」と規定し、労務手帳制度の目的を明記してゐる。しかしながらこの目的が如実に実現されたのは後に述べる如く四ケ年計畫実施以後のことに屬し、當初は労務配置政策の基礎的資料を得る為めの手段、即ち計畫的労務配置の準備調査たる機能を有したのである。本制度実施により茲にはじめて凡ゆる職業に於ける量的並に質的労働力の動的分

四八七

布状態が明確となると共に國家の構成員としての労務者の把握を可能ならしむる基礎條件が成立した。云はゞ労務手帳は労働力の戸籍謄本であり、證明書であり、保證書類である。之に依て職業紹介機関たる労働局（Arbeitsamt）は労務者又は使用人の教育程度・職業知識・職歴を明確に知ると共に適正なる周旋をなすことを得、同時に失業緩和の一助となすことを得た。雇傭主の場合に就ても之により求職者の自己の経営又は職場に対する適性を明白に知ると共に、適材適所の配置を実現する便宜を得たのである。ナチスの実施せるこの制度が満洲國・日本に於て逸早く採用されたのも亦故なしとしない。

二、労務手帳制度の立法に就ては上掲の基本法の外に一九三五年五月一六日附「労務手帳実施ニ関スル法律第一次施行令」（Erste Verordnung zur Durchführung des Gesetzes über die Einführung eines Arbeitsbuches vom 16. Mai 1935）以下一九三八年二月八日附同第六次施行令、一九三五年五月一八日附「労務手帳実施ニ関スル第一次布告」（Erste

四八八

Bekanntmachung über die Einführung des Arbeitsbuches vom 18. Mai 1935）以下一九三六年一月二〇日附同第三次布告、一九三六年一二月二二日附「労務関係ノ不法解約防止ニ関スル四ケ年計画実施第七次訓令」（Siebente Anordnung zur Durchführung des Vierjahresplans über die Verhinderung rechtswidriger Lösung von Arbeitsverhältnissen vom 22. Dezember 1936）を主たるものとし、その他、職業紹介・失業保険中央局長官（Der Präsident der Reichsanstalt für Arbeitsvermittlung und Arbeitslosenversicherung）の告示（Erlass）が存する。以下之等諸法令により説明する。

三、一般に労務者及び使用人は所定の労務手帳なくしては就業することを得ないのであるが（法律第二條）、労務者のみならず、徒弟・見習も同様である。性別・年齢・労務の種類・職業の類別・國籍の如何は之を問はない。尤も官公吏・軍人・労働奉仕従事者は例外である。尚一ケ月一〇〇ライヒスマル

四八九

ク以上の報酬を得る労働者及び使用人、海洋航行船舶乗組員、外國に居住する者、一九三四年三月二三日附家内労働法第八條に依り報酬證明書（Entgeltbelege）を受くる者及び國民教育の義務ある児童は除外されて居る（第一次施行令第一條第一項）。労務手帳の所持を要するや否や疑のある時は経営・官廳又は世帯の所轄労働局が之を決定する（同第二項）。従って一九三六年九月一日以降労務手帳所持を必要とする労務者及び使用人は総て適法に発行せられたる労務手帳を所持するに非れば就業することを得ない（第五次施行令第一條）。

労務手帳は書面に依る申請を俟って労働局が発行する。申請に就ては申請者が警察署に届出でたることを證明する所轄警察署の證明書を添付することを要する（第一次施行令第二條）。申請者は労働局の要求あるときは職歴に関する申請事項を種々の證明書を以て證明することを要するが、場合に依ては労働局は申請者自身の出頭を命ずることを得る（同第三條）。労務手帳は無料にて発行せられる。全部記載済又は紛失・毀損せる時は新労務手帳を発行す

四九〇

る。但し紛失・毀損の場合は申請者から一ライヒスマルクの手数料を徴収する。但し雇傭主の責に帰すべきときはこの者より徴収する。責任の帰属者無きときは手数料を要しない（同第四條第四項、一九三五年五月一八日附「労務手帳実施ノ訓令」Anordnung zur Einführung des Arbeitsbuches vom 18. Mai 1935 第一〇條）。労務手帳が交換の為め労働局に提出せらるゝ場合、紛失により新発行を申請する場合、其他一時労務手帳を所持する能はざる場合には假證明書（vorläufige Ausweis）として補充證明書（Ersatzkarte）が発行される。但し用済の場合は労働局に之を返還せねばならない（第一次施行令第四條第二項、前掲訓令第一一條）。

労務手帳には労務者又は使用人の署名が必要である。その他の記載は禁ぜられて居る。その他の必要なる記載は労働局又は雇傭主によりなされる。労務手帳所持者の出生地・生年月日・出生地の地方名・國籍・家族関係（独身・結婚・離婚・鰥寡の別）・性別・住所及び住所地の如き所持者一身に関する事項の外、その修了せる徒弟関係・其の継続期間・徒弟経営種類其他職業教育・

農業知識・自動車運転航空機操縦等特殊技能・職業部門・職業種類の如き事項も労働局により記載される。労働奉仕・兵役関係の如きは所轄官廳の記載する所である（註）

（註）　労務手帳の発行は一九三五年六月一日より一九三六年八月三十一日迄産業部門を三部門に分ち順次三回に亘り行はれた。発行総数二千百万冊、労働人口の約六五%、所要職員約四千三百人、経費約一千六百万ライヒスマルクである。発行順序を示せば左の如し。

第一部門（一九三五年六月一日以降）

一、土石類に関する工業
二、製鉄製鋼業
三、金属精錬業及び金属半製品製造業
四、鉄・鋼及び金属加工業
五、機械装置及び車輌製造業（鑄造を含む）
六、電気工業
七、光学及び精密機械工業
八、化学工業
九、製紙工業
一〇、皮革及びリノリユーム工業
一一、護謨及び石綿業
一二、土木建築業及び附帯事業
一三、卸売業
一四、小売業
一五、出版業・商事周旋業其他の補助的商業
一六、金融業・銀行業・株式取引所及び保険業

第二部門（一九三五年一〇月一日以降）
（第一次布告、第二次施行令参照）

一、農業・園芸業・養畜業・林業・漁業
二、採鑛・採塩及び泥炭採掘業

三、紡績工業
四、印刷及び寫眞業
五、楽器及び玩具工業
六、被服装飾品工業
七、水道・瓦斯・発電送電業
八、清掃浄化業
九、旅館及び飲食店業
一〇、家事使用人

第三部門（一九三六年二月一日以降）
（第二次布告、第四次施行令参照）

一、木材及び木材彫刻業
二、飲食料品及び嗜好品製造業
三、交通業
四、公務自由業（家事使用人を除く）

（第三次布告、第五次施行令参照）

四、労務者又は使用人が雇傭せられたる時は遅滞なく其の労務手帳を雇傭主に引渡さねばならぬ（第一次施行令第三條第一項）。尤も労務手帳の所持は契約締結の前提條件ではない。又契約締結に際し雇傭主は労務手帳所持を確認する義務はない。斯る義務は労務が事実就業を開始すると同時に発生する。雇傭主は受取りたる労務手帳を充分の注意を以て保管する義務を負ふのは勿論であるが（同第五條第一項）、受領に際しては労務手帳の記載が適法なりや否や調査する義務を負ふ。適法の記載なき場合はその補正なき限り労務者をして就業せしめることを得ない。雇傭主は労務者及び使用人の要求あるときは労務手帳を閲覧せしめねばならぬ（同第五條第二項）。

雇傭主が労務手帳の引渡を受けたる時は経営の名稱及び所在地、経営又は経営部門の種類、労務開始の日、労務の種類、自己の署名を所定欄に記載せねばならぬ（同第六條第一項）。特に労務の種類に就ては精細の記載を要する。

四九五

簿記掛・番頭・倉庫管理人・支店長等克明に記載すべく単に商業使用人と記載するが如きことは許されない。労務者又は使用人就業中従来と異る種類の労務に服する時はこの新なる労務を記載せねばならぬ（前掲訓令第六條）。其他労務者及び使用人の住所変更の場合同様である。所定事項以外の記載をなし或は労務者又は使用人の利益又は不利益となるべき符号の附記は之を為すことを得ない（第一次施行令第七條）。記載の當否又は要否に関し疑ある場合は労働局之を決定する（同第八條）。

雇傭主は同時に労働局に對し労務手帳の各記載に就き報告の義務を負ふ（同第六條第一項）（註一）。之に基き労働局に備付きたる労務手帳カード（Karteikarte）に変更の記載がなされ（同第一二條）、カードの記載は常に労務者の状態と符合し、廣く労務需給の状況・労働力の動的分布状態が明瞭にされるのである。カードの様式は職業紹介・失業保険中央局長官之を定む（同第一二條）（註二）

（註一）　雇傭主の報告義務に就ては一九三八年二月八日附第六次施行令

四九六

及び同日附告示（Erlass）に依り改正された。即ち雇傭主の労務手帳に関する報告は疾病金庫（Krankenkasse）への報告と一括して疾病金庫になすべく、疾病金庫は該報告を遅滞なく疾病金庫所在地の所轄労働局に轉送する。斯くて従来の如き雇傭主の両者に対する報告は著しく簡易となつた。

（註二）　労働手帳カードは労働手帳発行の申請に基き設けらる。尤も労務手帳所持の強制なき独立手工業者に於ては手工業會議所より労働局に報告する。此のカードは労働局管轄区域内の総ての労務手帳所持者に對し作成せられ、之が整理の為め、性別・職業部門別・職業種類別に分類される。職業種類による分類は其の地方の必要性如何に依りなされ、又、職業部門・職業種類の分類は更に従属的被傭者及び独立手工業者の別に再分される。労務手帳カードには労務手帳の記載事項は総て之に記載され、雇傭主其他の報告に基き訂正される。即ち雇傭主には労務者及び使用人の雇入・住所変更・労務種類の変動及び解雇を

四九七

報告せしめ、独立手工業者には、経営の種類・従業者数の顕著なる変更及び経営の開始・閉鎖を報告せしむるのである。かくて労務手帳カードの整備に依り労働局管轄区域内にある労務者・使用人及び独立手工業者の労働力の現況を察知し得ると共に雇入・解雇・住所変更・轉職等労働力の動的状態を烏瞰することを得る。

四九八

五、労務者及び使用人は労務関係終了に際し労務手帳の返還を雇傭主に請求する権利を有する（第一次施行令第五條第二項）。雇傭主は労務者及び使用人に契約違反ありたりと考ふる場合と雖も労務手帳を返還すべく之を留置する権利がない。尤も此の点については第二次四ケ年計画実施に伴ふ労働市場逼迫に應じ労働力移動防止の観点より変更を見たのであるがそれは後述する。雇傭関係を離脱せる労務者及び使用人は返還を受けたる労務手帳を注意して保管する義務を負ふ（同第九條）。労務者が失業せる場合、其他労務者が独立の業務を営むとか労務の報酬が一、〇〇〇ライヒスマルクを超過するとか労務手

帳の所持を必要とせざる場合には労働局に之を提出することを要する（同第十條）。尚労務手帳所持者死亡の場合には雇傭主に於て之を労働局に返還することを要する（前掲訓令第一二條）。

六、不法解約の場合と雖も雇傭主が労務手帳の返還義務を負ふことは既に述べた通りである。然し乍ら第二次四ケ年計画の実施に伴ふ労働力需要の激増に依り計画実施に枢要なる産業部門に於ては有利なる労働條件を求めて夥しい労働力の移動が行はれ、労務者中には自己の所属せる経営ひいては全体経済の受くべき打撃に頓着なく不法に労務関係の解約を敢行する場合が頻繁となり、之が防止對策を必要とするに至った。茲に於て労務手帳制度を活用し不法解約防止の為め斯かる場合に於ては労務手帳の留置権を雇傭主に認めることゝなった。一九三六年一二月二二日附「労務関係ノ不法解約防止ニ関スル四ケ年計画実施第七次訓令」即ち之である。かくて労務手帳制度は労務配置の手段そのものとして其の本来の目的を具現することゝなった。

同令に依れば、鉄・金屬・土木建築・煉瓦製造及び農業の産業部門に屬す

る労務者又は使用人は適法に労務関係を解約するに非れば其の職場を去ることを得ず、若しかゝることを敢行すれば雇傭主は労務関係が適法に終了すべき時期迄労務手帳を留置し得る旨規定してゐる。之は正に第一次施行令第五條の例外規定である。従って労務者は契約期間満了の場合か或は期限前正當の事由により解約し得る場合には留置権は発生しない。又労務関係が雇傭主に依り解約せらるゝ場合も同様である。労務者又は使用人に期限前解約し得る権利あるや否やは雇傭主の決定する所であるが、最終的には労働裁判所が之を決定する。労働裁判所が期限前解約の権利ありと判決する時は雇傭主は労務手帳の違法留置により労務者又は使用人に損害賠償の責任を負ふ。

雇傭主の留置権は無限に可能ではない。即ち解約告知期間の満了又は労務者の適法なる労務関係の解約の場合に終了する。労務手帳の留置権の存続すべき解約告知期間は當事者間の特約に依り定めらるゝも工業労務者・商業及び技術使用人・鉱山労務者及び船員に就ては期間は両當事者につき同一たるべく、又商業及び技術使用人の場合は一ケ月以下の短期は許されない。特約

なきときは特別法が適用される。即ち工業労務者・鉱山労務者・船員に就ては二週間である（産業條例 Gewerbeordnung 第一二二條、一般鉱業法第八一條、内水航路船員法第二五條）。

留置権の存する限り労働局は新労務手帳を発行するを得ない。労働裁判所の判決を以てなす外はない。労働裁判所は仮処分により労務手帳の即時返還を命令することを得る。この場合雇傭主が処分に應ぜざるときは労働局は前述の補充證明書を発行するを得る。

六、労務手帳制度違反の行為に就ては厳重なる罰則がある（法律第四條、第一次施行令第一六條、第一七條、第一八條）。

第五款　労働紹介職業相談制度

労働力を正しく適當なる職場に配置してその全能力を発揮せしめるためには、凡ゆる労務者・使用人につき、その人物・素行・職業経歴などに関する詳細を

正確且つ迅速に知り得ることが最も重要であり、この意味に於て既述の労働手帳制度も採用されたのであるが、尚一層に根本的なる措置としては國家による職業指導制度の確立、即ち少くとも青少年の職業選擇や就職を仲介し、斡旋し補導する制度が確立されねばならない。

この目的を達するために制定されたのが一九三五年一一月五日附の「労働紹介職業相談徒弟紹介ニ関スル法律」（*Gesetz über Arbeitsvermittlung, Berufsberatung und Lehrstellenvermittlung*）である。

本法によって労働紹介・職業相談及び徒弟の紹介は労働紹介・失業保険中央局のみが之を行ひ得ることゝせられ（第一條第一項）、営利的労働紹介は國労働大臣の許可を得れば行ひ得ることゝなってゐるが（第一條第三項）、事実上殆んど全面的に禁止せられ、且つ非営利的労働紹介の諸施設も労働紹介・失業保険中央局長官が國労働大臣その他の関係大臣の同意を得て労働紹介その他の事務を委託せし場合に限り之を行ひ得ることゝされた（第一條第二項）。加之営利的労働紹介たると非営利的労働紹介たるとを問はず、労働紹介・職業相談・徒弟

紹介を許可されたる限り、それらの諸施設はすべて労働紹介・失業保険中央局長官の監督に服し且つその指令を受けることゝされてゐる（第一條第五項）。

尚本法の実施並に補充のために必要な法規命令並に一般行政命令は国労働大臣が発布するのであるが、同大臣は必要なる経過的統制令を制定する権能を労働紹介・失業保険中央局長官に委譲し得ることゝなつてゐる（第三條）。

最後に本法の諸規定又は本法に依り制定されたる法規命令に故意又は過失によつて違反せる者は罰金又は六ケ月以下の禁錮に處せられるのである（第四條）。

本法については一九三五年一一月二六日附を以て施行令（Durchführungsverordnung des Gesetzes über Arbeitsvermittlung, Berufsberatung und Lehrstellenvermittlung）が発布され、之によつて労働紹介・失業保険中央局以外で一九三五年一一月三〇日に非営利的に労働紹介・職業相談並に徒弟紹介を営む諸施設は、この時以後も（即ち本法実施以後も）尚暫く之を営み得るが、それは労働紹介・失業保険中央局長官の監督指揮を受けること、され、且つ非営利的労働紹介・職業相談並に徒弟紹介は原則として一

五〇三

九三六年三月三一日を以て行ひ得ざることゝされ（第一條）、又営利的労働紹介は唯單に音楽家及び藝術家周旋業に於てのみ、特にそれが藝術的なる特殊性を有するがために認められることゝされた（第二條）。而して一九三六年三月一九日附の第二次施行令（Zweite Durchführungsverordnung des Gesetzes über Arbeitsvermittlung, Berufsberatung und Lehrstellenvermittlung）は非営利的労働紹介業禁止の期限を一九三六年七月三一日迄延期し、又一九三七年一二月二三日附の第三次施行令「Dritte Verordnung zur Durchführung des Gesetzes über Arbeitsvermittlung, Berufsberatung und Lehrstellenvermittlung）は営利的労働紹介業をば、既述せるところと同様の理由により、劇場関係の者の周旋についても行ひ得ることゝした。

要するに既にこの時期に於て、営利的労働紹介・職業相談事業は特殊な一二の例外を除きすべて禁止され、非営利的のものと雖もすべて労働紹介・失業保険中央局長官の監督指揮の下に立たしめられ、従つて労働紹介、廣く云つて所

五〇四

謂労務配置は、労働紹介・失業保険中央局並にその地方機関たる州労働局・労働局の手によつて、完全に統制されるに至つたのである。

第三節　第二次四ヶ年計畫下の労務配置

第一款　序　言

ナチスの政権獲得と共に展開された前記種々の失業對策・労務配置諸方策は所謂第一次四ヶ年計畫の進展と共に大体に於て満足すべき成果を収め、當初六百万を超過してゐた失業者数は政府當局も殆んど豫期せざりし程の減少を見たのである。その逐年の減少状況は次の通りである。

五〇五

一九三三年四月末日	五三三一、二五二
一九三四年　〃	二六〇八、六二一
一九三五年　〃	二二三二、二五五
一九三六年四月末日	一七六二、七七四

ところでナチス政府は、一九三五年三月には専ら独逸の発展を阻止することのみを目的とせしヴエルサイユ條約よりの脱退を宣言し、更に一九三六年九月には第二次四ケ年計畫の実施を宣言し、再軍備の完成を目指して生産闘争に乗り出すことゝなつた。この第一次四ケ年計画から第二次四ケ年計画への轉換は決して同一計画の継續を意味するものではなくて、実に質的な轉換である。第二次四ケ年計画の実施に當つて表面に示された目標は、周知の通り、原料の自給自足を基礎とする生産力の拡充といふ点であつたが、その眞実の目標が再軍備の完成にあつたことは言ふまでもないことである。

この新計画を所期通り達成するために最も必要なことは、製鉄業・機械工業等々の軍需重工業部門の生産力拡充であり、従つて労働部門に於ても特に熟練労働力を豊富に調達することが緊急の問題となつたのである。然るに独逸は當時これらの熟練労働力に非常な不足を感じて居た。けだしその當時尚残存してゐた失業者は大部分が老齢や疾病のために失職せるものか、又は少くとも元来の

五〇六

熟練労働者でなかつたからである。斯様な熟練労働者の不足を惹起した原因としては種々のものが挙げられるのであるが、その重要なるものを一二挙げると次の通りである(註)。

第一に第一次世界大戦中に於ける出生率が低く、為めに熟練工としての適齢に到達せる者が少く、且つ戦後の一般的生産率低下のため各種職業へ新規に就職する者の数が減少したことである。例へば一九三八年の復活祭には一九二四年の出生者が職業生活に這入ることになつたのであるが、一九二四年の出産数は一〇〇〇人当り全独逸を通じて二〇・五人で一九一三年の二六・九人よりも遥かに少かつたのである。

第二に再軍備の進行に伴ひ国防軍やSS・SA等の特別行動隊や或ひは労働奉仕その他のために徴収される人員が多数となつたことも熟練工不足を来さしめた一原因であり、更に一九二九年乃至一九三三年の不況期に於ける熟練労働訓練の軽視も亦有力な一原因とされてゐる。

(註) Helmut Wellweiler, "The Mobilisation of Labour Reserves in Germany," International Labour Review, Oct. and Nov. 1938, P.598.

五〇七

何れにせよかゝる熟練工不足は是非とも克服されねばならない。この故に四ケ年計画受託官ゲーリング元帥は、その中央本部の構成中に特に「労務配置部」を置き、労働省特にその外局たる「労働紹介失業保険中央局」を督励して、数多の新法令を制定し、諸種の對策を講じたのである。

かゝる第二次四ケ年計画の実施に関聯する労務配置の諸方策は、該計画が開始された一九三六年秋から一九三八年初業までの時期と、一九三八年六月二二日附の「国策上重要事業労力確保令」(Verordnung zur Sicherstellung des Kräftebedarfs für Aufgaben von besonderer staatspolitischer Bedeutung) によつて国民労務徴用制度が確立されてから今次の第二次大戦勃発に至るまでの時期とに大別し得るのであるが、後の時期については、「国策上重要事業労力確保令」が労務配置の統制に関する劃期的立法とし

五〇八

て極めて重要なる意義を有するものなる点に鑑み、特に之を次章に於て説明することゝし、此處ではそれ迄に行はれた諸方策のみを概観することゝする。

第二款　金属工業及び建築工業部門の労務配置

四ケ年計画の実施に當り専門工不足のために最も困難を感じさせられた産業部門は、鉄及び金属工業部門と建築工業部門とであつた。かくて四ケ年計画実施當局も、その労務配置対策の中心を此處に置き、種々の訓令を制定した。その主なるものは次の通りである。

1、一九三六年一一月七日附「専門工見習確保ニ関スル四ケ年計画施行第一次訓令」(Erste Anordnung zur Durchführung des Vierjahresplanes über die Sicherstellung des Facharbeiternachwuchses)

本訓令は、四ケ年計画を円滑に実施するために特に必要な、鉄・金属工業

五〇九

及び建築業の分野に於ける専門工の後継者を充分の程度に確保することを目的として発せられた訓令である。本訓令によつて鉄・金属経済並に建築業の公私経営にして従業員十人以上を有する経営は、使用する専門工の数に適當に比例する数の見習工を雇傭する義務を負はされることゝなつた(第一條)。而して各経営は、管轄労働局に対し、一九三七年一月一五日迄に一定書式に従つて従業員の構成並に一九三七年の復活祭期に雇入るゝ豫定の徒弟数を届出るを要し、同時に労働局は、この届出が豫め行はれざるときは、直ちに該経営のために適當なる求職者を選擇し周旋せねばならないのである(第二條)。又、右の届出の結果に基き労働紹介・失業保険中央局長官又はその委託を受けた官吏は、経営が如何なる範囲に於て徒弟を養成すべきかを、其の経営の特殊関係を考慮しつゝ決定し得ることになつて居る(第三條)。尚、個人的乃至経営上の事情から見習工を雇傭し得ざる経営主は、見習工養成費を労働紹介・失業保険中央局に納付せねばならない。この養成費の額は當該経営が養成するを要する見習工のために支出さるべかりし費用を標準とし、其金額は

五一〇

労働紹介・失業保険中央局長官又はその委託を受けた官吏が定むべく、もし必要ある場合には行政上の強制処分によって徴集されるのである（第四條）。

2、一九三六年一一月七日附「鉄及ビ金属工業ノ国策上並ニ経済政策上重要ナル注文ニ対スル金属労働者ノ需要確保ニ関スル四ケ年計画施行第二次訓令」（Zweite Anordnung zur Durchführung des Vierjahresplans über die Sicherstellung des Bedarfs an Metallarbeitern für staats= und wirtschaftspolitisch bedeutsame Aufträge der Eisen= und Metallwirtschaft）

専門金属工の不足は極めて早くから見られた現象であり、ために一九三四年一二月二九日附の既述「熟練金属工ノ労務配置ニ関スル訓令」も発布されてゐたのであるが、その後も益々この部門に於ける専門工の不足が激化したため、本訓令によって鉄及び金属工業に於て専門工を増加採用するに当っては労働局の許可を要すとするに至ったのである。即ちそれによれば、鉄及び金属工業の公私経営に於て一九三六年一一月一五日以後の四半季間（三ケ月）

五一一

に、金属労働者を一〇人又は一〇人以上増加雇傭せんとするときは、管轄労働局の許可を得なければならないのである（第一條）。而して本訓令に於て鉄及び金属工業とされるものは次の諸事業を指し、もしある事業が之に属するや否やにつき疑はしき場合には労働局が裁決する（第二條）。

イ、製鉄業
ロ、非鉄金属業
ハ、鋳造業
ニ、鋼鉄品製造業
ホ、機械製造業
ヘ、車輌製造業
ト、航空機製造業
チ、電気事業
リ、精密機械及び光学機械製造業
ヌ、鉄・ブリキ・金属製品製造業

五一二

註……又本訓令に所謂金属労働者とは、鉄及び金属工業の専門労働力としての正規の養成過程を終了せし労務者・経営吏員・職長並に技術者を指す他に、労働手帳の記載に従って熟練又は速成の職業所属員（gelernte oder angelernte Berufsangehörige）と看做さるる者を謂ふのである（第三條）。

更に増加採用の許可を与へるに当っては、従業者増員を必要とする注文の国策上及び経済政策上の重要性並に配置可能の金属労働者の現在数を考慮して、之を与へなければならない（第四條）。尚国策上及び経済政策上重要なる仕事とは就中独逸国民の国防装備・食糧の確保・国内原料経済の確立・輸出の促進並に労働者健康住宅の建設を指称するのである（第五條）。

3、「金属労働者及ビ建築熟練労働者ノ復職ニ関スル四ケ年計画施行第三次訓令」（一九三六年一一月七日附）（Dritte Anordnung zur Durchführung zum Metallarbeitern und Baufacharbeitern in ihren Berufe）

本訓令は、自己の技能・教育に適応せざる職場にしばしば従業せる金属労

五一三

働者・建築熟練労働者を「適当なる地位に配置することが四ケ年計画遂行のために極めて必要である」との見地から発せられた訓令である。即ちそれに依れば、金属労働者及び建築熟練労働者をば二週間以上その職業上の教育に相応せざる労務に従事せしめる営利事業の事業主は、本訓令施行（一九三六年一二月一日）後遅滞なく所轄労働局に申請する義務を負ひ（第一條）、而して労働局は申告をうけたるときは、事業主及び労務者と協議して、該労務者が該経営又は他の経営に於て、その教育に相応する労務に従事せしむる様にせしめる義務を負ふのである。若し労務者が自己の能力に適せる職場を他の経営に於て労働局から紹介されたときは、労務者は労働局の許可を得て解約告知期間に何等拘束さるることなく、直ちに従来の雇傭関係の解約をなし得るのである（第二條）。尚本訓令に所謂金属労働者は前述「鉄及金属工業ノ国策上並ニ経済政策上重要ナル注文ニ対スル金属労働者ノ需要確保ニ関スル四年計画施行第二次訓令」に於ると同様である。而して本訓令の意味する建築熟練労働者とは労働手帳の記載に従って熟練又は速成の職業所属員（gelernte oder angelernte Berufsangehörige）と看做さるる者を指す（第三條）。

五一四

4.　一九三六年二月七日附「國策上及経済政策上重要ナル建築計画ノ為ノ建築材料ノ需要及ビ労働力ノ確保ニ関スル四ケ年計画施行第四次訓令」（Vierte Anordnung zur Durchführung des Vierjahresplans über die Sicherstellung der Arbeitskräfte und des Bedarfs an Baustoffen für staats= und wirtschaftspolitisch bedeutsame Bauvorhaben）

建築工業部門に於る熟練工不足に對處する為には既に一九三六年六月一六日附の「公共建築事業実施ノ際ニ於ル労働力需要申告ニ関スル訓令」（Anordnung über die Anzeige des Bedarfs an Arbeitskräften bei Durchführung öffentlicher Bauarbeiten）が発せられて一切の公共建築計画に就て届出義務（Anmeldepflicht）を課し公共建築が二万五千ライヒスマルク以上を賃銀として支拂ふ場合には建築業者又は建築請負人をして工事開始前に所轄労働局に対し新規に必要なる労働者数を報告せしめたのであつたが、此制限的な届出義務は第二次四ケ年計画の進行と共に愈々激化せる建築熟練工不足のために遂に本訓令によつて一定の賃銀額を超過したる限り公私一切の建築計画に対する一般的な申告義務（Anzeigepflicht）

五一五

に変更されることになつたのである。

本訓令によれば、一切の公私の地上・地下の建築計画は一九三六年一二月一日以後は、工事開始前に管轄労働局へ申告するを要する。尤も建築物に於ける労賃が五千ライヒスマルクを超えざる私的建築計画と右の労賃が二万五千ライヒスマルクを超へざる公的建築計画は申告を要しない（第一條）。この申告は工事開始前三ケ月以内に、遅くとも四週間以内に建築主より――公的建築計画の場合には建築行政官衙より所定文書を以て行ふべく、且つ該申告には建築熟練工の配置並に使用さるべき建築材料の量及び價格を詳細に記載せねばならないのである（第二條、第三條）。

尚この規制が行はるゝとともに上述の一九三六年六月一六日附「公共建築事業実施ノ際ニ於ケル労働力需要申告ニ関スル訓令」は一九三六年一一月二七日附「同令廃止ニ関スル訓令」（Anordnung über die Anzeige des Bedarfs an Arbeitskräften bei Durchführung öffentlicher Bauarbeiten）によつて廃止され

五一六

た。

又、右の第四次訓令も一九三七年七月二三日附の「國策上経済政策上重要ナル建築計畫ノタメノ労働力並ニ建築材料ノ需要確保ニ関スル四ケ年計画施行第四次訓令改正訓令」（Anordnung zur Änderung der Vierten Anordnung zur Durchführung des Vierjahresplans über die Sicherstellung der Arbeitskräfte und des Bedarfs an Rohstoffen für staats= und wirtschaftspolitisch bedeutsame Bauvorhaben）に代位補足された。即ち本訓令の実施によつて、従来賃銀額により定められた届出義務が今後は使用さるべき建築用鉄材の量によること丶なつた。詳言すれば公私の地上・地下建築計画は、その必要とする建築用鉄材の需要が二噸を超ゆる場合には、すべて工事開始前に申告する義務を課せらるゝことゝなつたのである。

5.　一九三六年一一月七日附、「金屬労働者及ビ建築熟練労働者ノ募集又ハ紹介ノタメノ暗号廣告ノ禁止ニ関スル四ケ年計画施行方六次訓令」（Sechste

五一七

Anordnung zur Durchführung des Vierjahresplans über das Verbot von Kennwortanzeigen für die Anwerbung oder Vermittlung von Metallarbeitern und Baufacharbeitern）

暗号廣告を使用して好條件の職場を提供し熟練専門工を引抜くことが四ケ年計画実施のために労務配置を行ふ上に多大の妨害を来すので、之を阻止するために本訓令が発せられたのである。かくて本訓令により、労働紹介・失業保険中央局長官の明示的許可を受けたるときは格別、然らざる限り、金屬労働者・建築熟練工を募集し又は紹介する目的を以て新聞雑誌その他に暗号廣告を掲載することが禁止されたのだ。尚本訓令に所謂金屬労働者・建築熟練労働者も既述の諸訓令に於けると同様である。

6.　一九三六一二月二二日附「労働関係ノ違法解約ノ防止ニ関スル四ケ年計画施行第七次訓令」（Siebente Anordnung zur Durchführung des Vierjahresplans über Verhinderung rechtswidriger Lösung von

五一八

...verhältnisses)

本訓令は金属労働者並に建築労働者のみに限るものではないが、鉄・金属工業、建築業、煉瓦製造業及び農業に於て労務者又は使用人が不法に期限前に労働関係を解約せるときは、事業主は、適法なる解約によりて雇傭関係が終了すべかりし時まで、労働手帳を抑留することを得とせるものであり、之によつてかゝる事業は従事する労務者の擅まゝなる労務移動の自由が制限さるることゝなつたのである。尚労働関係の期限前の解約が正当なりや否やに関し争あるときは、労働裁判所が仮処分を以て労働手帳を即刻労務者又は使用人に返還すべきことを命じ得ることゝされてゐる。

7. 一九三七年二月一一日附「金属労働者ノ労務配置ニ関スル訓令」（Anordnung über den Arbeitseinsatz von Metallarbeitern）

金属労働者の不足に對處するためには既述の一九三四年一二月二九日附「熟練金属工ノ労務配置ニ関スル訓令」や一九三六年一一月七日附の訓令が発せられてゐたが、なかなか実効が無く、労働力不足はますます激化するので

みだつたので多くの企業家達は解雇證明書（Freigabeschein）の制度を採用し、労働者が最後の労働場所の解雇證明書を提示する場合にのみ自己の経営に採用するといふ協定を相互に締結すると至つた程だつた。然しかゝる私的な解雇證明書によつて労働移轉の自由を制限することには種々の弊害を伴ひ独逸労働戦線側からも屡々非難を加へられた。

本訓令はこの事態を解決するために制定されたものである。かくて本訓令によつて金属労働者は凡ゆる種類の公私経営並に行政官衙に於て、豫め管轄労働局の許可ありたる時に限り、雇傭され得ることゝなつたのである（第一條第一項）。許可の申請は事業主側から管轄労働局に行はればならない（第三條）。而して許可が與へられるのは該金属労働者が單に一時的に失業してゐるに非る場合か又は單に一時的に他の職業に就業してゐるのでない場合に限られるのであり、（第二條第二項）、もし金属労働者の他からの引抜が國策上及び経済政策上重要なる事業を阻害し、企業能率を損ひ、或は関係市町村に不必要なる負担を課する如き場合には許可は與へられないことになつてゐる（第

二條第三項）。

尚本訓令の諸規定に故意に違反せる事業主は罰金又は三ケ月以下の禁錮に處せられ、且つ許可なくして故意に労務者又は使用人として雇傭せられたる者も同じ刑に處せられる（第五條第一項）。又過失によつて之を犯したる者は一五〇ライヒスマルク以下の罰金刑に處せられる（第五條第二項）。

最後に本訓令施行（一九三七年二月一五日）と同時に既述の一九三四年一二月二九日附「熟練金属工ノ労務配置ニ関スル訓令」並に一九三六年一一月二七日附の同令改正で訓令は廃止せられることゝなつた（第六條）。

8. 一九三七年一〇月六日附「大工及ビ煉瓦工ノ労務配置ニ関スル訓令」（Anordnung über den Arbeitseinsatz von Maurern und Zimmerern）

本訓令は第二次四ケ年計画進行と共に建築業の分野に於ける労務者不足がいよいよ甚しくなつたので特に大工及び煉瓦工につきその就職を労働局の許可にかゝらしめることゝしたのである。

本訓令の内容は前述の一九三七年二月一一日附「金属労働者ノ労務配置ニ関スル訓令」と殆ど異らない。即ち大工及び煉瓦工は、凡ゆる種類の公私経営及び行政官衙に於て、豫め管轄労働局の許可ありたる時に限り雇傭され得る（第一條第一項）。許可の申請は事業主側から管轄労働局に行はねばならぬ（第三條）。而して許可は當該大工又は煉瓦工が單に一時的に失業してゐるに非る場合、單に一時的に他の職業に就業してゐるのでない場合並に、従来は住所地外で就業して居り、該雇傭によつて両親・子女配遇者等と共に再び家族生活を營み得る場合には、原則として與へられるのである（第二條第二項）之に反し當該大工又は煉瓦工の引抜が國策上及び経済政策上重要たる事業を阻害し、企業能率を損ひ、或は関係市町村に不必要なる負担を課する如き場合には許可は與へられない（第二條第三項）。

尚本訓令の諸規定に故意に違反せる事業主並に許可なくして故意に労務者又は使用人として雇傭されたる者は、罰金又は三ケ月以下の禁錮に処せられ、過失によつて之を犯せる者は一五〇ライヒマルク以下の罰金刑に處せられ

る（第五條第一項、第二項）。

然るに経営相互間乃至農村よりの労務者引抜が絶えなかつたゝめ、遂に一九三八年五月三〇日附を以て「建築経済ニ於ケル労務者及ビ技術的使用人ノ労務配置ニ関スル訓令」（Anordnung über den Arbeitseinsatz von Arbeitern und technischen Angestellten in der Bauwirtschaft）を制定して、右の大工及び煉瓦工のみに関する一九三七年一〇月六日附の訓令を廃止すると共に、一切の建築経済の諸経営に対し、所轄労働局の許可なき限り、労務者及び技術的使用人を雇傭することを禁止したのである。本訓令の内容、例へば許可の與へられ或ひは拒否される場合、違反者に対する罰則などは、前記「大工及ビ煉瓦工ノ労務配置ニ関スル訓令」と殆んど同一である。

以上のごとき第二次四ケ年計画下に於ける労務配置対策の主要なる部面を占める金属工業及び建築業に於ける諸措置以外に、婦人労働力の再組織・年長使用人の雇傭促進・学校卒業者の登録制等の諸方策が実施され、労働力不足に対

処せんとされてゐる。次にその主要なるものゝ若干を概観することゝする。

第三款　婦人労働力の配置強化其他

第一次四ケ年計画遂行に當り、換言すれば政権獲得直後より一九三六年の初頭に至るまで、婦人労務者に對してナチスが採つた政策は、例の結婚貸付金の貸與その他の手段によつて、寧ろ婦人を産業戦線より家庭へ復帰せしめんとするにあつた。然るにその後失業闘争が着々と成功して次第に労働力不足の現象が深刻化し来りたる結果、婦人労働力を再び動員する必要を生ずるに至つた。

かくて夙くも一九三六年七月二八日附の「結婚貸付金ノ許可ニ関スル第六次施行令」（Sechste Durchführungsverordnung über die Gewährung von Ehestandsdarlehen）は、國財政大臣に対し、結婚貸付金を借受けた妻女（Darlehensschuldnerin）に對してその夫が要救済者と看做されぬ場合にも例外的に職業に従事することを許可する権限を授與したのである（第

一條）。

然し乍ら婦人労働力を組織的に利用せんとする試みは、一九三八年二月一五日附の「農業及ビ家庭経済ニ於ケル婦人労働力ノ配置強化ニ関スル四ケ年計画施行ノ訓令」（Anordnung zur Durchführung des Vierjahresplans über den verstärkten Einsatz von weiblichen Arbeitskräften in der Land- und Hauswirtschaft）によつて、一ケ年以上の労働奉仕の義務が婦人に課せられたに始まると言ひ得る。即ち本訓令によつて、二五歳以下の独身の婦人は少くとも一ケ年間農業又は家庭経済に就業せしことを労働手帳により證明するに非れば公私の経営又は行政官衙に於て婦人労務者又は使用人として雇傭され得ないことゝされた（第一條）。而して雇傭制限を受ける人の範囲、経済部門並に職業は、労働紹介・失業保険中央局長官が定めることゝなつた（第二條）。

本訓令に基き同長官は一九三八年二月一六日附を以てその施行令（Durchführungsanordnung zur Anordnung über den verstärkten

Einsatz von weiblichen Arbeitskräften in Land- und Hauswirtschaft）を制定した。

本施行令によれば、一九三八年三月一日迄に、即ち本施行令実施當日迄に未だ婦人労務者として就業せしことなき独身の二五歳以下の婦人は、少くとも一ケ年以上農業又は家庭経済に於て従業せしことを正式に労働手帳によつて證明せられたる時に非れば、被服業・紡績工業・煙草工業の諸経営に雇傭され得ないのであり（第一條第一項）、又凡ゆる公私の経営及び行政官衙が商業的又は官廳的労務のために使用する場合も同一の制限に服するのである（第一條第二項）。尤も徒弟契約によつて現在既に労働に従事せる場合には徒弟期間の完了まで右の義務年限（Pflichtjahr）は延期される（第一條第三項）。もし或る雇傭が本令の意味する雇傭なりや否やにつき疑ある場合は、所轄労働局が之を裁決する（第一條第四項）。而して労働奉仕・農村奉仕・農業補助その他労働局が実施し又は奨励する農業又は家庭経済の仕事は、義務的な農業又は家庭経済に於ける就業と看做され（第二條第一項）、同様に両親又は親族の家に於て労働手帳上の

義務とされざる仕事に従事することも、それが一四歳以下の子女四人若くはそれ以上を有する家族の場合には、農業又は家庭経済に於ける就業と看做される（第二條第三條）。尚二年間保健院（Gesundheitsdienst）の看護婦助手、福利事業（Wohlfahrtspflege）の方面委員助手及び幼稚園保姆の助手として規則的に就業せるときは、右の義務年期を終了したものとされる（第三條）。かやうにして数年以前とは逆に今や婦人労務者が組織的に生産部門に再動員さるゝことゝなつたのである。

婦人労働力の利用と同様な意味で年長労務者並に使用人の労働力の利用といふことも新四ヶ年計画遂行のためには極めて重要である。勿論年長使用人を就職せしめるためには既述の一九三四年八月二八日附の「労働力配分ニ関スル訓令」によつても年長使用人採用のための給付補償（Leistungsausgleich）制度などが導入されてゐたが、彼等を生産部門に配置するためには更に一層積極的な方策が必要となり、やがて一九三六年一一月七日附を以て「年長使用人ノ就業ニ関スル四ヶ年計画施行第五次訓令」（Fünfte Anordnung zur

五二七

Durchführung des Vierjahresplans über die Beschäftigung älterer Angestellter）が制定さるゝことゝなつた。

本訓令によつて一〇人又はそれ以上の使用人を有する経営若くは行政官衙は、四〇歳又はそれ以上の使用人をば、彼等が正規の教育を有し且つ配置可能なる者なる限り、相當数雇傭する義務を負ひ（第一條）、同時に各経営並に行政官衙は一九三七年一月一五日迄に一九三七年一月四日現在の従業使用人の数を所轄労働局に申告するを要すとされ（第二條）、而して労働紹介・失業保険中央局長官又はその委託をうけた機関は、右の申告に基き、経営又は行政官衙が年長使用人を如何なる範囲に於て雇傭就業せしめるを要するかを決定するのである。但し之を行ふに當つては経営又は行政官衙の特殊事情を考慮せねばならない。又正規の教育を有するに拘はらず使用人として最早配置能力無き年長使用人が使用人たる職業以外の職業に従業せるときは、年長使用人を相當数雇傭する義務は果されたものと看做されるのである（第三條）（註）。

（註）　因みに右の調査の結果、年長使用人の雇数が未だあまりに少いこと

五二八

が判明した。即ち一〇人以上の使用人を有する三九、八七二の経営に於て合計一、三一〇、七四〇人の使用人が就業して居り、そのうち五六八、一八九人即ち二九・二％が四〇歳以上の者であり、更にそのうち四八二、四二五人（八五％）が男子で、八五、七六七人（一五％）が女子であつたのだ。この結果年長使用人採用のための努力がいよいよ精力的に進められることとなつたのである――大原社會問題研究所編「独逸社會政策と労働戦線」第二四一頁参照。

更に四ヶ年計画実施に伴ふ労働力不足は、通常の場合ならば労務配置の対象とされざる所謂巡回労働力即ち行商人をも動員せしめることゝなつた。かくて一九三七年一二月一四日附の「行商従事ノ制限ニ関スル四ヶ年計画実施ノタメノ訓令」（Anordnung zur Durchführung des Vierjahresplans über Beschränkungen in der Ausübung des Wandergewerbes und Stadthausiergewerbes）が決定せられ、之によつて行商鑑札は申請

五二九

者の住所地を管轄する労働局が授與を許可せるときに限り管轄機関より授與し得ることゝなり、且つ労働局は國策上又は経済政策上の見地より労働力の組織的利用が必要なる場合は許可を拒まねばならないとされた（第一條）。更に既に授與された行商鑑札も労働局が要求すれば之を取上ぐべきものとすと定められた（第二條）。尚右の措置を実施するために現在授與されてゐる行商鑑札の有效期間は一九三八年一月三一日迄延期されることゝなつた（第三條）。次いで一九三八年一月二九日附で改正訓令（Anordnung zur Änderung der Anordnung zur Durchführung des Vierjahresplans über Beschränkungen in der Ausübung des Wandergewerbes und Stadthausiergewerbes）が制定され、鑑札有效期間を一九三八年二月二八日迄延長された。

ともあれ行商等の浮動的な職業に従事せる者に対しても國策上又は経済政策上の理由で他の一層有利な職業に従事し得る者はその行商鑑札を没收しその営業許可を取消し得るとされたことは注目に値する事柄である。

五三〇

更に一九三八年三月一日附の「学校卒業者申告ニ関スル訓令」（Anordnung über die Meldung Schulentlassenen）は、学校卒業者の登録制を実施することとした。

本訓令によれば、本訓令の実施（一九三八年三月一四日）以後初等学校・中等学校・高等学校を卒業したる青年は卒業後二週間以内にその住所を管轄労働局に申告するを要し（第一條）、又一九三四年一月一日以後本訓令実施の時までに初等学校・中等学校・高等学校を卒業せる青年にして労働手帳上の義務とさるゝ業務に未だに就職せざる者又は正規の職業教育を未だに受けざる青年は、一九三八年四月一日までに管轄労働局に申告するを要することゝなつた（第二條）。因みに所謂青年とは満二一歳に達せざる者を云ふのである（第三條第一項）。而して右の申請義務者は法定代理人である（第四條第一項）。

尚労働局は、本訓令に該當する者に労働局に出頭することを命じ得るし（第五條）、又右の申告義務又は出頭義務を所定期日迄に履行せず若くは全然履行せざる者に対しては一五〇ライヒスマルク以下の罰金を課し得ることゝされてゐる

五三一

る（第六條）。

この学校卒業者登録制の採用は、労働局をして卒業者数と未就職者数を知り以て将来の労働力を測定し得せしめるし、加ふるに曾ての不況時代に於ける如く職業の如何を問はずに、出來得る限り早く就職することのみに努め、結局熟練労働者としての訓練を受ける機會を失するに至らしめるやうな弊害を避けることを可能ならしめたのである。尚かゝる登録者に対しては労働紹介・失業保険中央局及び労働戦線所属の職業補導官が職業の補導並に訓練に當ることになつてゐる。

更に一九三八年三月一日附の「個々ノ経営ニ於ケル労務配置統制ニ関スル訓令」（Anordnung zur Regelung des Arbeitseinsatzes in einzelnen Betrieben）は州労働廳長官に対し、労働力の雇傭に當つては必ず所轄労働局の許可を得べきことを個々の経営に文書を以て指令し得る權限を與へ（第一條第一項）、且つ故意に右の命令に反して労働局を雇傭せる事業主は罰金又は三ケ月以下の禁錮に處し、過失によつて之を犯せる者は一五〇ライヒスマ

五三二

ルクの罰金に處する旨も定めた（第二條）。

又これと同日即ち一九三八年三月一日附を以て制定された「労働力配分ニ関スル訓令改正ノタメノ訓令」（Anordnung zur Änderung der Anordnung über die Verteilung von Arbeitskräften）は、既述の一九三四年八月二八日附「労働力配分ニ関スル訓令」(註)の適用を受ける範囲を拡張した。即ち本改正訓令第一條によつて、今後は徒弟（Lehrlinge）実習生（Praktikanten）並に見習工（Volontäre）をも尚労務者・使用人なりとして「労働力配分ニ関スル訓令」の適用下に置くことゝされた（第一條）。この結果、従來二五歳未満の青少年を徒弟・見習工等として雇傭するには労働局の許可が不必要であつたのが、今後は常に労働局の許可を要することゝなるに至つたのである。

（註）　本訓令は一九三六年一一月二七日と一九三七年三月一八日と両度に改正されてゐるが、それらは別に重要な改正ではない。

五三三

第四款　結語

以上によつて第二次四ケ年計画実施と共に行はれた種々の労務配置対策を概観したのであるが、それによつても鉄・金属工業及び建築業の分野に於ける労務配置が中心となつてゐて、他の諸分野はやゝ附随的な地位に置かれてゐることが知られる。而してその採られた諸措置も、一九三三年、三四年に於ける如き極めて應急的な色彩の濃厚なものは存せず、相當に組織的とはなつてゐるが、しかしそれは結局程度の差に過ぎず、未だ全労働部門にわたり組織的・統一的な措置はとられてゐなかつたのである。

然し乍ら再軍備の完成を目標とする第二次五ケ年計画は、それが進行するに従つて必然的にかゝる統一的措置を必要ならしめる。けだし最も緊急な産業部門に対し、労働力不足に悩むことなきやうに充分に労働力を供給せんとすれば國民労働全体について全面的に統一された組織的な労務総動員制度を樹立せね

五三四

ばならないからである。

この目的を達するために制定されたのが一九三八年六月二二日附の「國策上重要事業労力確保令」（Verordnung zur Sicherstellung des Kräftebedarfs für Aufgaben von besonderer staatspolitischer Bedeutung）である。本令によつて初めて労務総動員制度が確立され、ナチスによる労務配置対策が完成されたのである。この意味に於て本令は最も重要なる意義を有するものであり、従つて次章に於て特に詳細に説明される筈であるが、要約すれば、本令は、國策上緊急にして特に重要な事業に対し必要なる労働力をば適時調達し供給するためには、他の方面に於て現に使用さるゝ労働力を従来よりも一層容易に動員する必要ありとして、総ての独逸國民に対し、その性別・年齢・身分・職業の如何を問はず、一定期間指定された職場に於て労働に従事し又は職業訓練を受ける義務を課したものである。されば本令以前の諸措置は、すべて本令による労務総動員体制の確立のための準備的措置であつたとも謂ひ得るであらう。

第二章　國民労務動員法

第一節　序説

既に述べた如く、ナチス独逸に於ける労務配置は、一九三三年政権獲得の当初より行はれた應急的対策としての失業者救済をその出発点として展開されたのであつた。而してこの失業対策は、第一次四ケ年計画の中に織り込まれ所期通りの效果を収めたのであつたが、勿論その反面に缺陥も無い譯ではなかつたのである。即ち農村人口の徹底的減退を来したこと、また老年長失業者の救済には役立たなかつたこと等はその主なるものである。かくてナチス政府は、一九三四年に至り計画的労務配置策を採り此に対処したことであつた。その後、一九三五年に至るや、事業振興の結果として今度は逆に労働力の不足、殊に熟練工の不足を告ぐる傾向が認められはじめたのである。而してこの傾向は、一

九三六年九月に宣言せられた第二次四ケ年計画の実施に伴ひ益々激しくなつたのである。即ち特定の知識・経験・技能を有する職場が、それ等の要件を備へた労務者及び使用人を全部占有して終つてゐる状態に於て、尚且つ生産力拡充のために多数の労務者、殊に熟練工を必要とするに至つたのである。これに対し如何なる措置を講じたか。これに就ては、既に前節に於て詳しく述べた如く、苟くも四ケ年計画に関する限り、一九三六年一一月以降、十数件の重要訓令を公布施行して労働力の需要を確保したのであつた。

然し乍ら、その間に於ける事情は如何と云ふに、その後各方面の労力需要は益々増大し来り、一九三八年初頭には、建築経済・金属経済等の工業部門を初めとして、其の他の凡ゆる部門に亘り、労働力の不足に悩まされないものは一つもない状態となつたのである。これを労働紹介・失業保険中央局長官ジールツプ博士の説明に見るに、当時の独逸國民経済に従事してゐる労務者の数は約二千五十万人の多きに上り、これに対して現存する失業者の数は、経済的発展並に現に到達して居る段階よりこれを観れば、何等の役割をも演じてゐないの

でゐる。即、今日約三十万人の失業者の豫備があると稱されてゐるが、實際には存してゐないと云ふべきである。なるほど一九三八年五月末に於て失業者数として約三十万人が計上されてゐるが、その大部分が労務配置に適しないものであり、所謂労務配置能力者は僅に約三万七千人に過ぎないこと、而もこの三万七千人は全く無職といふ譯ではなく、経済的発展の背後に取残された職業に従事して居り、且つ此等の者は兎角老年者が多いといふことを知るならば、斯く云ふ所以も自ら明かであらう」と述べてゐるのである。尚彼は言を続けて、「従つて労務配置に於ける現実の状態は、最早現存する失業者の数には非ずして、先づ第一に益々増大する労働力の缺乏を明かにすることである」と云つてゐるのである(註)。

周知の如く、一九三八年三月には墺太利の併合が行はれたのであるが、これによる従来の不足労働力の補給といふことは考慮されなかつたであらうか。當時墺太利は幾漫なる恐慌に悩まされて居り、失業者も五十万人余を数へ、恰かも一九三三年頃の独逸に於ける如き状態であつたのであるが、然し墺太利も亦

五三九

第二次四ケ年計画の施行區域に含まれ、労働予備軍としての右失業者は、墺太利内に於ける需要に充てられることゝなり、結局こゝに於ても労働力の不足が結論されざるを得なかつたのである。否、独逸は併合による経済領域の拡大に依つて、益々大規模な労務配置の必要に迫まられたといつても過言ではないのである。

斯くして、全分野に波及せる労働力の不足により、生産阻害の危険は著しく懸念せらるゝに至り、遂には四ケ年計画の成否にも関することゝなつたのである。斯くては最早、先に公布した訓令に見る如き消極的労務配置策のみを以てしては処理出來なくなつて來たのである。國家上重要なる事業、殊に國防上の重要事業の遂行を企図するに於ては、如何にして不足する労働力を調達するかを問題としなければならなかつたのである。而も、國際情勢の険悪化を思へば之を不問に附することは到底許されざる所である。かくて、労務配置は、今や単に國民の一部たる労務者に対する問題ではなく、國民の全部に対する問題として考慮されざるを得なくなつたのである。

五四〇

こゝに於て、前にも一言した如く、一九三八年六月二二日、四ケ年計画受託官の名を以て、「國家上重要事業労力需要確保令」が公布せられたのである。本令に就ては後述する所であるが、要するに、緊急を要する國策的事業の所要労働力を十分に確保せんがために、全独逸國民に對して一定の期間労務又は職業的訓練に服すべき義務を課したものであり、言ふ迄もなく、本令を根拠としてナチス独逸に於ける労務配置は、こゝに新に國民労務動員の体制が基礎づけられるに至つたのであつて、この意味に於て本令は劃期的法令として極めて注目に値するものである。また、本令の施行により、西部要塞所謂ジークフリード線の構築工事が大いに促進せられたことは、人の能く知る所であらう。ナチス政府の発表によれば、一九三八年末、この要塞工事のみに、約四十万人の労務義務者が動員されたと云はれるのである。

此の「國家上重要事業労力需要確保令」に基く國民労務動員制は、固よりこれで十分と云ふ譯には行かなかつたので、その後一九三九年二月一三日の「國家上重要事業労力需要確保令」を以て改訂強化さるゝこととなり、更にまた今

五四一

次大戦の勃発に伴ひ一段の強化を見たことであつた。

以下、本章に於ては、最初の國民労務動員制とこれに対する一九三九年の改訂強化を中心とする労務配置に就き、これを第一期・第二期に分けて述べることゝしやう。

（註）H. Vollweiler; Die neue Entwicklung des Arbeitseinsatzes; Deutsches Arbeitsrecht; 7 Jahrg, 1939, 1; Heft. 1.

第二節　第一期の國民労務動員制

第一款　総説

ナチス独逸に於ける國民労務動員制は、一九三八年六月二二日附「國家上重要事業労力需要確保令」（Verordnung zur Sicherstellung des Krä-

五四二

Kräftebedarfs für Aufgaben von besonderer staatspolitischer Bedeutung）に基いて、初めて実施せらるゝに至ったこと前節に述べた通りである。而してこゝに我々が、本令を以て国民労務動員制成立の根據となす所以のものは、後述の如く本令の適用が「國策上実施の遷延ヲ許サヾル重要事業」のみに関するとは云へ、これに對して一般独逸國民の労務動員を企図せんとしてゐることに着目しての故なることは敢て云ふまでもあるまい。

かくて、独逸に於ける労務配置は、本令の施行により、従来の労務配置策に新たに国民労務動員制が加へられ、劃期的展開を見たことであった。こゝに所謂第一期、即ち本令の施行より一九三九年二月の「國策上重要事業労力需要確保令」に至るまでの國民労務動員は、云ふまでもなく、一九三八年六月二二日附「労力需要確保令」に基いて実施せられたのであるが、その施行に際しては、本令第四條に基いて、一九三八年六月二九日附「國策上重要事業労力需要確保令施行細則」（Anordnung zur Durchführung der Verordnung zur Sicherstellung des Kräftebedarfs für Aufgaben von

五四三

besonderer staatspolitischer Bedeutung）が中央労働紹介失業保険局長官の名に於て公布せられ、細目が規定せられたのであった。之に引続き、一九三八年六月三〇日附で「國策上重要事業労力確保第二次命令」（Zweite Verordnung zur Sicherstellung des Kräftebedarfs für Aufgaben von besonderer staatspolitischer Bedeutung）が制定公布されてゐるが、之は、國労働大臣に対し、一九三八年六月二二日附「國策上重要事業労力需要確保令」の施行上必要なる保険関係の領域に就き一切の措置を採り得る権限を與へたものである。因に六月二二日附「労力需要確保令」、六月二九日附「同令施行細則」及び六月三〇日附「労力需要確保第二次命令」は、共に同じく一九三八年七月一日より施行せられてゐるのである（確保令第五條、施行細則第一七條、第二次命令第二項）。

次に注意すべきものに、一九三八年一〇月一五日附の「國策上重要事業労力需要確保第三次命令」（Dritte Verordnung des Kräftebedarfs für Aufgaben von besonderer staatspolitischer Bedeutung）があ

五四四

る。この「労力需要確保第三次命令」は「緊急労務令」（Notdienstverordnung）の副題を以て制定公布せられたもので、緊急時に際し公共の艱難を克服し且つその克服を準備するために、独逸國領域内の居住者をして高権的任務（hoheitliche Aufgabe）に服さしめることを内容とするものである。従って六月二二日附「労力需要確保令」の如く、一般労務の動員に関する命令ではないけれども、やはり國民労務動員制の一環を成すものとして注目に値する法令といはねばならない。本令に就ては本節の終りに款を改めて述べることゝしやう。

前にも一言した如く、「國策上重要事業労力需要確保令」に基く國民労務の動員は、一九三八年の夏、ヒットラー總統によって命令された西部國境要塞所謂ジークフリード線の構築工事に要する労務動員のために、直ちにその発動を見たのであって、独逸政府の発表に依れば、このために約四十万乃至五十万人の労務者が動員され、要塞構築工事自体も一九四〇年初頭には多大の進捗を示したとされてゐるのである。かくの如く「労力需要確保令」は要塞工事のための

五四五

労力確保に大きな役割を果してゐるのであるが、この人的準備に対應するものとして、物的給付義務を課してその物的準備を確保した一九三八年七月一三日附「國防供用法」（Wehrleistungsgesetz = Gesetz über Leistungen für Wehrzwecke）の公布を看過してはならないであらう。然し乍ら、「労力需要確保令」の適用は、固より西部要塞工事のみを目的としたものではなかったから、その後次第に、國家的に見て緊要と見られる其他の土木建築工事にも適用されたことと云ふまでもない。かくて、我々は此處に、當時独逸が労働力の不足に悩まされ乍らも、直面せる事態に即應したる手段を用ひて緊急部門に於ける所要労働力の充実を図り、以て國策の遂行に支障を來さしめることなく、着々國防目的の達成を企図しつゝあったことを知るのである。

尚、この期に於ける労務配置関係の法令としては、一九三八年[illegible]月一二日附「與太利ニ於ケル國策上及ビ經済政策上重要ナル建築計画ノタメノ労働力確保及ビ建築材料ノ需要確保ニ関スル訓令」（Anordnung über die Sicherstellung der Arbeitskräfte und des Bedarfs an Baustof-

五四六

ten für Städte- und wirtschaftspolitisch bedeutsame Bauvorhaben im Lande Österreich）である。本訓令は墺太利の併合に伴ひ、同地方に於ける重要建築計画の實行を保證するために、所要労力たる建築専門労務者の確保及び建築材料の確保を企図したもので、一九三六年一〇月一八日附「四ケ年計画施行令」に基いて規定せられたものである。先に説明した一九三六年一一月七日附「國家上及ビ經濟政策上重要ナル建築計画ノタメノ労動力確保及ビ建築材料ノ需要確保ニ關スル四ケ年計画施行第四次訓令」と全く同趣旨のものであるから、本訓令の内容の詳細に就ては、こゝに省略することゝしやう。

また、一九三八年末の一二月二一日附を以て公布された「中央労働紹介失業保險局ニ關スル總統布告」（Erlass des Führers und Reichskanzlers über die Reichsanstalt für Arbeitsvermittlung und Arbeitslosenversicherung）がある。本布告は、中央労働紹介失業保險局長官の任務及び權限は、以後國労働大臣に委讓すべき旨を命じたもので

五四七

労務配置機構の改正に関する重要布告である。後にまた改めて觸れるであらう。

五四八

第二款　國民労務動員制の内容

第一項　「労力需要確保令」の全文

第一期國民労務動員制の根據法令たる一九三八年六月二二日附「國家上重要事業労力需要確保令」は、「國家上實施ノ遷延ヲ許サザル特ニ重要ナル事業ニ就テハ、適時之ニ必要ナル労働力ヲ供與スルタメ、他ニ職場ニ現ニ従事シツヽアル労働力ヲモ臨時ニ之ヲ轉換セシムル可能性ヲ創設セザルヘカラス。仍テ、余ハ、一九三六年一〇月一八日附四ケ年計画施行令ニ基キ次ノ如ク規定ス」との前文に始まる僅か五ケ條の簡單な法令である。然し乍ら、本令の労務配置政策上に於ける意義は、既に屡く述べた如く、極めて大なるものがあるから、先づ次に法令の法文全部を掲げて置かう。

第一條　獨逸國民ハ、中央労働紹介失業保險局長官（Präsidenten der Reichsanstalt für Arbeitsvermittlung und Arbeitslosenversicherung）ノ命令ニヨリ、一定期間、特定ノ労働場所ニ於テ労務ニ服シ、又ハ特定ノ職業的訓練ヲ受クルノ義務ヲ有ス

第二條　前條ニ基ク労務関係及ビ訓練関係ニ付シテハ、一般労動法及ビ社會保險法ノ規定ヲ適用ス。但シ、本令ニヨル労務関係及ビ訓練関係ハ、中央労動紹介失業保險局長官ノ同意アルニ非レバ、之ヲ解消スルコトヲ得ズ

第三條　労務又ハ訓練服務義務者ニシテ、其ノ動員ニ際シ、一定ノ雇傭関係ニ在ル者ハ、其ノ服務期間中ニ付舊雇傭主ヨリ休暇ヲ得タルモノトス。休暇期間中ニ於テハ舊雇傭関係ヲ解約スルコトヲ得ズ。但シ労務服務義務者ハ其ノ服務期間中ニ付舊雇傭関係ヨリ生ズベキ労賃其ノ他ノ給與ヲ請求スルコトヲ得ズ。其他ノ場合ニ関シテハ、服務期間ハ、之ヲ舊雇傭関係ノ一部ト看做ス

第四條　本令施行ニ関スル細目ハ、中央労働紹介失業保險局長官之ヲ定ム

五四九

第五條　本令ハ、一九三八年七月一日ヨリ效力ヲ生ズ

五五〇

尚、本令に就ては、前掲法文の第四條に基き同年六月二九日附で中央労働紹介失業保險局長官の名に於て一七ケ條よりなる「國家上重要事業労力需要確保令施行細則」が制定公布せられてゐること前述の如くである。

第二項　「労力需要確保令」の適用

上掲の法文に明示さるゝ如く、「労力需要確保令」は、一般獨逸國民に対して一定の期間命ぜられた労働場所に於て特定の労務に服し、又は特定の職業的訓練に服する義務を負はしめたものである（確保令第一條）。従って本令は單に労務義務のみを認めたものではなく、併せて職業訓練服務義務をも亦認めたものであるが、これ從來の熟練工不足に鑑み、之が養成に企図したことに依ることは云ふまでもあるまい。但し、この職業訓練は國家上の重要事業のための労力確保準備として行はれるものであることを注意すべきであらう。この點に於て一九三六年一一月七日附「熟練工見習確保ニ関スル四ケ年計画施行第一次訓令」

ことにより、製鉄業・金属工業・建築業等が、直接に熟練工見習採用の義務を負はしめられたのとは甚だその趣を異にするのである。従って又労務義務者も職業訓練服務義務者も、動員せらるゝ手続その他に於ては、全く同様に取扱はれてゐること後述する如くである。

第一目　人的適用範圍

本令の適用範囲は極めて廣く、服務義務は全独逸國民が負ふべきものとしてゐるのである（確保令第一條、施行細則第三條第一項前段）。従って独逸國民である以上、男たると女たると、労務者又は使用人たると企業者たると、独立の営業者たると官公吏たると、将又、年金生活者たると失業者たるとを問はず、本令の適用を受くることゝなるのである。然し乍ら実際には全独逸國民の中、或限られた小範囲の者のみが本令の適用を受くること勿論であらう。この故に四ケ年計画受託官は、敢て服務義務者の範囲を限定しなかつたと言はれてゐるのである。職業訓練義務に就て見ても、何等の條件も無く、年齢による制限も

五五一

なければ、また母その他特殊の境遇にある人々を除外する旨も規定してゐない。然し、かゝる制限乃至除外例の存すべきことは自明のことといへよう。この点に関して施行細則は、本令による義務は先づ第一に未婚者（ledige Person）が負ふべきことを明かにしてゐる（施行細則第三條第一項前段）。また服務義務者は、実際にそれに堪へ得る能力を有つ者でなければならないから、具体的場合につき果して其の能力ありや否や疑はしい時は醫師の診断によつて確定さるることゝなつてゐるのである（施行細則第五條）

尚、施行細則に依れば、服務義務者はその服務につき経済的に従前よりも悪い條件の下に待遇せらるゝことなく（施行細則第三條第一項）、その能力及び知識に應じて合目的的に配置さるべきことゝされてゐるのである（施行細則第三條第三項）。また服務義務者及びその経営指導者は、本令に基く命令に対して共に責任を負はねばならぬこと勿論であつて、この場合服務義務者に對しては服務義務に関する種々の條件が告知されることになつてゐる（施行細則第四條）。

五五二

第二目　物的適用範圍

本令に依る服務義務者は、個別的に動員されるのであつて、服務義務者の就業してゐる公私の経営及び行政官廳に對して一括して之が動員を命ずるが如きことはないのである。この点につき本令前文には「……必要ナル労働力ノ供與スルタメ他ノ職場ニ現ニ従事シツヽ労働力ヲモ臨時ニ之ヲ轉換セシムル可能性ヲ創設セザル可カラズ」とあるのみで、注文には何等規定されて居ないけれども、一九三九年二月一三日附「労力需要確保令」が特に「公私経営及ビ行政官廳は労働局ヨリ労務者ノ引渡ヲ命ゼラルヽコトアルベシ」（同確保令第一條第一項）と明規したことに徴しても、本令は単に服務義務者の個別的動員のみを企図してゐたことが窺はれやう。尚、本令に依る服務義務には、一九三八年一〇月一五日附「緊急労務令」に於ける如き、義務者の占有または保管に係る物件の利用を義務づけらるゝことはないが（緊急労務令第一條第五項参照）、一九三九年二月一三日附を以て強化された「労力需要確保令」に於て認められたこ

五五三

と後述の通りである（同確保令第四條第二項）。

第三目　適用を受くる事業

上掲の前文にも明示さるゝ如く、本令は「國策上実施ノ遷延ヲ許サザル特ニ重要ナル事業」に就て需要労力を確保せんとするものである。従って國策上重要ならざる事業には固より本令の適用はなく、また國策上重要な事業の総べてに適用がある譯ではなく、國策上重要なる事業にして且つその実施を遷延することの出来ない事業に従つて適用されるのである。されば本令の適用を受くる事業の範囲は比較的狭いと云はざるを得ないが、斯る國民労務の動員は多大の犠牲を伴ひ易い点からして、餘り廣範囲に及ばないことを是とするといふ趣旨によるものであらう。然し、何が「國策上実施ノ遷延ヲ許サザル特ニ重要ナル事業」であるか、この点本令には何等明示さるゝことなく、これが決定は四ケ年計画受託官に留保されてゐるのである（施行細則第一條第一項）。即ち四ケ年計画受託官が、具体的に或事業を「國策上実施ノ遷延ヲ許サザル特ニ重要ナル

五五四

事業」と認定して初めて本令による労務動員が実施せらるゝ仕組になつてゐるのである。

第三項　「労力需要確保令」適用の手續

本令に基いて服務義務者が動員されるには、次の如き手続を経べきものとされてゐる。即ち——

「四ヶ年計画受託官ニヨリ特ニ重要ニシテ実施ノ遷延ヲ許サザルモノト認メラレタル事業ノタメノ労力需要ハ、所要労力ガ労働局ニヨリ供與サレザル限リ、當該事業ヲ管轄スル州労働廳長官ニ経営指導者之ヲ申請スルコトヲ要ス」と規定されてゐる如く（施行細則第一條第一項）、四ヶ年計畫受託官により具体的に「國策上実施ノ遷延ヲ許サザル特ニ重要ナル事業」と認定せられたる事業のための労力の需要は、経営指導者から之を州労働廳の長官に申請しなければならぬのである。その際所要労力が職業紹介その他の募集等によつて労働局より十

分に與へられてゐる場合には、勿論この申請は許さるべきものではなく、また経営指導者は、當該事業に從事する労務者が果して各自の知識及び能力に應じた配置であるか、將又、労務者の配置を変更することによつて能率の増進が図られないか等を検討した上で、尚且つ労力の不足を感ずるときこの申請をなすべきこと云ふまでもあるまい。

申請は所定の書式に從つて為されることを要する（施行細則第一條第二項）。前述の如く、本令に基く労務義務者の動員は労務者に対し個別的方法によつて行はれるから、申請に際しても何某に対して本令に基く服務義務を課せられたき旨を書かねばならないのである。從つて経営指導者は、その者が所謂「國策上重要事業」に從事してゐないことを豫め調査してから申請しなければならないこと勿論である。

経営指導者によるこの申請は、同時に所要労力の割當に対する申請たるものとされてゐる（施行細則第二條第一項）。即ち、この申請を基礎として労働局則が、事業に対する服務義務者の割當を決定することゝなるのである。尚、申請

は所轄労働局を通して州労働廳長官に提出されるのである。

かくて、右の申請に基き服務義務者の決定が行はれるのであるが、義務の決定は、義務者たるべき者の住所又は通常の居所を管轄する労働廳により宣告せられることゝなつて居る（施行細則第六條第一項）。服務義務の決定には次の項目が明かにされてゐなければならない。即ち

1. 労務又は訓練の行はれる経営の名稱及び場所
2. 義務の開始及び終了時期
3. 就業の時期

の三項が之である（施行細則第六條第二項）。尚、服務義務開始の時期に就ては義務が從來の住所又は通常の居所以外の場所に於て行はれねばならぬ時には、その服務場所に到着すべき日を以て開始時期とせられてゐる（施行細則第六條第三項）。

服務義務の決定は、義務者たるべき者に送達されねばならない（施行細則第七條第一項）。之が送達を受けた義務者は、その時一定の雇傭関係に在る場合に

は、右決定受領後遅滞なく之を経営指導者に呈示することを要するのである。その他、労働局は経営指導者に対しても亦右の服務義務決定につき之を通知せなければならないのである（施行細則第七條第二項）。尚、服務義務送達の日と服務義務開始時期との間には、相當の期間を置くべきものと注意されてゐる（施行細則第七條第三項）。

第四項　「労力需要確保令」適用の效果

上述の手續を経て服務義務者の義務が確定せられるのであるが、これに伴つて如何なる效果が生ずるか、以下之に就て説明しよう。

第一目　效果一般

服務義務決定に示された義務の開始時期より、義務者は命ぜられた義務を負ふに至るべきこと言ふまでもないが、本令に基いて決定せられた労務関係又は

訓練関係には、一般労働法及び社會保険法の規定が適用さるゝことゝなるのである（確保令第二條本文）。但し、この労務関係及び訓練関係は、中央労働紹介失業保険局長官の同意を得なくては解消出來ないものとされてゐる（確保令第二條但書）。従って労務義務者の就業関係は、労働局又は経営指導者により一方的に解消さるゝことはないのである。

尚、服務義務者には、其の住所又は居所から服務場所に至る迄の旅費が第一回に限り労働局より支給され、その旅程が相當長い場合にあっては日當が労働局より支給さるゝことゝなってゐる（施行細則第一〇條第一項前段、第二項）。但し、服務期間終了の場合に於ける帰省の為の旅費は服務の供與を受けた経営の負担と定められてゐる（施行細則第一〇條第一項前段）。

第二目　新経営指導者と服務義務者との関係

前述の如く、所要労力に関する経営指導者の申請は同時に所要労力に対する

割當の申請でもあるから（施行細則第二條第一項）、その申請が入れられ、特定の服務義務者が新経営指導者の下で服務するに至った時は、服務義務決定の送達と同時に、申請者たる経営指導者と義務者との間には、申請に掲げられた條件による一種の労務契約乃至服務義務に関する契約が締結せられたものと看做されるのである。而して、この契約は服務義務決定によって確定された義務の開始期日より效力を生ずとされてゐる（施行細則第二條第二項）。

服務義務者は服務義務決定に示された期日迄に就業し、経営指導者に服務義務決定を申告し、且つ決定通知書を提出しなければならないのである（施行細則第一一條第一項）。

尚、服務義務決定により労務に服すべき義務を負ふに至った者は、給料その他手當等の收入につき、義務開始の日より請求権を取得するものとされてゐる（施行細則第一二條第一項）。給料その他の手當等はその額等につき経営指導者の申請書に示された所によって支拂はるゝことゝせられてゐるのである。労務義務者に就ては右の如くであるが、職業訓練義務者に就ては別に労働局より適

當な指示を受くべきものとされてゐる（施行細則第一二條）

第三目　舊経営指導者と服務義務者との関係

服務義務者が既に特定の就業関係にある場合には、服務義務者とその者の経営指導者所謂舊雇傭主との関係は如何に取扱はれるか。これに就ては、確保令第三條にも明示する如く、服務期間中は舊雇傭主より休暇を得たるものと看做されるのである（確保令第三條施行細則第八條第一項）。この休暇期間中は、従來の就業関係は解約することを許されないとされてゐる。但し、特別の場合には、服務義務者のために労務局は右の例外を認むることを得るのである（確保令第三條、施行細則第九條第一項）。就業関係は解約せられないけれども、休暇期間中の労賃その他就業関係より生ずる收入は、固より之を請求することは出來ないのである（確保令第三條）。このことは、服務義務者が、新に命ぜられた服務場所に於てそれに眷るべる收入が得らるゝことよりして極めて當然のこと

と云へよう。然し、その他の場合に関しては、本令に基いて命ぜられる服務期間は、従來の就業期間の一部と看做され、その中に通算せられることとなってゐる（確保令第三條）

尚、施行細則によれば、服務義務者の権利たる従來の労賃その他の手當等は、右の休暇開始前の適當の時に支拂はるべきものとされ（施行細則第八條第二項）、また服務義務者が労務手帳を所持してゐる場合には、企業家はその労務手帳に「服務義務ニヨリ休暇ヲ與ヘラレタル旨」を記入すべきものとされてゐる（施行細則第八條第三項）。

さらにまた、服務義務者が従來の労務関係に基いて社宅又は工場附屬住宅を賃借して居った場合には、賃貸人は服務義務の終了前に住宅の解約告知を為すことを得ない。但し、特別の場合には、労働局はその服務義務者のために例外を認むることを得とされてゐる（施行細則第九條第二項）。

第四目　服務義務の終了其の他

服務関係は、服務義務の遂行によって終了する（施行細則第一四條第一項）。服務関係は服務義務の終了以前に解消することは一般にはないけれども、特に服務場所を管轄する労働局の許可があるときには、義務の終了前に於ても服務関係は解消することがある。この場合には服務関係の解消と同時に、服務義務も亦終了するのである（施行細則第一四條第二項）。

服務関係が終了した時には、経営指導者は服務義務者をして従来の就業関係へ復帰せしめねばならないのであって、少くとも服務義務の終了と同時に従来の住所又は通常の居所へ到着せしめねばならない。従って服務義務者には、帰省に要する日に就ても通常の労賃が與へらるべきことゝされてゐる（施行細則第一四條第一項）

尚、服務関係の解消につき労働局が許可を與へた時には、これに就ては裁判上の手続、即ち訴訟を以て之を争ふことを得ないとされてゐる（施行細則第一四條第三項）。

第三款　緊急労務令

こゝに所謂「緊急労務令」は、前に一言した一九三八年一〇月一五日附「國策上重要事業労力需要確保第三次命令」のことである。本令が「緊急労務令」の副題を以て制定公布せられたことに基き、以下には、これを専ら「緊急労務令」と呼ぶことゝしよう。また、前述した一九三八年六月二二日附「國策上重要事業労力需要確保令」との混同を避くる意味に於ても、「緊急労務令」と呼ぶことを適當とするであらう。

本令は緊急時、殊に戦時に於ける労務動員を企図して制定せられたものであるが、形式上「國策上重要事業労力需要確保第三次命令」とされてゐることよりしても明かな如く、國民労務動員制の一環をなすものとして制定された点に於て、六月二二日附「労力需要確保令」と趣旨を同じくすること云ふまでもあるまい。両者共に、その根本に於ては、ナチスの所謂共同体福祉のために國民

労務の動員を行ひ、これを國家目的に従って配置せんことを主眼とする強力なる労務配置法であるのである。

然しながら、「緊急労務令」は、六月二二日附「労力需要確保令」の如く、「國策上実施ノ遷延ヲ許サザル特ニ重要ナル事業」への労力補給を眼目とするものではなく、「公共ノ艱難ヲ克服シ且ツ其ノ克服ヲ準備スルタメニ」独逸國土内の全居住民に対し、之を一定期間動員せんとするものであり、従ってまた、本令によって配置さるべき労力は、一般産業のための労力ではなくして、國家非常の際に於ける高権的任務（*hoheitliche Aufgabe*）のための労力、殊に警察上の任務のための労力補充であり、積極的な労務のみならず、不作為及び認容をも内容とせられてゐるのである。されば、本令は、六月二二日附「労力需要確保令」とは、発動の條件に於て大いに異る点があると言はねばならないのである。

前述の如く、ナチス労務配置法に於ける本令の意義は極めて重要なものがあるのであるが、本令は制定以後、これに対する施行細則も公布されずして越年

し、一九三九年に這入るや、同年二月の「労力需要確保令」の改訂強化に際しても、その儘に放置されたのであった。その為に一部には本令の無用を説く者もあった程である。然し、このことは、本令所定の具体的発動條件が未だ具備しなかったゝめに、かゝる取扱を受けたものと解するのを正當とすべきであって、実際に於ても本令は今次大戦の勃発と共に、遂に発動さるゝに至って居るのである。我々はその當時将来を豫見しつゝかゝる強力なる労務配置法を制定したナチス政府の用意周到さに思を致さねばならないであらう。

かゝる次第であるから、本令の詳細については、後に「戦時下に於ける労務配置法」の章下に於て述べることゝし、こゝでは、單に斯る重要法令の制定せられたことを指摘するに止め、次にその法文全部をその儘掲げて置くことゝしよう。

第一條　(一)　独逸國土内ノ居住民ハ、公共ノ艱難ヲ克服シ且ツ其ノ克服ヲ準備スルタメニ、特定期間、「緊急労務」ヲ命ゼラルルコトアルベシ

(二)　「緊急労務」ノ給付ハ、第二條所定ノ官廳ニヨリ、高権的業務ノ

実施ヲ命ゼラル・「緊急労務」ノ履行ハ、行為・認容又ハ不作為ヲ以テスル

㈢　國防法ニ基ク服務、國労働奉仕団服務、國境守備勤務、警察勤務、親衛本隊服務、親衛隊髑髏隊服務、防空警備勤務、防空治安勤務乃至一般消防勤務ハ常ニ「緊急労務」ニ優先ス

㈣　外國人ハ國際條約又ハ國際法上ノ公認原則ニ基キ免除アル限リ、「緊急労務」ニ服セシメラルルコトナシ

㈤　「緊急労務」義務者ハ其ノ所有又ハ保管ニ係ル物件ヲ労務要求権者ノ要求ニ基キ労務服務ニ利用スルノ権利義務ヲ有ス

第二條　四ケ年計画受託官ハ内務大臣ト協議ノ上「緊急労務」ヲ要求シ得ル官廳ヲ定ムルコトヲ得

第三條　㈠「緊急労務」ハ長期（長期緊急労務）又ハ短期（短期緊急労務）タルモノトス

㈡　長期緊急労務ハ服務ガ主タル職業トシテ行ハルル場合、三日以上継続スル場合又ハ三日以上ノ長期ヲ豫定セラルル場合トス。ソノ他ノ場合ニハスベテ短期緊急労務トス。短期緊急労務ハ労務契約ヲ成立セシムルコトナシ

五六七

㈢「緊急労務」ニ於ケル就業関係ハ緊急労務者ヲ徴用シタル官廳之ヲ廃止スルモノトス

五六八

第四條　㈠　長期緊急労務ニ徴用セラレタル者ノ姓名ハ、徴用官廳（第二條）ニヨリ労働局ニ之ヲ報告スヘシ。労働局ハ一般的労務配置ノ理由ニ基キ徴用ニ異議ヲ挟ムコトヲ得。右ノ異議アル限リ「緊急労務」ヘノ徴用ヲナスコトヲ得ズ。労働局ヘ報告ヲ要セザル者次ノ如シ。

1. 官吏（休職官吏及ビ停職官吏ヲ含ム）
2. 官廳ノ使用人及ビ労務者
3. ナチス党本部政治指導者及ビ党支部長ヲ主タル職務トスル者
4. ナチス党本部及ビ党支部使用人労務者タルコトヲ主タル職務トスル者
5. 保険局従業員タルコトヲ主タル職務トスル者
6. 辯護士

㈡　公共ノ労務（独立ノ法人格ヲ有スル市町村立経営ヲ含ム）ニ従事シ又ハナチス党本部及ビ支部又ハ保険局勤務ヲ主タル職務トスル緊急労務義務者並ニ辯護士ハ、當該労務官廳又ハ監督権ヲ有スル労務廳ノ同意アルトキニ限リ長期緊急労務ニ徴用スルコトヲ得

第五條　㈠「緊急労務」ノ開始ニ際シ、就業関係ニ在ル緊急労務義務者ハ、緊急労務期間中休暇ヲ得タルモノトス。就業関係ハ緊急労務徴用ノ故ヲ以テ解約スルコトヲ得ズ

㈡　緊急労務義務者ハ短期緊急労務ニ當リ、規定ノ労賃其ノ他従来ノ就業関係ヨリ最高三日間ニ至ル迄ノ収入ヲ要求スルコトヲ得

㈢「緊急労務」ニ服スル官吏ハ官吏法ノ適用ヲ受クルモノトス

第六條　本令ニ基イテ発セラレタル決定及ビ措置ハ、之ニ対シテ抗告スルコトヲ得。抗告ハ徴用官廳（第二條）トセラレタル官廳ニ対シ之ヲナスベシ。二週間以内ニ提起セラレ且ツ何等ノ延期的效力ヲ有セザル抗告審判ハ終審タルモノトス

五六九

第七條　㈠　内務大臣ハ、本令ノ施行及ビ補充ニ必要ナル法規命令及ビ行政命令ヲ発ス

㈡　労働大臣ハ社會保險規程ヲ定ム

第八條　本令ハ一九三八年九月一日ヨリ效力ヲ生ズ

五七〇

第三節　第二期の國民労務動員制

第一款　総説

第一期に於ける労務配置は、前述の如く、画期的法令たる六月二二日附「労力需要確保令」に基き、所謂「國策上重要事業」のために強力なる國民労務の配置が行はれたのであった。しかし乍ら、時を経るに従ってその後の情勢は、右の如き「労力需要確保令」の内容のみでは、未だ不充分であって、必ずしも豫期通りの效果を挙げ得られないことが明かになったのである。

然らば、如何なる点に新たな悩みが生ずるに至ったのであるか。元來、各部門に於ける労力需要の増大せる場合にあっては、前述した「労務服務義務」を命ずることのみに依っては「國策上実施ノ遅延ヲ許サザル特ニ重要ナル事業」のための労力だけに就ても、之を十分に確保することは極めて困難なことゝ云はねばなるまい。何となれば、現に「労力需要確保令」に基く「労務義務」を命ぜられて所謂「國策上重要事業」に就業してゐる労務義務者の数は、これを全就業者の数に比較すれば極めて少数であって、他の大部分は、契約に基いて経営に就職した者であり、従って彼等は、何れも自己一身のみの考慮によって、自由に他の経営へ移轉し得る立場にあるのであって、これが放任さるゝに於ては、やがて労務配置の上から見て好ましからざる労務者の移動を招來し、これによって、遂には所謂「國策上重要事業」の労力確保が阻害せらるゝに至るからである。自由に他の経営へ移動し得るとはいふものゝ、そこに契約上又は解約告知期間の制約を不問に附してゐる譯では勿論ない。しかしかゝる制約は、「労力需要確保令」に基く労務義務者に比較して、問題とするに足りないほど

五七一

微弱なものと言ふべきであらう。況んや各部門に於ける労力不足の場合に於てをやである。例へば、「労力需要確保令」に基く労務義務の方法によって労力需要を充しても、同じ経営内に於ける労務義務者ならざる従業者が、退職し移動して行くことは屢々起り得ることであり、これを阻止し得ない限り、直ちに又その補充が問題となるであらう。されば、労力確保の完璧を期するためには、「労務義務」の他に別途の方策を講ずる必要があるのである。

而も尚、一九三九年初頭に於ける不足労働者の数は、五十万人と稱せられてゐるのであって、之に対處するため四ケ年計画受託官及び中央労働紹介失業保険局長官が、その強力なる労務配置政策上の権限に基いて、或は法令を公布し、或は行政的手腕を振ったことであったが、目的の達成には未だ不十分・不徹底を免れなかったといふ事情にあったのである。

かくして、當面の急務として採り上げらるゝに至った問題は、前述した六月二二日附「労力需要確保令」の強化拡充といふことであった。その具体化こそ、云ふまでもなく、一九三九年二月一三日附「國策上重要事業労力需要確保令」

五七二

(Verordnung zur Sicherstellung des Kräftebedarfs für Aufgaben von besonderer staatspolitischer Bedeutung)なのである。

この二月一三日附「労力需要確保令」を基礎として、従來の國民労務動員制は一段と整備せらるゝに至ったこと勿論であって、この状態が今次欧洲大戦の勃発まで継続したことである。この意味に於て、こゝに一時期を劃し、以下本令を中心とする第二期國民労務動員制に就て述べることゝしよう。

本令の内容は後に詳述する如くであるが、その特色とするところは、「労務義務」(Dienstpflicht)の設定に対するに新に「労務者移動の制限」(Beschränkung des Arbeitsplatzwechsels)に関する規定を設けて國民労務動員制を強化せんとしたことにある。而して「労務義務」に就ては、従前の規定を改訂拡充して、本令の施行と同時に六月二二日附「労力需要確保令」を廃止し、「労務者移動の制限」に就ては、労務関係の解消及び労務者又は使用人の雇入及び就業の場合に労働局の同意を要することゝして之を防止せんとしたことである。

五七三

次に、本令の公布に引続き、之に対する施行細則たる四つの労働省令が公布された。即ち、一九三九年三月二日附「國策上重要事業労力需要確保令第一次施行細則」(労務義務施行細則)(Erste Durchführungsanordnung zur Verordnung zur Sicherstellung des Kräftebedarfs für Aufgaben von besonderer staatspolitischer Bedeutung)(Dienstpflicht = Durchführungsanordnung)、一九三九年三月一〇日附「國策上重要事業労力需要確保令第二次施行細則」(労務者移動ノ制限)(Zweite Durchführungsanordnung zur Verordnung zur Sicherstellung des Kräftebedarfs für Aufgaben von besonderer staatspolitischer Bedeutung)(Beschränkung des Arbeitsplatzwechsels)、一九三九年三月二五日附「國策上重要事業労力需要確保令第三次施行細則」(瀝青炭坑労務者移動ノ制限)(Dritte Durchführungsanordnung zur Verordnung zur Sicherstellung des Kräftebedarfs für Aufgaben von besonderer staatspolitischer Bedeutung)(Beschränk-

五七四

und des Arbeitsplatzwechsels im Steinkohlenbergbau)、一九三九年七月二七日附「國策上重要事業労力需要確保令第一次施行細則改正令」(Änderungsanordnung zur Ersten Durchführungsanordnung zur Verordnung zur Sicherstellung des Kräftebedarfs für Aufgaben von besonderer staatspolitischer Bedeutung) がこれである。

右の施行細則は、その副題にも示さるゝ如く、「労務義務」及び「労務者移動ノ制限」につき別々に規定されてゐるのであるが、之は右の基本法令たる二月一三日附「労力需要確保令」が、第一章(第一條乃至第六條)「労務義務」、第二章(第七條)「労務者移動ノ制限」の二つに分けて規定せられたことに對應せしめられたことによるものである。

尚、この期に於ける労務配置に関する法令として注意すべきものが一つ公布されてゐる。それは、一九三九年三月二五日附「労務配置に関スル命令」(Verordnung über den Arbeitseinsatz)である。本令は、一九三八年一二月二一日附「失労動紹介失業保険局ニ関スル総統布告」に基くもので、従

五七五

來の州労働廳及び労働局を國家官廳たらしめ、以て労務配置を管掌する機構の整備を企図したものである。これに就ては、後に改めて述べることゝし、こゝでは單に、國民労務動員制を確立するの一面、くが機構の整備が行はれたことを注意するに止めよう。

五七六

第二款　第二期國民労務動員制の内容

第一項　「労力需要確保令」の全文

前述の如き事情の下に改訂強化された一九三九年二月一三日附「國策上重要事業労力需要確保令」は、第二期に於ける國民労務動員制の基礎たる重要法令であるばかりでなく、前述した六月二二日附「労力需要確保令」と対比する上にも便であるから、先づ、その全文を次に掲げて置かう。

國家上特ニ重要ニシテ実施ノ遷延ヲ許サザル事業ハ、労力ノ不足ニ因テ支障ヲ來スコトアルベカラズ。仍テ、斯ル事業ノ実施ノタメニハ帝國領土内ノ居住民ヲ動員シ、且ツ労務場所ヘノ拘束ヲ益々強固ナラシムル可能性ヲ創設セザルベカラズ。仍テ余ハ一九三六年一〇月一八日附四ヶ年計畫施行令ニ基キ左ノ命令ヲ公布ス

第一章　労務義務

第一條　(一)　四ヶ年計画受託官ニ於テ特ニ重要ニシテ且ツ実施ノ遷延ヲ許サザルモノト認メタル事業ニ付キテハ、労働局ハ、独逸國土内ノ居住民ニ対シ労務義務ヲ課スルコトヲ得。此ノタメニ公私経営及ビ行政官廳ハ労働局ニヨリ労務者ノ引渡ヲ命ゼラルルコトアルベシ

(二)　外國人ハ、國際條約又ハ國際法上ノ公認原則ニ基キ免除アル限リ、労務給付ヲ命ゼラルルコトナシ

第二條　(一)　就業関係ニアル労務義務者期限付義務ヲ負フニ至リタル場合ニハ

五七七

其ノ間休暇ヲ得タルモノト看做ス。右休暇期間中ハ就業関係ヲ解約スルコトヲ得ズ。労務義務者ハ、休暇期間中労賃其ノ他従前ノ就業関係ヨリ生ズル諸收入ヲ請求スル権利ヲ有セズ。其ノ他ノ場合ニ於テハ、本令ニ基キ果ナルベキ労務義務ノ期間ハ、舊労務場所ニ於ケル就業期間ト看做ス

(二)　無期限労務給付義務ニ於テハ従前ノ就業関係ハ消滅スルモノトス

(三)　義務者ノ労務関係ニ付テハ新労務場所ニ適用セラルル賃率規則(Tarifordnung)、経営規則(Betriebsordnung)、又ハ就業規則(Dienstordnung)ヲ適用ス

(四)　無期限労務義務者従前ノ就業関係ニ基ク請求権ヲ喪失シ新労務関係ニ基ク請求権ニヨツテ之ヲ補償セラレザル時ハ、特別ノ苛酷ヲ緩和スルタメ、新経営ヲシテ義務者ノ損害ヲ賠償セシムルコトヲ得

(五)　労務関係ハ労働局ノ同意アルニ非レバ之ヲ解消スルコトヲ得ズ

第三條　労務給付準備ノタメ労務義務者ハ訓練ニ動員セラルルコトアルベシ

第四條　(一)　労務義務者ハ労働局ニ対シ、其ノ請求ニ應ジテ、凡エル調査書並

五七八

ニ報告書ヲ提出スルコトヲ要ス。労働局ハ本人ノ出頭ヲ命ズルコトヲ得

(二) 労務義務者ハ労働局ノ要求ニ應ジ、労務給付ニ際シテ其ノ占有又ハ保管ニ係ル物件ヲ使用スル権利及ビ義務ヲ有ス

第五條 (一) 本令ニ基キ労務給付義務ヲ課セラレ又ハ訓練ノタメノ動員ヲ受ケテ三日以上其ノ家族ヨリ別居スル者ハ、其ノ家族ノ相當ナル生活需要ヲ確保スルタメ労働局ヨリ扶助ヲ受クルコトヲ得

(二) 経済状態ヲ確保スルニ必要ナルトキハ前項ニ関セズ扶助ヲ受クルコトヲ得。

第六條 扶助ハ公共保護ノ給付ニ非ズ且ツ労賃ニモ非ザルヲ以テ償還ノ要ナク、マタ之ヲ抵當ニ入ルルコトヲ許サズ

第二章 労務者移動ノ制限

第七條 (一) 國労働大臣ハ國策上特ニ重要ナル理由ニ基キ、第二條第五項以外ノ場合ニ於テモ、労務関係ノ解消ヲ労働局ノ同意ニ依ラシムルコトヲ得

五七九

(二) 國労働大臣ハ労務者及ビ使用人ノ雇入及ビ就業ヲ労働局ノ同意ニ依ラシムル旨ヲ命ズルコトヲ得

第三章 終結規定

第八條 総ノ公私経営及ビ行政官廳ハ本令ノ施行ニ際シテ指示サレタル労働局ノ要求ニ應ズル義務ヲ負フ。右請求ハ個別的場合ニモ一般的場合ニモ及ブコトヲ得

第九條 本令ノ施行及ビ補充ニ必要ナル規定ハ國労働大臣之ヲ定ム。同大臣ハ本令ノ施行ノタメニ労働法・労働保護・國保険ノ領域ニ於テ必要ナル凡ユル措置ヲ採ルコトヲ得

第十條 本令ハ公布ノ日ヨリ效力ヲ生ズ。同時ニ左ノ命令ハ效力ヲ失フ

一九三八年六月二二日附「國策上重要事業労力需要確保令」

一九三八年六月三〇日附「國策上重要事業労力需要確保第二次命令」

ベルリン 一九三九年二月一三日

五八〇

四ケ年計画受託官　ゲーリング

上掲の如く、本令は三章一〇ケ條よりなり、之を通観すれば、前述した六月二二日附「労力需要確保令」の五ケ條に比較して、格段の整備が直ちに窺はれよう。

第二項 「労力需要確保令」の適用

以下本令の適用範囲・適用の手続及び適用の效果等に分つて、其の内容を述べるのであるが、曩にも述べた如く、本令は「労務義務」及び「労務者移動ノ制限」の二体系に分けられ、之に対して夫々施行細則も公布されてゐることであるから、以下には之を二つに分けて説明することゝしよう。

尚、以下の所述に於ては、本令を新確保令、これに対する一九三八年六月二二日附「國策上重要事業労力需要確保令」を舊確保令と略稱し、また施行細則は公布の順に従って夫々第一次施行細則・第二次施行細則・第三次施行細則と

五八一

と略稱することゝする。

第一目 労務義務

一、人的適用範圍

新確保令による労力確保が所謂「國策上重要事業」のための労力確保を目的としてゐることと云ふ迄もないが、この点につき新確保令は、その前文に於て、また第一條に於て特に此の旨を強調したことであった。即ち前文に於ては「國策上特ニ重要ニシテ実施ノ遷延ヲ許サザル事業ハ、労力ノ不足ニ因テ支障ヲ來スコトアルベカラズ」と謂ひ、第一條に於ては「四ケ年計画受託官ニ於テ特ニ重要ニシテ且ツ実施ノ遅延ヲ許サザルモノト認メタル事業ニ付テハ、労働局ハ独逸國土内ノ居住民ニ対シ労務義務ヲ課スルコトヲ得。コノタメニ公私経営及ビ行政官衙ハ、労働局ニヨリ労務者ノ引渡ヲ命ゼラルルコトアルベシ」(新確保令第一條第一項)と規定し、以て本令の適用を明かにしてゐるのである。

五八二

先づ本令は人に對しては「独逸國土内ノ居住民ニ対シ」適用さるゝものとしてゐる。舊確保令は之を全独逸國民に限ってゐたのであるから、之に比すれば新確保令は一層の拡大と云はねばならぬ。されば「独逸國土内ノ居住民」たる限り、独逸人は勿論、外國人と雖も、本令に基く義務を免れないことゝなるのである。但し、國際條約若くは國際法上の公認原則に基いて免除せらるべき外國人は之を除外しなければならぬこと勿論であらう（新確保令第一條第二項）。然し乍ら、外國人迄が本令に基く労務義務を負はされる場合は、実際には然かく多いものではないであらう。

尚、独逸人に対する適用に就ては、舊確保令に述べた如くであるが、新確保令に於ても舊確保令と同様に漠然と廣範囲を示すに止め、細目に亘る人的範囲に就ては定めなかつた。のみならず舊確保令施行細則第三條第一項に於ける如き、先づ第一に未婚者が労務義務を負はさるべき旨の規定も之を削除してゐるのである。然し、労務義務者たるべき者が、その労務に堪へ得る者でなければならぬこと、もしその條件につき疑はしき場合には醫師の診断に

五八三

依て之を確定すべきこと（第一次施行細則第四條）、及び労務義務者の労力が、その知識・技能に應じて出來得る限り合目的的に配置さるべきこと（第一次施行細則第三條第一項）、等に就ては、固より之を明かにしてゐるのである。

二、物的適用範圍

この点に就ては「……コノタメニ、公私経営及ビ行政官廳ハ、労働局ニヨリ、労務者ノ引渡ヲ命ゼラルルコトアルベシ」の新しき規定を設け、舊確保令を拡充してゐる。即ち、新確保令に於ては、舊確保令に於けるが如く、公私の経営及び行政官廳から労務者を個別的に動員するばかりでなく、公私の経営及び行政官廳自体に対して一括して労務者を引渡すべきことを命じ得ることゝしたのである。この規定を適用することにより、例へば國策上の必要に基き、或る特定の鉱坑・精錬所・工場等を新規に而も急速に経営しなければならぬ場合、直ちに當該計画のものと同種の鉱坑・精煉所・工場等に対してその従業員全部を提供せしめて新規経営を営み得るのであつて、之が意味

五八四

する所は実に大なるものがあると云はねばならない。かくの如く、従業者の一括引渡義務を認めて、所謂「國策上重要事業」を行ふ経営を拡充若しくは新設し得るに支障なからしめんとしたことは、かくの如き拡充若くは新設が、特に四ケ年計画の遂行上必要と認められ、また将来に於てかゝる必要が生ずるものと認められた故に外ならない（註）。

（註）　Dr. Timm, Die Sicherstellung des Kräftebedarfs für Aufgaben von besonderer staatspolitischer Bedeutung, Reichsarbeitsblatt 25. 3. 1939. Nr. 9. Teil. II

三、適用ある事業

労務義務者が従業しなければならない事業は、「四ケ年計画受託官ニ於テ特ニ重要ニシテ且ツ実施ノ遷延ヲ許サザルモノト認メタル事業」である。この点は、舊確保令と全く同様であつて、如何なる事業が右に該當するかは、

五八五

固より豫め明示せられず、之が認定は一に四ケ年計画受託官に留保せられてゐるのである（新確保令第二條第一項、舊確保令施行細則第一條第一項参照）。されば労働局は、四ケ年計画受託官が、所謂「國策上重要事業」と確認した事業でなければ、確保令に基く「労務義務」を課することは出來ないのである。しかし後述する労務者移動の制限に就ては、豫め六経済部門に範囲が限定されてゐたことを注意しなければならない。

かくの如く、ナチス独逸にあつては、強力なる國民労務の動員は常に國策上の必要といふことに重点を置き、之が嚴正を期すると同時に國防國家の急速なる充実に向つて行はれたのである。これに対しては、前にも一言した一九三八年七月一三日附「國防供用法」がその物的準備として注意せらるべきこと云ふまでもなからう。両者が相俟って適正に運用せらるゝところに、目標の実現が見られるのであり、殊に人的準備としての「労力需要確保令」に就ては、所謂「國策上重要事業」の認定如何といふことにその成果が期待せらるゝことを看過してはならない。

五八六

四、労務義務の態様

「義務ハアラユル労務ノ給付ニ亘ルコトヲ得」（第一次施行細則第三條第一項）とされ、その種類は、之を明示してゐないが、新確保令に依れば、「労務義務」には二つの態様が区別されてゐる。即ち、「期限付義務」（eine zeitlich begrenzte Verpflichtung）、「無期限義務」（eine Verpflichtung von unbeschränkter Dauer）が之である。

舊確保令に於ける「労務義務」は、常に其の期間を限定した「期限付義務」のみであったが、新確保令は、之を拡充して、新に「無期限義務」をも認め得ることゝしたのである。

然らば、「無期限義務」は如何なる場合に課せらるゝか。これに就ては新確保令及び第一次施行細則には明示してゐないが、その労務の性質上豫め期間を定め得ない場合、特別に長期に亘るものなる場合及び労務者の交替が非常に困難とされる場合等に認めらるべきものといふべきであらう。従って、通常の場合に於ては、固より「期限付義務」が原則とさるべきこと當然であ

五八七

らう。

尚、右の両者の区別に従って效果等の相違して来ること言ふまでもないが、これに就ては夫々その所に於て述べることゝする。

次に、「労務義務」に関聯して注意すべきものに職業訓練がある。舊確保令は、職業訓練も「労務義務」も共に之を一括して規定したのであったが（舊確保令第一條）、新確保令は「労務給付準備ノタメニ労務義務者ハ訓練ニ動員セラルルコトアルベシ」（新確保令第三條）との一ケ條を設けて、その趣旨を明かにしてゐるのである。

五、「労務義務者」動員の手續

前述の如く、如何なる事業が所謂「國家上重要事業」とせられるかは四ケ年計画受託官の認定に留保せられてゐるのであるが（新確保令第一條第一項）認定された事業に如何なる手続を以て「労務義務者」は動員されるであらうか。これに就ては「四ケ年計画受託官ニ於テ特ニ重要ニシテ且ツ実施ノ遅延ヲ許サザルモノト認メタ事業ノ労力需要ハ、所要労力ガ経営内部ノ対策ニヨ

五八八

ッテ調達シ得ズ又ハ労働局ニヨリ調達スルヲ得ザル限リ、之ヲ當該事業ヲ管轄スル州労働長官ニ経営主申請スルコトヲ要ス」と規定し（第一次施行細則第一條第一項）、舊確保令に於けると同様の手続に依らしめることゝしてゐるのである。たゞ新確保令に於ては「所要労力ガ経営内部ノ対策ニヨッテ調達シ」得られる場合に申請の許されざることを明文を以て示して居ることが注目されるに止まるのである。かくて、所要労力は、出来得る限り経営内部に於ける轉換配置その他の方法により、或は通常の職業紹介等の方法によって之を補充し、已むを得ない場合にのみ「労力需要確保令」に依て之を確保せんとしたのである。このことは「労力需要確保令」に基く「労務義務」が強制的性質を帯びる点に鑑みて、蓋し當然のことゝ云へよう。故に、経営指導者は、労力需要の申請に際しては、先づその従業員全部に付き、個々の労務者が、各自の知識・技能に應じた配置にあるか否か、或は又、「國家上特ニ重要ナル事業」に従事してゐない者の轉換をなし得るか否か等を検討した上で、尚且つ労力の不足を感ずるときに申請しなければならないのである。

五八九

申請は一定の書式に從って為されなければならない（第一次施行細則第一條第二項）。書式は別表として示されてゐるのであるが、申請者・申請内容につき明細に之を示さねばならぬことになってゐる。而してこの申請書は数部作成し、また労務の種別に従って別々の申請書を作成し、所轄労働局を通じて、州労働長官に提出しなければならないものとされてゐる。

右の申請は、同時に所要労力の割當に対する申請とされてゐるのであって（第一次施行細則第二條第一項）、申請が受理された上で、これに基いて労務義務者の割當が決定されることとなるのである。

「労務義務」の決定は、義務者たるべき者の住所又は通常の居所を管轄する労働局によって宣告せられること舊確保令に於けると同様である（第一次施行細則第五條第一項）。

「労務義務」の決定には次の諸項に就て明示せらるゝことを要するのである（第一次施行細則第五條第二項）、即ち――

1. 労務場所所在ノ経営（経営支所）ノ名稱及ビ場所

五九〇

2. 期限付義務ノ場合ニ於テハ労務給付ノ開始及ビ終了ノ時期

3. 無期限義務ノ場合ニ於テハ労務給付ノ開始時期

4. 労務者収容ノ時期

が之である。尚、労務給付が労務義務者の従来の住所又は通常の居所以外の場所に於て行はれねばならない場合は、其の労務地に到着すべき日を以て労務給付の開始時期と定めらるべき旨を規定してゐる（第一次施行細則第五條第三項）。

右の「労務義務」決定は、義務者たるべき者に通達さるべきこと（第一次施行細則第六條第一項）、既に就業関係にある義務は右の決定受領後遅滞なく之を経営指導者に呈示すべきこと、その他労働局も亦経営指導者に「労務義務」決定の寫を送付すべきこと等何れも舊確保令に於けると同様である（第一次施行細則第六條第二項）。

尚、「労務義務」決定の送達日と労務給付開始時期との間には、労務給付に支障の生じない様に、相當の期間を置くべきものとされてゐることも従前

五九一

と同様である（第一次施行細則第六條第三項）。

以上、労務義務者の動員に関する手続は、労務給付準備のために訓練に動員する場合にも同様の手続に依て行はれること特に注意するまでもないことであらう。

五九二

六 「労務義務」確定の效果

「労務義務」の確定に伴ひ、種々の效果が発生するが、以下にはこれを分つて述べることゝしよう。

Ⅰ 效果一般

先づ、労務義務者が経営に従事すべき義務を負ふに至ること云ふまでもないが、舊確保令は、この「労務関係」に一般労働法及び社會保険法の規定を適用することとしたに対し（舊確保令第二條）、新確保令に依れば、「國労働大臣ハ本令施行上必要ナル労働法・労働保護及び全國保険ニ関スルスベテノ措置ヲ執ルコトヲ得」とされるに至ったのである（新確保令第九條）。

舊確保令に基く「労務関係」は、中央労働紹介失業保険局長官の同意なくしては、之を解消し得ないものとされてゐたが（舊確保令第二條）、新確保令は「労務関係ハ労働局ノ同意アルニ非レバ之ヲ解消スルコトヲ得ズ」とし、解消の同意を労働局にかゝらしめた（新確保令第二條第五項）。これ一九三八年一二月二一日附「中央労働紹介失業保険局ニ関スル総統布告」に基く機構改革ニ伴ひ変更を見るに至ったことである。

Ⅱ、労務義務者と新経営指導者との関係

前述した申請に基く「労務義務」決定に依り、労務義務者が申請者たる新経営指導者の下で労務に服する義務を負ふに至った時は、「労務義務」決定の到達と同時に、申請者と義務者との間には、申請書に掲げたれた條件による労務契約若くは就業契約が締結せられたものと看做されるのであって、その労務契約若くは就業契約は「労務義務」決定に確定せられた労務給付開始時期と同時に效力を生ずるものとされてゐる（新確保令第一次施行細則第二條第二項）。これ舊確保令に於けると全く同様である（舊確保令施行細則第二條第二項）。

五九三

尚、労務義務者の労務関係に就ては、新労務場所に於ける賃率規則（Tarifordnung）、経営規則（Betriebsordnung）又は就業規則（Dienstordnung）が適用され（新確保令第二條第三項）、また後述の所謂勤続年限の通算に関する規定（第一次施行細則第一三條）の適用も妨げないものとせられてゐる（第一次施行細則、第二條第二項）。

次に新経営指導者は、労務義務者の旅費及び宿泊費につき、之が負担の責に任ずべきものとされてゐる（第一次施行細則第一〇條）。即ち、「従来ノ住所若クハ通常ノ居所ヨリ労務地マデノ第一回旅費並ニ期限付義務ノ場合ニ於ケル帰還費ハ労務ヲ給付サルベキ経営之ヲ負担ス」べく（第一次施行細則第一〇條第一項）、「比較的長途ノ旅程ナル場合ニハ、労務ヲ給付サルベキ経営ハ義務者ノタメニ宿泊費ヲ負担スベシ」と規定されてゐるのである（第一次施行細則第一〇條第二項）。舊確保令にあつては、労務地までの第一回旅費は労働局により支給さるゝこととなつてゐたが（舊確保令施行細則第　條第　項）、新確保令により右の如く改められたのである。

五九四

その時の都合に依り旅費及び宿泊料は労働局により立替へることもあり得るのであるが、その場合には後日経営はその立替額を辨償しなければならない（第一次施行細則第一の條第三項）。

云ふまでもなく、労務義務者は、「労務義務」決定に示された時期に、所定の場所で労務を始めなければならないのであるが、右の労務開始までに申請者たる新経営指導者に「労務義務決定」の通知書を呈示しなければならないものとされてゐる（第一次施行細則第一一條）。労務義務者はまた、労務給付の開始日（第一次施行細則第五條第二項参照）より、新就業関係に基く諸收入の請求権を取得することゝなるのである（第一次施行細則第一二條）。

尚又、「無期限労務義務」を認めた結果、新経営をして特別の場合に無期限労務義務者の損害を賠償せしむる規定も設けられてゐるのであるが（第一次施行細則第二條第四項）、この点に就ては、後に「労務義務者の保護」を述べる際に併せて説明することゝしよう。

III 労務義務者と舊経営指導者との関係

新確保令に基いて「労務義務」を負ふに至った労務者が、既にその當時一定の就業関係にあった場合には、舊経営と如何なる関係に立つか。新確保令によれば、「期限付義務」の場合と、「無期限義務」の場合とで根本的に異る取扱ひを受くることゝされてゐるのである。

先づ従来就業関係にあった者が、「期限付労務義務」を負ふに至った場合には、労務給付開始の時と同時にその就業関係より休暇を得たものと看做される（新確保令第二條第一項、第一次施行細則第七條第一項）。而してこの際、舊経営指導者は、義務者に帰すべき労賃その他の收入をば労務開始前の適當な時期に義務者に支拂はねばならないことゝなり（第一次施行細則第七條第二項）、労務義務者は休暇期間中の労賃その他従来の就業関係より生ずる收入については之を請求する権利を有しないことゝなる（新確保令第二條第一項）。また、休暇期間中は従来の就業関係は解約することを得ない（新確保令第二條第一項）。但し、特別の場合に於ては所

轄労働局が例外的に解約を認めた場合はこの限りにあらずとされてゐる（第一次施行細則第八條、新確保令第二條第一項参照）。その他の場合に於ては、本確保令に基いて果さるべき義務の期間は、舊労務場所に於ける就業期間と看做されるのであって、従って之に通算せらるゝことゝなるのである（新確保令第二條第一項）。

以上、「期限付義務」の場合には、舊確保令に於けると全く同様であるが、従来就業関係にあった者が「無期限義務」を負ふに至った時は、右と異り、従前の就業関係はこれと同時に消滅するものとされてゐるのである（新確保令第二條第二項）。即ち、「無期限義務」を命ぜられた労務者は従前の経営より完全に解雇さるゝことゝなるのである。従ってまた、右の相異に應じて、両者間には社宅又は工場附属住宅に就ても異る取扱ひを受くるものと規定せられてゐる。即ち、労務義務者が従来の就業関係に基いて社宅若くは工場附属住宅を賃借してゐた場合、「期限付義務」を負ふに至った時は、特に労働局より例外を認められない限り労務給付の終了

前に於て、賃貸人より住宅解約の申込をなさるゝことがなく（第一次施行細則第九條第一項）、「無期限義務」を負ふに至った時は、労働局の同意ある限り、賃貸人の住宅解約の申込を承諾しなければならぬとされてゐる（第一次施行細則第九條第二項）。

「無期限義務」の場合に於て住宅解約を労働局の同意にかゝらしむることは、労務者又は使用人及び新経営指導者に、新住宅を探し求めるに必要な期間と方法とを残して、之を處理せしめんとする趣旨と解すべきであらう。

尚、労務手帳義務を負はしめられてゐる就業関係にある義務者の場合に於ては、企業家により、期限付義務の場合には「労務給付ノタメノ休暇」を與へられた旨及び無期限義務の場合には「労務給付ノタメニ解雇」せられた旨の項目を附加して、就業終了の登録をなすべきものとされてゐる（第一次施行細則第七條第三項）。

労務義務者が労務に従事すべき経営は、多くの場合、義務者の居住地外

にあるであらうから、労務義務者には労務地に至るまでの旅費等の問題があるのであるが、之に就ては、前述の如く、新に労務を給付さるゝ経営が之を負担すべきものと定められ、舊経営は之に関係なきものとされてゐるのである。しかし、期限付労務義務の場合に於ては、労務関係は労務給付の終了と同時に終了するから、舊経営は労務義務者が従前の就業関係へ容易に復帰出来るやうに考慮しなければならないのである。

七、労務義務者の保護

確保令に基く労務義務者の動員は、強制的性質を帯びてゐるものであるから、兎角義務者に犠牲乃至損害を及ぼし勝である。然し乍らこのことは固より出来る限り避くべきことであるから、この趣旨に基いて、特に労務義務者の保護が考慮されてゐるのである。前述したところに於ても、労務義務者の地位を考慮して、夫々新経営乃至舊経営に對する関係を規定したことであつたが、新確保令は其の施行細則に於て、さらに多くの保護規定を設けてその萬全を期したのである。

五九九

1. 勤續年限の通算

労務関係に基く諸收入の請求権が、経営に従事した期間の長短によつて左右される場合には、労務義務者を引渡す労務場所に於て経営に従事してゐた期間は、新労務場所に於ける経営従事の期間に通算せらるゝのである（第一次施行細則第一三條本文）。但し、休暇請求権取得のための猶豫期間は通算せられない。またその他の猶豫期間に就ては労働管理官は通算を拒み得るものとされてゐる（第一次施行細則第一三條但書）。しかし、労働管理官が猶豫期間の通算を拒む場合には、國家上特に重要なる事業に労力が確保さるゝものであるといふ労務義務本来の特質を考慮した上で之を決すべきこと云ふまでもないであらう。元来、労務義務者が休暇請求権を行使するためには、當該経営に通常六ケ月の期間従事しなければならないのである。従つて例へば、労務義務者が労務関係に入つて後極めて短期間にして休暇請求権を行使するが如き場合には、當然通算せられないものと解すべきであらう。

六〇〇

2. 労賃低下防止規定の廃止

舊確保令施行細則に於ては、労務義務を課する場合には、義務者に対し従来よりも経済的に悪い待遇を與ふべきでない旨を明規したのであつたが（舊確保令施行細則第三條第三項）、新確保令及び第一次施行細則は、これに関して規定せず、労務義務者が、義務の発生と同時に労賃の低下等により損失を蒙ることには、直接に之を防止せんとする策に出でなかつたのである。然し、労働局がかゝる事態の起らぬやうに努力すべきは當然であつて、労働局が努力するに於ては、従前の如き規定はなくとも、このことが直ちに労務義務者の保護を薄くした所以には勿論ならない。のみならず別の扶助規定を活用することによつて、右の補償が考へらるべきであらう。新確保令の第一次施行細則は、この点に於て、労務義務者の権利を充分に拡大してゐるのであるから、労賃低下防止に関する従来の規定を廃止したことのみによつて、義務者に不利と解するのは正當でないと云ふべきである。

六〇一

3. 休暇補償

期限付労務義務を課せられた労務義務者が、労務給付期間中休暇を與へられないで舊経営に復帰した時は、舊経営の企業者は慰労休暇の許可に際し、労務義務者を使役した経営の企業者より按分比例によつて休暇補償を請求することが出来るものとされてゐる（第一次施行細則第一六條第一項前段）。この按分比例による休暇補償の請求は、労務義務者が労務義務を課せられた年次中労務義務以前に舊経営に於て既に休暇を得たる時に於ても之を要求し得るものとされてゐるのである（第一次施行細則第一六條第一項後段）。但し、労務義務が二ケ年を超えない時、若くは一九三九年二月一五日附「特殊建築計画従業員休暇規制ニ関スル賃率規則」（Tariford-nung zur Regelung des Urlaubs der bei besonderen Bauvorhaben beschäftigten Gefolgschaftsmitglieder）に基き、若くは相當の「休暇記号規則」（Urlaubsmarkenregelung）に基いて調整せられた時は適用せられない（第一次施行細則第一六條第二

六〇二

項)。この休暇補償は舊確保令には認められてゐなかつたところであつて、これによつて舊経営従つてまた労務義務者も共に保護せらるゝに至つたと言へよう。例へば、小規模な経営が労務義務者を出すに至つた時は、右の規定が相當大きな役割を果すことが容易に考へらるゝことであらう。何となれば、能力の低い経営が、復帰せる労務義務者に慰労休暇を與へねばならぬ際、新経営に於ける労務期間も参酌して休暇を與へねばならぬのであるから、その間の損失を舊経営のみで負担することは、舊経営に對して苛酷であるのみならず、公平を失することだからである。

4. 扶　助

新確保令は、「本令ニ基キ労務給付義務ヲ課セラレ若クハ訓練ノタメノ動員ヲ受ケテ三日以上其ノ家族ヨリ別居スル者ハ、其ノ家族ノ相當生活需要ヲ確保スルタメニ、労働局ヨリ扶助ヲ受クルコトヲ得」(新確保令第五條第一項)、また、「経済状態ノ確保ノタメニ必要アルトキハ前項ニ関セズ扶助ヲ受クルコトヲ得」と規定してゐるのである(新確保令第五條第一

六〇三

項)。舊確保令によれば、所謂「別居扶助」のみ認められてゐたが、こゝには「別居扶助」の他に、特別な扶助も與へらるゝことゝされたのである。これに関しては施行細則が、さらに之を補充し、「別居扶助」と「特別扶助」の二種に分つて規定してゐる。即ち——

新確保令第五條第一項による扶助(別居扶助)は、労務義務者が労務給付前家族と共同家計の下に生活し、労務給付のためにその共同家計を放棄しなければならぬ場合に與へられるのである(第一次施行細則第一七條第一項)。但し、労務義務者が自己のために要する費用を控除した所得及び家族自身の所得が家族の相當な生活需要を確保するに充分である時には、扶助は與へられない(第一次施行細則第一七條第二項)。

而して、家族の相當な生活需要が確保せられてゐるか否かは、労務義務者によつて扶養せらるべき家族のみを対象として決せらるべきものとされてゐる(第一次施行細則第一七條第三項第一段)。こゝに扶養せらるべき家族といふのは、労務義務者が法律上又は道徳上扶養義務を負ふべき家族

六〇四

の謂である。但し、自己の有形・無形の力、殊に労力の利用によつて相當の生活需要を充足し得る者は扶養せらるべき家族とせられない(第一次施行細則第一七條第二段第三段)。生活需要に屬すべきものとしては次の如く定められてゐる(第一次施行細則第一七條第四項)。

(イ) 住居・食糧・服服及ビ養育

(ロ) 必要ナル限リ家族ノ看病及ビ未成年家族ノ相當ノ教育及ビ職業訓練

扶養を受くべき家族につき如何なる生活需要が相當であるかは、第一次施行細則第一九條に基いて、扶助の許可を管轄すべき労働局が之を決定することゝなつてゐる(第一次施行細則第七條第四項)。

次に新確保令第五條第一項に基く扶助(特別扶助)は、労務義務発生以前の法律上又は契約上の債務の履行を可能ならしめるために、特別に労務義務者に與へらるゝものである。但し、この種の債務履行は、労務義務者の従来の経済的状態の種類及び範囲の点に於て相當なる場合にして、且つそれが労務給付のために履行不能に陥つた場合に於てのみ考慮せらるゝこ

六〇五

とゝされてゐる(第一次施行細則第一八條)。

別居扶助及び特別扶助は、その何れなるを問はず、労務義務者が之を労働局に請求しなければならないのであつて、之に基いて労働局が、扶助の許可及び支拂をなすことゝなるのである(第一次施行細則第一九條前段)。労務義務者が扶助の許可を與へられた後、長期間を豫定して他の労働局の管轄区域に住所を移轉した時は、その労働局は舊管轄労働局により、その後の扶助許與に付き管轄権を有する旨を通達せられるものとしてゐるのである(第一次施行細則第一九條後段)。

別居扶助及び特別扶助は、共に公共保護の給付でもなければ、また労賃でもないから、償還することも出來ず、また抵當に入れることも禁止せられてゐる(新確保令第六條)。

右の扶助に就ては、その後公布せられた一九三九年七月一一日附「労務義務者補償金及ビ別居手當ニ関スル國労働大臣布告」(Erlass des Reichsarbeitsministers über Beihilfen und Trenn-

六〇六

ungszuschläge für Dienstverpflichtete) が注意さるべきである。本布告は、労務義務者に対する労働局よりの補助金及び別居手當に関する標準の大綱を定めたものであって、実施に當っては、さらに詳細な施行規程を公布し、労務義務に基く國民の犠牲を緩和せんとしたものである。しかし、こゝではその詳細は省略することゝしよう。

5. 其の他

労務義務者が　舊労務場所に於て少くも三年間、各従業員若くはその家族の状態改善のための施設、例へば恩給金庫或は共済金庫の如きに出捐をなしてゐたときは、無期限義務を負ふに際し、施設主任より相當の賠償を與へらるゝことゝなってゐる（第一次施行細則第一四條第一項第一段）。賠償は、出捐免除の割引養老金の賦與若くは公共保険施設への拂込を以て之に代ふることを得るのであって、新労務場所に之に相當する施設がある時には、賠償はこの施設に拂込むことを要し、その代り労務義務者には相當の権利が認めらるべきことゝされてゐる（第一次施行細則第一四條第一

項第二段第三段）。而して、賠償義務の存否若くは賠償額の限度等に就て當事者間に争があるときは、右の施設の監督官廳又は労働管理官が之を裁決することゝなってゐるのである（第一次施行細則第一四條第二項）。

また、無期限労務義務者がその舊就業関係に基く諸請求権を喪失し、労務関係に基く諸請求権及び前述した各種の保護規定（第一次施行細則第一三條、第一四條及び第一七條乃至第一九條）によって調整せられない時はその特別の苛酷性を緩和するために、例外的に労働管理官により新経営が労務義務者に最高三ヶ月分の労賃を支拂はしめらるゝことがあるのである（新確保令第二條第四項、第一次施行細則第一五條）。

八、労務義務者と労働局との関係

労務者は労働局の決定により労務義務を課せらるゝことを初めとして、労働局と極めて密接なる関係に立ち、その管轄の下に多大の保護を與へらるゝこと前述の通りである。

されば、労働局としては、當該労務義務者に就て、各種の事情を知って置

かねばならぬから、新確保令は、次の如き規定を設けてゐるのである。即ち「労務義務者ハ労働局ニ対シ、ソノ要求ニ應ジ、スベテノ所要調査書並ニ報告書ヲ提出スルコトヲ要ス。労働局ハ本人ノ出頭ヲ命ズルコトヲ得」（新確保令第四條第一項）。

舊確保令に於ても右と同様であったが、固より當然のことと言へよう。

尚、労務義務者は労働局の要求に應じ、労務給付に際して、その占有または保管に係る物件を使用する権利を有しまた義務を負はしめられてゐることも併せて注意さるべきであらう（新確保令第四條第二項）。このことは新確保令により初めて明かにせられた所である。

九、労務義務の終了

期限付労務義務の場合に於ては、労務関係は労務給付の完了と共に終了することは言ふまでもない。労務義務が終了した時は、経営指導者は義務者が従来の就業関係へ復帰する様にしなければならず、遅くとも労務給付完了の際

に従前の住所又は通常の居所に到達せしめねばならぬとされてゐる。従って労務義務者は、帰還する期間も通常の労賃を與へられるのである（第一次施行細則第二〇條第一項）。

労務給付の完了前には、管轄労働局の同意ある時に限りその労務関係は解消せらるゝのであって、（新確保令第二條第五項）、この同意が與へられた時は労務関係の解消と同時に労務義務も亦終了するのである（第一次施行細則第二〇條第二項）。労働局が解消に同意を與へたときは、裁判上の目的として之を争ふことは許されない（第一次施行細則第二〇條第三項）。

労務関係終了の場合に於ける労務手帖への登録は、経営主により「労務給付終了」の旨を附記せらるゝことゝなってゐる（第一次施行細則第二〇條第四項）。

無期限義務の終了といふことは、性質上右の如く取扱はれないこと勿論であるが、特別の場合に於ては、労務地を管轄する労働局により、労務義務に基く契約関係と無関係に義務の廃止が認められてゐる。特別の場合とは「既

ニ義務ノ必要ナラザルコト判明シタル場合」及び「扶助ノ許可ノタメノ條件（第一七條及ビ第一八條）ナキ場合」の二つが之である（第一次施行細則第二一條）。

最後に、第一次施行細則に依れば、墺太利に於ては、當分の間州労働廳の代りに労働者労務配置及び失業者救済部墺太利支部（Zweigstelle Österreich für Arbeitseinsatz und Arbeitslosenhilfe des Reichsarbeitsministeriums）が、本確保令に基く労務義務の管轄機関とせられ、（第一次施行細則第二二條第一項）、ズデーテン地方に於ては、當分の間州労働廳の代りに地方政府特別受託官（Sonderbeauftragte der Reichsanstalt in den sudetendeutschen Gebieten）が、管轄機関とせらるる旨が規定せられてゐる（第一次施行細則第二二條第二項）。また、此の第一次施行細則は前述の如く一九三九年三月二日に公布せられたのであるが、その効力は、一九三九年二月十四日より生ずるものと遡及せられてゐることを注

意すべきである（第一次施行細則第二三條前段）。これと同時に一九三八年六月二九日附「國策上重要事業労力需要確保令施行細則」は廃止せられたこと云ふまでもないであらう（第一次施行細則第二三條後段）。

第二目　労務者移動の制限

一、序　言

前にも掲げた如く、新確保令は、其の第二章に於て「労務者移動ノ制限」と題して、次の如き規定を設けたに止まるのである。

「國労働大臣ハ、國策上特ニ重要ナル理由ニ基キ第二條第五項以外ノ場合ニ於テモ労務関係ノ解消ヲ労働局ノ同意ニ依ラシムルコトヲ得」（新確保令第七條第一項）。

「國労働大臣ハ、労務者及ビ使用人ノ雇入及ビ就業ヲ労働局ノ同意ニ依ラシムル旨ヲ命ズルコトヲ得」（新確保令第七條第二項）

されば、新確保令に所謂「労務者移動ノ制限」は、第一に労務関係の解消、

第二に労務者の雇入及び就業に関して、労働局の同意にかゝらしめ、之に伴ふ労務場所の変更を出来る限り防止せんことを企図して、先づその権限を國労働大臣に與へたものなのである。

何故に労務者の移動を制限する必要があるかに就ては、既に述べたところであるが、こゝに一言注意して置かねばならぬことは、かゝる制限を受けるに至った経済部門乃至経営に於ても、凡ゆる移動が絶対的に阻止さるべきものではないと云ふことである。何となれば、移動の中には國民経済上不可缺な移動もあり、また特に職業の向上になる移動、或は社會の発展に役立つ移動もあるのであって、之等の移動は固より許さるべきであり、従って移動はすべてこれを不健全なもの、不純なものとなすことは出来ないからである。

また、労務者移動の制限は、たゞ単に労務者及び使用人のみを対象としてゐるものと解してはならぬことである。何となれば、労務者移動の制限は、畢してかゝる制限によって所謂「國策上重要事業」の労力確保が行はれてゐるかの本来の趣旨に即應せしめらるべきものであり、従ってまた経営指導者

も之に協力せしめなければならぬものだからである。例へば、國策上必要な場合には、経営指導者が労務配置上の要求に合しない理由によって行ふ労務関係の解消は、之を阻止しなければなるまい。また例へば、出来る限り有能な労務者のみを集めんとするの結果、比較的能力の少い労務者の雇入は、之を絶對に歓迎しないといふが如き経営があるとすれば、之も亦排撃すべきであらう。かくて、経営指導者をもその対象とすることによって、労務者移動の制限は、労務配置の上から見て好ましからぬ理由による解雇から、労務者及び使用人を保護する意味をも有するに至ることを看過してはならない。

前述の如く新確保令に於ける労務者移動の制限は、第二次施行細則の公布に伴って之が発動をみるに至ったのであるが、第二次施行細則は、六章一五條に亘る極めて詳細な規定であり、労務関係の解消及び労務者並に使用人の雇入又は就業は、労働局の同意にかゝらしむることを中心として之を規定したものである。施行細則が、この両者につき共通したる制限として規定してゐる点は次の如くである。

先づ、労務関係の解消の制限、労務者及び使用人の雇入の制限又は就業の制限は、労務手帖義務者たる労務者及び使用人並にその経営に適用せられるのである（第二次施行細則第一條第一項本文）。而して、夫婦・父母・祖父母又は兄弟姉妹の経営に規則的に協力する家族は、その者が労務手帳義務者とせられず、また労務者又は使用人として就業してゐない場合に於ても特に右の制限に服すべきものとされてゐる（第二次施行細則第一條第一項但書）。夫婦父母等の経営に協力する家族をも特に制限に服せしめた理由は、主として農業経営を對象としたものであつて、農業経営に於てはかゝる家族の解雇が特に重要な意義を有つてゐるからである。

尚、こゝに所謂経営は、「アラユル種類ノ公私経営及ビ行政官廳」であるとされてゐる（第二次施行細則第二條）。

以上の如く施行細則は、制限の人的適用範囲を一般的に定め、以て國策上重要な事業のために労力を最大限度に利用せんことを、企図したのである。

六一五

二、労務関係解消の制限

「労力需要確保令」に基いて労務を給付すべき義務を負ふに至つた者の労務関係は、労働局の同意なくしては之を解消することを得ないのであるが（新確保令第二條第五項）、これ以外の場合に於ても労務関係の解消を労働局の同意にかゝらしめた趣旨は（新確保令第七條第一項）、先づ第一に、同一事業に右の義務によらずして就業しつゝある労務者をして、依然その場所に留まらしめんとしたことである。而して、この点に於て「労務義務」の設定と「労務者移動の制限」との間に大きな連関があること言ふまでもないであらう。

労務関係解消の制限は、當初一般的に認められることなく、之が適用せらる、経営は、次の六経済部門に属するものに限られてゐたのである。即ち

(イ) 農　業
(ロ) 山林業
(ハ) 鑛山業（但シ瀝青炭坑ヲ除ク）

六一六

(ニ) 化學工業
(ホ) 土木建築材料生産業
(ヘ) 鉄及ビ金属経済

が之である（新確保令第二次施行細則第三條第一項）。而して右の経済部門が如何なる範囲の経営を含むかは、附表第一号によつて定むることゝしてゐる（第二次施行細則第三條第一項）。附表第一号によれば次の如く定められてゐる。

農業は副業を含む一般農業・畜産業及び園藝とされ、その中副業に就ては自己需要のみを目標とする場合に限定され、園藝に就いては、主として園藝産物の加工及び販賣のみを営み園藝産物業は除外されてゐる。

林業に就ては別に問題なく、鉱山業は、褐炭及び褐炭煉炭の採取、鉱石の採取、岩塩の採取、石油の採取及び以上の各鉱山業経営のための鉱山開発及び準備作業が之に含まれてゐる。

化学工業には、重化學成品工業、木材炭化及蒸溜、窒素工業、人造肥料工

六一七

業、タール染料工業、天然染料及び鉱物染料生産、爆発剤・点火剤・煙火剤・点火物製造工業、セルロイド・人造角質物其の他の生産工業、光化学工業、瀝青炭タール蒸溜、褐炭タール蒸溜、石油蒸溜・石油分解及び水素添加、天然樹脂採取及び加工、人造絹絲・人造纖維・人造羊毛・ブナ及び合成動力原料生産が含まれてゐる。

土木建築材料生産業には、天然石及び有用鉱物採取加工、石灰工業・漆喰工業・火山石灰工業及びセメント工業、コンクリート成品及びコンクリート用石材、煉瓦工業及び其の他の人造煉瓦生産、鋸成品及び鉋成品、鉄道枕木及び電柱生産が含められる。

最後に、鉄及び金属経済としては、製鉄及び製鋼、精煉所及び金属半成品工場、鉄・鋼及び金属成品製造、機械器具及び船車製造、電気工学工業、光学工業及び精密機械工業が之に含められてゐるのである。

右に掲げた経営に於ては、経営主・労務者及び使用人は労働局の同意ある時に限り、労務関係の解約をなし得るのであつて、事前の同意なくして行は

六一八

れて解約は、法律上の效力を生じない。但し、特別例外の場合に於ては、事前に同意を得ない解約であつても、労働局の事後に於ける同意を得て有效なものとせらるゝことがあるのである（第二次施行細則第三項第二項）。こゝに特別例外な場合とは、例へば、突発的原因によつて原料が缺乏し、或は自然災害等によつて生産を停止しなければならぬ如き場合にして、事前の同意を得ることが不可能と思料せらるゝ時が、先づ之に該當するであらう。而してまた、契約當事者の一方が、労務関係の即時解約權を要求して、現實に當該經営から解雇され、或は労務者自ら就業を拒絶した場合に後日労働局がかゝる解約を認むることゝした場合である。この場合は大部分が訴訟として争はれるのであつて、これに對して労働局が裁定し、事後同意を與へる形となるのである。從つて、労働局はその裁定に當つては、當該労務場所が一日も空けて置けぬ如き重要なものであるか否か、また當該労力の補充が容易につくか否か等を考慮してこれを決定しなければならないのである。

労働局は、專ら労務配置に関聯する諸問題並に右の裁定をなす任務を有つ

六一九

ものであるから、同意そのものは必ずしも解約の權利を最後的に決定するものではない（第二次施行細則第三條第三項）。解約期間を置かずして行はれた解約に對する同意に就ても同樣である（第二次施行細則第三條第三項）。從つて、解約が有效であるか否かに関して争があるときは、労働裁判所の裁判を仰ぐ外はないのである。

労働局の同意を得なければならない場合は、前述の如く、労務者及び使用人から解約を求める場合又は經営主より労務者及使用人を解雇せんとする場合である。而して、この同意を求めんとする申請は、「最後ノ労務場所ヲ土地管轄内ニモツ労働局」へ提出しなければならないのである（第二次施行細則第一二條第一項第一段）。

同意申請を受けたる労働局は、これを決定するに當り、次の諸項に就て、之を參酌すべきものとされてゐる（第二次施行細則第十一條）。即ち――

(イ)　労務配置、職業見習管理及ビ労賃政策ノ一般方針

(ロ)　関係諸經営ノ事業ノ國策上及ビ經濟政策上ノ重要性

六二〇

(ハ)　関係諸經営　生産能力

(ニ)　労務者及ビ使用人ノ社會的発展ノ見地

が之である。從つて、例へば、老齢にして最早完全な労務能力を有しない樣な労務者の解約が問題となつたときに於ても、上掲の諸点からその者に継続就業を期待しなければならぬ場合には、労働局は之に同意を與ふべきではないのである。

次に労務関係の解消に労働局の同意を必要としない例外の場合がある。第一は「契約當事者ニ於テ労務関係ノ解消ニツキ意見ノ一致ヲ見タ」場合である（第二次施行細則第四條第一項）。これ一般に契約當事者双方が、互に解消を欲してゐる場合には、労務関係の継続に対する労務配置上の要求が存在しないものと考へられることに基く規定である。然し、この場合には、經営主は、解約した労務者の補充に就て、労働局の同意を得て解消した場合以上に、重い責を負はねばならないと言ふべきであらう。

第二は、「労務者又ハ使用人が試験若クハ補助ノタメニ雇入レラレ一ケ月

六二一

以内ヲ以テ労務関係ノ終了ヲ來ス」場合である（第二次施行細則第四條第二項）。これも右と同樣、解約を労働局の同意にかゝらしめる労務配置上の利益がないからである。また期間の短かいことよりして、これにも亦同意を必要とするものとすると、徒に煩瑣を來す虞があるからである。

第三は、農業部門に於て特に認められる重要な例外である。これに三つある。即ち――

(イ)　農業經営ニ於テ契約上労務義務ヲ負フニ至リ新労務関係ト舊労務関係ト接續スル場合

(ロ)　收獲作業ノ実施ノタメ臨時ニ雇入レラレタルモノ

(ハ)　農業奉仕・農業補助又ハ婦人労務義務年期ニ関スル規定ニ基キ農業ニ從事シ契約期間經過後解雇セラルベキモノ

が之である（第二次施行細則第五條）。これ農業の特異性に基いて定められた例外であり、農業經営に於ける労力の需要を出來る限り自由にせんとする趣旨が窺はれやう。

六二二

最後に第四は、労務者が国防軍現役服務義務又は労働奉仕義務を果すために、退職する場合である。この場合は法律上当然に労務関係は終了すること云ふまでもないであらう。

三、雇入制限

労務者及び使用人の雇入を制限することによって、労務配置の統制を実施しようとすることは、新確保令に於て初めて認めらるゝに至ったものではなく、既に一九三四年八月二八日附「労働力配分ニ関スル訓令」(Anordnung über die Verteilung von Arbeitskräften)に於て認められたところである。たゞ、新確保令による雇入制限は、国労働大臣に強力なる権限を與へてその範囲を拡充し、さらに労務統制の実を挙げんとした点に重要なる意義があるのである。

第二次施行細則は、新確保令に基いて、雇入の制限に関し次の如く規定してゐるのである。

即ち、先づ「各種ノ経営ハ、労働局ノ同意アルトキニ限リ、二五歳未満ノ

六二三

労務者・使用人・徒弟・実習生及ビ見習工ヲ雇入ルヽコトヲ得」とされたのである(第二次施行細則第六條第一項)。但し、「農業及ビ山林業ヘノ雇入、海上・内水及ビ空中輸送船ヘノ雇入、家庭ヘノ雇入ニハ同意ヲ要セズ」とされてゐる(第二次施行細則、第六條第二項)。　これにより、労働局は、経営が不相当に年少労務者のみを雇入れて、年長労務者を解雇することのなき様に管理することが出来、かくて各個経営に於ける従業者の年齢を均一化する様統制が出来るのである。また一面に於ては、徒弟養成もせず、専門工見習も養成せずして、不当な賃銀吊上げの手段等によって競争相手の経営から熟練した徒弟等を引抜かんとする経営を抑圧することが出来るのである。

次に「各種ノ経営ハ労働局ノ同意アルトキニ限リ金属労務者ヲ雇入ルヽコトヲ得」とされたことである(第二次施行細則第七條第一項)。但し、農業経営のみはこの限りに在らずとされてゐる(第二次施行細則第七條第一項但書)。何故にこの例外が認められたかは、周知の如く、農業に於ては、労力の缺乏が甚だしく、之を補ふために機械による作業の実施が大いに要求さ

六二四

るべきところであったから、金属労務者の雇入も、簡単に益々多く行はれねばならないからである。

こゝに金属労務者といふは、如何なる種類の労務者を指すか。施行細則はこれに答へて「金属労務者トハ、鉄及ビ金属工業ノ専門工トシテノ正規ノ訓練ヲ経タル労務者・経営官公吏・請負師及ビ技術家並ニ労務手帳ヘノ登録ニヨッテ熟練工ト認メラルベキ者ヲイフ」と明定してゐる(第二次施行細則第七條第二項)。

また、「各種ノ経営及ビ家庭ハ労務手帳ニ登録後次ノ各部門ノ経営ニ於ケル従業ヲ最後トシタル労務者及ビ使用人ヲ雇入ルルニハ労働局ノ同意ヲ要ス」として

(イ)　農　業
(ロ)　山林業
(ハ)　鉱山業(但シ瀝青炭坑ヲ除ク)
(ニ)　化学工業

六二五

(ホ)　土木建築材料生産業
(ヘ)　鉄及ビ金属経済

の六経済部門を指定してゐるのである(第二次施行細則第八條第一項)。この部門は、前述した「労務関係解消ノ制限」を受ける部門と同一であり、従って、具体的に如何なる経営が各々の部門に属するかも、全く同一に取扱はれてゐるのである(第二次施行細則第八條第一項)。こゝに注意を要することは、一般家庭に就ても、同意を要するものとされたことである。従って、例へば農業経営に協力就業してゐた家族を、農業以外の経営に雇入れんとするときには、労働局の同意が要ることゝなるのである。

例外が二つある。第一には、「同一経済部門ノ経営ヘノ雇入ニ付テハ同意ヲ要セズ」とされてゐることである(第二次施行細則第八條第二項)。従って解約の制限の場合に関係なく、上掲の六経済部門に関する限り、同一経営部門内に於ける雇入は自由に出来るのである。但し鉱山業に就てだけは、同一鉱坑への雇入のみが同意を要しないとされてゐるのである。従って、例へ

六二六

ば、一の褐炭坑から他の褐炭坑への移動が自由であるが、或砿坑からこれと別種の砿坑へ移動するには、労働局の同意を得なければならないのである。

第二には、「農業経営ヘノ雇入ニ付テハ一般ニ同意ヲ要スルコトナシ」といふことである（第二次施行細則第八條第三項）。而して、第一の場合には、年齢による雇入の制限を規定せる第二次施行細則第六條及び金属労務者雇入制限に関する第二次施行細則第七條の適用は之を妨げずとされてゐるのであるが、第二の場合には、かゝる制限すらもない（第二次施行細則第八條第二項）。従つて、農業経営のみは、労務者の年齢、それ迄従業してゐた経済部門、職業に関係なしに、自由に労務者を雇入るゝことが出来るのである。

最後に、土木建築経済に対する特別取扱である。即ち、「土木建築経済ノ経営ハ労働局ノ許可アルトキニ限リ――採用者ノ従来ノ職業種別ヲ参酌スルコトナクシテ――労務者及ビ技術的使用人トシテ雇入ルルコトヲ得」とされたことである（第二次施行細則第九條第一項）。而して土木建築経済の範囲は附表第二号を以て明示することゝしたのである（第二次施行細則第九條第

二項）。

附表に依れば、土木建築経済の範囲は、(一)土木建築企業及び土木建築手工場として、(イ)建築事務所、土木技術事務所及び測量事務所(ロ)地上工事大工及び左官、(ハ)道路建設及び地下作業、(ニ)土木建築副営業として、(イ)漆喰業者、(ロ)屋根葺業、(ハ)石材敷石及び鋪石業、(ニ)鋪石工・アスファルト工及び鋪装工、(ホ)薪炭及び煙筒製造、(ヘ)架台製造及び建築用起重機製造、(ト)建築物取拂業者及びこゝに掲げた専門領域に於て就業せしむるために労務者を雇入れんとするその他の経営が指定されてゐる。

以上の諸場合に於ける雇入のための同意を得んとする申請は、雇入をなさんと欲する経営を土地管轄内にもつ労働局に之を提出しなければならない（第二次施行細則第一三條第二項、第一二條第二号）。労働局が同意申請を決定するに當り参酌すべき事項は、前述した解約制限の場合に於けると全く同様である（第二次施行細則第一一條）。

四、個別的制限

前述の如く労務関係解消の制限及び雇入又は就業の制限を受くる経営は、具体的に各経済部門が明かにせられて居り、そのすべてが四ケ年計画の実施上特に重要な意義を有ち、一刻も生産の停滞を許さないものであるが、これは必ずしも之等の経営のみを國策上重要であるとし、他の経営はすべてこれを重要ならずとする趣旨では固よりない。右に掲げられた経営以外の経営に於ても、労務配置上好ましからぬ労務関係の解消を防止し、労務者の雇入を労働局の同意にかゝらしむる必要の少からぬことは、勿論之を認めねばならないであらう。この故に第二次施行細則は、個々の経営に就ても労務者移動の制限を設け次の如く規定してゐるのである。即ち――

「州労働廳長官ハ第二章規定（労務関係解消制限規定を指す）ノ適用ヲ受ケザル個々ノ経営ニ於テモ経営主・労務者及ビ使用人ニ對シ、労働局ノ同意アルトキニ限リ、労務関係ノ解消ヲナスベキ旨ヲ命ズルコトヲ得」（第二次施行細則第一〇條第一項）。

「州労働廳長官、　個々ノ経営ニ對シ、第三章規定（雇入制限規定を指す）

ニ基ク雇入同意義務アル労力ヲ労働局ノ同意アルトキニ限リ、雇入レシムル旨ヲ命ズルコトヲ得」（第二次施行細則第一〇條第二項）。

同意を要する旨を命じた時には、書面を以て之を為すべきであり、該書面を経営主に呈示することゝなつてゐる。而して該書面の呈示を受けた経営主は、之の寫を各経営部門毎に、従業員の近附き得る適當な場所に掲示しなければならないのであつて、その掲示を以て制限に服すべき労務者及び使用人に對する通告とする旨が注意せられてゐる（第二次施行細則第一〇條第三項）。

右の規定にも明かなる如く、州労働廳長官が如何なる程度に、その権限を行使し得るかは、一に州労働廳長官の裁量に任せられてゐるのである。但し裁量に任せるとは云ふものゝ、州労働廳長官は、前述した労務関係の解消及び雇入に際して労働局が同意を與ふるにつき参酌すべき事項（第二次施行細則第一一條）を参酌して之を決定すべきこと言を俟たないところであらう。

本條第一項（労務関係の解消）に基く同意の申請は、労務関係の解消を欲する契約當事者が、最後の労務場所を土地管轄内にもつ労働局へ提出しなけ

ればならず（第二次施行細則第一三條第一項）、本條第二項（雇入制限）に基く同意の申請は、雇入をなさんと欲する経営主が、當該経営を土地管轄内にもつ労働局へ提出しなければならないとされてゐる（第二次施行細則第一三條第二項）。

以上述べた労務者移動の制限に基く同意の申請は、その形式はこれを問はないものとされてゐる。従って、労働局は、労務関係解消の場合にしろ、雇入の場合にしろ、また州労働廳長官により命ぜられた個々の経営に於ける労務関係解消又は雇入の場合にしろ、すべて形式とは関係なしに申請を受領しなければならないのである。申請に対する決定は、申請者に対し書面を以て通告されるのを原則とし、特別の場合に於てのみ書面によらざる通告も許されるものとされてゐる（第二次施行細則第一三條第三項）。

五、制限に関する細則の施行期日その他

前述の如き内容を有する労務者移動の制限に関する一九三九年三月一〇日附第二次施行細則は、同細則第一五條第一項により、同年同月一五日より実

六三一

施せられたのである。

右に関連して、本施行細則によれば、労務関係の解消に際して労働局の同意を得べかりしものであるに拘はらず、既に細則施行以前に解約告知が為されたものである場合に就ては、その效力が三月一五日以後に生ずるものに限り、労働局の同意を要するものとしたのである（第二次施行細則第一四條）。

尚、本細則の施行と同時に次の諸訓令が廃止されたのである（第二次施行細則第一五條第二項）。

(イ) 一九三四年八月二八日附「労働力配分ニ関スル訓令」（Anordnung über die Verteilung von Arbeitskräften）（但し、本訓令は、一九三六年一一月二七日附、一九三七年三月一八日附、一九三八年三月一日附を以て三度改正を経てゐることを注意すべきである）。

(ロ) 一九三七年二月一一日附「金属労務者ノ配置ニ関スル訓令」（Anordnung über den Arbeitseinsatz von Metallarbeitern）

(ハ) 一九三八年五月三〇日附「土木建築経済ニ於ケル労務者及ビ技術使用人

六三二

労務配置ニ関スル訓令」（Anordnung über den Arbeitseinsatz von Arbeitern und technischen Angestellten in der Bauwirtschaft）

(ニ) 一九三八年六月一日附「個々ノ経営ニ於ケル労務配置統制ニ関スル訓令」（Anordnung zur Regelung des Arbeitseinsatzes in einzelnen Betrieben）

(ホ) 一九三七年四月二七日附「ビッターフエルド　ハルン及ビウイッテンベルグ労働局管区ニ於ケル化学工業及ビ土木建築営業労務者ノ労務配置ニ関スル訓令」（Anordnung über den Arbeitseinsatz von Arbeitern der chemischen Industrie und des Baugewerbes in den Bezirken der Arbeitsämter Bitterfeld, Halle und Wittenberg）及ビ一九三七年四月二七日附「同訓令施行ノタメノ告示」（Bekanntmachung zur Ausführung dieser Anordnung）

(ヘ) 一九三四年五月一七日附「ベルリン市ニ於ケル労務配置統制ニ関スル訓

六三三

令」（Anordnung über die Regelung des Arbeitseinsatzes in der Stadtgemeinde Berlin）（本訓令は一九三六年九月二九日附を以て改正せられてゐる）

(ト) 一九三四年八月三〇日附「ハンブルグ・アルトーナ・ワンズベック及ビハンブルグ＝ウヰルヘルムスブルグ都市ニ於ケル労務配置統制ニ関スル訓令」（Anordnung über die Regelung des Arbeitseinsatzes in den Stadtgemeinden Hamburg, Altona, Wandsbek und Hamburg=Wilhelmsburg）（本訓令は一九三六年九月二九日附にて改正せられてゐる）

六、第三次施行細則

第三次施行細則は、前述した第二次施行細則が労務関係の解消制限規定（第三條第一項）並に雇入制限規定（第八條第一項）に於てその適用を受くる六経済部門の中、鉱山業の瀝青炭坑関係のものを除外してゐたのに対し、この除外例を撤廃したものである。之によって、労務者移動制限の規定は、

六三四

六経済部門、即ち農業・山林業・鉱山業・化学工業・土木建築材料生産業及び鉄及び金属業の全面に亘って適用さるゝこととなったのである。この摘用範囲の拡充は、瀝青炭坑の四ヶ年計画上に於ける重要性に基いて、その採掘を強化せんために為されたものなること云ふまでもなからう。殊に當時、ルール炭坑地帯に於て、製鉄業・金属業と炭坑とが併存するの結果、労賃の高低等によって労務者の自然移動が盛に行はれたことに対處せんがために為されたものであると云はれて居るのである。而して、こゝに瀝青炭坑と云ふのは、「瀝青炭・瀝青炭煉炭及ビコークス採取」を指すものとされてゐる（第三次施行細則第一條）。

尚、本施行細則は公布の日、即ち一九三九年七月一一日より施行せられ（第三次施行細則第二條第一項）、労務関係の解消につき、本施行細則に基く労働局の同意を得なければならぬ労務関係にして、本施行細則施行前に解消せられたものであるものに対しては、其の解消が七月一二日以後に效力を生ずるものに限って、労働局の同意を得べきものとせられたのである（第三

次施行細則第二條第二項）。

第四節　労務配置機構の整備

ナチス独逸に於ける労務配置政策上劃期的なる國民労務動員制の確立さるゝ間に、労務配置実施担當　たる中央労働紹介失業保険局、州労働廳及び労働局に就き、重要なる機構の改正が行はれたことは、労務配置を説くに際しては、看過してはならぬことである。その根據法令が、一は一九三八年一二月二一日附「中央労働紹介失業保険局ニ関スル総統布告」（*Erlass des Führers und Reichskanzlers über die Reichsanstalt Arbeitsvermittlung und Arbeitslosenversicherung*）であり他は一九三九年三月二五日附「労務配置ニ関スル命令」（*Verordnung über den Arbeitseinsatz*）であることについては、前にも一言述べた如くであるが、以下にはこれに就て少しく述べることゝしよう。

元來、労務配置上、重要任務を担當してそれが実施に當ってゐる「中央労働紹介失業保険局」（*Reichsanstalt für Arbeitsvermittlung und Arbeitslosenversicherung*）が設置さるゝに至ったのは、ナチス政権確立前のことであって、ナチス政府により初めて創設されたものではないのである。その沿革を略述すれば、第一次世界大戦後、労働紹介・労働振興・失業者扶助の任務を處理するためには、特殊の労務配置行政を実施するの方策に出でる必要が痛切に感じられ、一九二七年七月一六日附「労働紹介失業保険法」（*Gesetz über Arbeitsvermittlung und Arbeitslosenversicherung*）が制定公布さるゝに至り、その中央機関として設置されたのが最初なのである。當時、中央労働紹介失業保険局は、國営の機関ではなく、従ってまた國家官廳として認められず、たゞ単に純然たる労務者及び資本家の自治機関として公法人たるに過ぎなかったものである。しかし、ナチスに至るまでの数年間、中央労働紹介失業保険局は、独逸労働行政の中枢として重要な役割を担當して來たことであった。

かくて、ナチス政府となるや、當面の急務たる失業対策の問題に関聯して、中央労働紹介失業保険局の任務が重視せられ、こゝに中央労働紹介失業保険局は、一九三三年三月一八日附布告に基いて國家官廳とさるゝに至り、同時に従来同局の有した権利乃至義務は一括して中央労働紹介失業保険局長官の手に移管されたのである。而して同局長官には、有名なジールップ博士が任命され、同長官の命によって全國の州労働廳及び労働局は活動するといふ方法で、第一次四ヶ年計画下の労務配置、即ち失業対策が講ぜられたのである。その後第二次四ヶ年計画が実施さるゝに至り　従来よりの労務配置政策は一段と強化されたこと、既に詳しく述べた通りであり、遂には一九三八年六月「國策上重要事業労力需要確保令」に基く國民労務動員が実施さるゝに及んで、労務配置実施担當機関の任務は益々重大とせられてきたのである。そこで之に應じた機構の整備も行はれねばならぬといふ必要から、前に掲げた總統布告が一九三八年一二月に公布された次第なのである。

同布告は、簡単に「中央労働紹介失業保険局長官ノ任務及ビ権限ハ國労働大

臣ニ之ヲ移讓スベシ。國労働大臣ハ労働省ト同局トノ事務分掌並ニ同局内部ノ分担ヲモ新ニ規定スベシ」と命じたものであるが、こゝに於て従来労働省とは独立の地位にあるものとされてゐた、中央労働紹介失業保険局が完全に労働省に統合さるゝことゝなつたのである。次いで、國労働大臣は、中央労働紹介失業保険局との事務分掌並に同局内部の分担等を定める必要から、前に掲げた一九三九年三月二五日附「労務配置ニ関スル命令」を公布したのである。

本令により、州労働廳（Landesarbeitsamt）及び労働局（Arbeitsamt）は國労働大臣に従属する國家官廳となり、従来の中央労働紹介失業保険局は従来の名稱を改めて、「労働紹介國中央局」（Reichsstelle für Arbeitsvermittlung）と稱さるゝことゝなつたのである（第一條）。

之と同時に、従前の中央労働紹介失業保険局の職員は全部國家の官吏とせられ、使用人及び労務者の雇主は國家たることが明かにされたのである（第二條）。また、従来、中央労働紹介失業保険局は、公法上の人格者として財産を有してゐたのであるが、以後この財産は「労務配置國基金」（Reichsstock für Arbeitseinsatz）として國労働大臣が管理することゝし、國労働大臣は國財政大臣の同意を得て豫算を決定し、之を費消することゝしたのである（第三條）。但し、従来の中央労働紹介失業保険局の管理してゐた土地・建物及び動産は、労務配置國基金より除外され、當該財産に就ては國家の所有とし、これに関する権利義務は一切國家が之を承継するものとされてゐるのである（第四條第一項、第二項）。因に、本令は一九三九年四月一日より実施されたのである（第五條）。

六三九

六四〇

第五節　結語

以上、ナチス独逸に於ける労務配置法令中最も注目すべき「國策上重要事業労力需要確保令」を中心として、独逸國労務動員制に就て述べたのであるが、尚、こゝに一言したいことがある。その一は労務動員制の根本理念といふことであり、他の一つは、労務動員制が如何なる分野に運用されたかと云ふことである。

云ふまでもなく、失業対策を重点においたナチス政権獲得の當初及び之に続く第一次四ケ年計画の時期にあつては、労務者をして一定の職場に就業せしめるといふことは、労務者の権利として観念せられてゐたのである。しかるに、その後労働力の需要が益々増大するに至り、遂には労働力の缺乏を感ずるに至つて見ると、失業対策時期に於けるとは全く逆の労務者の管理統制を行はねばならなくなつたのである。こゝに於ては、最早従来の如き所謂「労働の権利」（Recht auf Arbeit）を理念的基調として労務配置政策を実施することは許されなくなつたのである。而して、こゝに「労働の権利」は轉じて「労働の義務」（Recht auf Arbeit）として観念せられる様になつたのである。

「國策上重要事業労力需要確保令」に於ける「労務義務」の如きは、就中この観念を以てするに非れば、能くその根本を解明することは出来ないであらう。実に、第二次四ケ年計画下に於ける労働力需要の増大は、独逸國民の最後の一人に至るまで、否、独逸國内に居住する外國人に至るまで、労力の補給のために動員せらるゝの義務を負はしむることゝなつたのであり、従つてまた、労務配置の問題は、單に一般労務者を対象とするのみならず、全國民を対象として考慮せらるゝに至つたのであつて、根本的理念の轉回も亦、蓋し當然のことゝ云へるであらう。

六四一

かくして、前述した「國策上重要事業労力需要確保令」に基く國民労務義務は、「労働奉仕義務」（一九三五年六月二六日附「國労働奉仕法」参照）及び「兵役義務」（一九三五年三月一六日附「國防軍ノ編成ニ関スル法律」参照）と共に、ナチス独逸に於ける國民の三大義務の一つとして、ナチス國防國家体制を鞏固ならしむる源泉たらしめられたのである。

しかし、こゝに樹立せられた労務義務制は、何れにしても独逸國民の自由に対する強力な干渉であり、のみならず謂はゞ一大犠牲を要求するに至るものであるから、ナチス政府當局は、この点に関する障害の発生等に就ては、之が注意を決して怠らなかつたのである。即ちナチス政府は、「労働要求の権利」に続いて、「労働従事の義務」がとり上げられねばならぬ事情を明かにすると同

六四二

時に、民族共同体の思想を強調し、労務者に対しても、また企業家に対しても、高い精神的態度を要請したのである。しかも亦、之が適用に際しては、現代は決して平常の時代にあらずとし、欧洲新秩序建設へ邁進すべき苦難の時代なることを示すと同時に、「國策上特ニ重要ニシテ実施ノ遷延ヲ許サザル事業」の為に之を認めることゝしたのである。こゝに我々は、前述した國民労務動員制が円滑に運営される所以を知らねばならないであらう。

次に、國民労務動員制度が活用された分野について一言しよう。所謂「國策上重要事業」に適用さるゝことは前述の如くであるが、具体的に適用を見たのは土木建築業・鉄工業・金属加工業等の主に生産財生産の分野であって、消費財生産の分野ではなかったのである。この二部門について見れば次の如くである。

	一九二五年	一九三三年	一九三八年
土木建築業	一、四四〇、〇〇〇	八四〇、〇〇〇	二、〇七一、〇〇〇
鉄鋼業・金属加工業	二、五〇〇、〇〇〇	三五八、〇〇〇	三、一八二、〇〇〇

即ち、土木建築業に於ては、一九二五年には百四十四万人だったのが、一九三三年に八十四万人に減少し、一九三八年には二百七万一千人に増大してゐるのであって、これを一九二五年に比較すれば六十三万人の増加となり、一九三三年に比較すれば百二十万人の増加となってゐるのである。また鉄鋼業・金属加工業に於ては、一九二五年の二百五十万人が、一九三二年までに三十五万八千人に減少し、一九三八年までに再び三百十八万二千人に激増を示してゐるのであって、これを一九二五年に比較すれば、六十万人、一九三三年に比較すれば百八十万人といふ増加ぶりである。この一例を以ってしても、躍進の跡が窺

はれよう。これ四ヶ年計画実施以来、生産拡充が國策とせられ、原料の自給策を採ったことに基くものである。

右の如き情勢を継続しつゝ、ナチス独逸は今次欧洲大戦の渦中に突入したのである。

第三章　戰時に於ける労務配置法

第一節　序説

第一次世界大戰當時に於ける独逸は、戰争の開始までに労務動員乃至労務管理に當るべき機構及び之が法的手段を十分に整備して居らなかったために、大戰が勃発するや、直ちに之が対策に極めて苦慮しなければならなかったこと、人のよく知るところである。例へば、開戰と同時に、従業地方に於て労務者の需給を掌ってゐた公私の職業紹介機関を統括するの必要から、内務省の下に「帝國中央労働紹介所」（Reichszentrale für Arbeitsnachweise）を設置して、一九一四年八月以降、従来の職業紹介機関相互の連絡を計ると同時に急速なる労務統制を実施することゝし、また一九一六年、所謂「ヒンデンブルグ綱領」に基いて、戰時経済に重要ならざる工場を閉鎖して原料・機械及

六四七

び装置・燃料・輸送力・労働力等、あらゆる生産諸力を戰時重要工場に集結せしめると共に、「祖國補助勤務法」（Gesetz über den vaterländischen Hilfsdienst）（一九一六年一二月五日附）によって広汎なる國民労務の動員を企てたことはその主要なものである。而して、之等の諸対策が、當時相當有效な役割を演じたことは固より云ふまでもないが、應急の措置であっただけに、またその弊も免れなかったところである。しかし、第一次大戰中に於けるこの体験が、戰後の独逸に於ける労務配置政策実施の上に如何に役立ったかは、何人も之を認めざるを得ないところであらう。即ち、一九二七年七月一六日附「労働紹介失業保険法」に基いて労務配置行政実施担当の中央機関たる「中央労働紹介失業保険局」が設置せられたことを始めとして、ナチス政府となるや、直ちに一九三三年三月一八日附布告に基いて従来自治機関なりし「中央労働紹介失業保険局」は國家機関とせらるゝに至り、殊に第二次四ケ年計画実施以来労働力の不足に対處するために、労務配置政策が一段と計画的に強化され、遂には、一九三八年六月以降、「國策上重要事業労力需要確保令」に基

六四八

いて劃期的なる國民労務動員制の確立を見るに至り之に即應して一九三八年一二月二一日附、並に一九三九年三月二五日附命令に基て再び労務配置実施担當機構の整備強化が行はれた事等に就ては前章に述べた如くであるがかゝる顕著な進展を遂ぐるに至ったその背後には前大戰に於ける貴重な体験が國際情勢の険悪化に併行して常に生かされてゐたことを知らねばならないであらう。

かくて、今次欧洲大戰勃発前に於けるナチス独逸は、再軍備の拡張乃至國防國家態勢を着々として完成せしめつゝあり、従ってまたその下に於ける労務配置政策も亦、準戰時体制下に於けるそれとして、極めて高度の段階にまで達してゐたのである。このことは、こゝにあらためて説くまでもなく、今迄述べたところに於て明かであらう。

されば、戰前すでに右の如き情勢の下にあったナチス独逸は、現実に大戰が勃発するに至っても、第一次大戰當時に於ける如き狼狽を見ずして、直ちに戰時体制への切換を実施することが出來たのである。労務配置政策に就ても亦同様であり、差當り従来のまゝを、戰時下に於ける労務配置政策の中へ織込みつ

六四九

つ諸般の対策に出でたのである。かゝる事情は、戰時経済行政の再編成を定めた例の一九三九年八月二七日附「経済行政ニ関スル命令」（Verordnung über die Wirtschaftsverwaltung）第八條に於て、労働事項に関し、「州労働廳及ビ國労働管理官ノ構成ハ変更セラルルコトナシ」と規定されてゐることよりしても窺はれよう。即ち、大戰勃発當初に於けるナチス独逸の労務配置対策は、数年以来の準備の致すところ、敢て戰時下なるが故の急造急改を要することなくして、その構構乃至法制上殆んど従来の儘を承継し、且つ戰時下の必要に即應して、その全能力を最大限度にまで活用せんとしたことにあるのである。戰時下、特に銃後に於ては、戰争遂行の必要上、先づ何よりも第一に戰時経済最高の要求たる「軍需の充足」を迅速且つ円満に具体化しなければならないから、全能力を最大限度に活用すると云っても、重点は常にこの点に置かれねばならないのであって、かゝる意味に於て戰前の労務配置政策が修正乃至強化さるべきことは、蓋し當然のことであらう。

この故に、ナチス政府は、大戰勃発に際して直ちに、一九三九年九月一日附

六五〇

を以て最高國防會議の名に於て「労務配置及ビ失業救済ニ関スル規定ノ改正令」（*Verordnung zur Änderung von Vorschriften über Arbeitseinsatz und Arbeitslosenhilfe*）を同年九月六日に公布してゐるのである。本令は「國労働大臣ハ労務配置及ビ失業救済ニ関スル規定ヲ國策上ノ必要ニ應ゼシムルノ權限ヲ有ス」と規定して（第一條）、國労働大臣に対して労務配置及び失業救済に関する強力なる權限を與へ、且つ今後の方針を明かにしたのである。

かくして、ナチス独逸は戰時経済への轉換に着手したのであるが、戰時下に於ける労務配置が必然的に重点主義的配置を要求せられるために、先づ労働力の大規模なる編成替を実施することゝなつたのである。こゝに於て國労働大臣の下に、労働紹介國中央局、州労働廳及び労働局は第一線に立つて、この任務を担當実施した譯である。

労務配置実施担當機関が、その任務に忙殺され、而も困難な数々の問題を處理しなければならぬのは、戰爭開始直後の数ケ月であらう。就中、重要問題と

六五一

して注目さるべきは、第一には、消費財生産に従事してゐた労務者を戰時経済上必要なる職場へ出来る限り最短期間中に配置しなければならぬといふことである。第二には、軍務に應召せる労務者の補充を如何にするかといふことである。軍務應召者は、各経済部中、殊に農業部門より多数動員せらるゝ結果として、之に伴つて発生する農業経営に於ける労力の不足を如何に考慮するかは、極めて重大なことゝ云はねばならぬ。今次大戰の勃発が、丁度秋の收穫季節を目前に控へてゐたことは、さらにこのことの重要性を増すに至つたことである。第三には、戰爭の進展につれて、一般経済各部門に於ける労力の不足に対して、之を除去するための方策を講ずる問題である。このためには、従來にもまして労力補給源の確保が要請さるゝに至るのである。

然らば、戰爭の開始と同時に、続々と生じて來る以上の諸問題に対して、ナチス労務配置実施担當機関は、能くその任務を遂行し得たであらうか。ナチス政府當局の発表に依れば、円滑且つ成功裡に戰時経済への轉換が行はれたといふのである。而してこのことは、大戰開始直後に起る失業者が極めて少なかつ

六五二

たといふ事実よりするも明かであらうといはれるのである。

元來、一般的に云へば、開戰直後に於ては失業者が急激に増加するのが常である。何故にかゝる現象を見るに至るかの原因は、数々のものが挙げられるのであるが、わけても、(イ)多数の労務者が軍務に應召し、或は軍需工場へ配置さるゝために従來の経営をその儘運営することに困難が生ずること、(ロ)動員及び作戰のために交通運輸機関が専用せらるゝ結果、原料その他の生産資源の運輸が後廻しにされ、のみならず労務者の移動に不便を來すこと、(ハ)重点主義的労務配置の必要から、また軍需資材確保のために、消費財生産工業が抑制せらることを原因として、已むを得ず職場を失ふ者が多数生ずることゝなるのである。右の事情は、総ての交戰國に同様であるから、開戰に際しては、程度の差は兎に角として、何の國も之が対策を講じなければならないのである。然し、この戰時下に於ける労務需給の特性として発生する失業は、やがてまたその後に起る労力需要の激増に伴つて解消する性質のものである。早晩解消さるゝとしても、之が対策如何は、戰時経済運営の上に大きく影響するものであつて、

六五三

放置しても差支へなしといふが如き問題では絶対にないのである。

然らば、今次大戰の勃発直後に於けるナチス独逸に於ては、右述の事情に基く失業状態は如何であつたらうか。

先づ、かの有名なジールツプ博士が、「労務者と兵隊」（*Arbeiter und Soldaten*）と題して説明してゐる中の失業者統計に就て之を見るとゝしよう(註)（但し、以下の数字は一九三九年一二月現在の調査によるものである）。

(エ)　失業者総数

	舊独逸	オストマルク	ズデーテン地方	総計
男子失業者	四一、〇〇〇	一六、〇〇〇	八、〇〇〇	六五、〇〇〇
女子失業者	三一、〇〇〇	二六、〇〇〇	六、〇〇〇	六三、〇〇〇
失業者総数	七二、〇〇〇	四二、〇〇〇	一四、〇〇〇	一二八、〇〇〇
失業者中の完全労務配置能者	九、〇〇〇	六、〇〇〇	三、〇〇〇	一八、〇〇〇

六五四

（注意）　千以下の数字は之を切捨てゝゐる。

(II)　州労働廳管區別失業者

州労働廳	人口（一九三三年）	失業者（男）	失業者（女）
オストプロイセン	二、四八四、〇〇〇	四四五	二九二
シエレージエン	四、七六五、〇〇〇	二、八八二	三、三三六
ブランデンブルグ	六、九三九、〇〇〇	四、六二六	四、三九四
ポンメルン	二、二六八、〇〇〇	五一〇	三三九
ノルドマルク	四、〇五八、〇〇〇	八、五二七	二、二二八
ニーダーザクセン	四、五六四、〇〇〇	四七六	四七三
ウエストフアレン	五、二八四、〇〇〇	一、〇七三	一、五七一
ラインランド	八、四三四、〇〇〇	九、二五四	七、六三四
ヘッセン	三、九二〇、〇〇〇	二、二六五	二、三二〇
中部独逸	五、四二九、〇〇〇	二、一四六	一、四八八
ザクセン	五、二一八、〇〇〇	五、一八五	四、五一三
バイエルン	七、七七六、〇〇〇	一、六九六	一、七七七
西南独逸	五、二五三、〇〇〇	一、八三七	一、一一八
オストマルク	七、一〇七、〇〇〇	一六、三二九	二六、〇三八
ズデーテン地方	三、一六一、〇〇〇	八、一〇一	五、六八八
総計	七六、六六六、〇〇〇	六五、三五二	六三、二〇九

六五五

六五六

(III)　大都市失業者

ハンブルグ	一〇、一九〇
ベルリン	七、八四七
ケルン	三、九〇二
ブレスラウ	三、四三二
ドレスデン	二、三八八
ライプチッヒ	一、四九四
ミユンヘン	六五三
総計	六〇、一〇二

（備考）　開戰直後の失業者はやはり大都市が多く、右の八大都市失業者の総計は全國失業者総数の半数を占めてゐることを注意すべきである。

以上の如く、大戰開始後僅かに四ケ月なる一九三九年一二月に於ける失業者の総数は、一二万八千人、そのうち男子六万五千、女子六万三千の割となり、完全に労務配置能力を有する者は僅かに一万八千といふ数である。これを、前年の同期に於て舊独逸國内だけで四五万六千の失業者があつたことに比較すれば、誠に格段の相異と云はざるを得ないのである。勿論開戰直後には、右に見るより以上の失業者を出したのであるが、之が就業への配置は、労働局等の機関の活動により、極めて迅速に行はれたのであつて、また特に著しい経営の閉

六五七

鎖等も起らずに戰時経済への轉換がなされたことを注意しなければならない。

従つて今次大戰勃発に際してのナチス独逸に於ける失業は、政府の云ふが如く、大した問題にもならずして円滑に解消するに至つたものであつて、第一次世界大戰に於ける如く、開戰と同時に激しい混乱状態に陥り、全工業労務者の約四分の一が失業した等といふ事態は全然見られなかつたところである。

以上の如き成果が得られたのも、一にナチス数年來の準備対策の宜しきを得たことに基くものと云へよう。

以下、今次大戰下に発令せられた労務配置関係の法令を中心として、戰時下に於ける主要なる労務配置策に就て述べることとしよう。

（註）　F. Syrup, Arbeiter und Soldaten; Reichsarbeits-blatt. 20 Jahrg. Num. 1. Teil V. 5.1.1940 S.1.

六五八

第二節　労務者移動制限の強化

第一款　総説

大戦に至るまでの労務者移動の制限は、一九三九年二月一三日附「國策上重要事業労力需要確保令」第七條に基いて公布せられた一九三九年三月一〇日附「國策上重要事業労力需要確保令第二次施行細則」及び同年七月一一日附「國策上重要事業労力需要確保令第三次施行細則」により、四ケ年計画の遂行並に食糧の確保のために必要とせられる六経済部門、即ち農業・山林業・鉱業・化学工業・建築材料生産業・鉄及び金属経済に実施され、また右の外特に労務配置上の必要ある場合には個別的に州労働廳長官による解約制限が実施出来るものとされてゐたこと前章に述べた如くである。

しかるに今次大戦の勃発と同時に前掲の二施行細則を廃止して、新に一九三九年九月一日附を以て「労務者移動制限令」(*Verordnung über die Beschränkung des Arbeitsplatzwechsels*)が制定公布せられ、労務者移動の制限は、ここに一段と強化さるゝ事となったのである。これ、蓋し戦時下に

於ては軍務應召によって空いた職場の労務者補充、軍需工場への労務者の増加、戦時不要不急生産工場に於ける労務者の解雇等を初めとし、その他無数の原因によって労務者の移動は殊に激しくなること必然であつて、これに対處し且つ戦時経済の要求に即應する態勢を整へねばならないからである。

「労務者移動制限令」の内容に就ては、款を改めて後述するが、強化された点として特に注目に値するのは、従来の如き局部的統制を一擲して、その制限をば全経済部門に拡張したこと及びその手段としては従来の労務関係解消の制限(*Beschränkung der Lösung von Arbeitsverhältnissen*)及び雇入の制限(*Einstellungsbeschränkung*)の外に新に特殊の労務者に申告義務(*Meldepflicht*)を課したことである。即ちかくして國民の全労働力をば戦争遂行といふ一大目標の下に全面的に統制管理せんとしたことにその重点があるのである。

しかし、こゝに注意すべきことは、「労務者移動制限令」による統制は労働力が経営指導者側又は従業員側の恣意に基いて移動するに際し、労務配置政策

的立場から之を制限せんとする消極的方策たるに止まるのであって、積極的に現に不急不用の産業に使用されてゐる労働力を緊急なる産業部門に振り向けんとするものではないといふことである。云ふまでもなく戦時下に於ける労務配置政策は、積極・消極の両方策を併せ用ふることによって先づ第一に緊急なる産業部門の労力需要を充足しなければならぬことに其の目的が存するから、消極的方策たる労務者移動制限の強化と同時に積極的方策としての労務動員を問題としなければならぬこと勿論と云ふべきであらう。しかし、この積極的方策のための法的手段は、戦前既に整備せられてゐた「國策上重要事業労力需要確保令」に基く労務義務制によって準備せられてゐたと云ふべく開戦直後敢へて之を問題とする必要がなかつたものと観るべきであらう。さりながら、その後情勢の進展は遂にこの点に於ける強化も問題とせられたのであって、例へば後述する一九四〇年三月の「労務需給調整ノタメノ経営閉鎖ニ関スル命令」の如きは殊に注目すべき対策と云はねばなるまい。

「労務者移動制限令」は、六章一三箇條より成り、一九三九年九月一日公布

と同時に施行されてゐるが、(同令第一三條)、同年九月六日附を以て、「労務者移動制限令第一次施行令」(*Erste Durchführungsverordnung zur Verordnung über die Beschränkung des Arbeitsplatzwechsels*)が制定公布されてゐる。以下その内容を説明することゝしよう。

第二款　労務者移動制限の内容

第一項　労務関係解消の制限

労務関係の解消につき労務者移動制限令は、「経営指導者・労務者・使用人・徒弟・見習・実習生ハ労務関係ノ解消ニ對スル労働局ノ同意アルトキニ限リ労務関係(徒弟関係)ノ解約告知ヲ宣言スルコトヲ得」と規定してゐる(制限令第一條第一項)。されば こゝに所謂解消の制限は、たゞ単に経営指導者のみ或は労務者のみを一方的に拘束するものではなく、この両者を共に同じ立場に立

つて拘束する方策であること従前と同様である。しかし、本令は戦前に於ける施行細則に比べて、その適用範囲を拡張してゐるのである。即ち、前述した第二次施行細則では、単に労務手帳義務ある労務者並にその経営指導者・夫婦・父母・祖父母・兄弟姉妹の経営に規則的に協力就業してゐる家族のみをその人的適用範囲としてゐたのであるが、本令は、労務手帳義務あると否とを問はず一切の労務者に及ぶこととされてゐるのである。従つて、例へば、労務手帖の代りに海員手帖の義務ある船舶乗組員の労務関係解消についても本令が適用されることとなつたのである。但し、この場合には労働局の代りに海員局が管轄官庁とされ、解消に際しては、解雇を取扱ふ海員局が同意を与ふるものとされてゐるのである（制限令第九条）。尚、夫婦・父母・祖父母・兄弟姉妹の経営に規則的に協力する家族にして労務者又は使用人として就業する者にも解消制限の規定を準用するといふ第二次施行細則の規定は、本令に於てもそのまゝ引継がれてゐるのである（制限令第五条）。しかし、規則的な協力関係があるか否かの問題は、労務関係が存在するか否かの問題よりも、具体的場合に於てその

六六三

解釈に困難する問題であるが、疑はしい場合には、労働局が労務配置の要求を顧慮して何れかに之を決定する外ないであらう。

豫め労働局の同意を得ずして為された解約告知は法律上何等の效力を生じないのであつて、たゞ特別例外の場合に於て労働局の事後の同意により有效とせられること第二次施行細則と全く同様である（制限令第一条第二項）。事後同意の権限の行使が、労働局の自由裁量に委ねられてゐることも亦従前と同様である。

次に労働局の解消の同意は、専ら労務配置政策上の見地から決定せらるべきものであるから、此の同意によつて解約告知の権限は確定されない（制限令第一条第三項）。即ち、解消の同意を申請せる者が、一般的に若くは指定の日時に、法律上又は契約上労務関係の解消をなし得るか否かの裁定は、労働局の権限外であり、また労働局はこれに関する義務は負はしめられてゐないのである。解約告知期間を遵守せずして為された解消についても亦同様である（制限令第一条第三項）。換言すれば、解消に関して争がある時には、労働裁判所の裁定

六六四

によつて決せられねばならないのである。このことも亦、第二次施行細則に於けると同様である。

右の例外として次の各場合には労働局の同意を要しないものとされてゐる。即ち、

(イ) 契約當事者が労務関係の解消に関して意見が一致した時（制限令第二条第一号）

(ロ) 経営（假工事場）を閉鎖したとき（制限令第二条第二号）

(ハ) 労務者が試験又は補助のために雇入れられ、その労務関係（徒弟関係）が一箇月以内に終了するとき（制限令第二条第三号）

(ニ) 些少の対價を得て行はるゝ臨時の労務給付又は仕事にして疾病保険義務に服せざるとき（制限令第一次施行令第一条）

がそれである。(イ)乃至(ハ)は第二次施行細則に於て認められてゐたところであるが、本令の施行に際しては新に(ニ)の場合が追加せられたことであつた。その何れもが、當該労務者をして舊労務場所に留らしむることにつき労務配置上の要求が

六六五

存しないこと言ふまでもあるまい。

労務関係解消の同意を与へるに就き、之を管掌するのは、最後の労務場所所在地を管轄する労働局である（制限令第七条第一項a）。同意を与へられたき旨の申請は、労務関係の解消を欲する契約當事者の一方が所轄労働局へ之を提起しなければならないのである（制限令第八条第一項）。

同意申請に対する決定をなすに際し労働局が考慮斟酌すべき諸点につき、本令は第二次施行細則に於けると同様これを列挙して過誤なからんことを期してゐる（制限令第六条第一項）。

即ち、労働局は

(イ) 國策的及び社會的観点

(ロ) 労務配置、職業後進者指導、労賃政策の一般的方針

(ハ) 労働者及び使用人の職業的向上の観点

等を考慮斟酌して解消に同意を与ふべきか否かを決定しなければならないのである。

六六六

申請に対する決定は、申請者に対し原則として文書を以て通告すべく、例外として特別の場合には文書による形式を省略して通告することを得るものとされてゐる（制限令第八條第三項）。

第二項　雇入の制限

「労務者移動制限令」は雇入の制限に就ては第三章に僅か一ヶ條を以てこれを総括規定してゐる。即ち、「経営（凡ユル公私経営及ビ行政廳）及ビ家計ハ労働局ノ同意アル時ニ限リ労務者・使用人・徒弟・見習及ビ実習生ヲ雇入ルルコトヲ得」（制限令第四條第一項）。及び「前項ノ同意ハ農業経営ヘノ雇入ニ就テハ之ヲ必要トセズ」（制限令第四條第二項）といふのが之である。従来行はれてゐた雇入の制限は、労務の種類、労務者の年齢、特定の経営等に亘って制約せられ、極めて限られた範囲に於てのみ実施せられてゐたのであるが、本令に於ては右の如く一般的に雇入制限を実施することゝし、特殊の場合を例外として取扱ふことゝしたのである。農業経営につき同意を不要としてゐることは

六六七

従前と同様であるが、これ農業の食糧経済的意義を顧慮し、農業労務者需要の確保を容易ならしめんとしたことに基くこと言ふまでもあるまい。

「労務者移動制限令第一次施行令」第二條によれば、鉱業経営及び十四歳以下の小児を抱へる家庭に於ては労務者雇入に際して同意を要せずとの例外が認められてゐる（制限令第一次施行令第二條第一項）。但し、この例外は労務手帳への登録後最近まで農業経営に就業したる労務者の雇入には適用せられないのである（制限令第一次施行令第二條第二項）。このことは農業経営に於ける労力の確保を絶対ならしめんとして、例へ戦時経済上極めて重要な鉱業経営又は小児を抱へる家庭に於ける雇入の必要なる場合にも同意を要することを明示したものであって、注目に値するところである。尚、十四歳以下の小児を抱へる家庭への労務者雇入に同意を要しないものとしたことは、例の女子青年労務義務年期制（Pflichtjahr des Mädchen）の実施に際し、従前よりこれ等の家庭に相當の譲歩が認められてゐたところであって、戦時下特に之を緩和したものと解すべきであらう。また一般に小児を抱へる家庭を特別に保護してや

六六八

ることは戦時中と雖も固より之を看過してはならぬことゝ云ふべきであらう。

雇入につき同意を與へる労働局は、雇入をなさんとする経営または家庭の所在地を管轄する労働局である（制限令第七條第一項b）。同意の申請は、雇入をなさんとする経営又は家庭が之を所轄労働局へ提起しなければならないのであって（制限令第八條第二項）、雇入らるべき労務者は之に関與しないのである。申請に対する決定は、労務関係解消の場合に於けると同様、労働局は、(イ)國策的及び社會的觀点、(ロ)労務配置・職業後進者指導及び労賃政策の一般的方針、(ハ)労務者及び使用人への職業的向上の観点等よりして之を決すべきものとされ（制限令第六條第一項）、また原則として文書を以て通告さるべきものとされてゐるのである（制限令第八條第三項）。尚、航海に使用せらるゝ船舶の乗組員雇入に関しては、労働力の代りに募集の海員局が、之を管掌するものとされてゐる（制限令第九條）。

最後に雇入の制限は夫婦・父母・祖父母・兄弟姉妹の経営に規則的に協力する家族にして、労務者として就業せざる者にも準用せらるゝこと労務関係解消

六六九

の場合に於けると同様である（制限令第五條）。

第三項　申告義務

前述の如く労働局に於ける労務者登録の申告制は、従前の労務動員制度には見られなかつたもので、本令により初めて認められるに至つたものである。この申告義務は労務者一般に対して課したものではなく、後述の如く未就職の労務者を対象として之を実施せんとするものである。既に労務関係にあり、且つその解消に際して労働局の同意を要する労務者に就では、上述したところでも明かな如く、同意の申請によってその都度労務者の移動が明かとせられるのであって、従って之等の者に対しては、之を如何にして何處に配置すべきかの対策も容易に講じられ得るから、退職の旨を一々労働局に申告せしむる必要もない譯である。しかし、労務関係の解消につき同意を要しない場合に就ては、之が移動は労働局に判然せず、さらでだに労力需要の増増する戦時下に於ては、之を不問に付することは、労務配置政策の完全を期し得ないこと云ふまでもな

六七〇

いからである。この故に、「労務者移動制限令」は第三條に於て「労務関係（徒弟関係）ノ解消ニツキ第二條ニヨリ同意ヲ必要トセズトセラルル者ハ其ノ舊労務場所ヨリ退職後遅滞ナク其ノ最近ノ住所地若クハ通常ノ居所ヲ管轄スル労働局ニ之ヲ申告スルコトヲ要ス」との申告義務制を規定したのである。

されば、こゝに所謂申告義務は、労働局の同意を要せずして労務関係を解消し得る労務者に就てのみ認められたものなのである。即ち、(イ)労務関係の解消に就て契約當事者の意見が一致した場合、(ロ)経営閉鎖による労務関係解消の場合、(ハ)試験若くは補助のために雇入れられ且つその労務関係が一ケ月以内に終了する場合には（制限令第二條）、同意を要しない代りに、退職の旨を申告しなければならないのである。

申告義務の課せらるゝ場合は、右の三場合であつて、些少の対價を得て行はるゝ臨時の労務給付または、仕事に従事し疾病保険義務に服しない労務者に就ては解消に関し、同意不要とせられてゐるけれども（制限令第一次施行令第一條）、こゝに所謂申告義務は負はされないのである。蓋し、この條件に該當

六七一

する者は、労務者移動制限令第二條によつて労働局の同意を免除せらるゝものではなく、同第一次施行令第一條によつて免除されてゐるのであり、而かも、申告義務は労務者移動制限令第二條によつて免除された者に対してのみ課すべきものとされてゐるからである。また実際上も、この種労務者に申告義務を課したところで、さしたる労務配置上の意義もないといふべきであらう。

尚、申告義務制は　夫婦、父母、祖父母、兄弟姉妹の経営に規則的に協力する家族にも準用せらるゝものとされてゐること、労務関係解消の制限及び雇入制限の場合に於けると同様である（制限令第五條）。

申告は、右の明文にもある如く、舊労務場所から退職後遅滞なく之を行はねばならない。これ労働局が労務者移動の現状につき絶えず之を知つてゐなければならぬからである。もし故意に申告を遅滞した場合には處罰せらるゝのである（制限令第一一條）。

申告を受領すべき労働局は、當該労務者の最後の住所地若くは通常の居所を管轄する労働局である。但し、労務者が経営から退職したる後に、その住所若

六七二

くは居所を他の労働局の管内に移した時は、右の申告は受領した労働局よりその者の管轄労働局へ移送しなければならないものとされてゐる。

申告は、労務者自身出頭の上か、又は書面を以て之をなすべきものとされてゐる（制限令第一次施行令第三條）。その何れによるかは申告義務者の随意であるが、書面による申告には次の事項を記載して提出すべきものと定められてゐる。即ち、

(イ)　姓　、名
(ロ)　住所（通常ノ居所）及ビ番地
(ハ)　労務手帳第……号、職業団体名……
　　　職業種別（労務手帳ヨリ引用）
(ニ)　退職スベキ経営ノ名称、種別及ビ所在地
(ホ)　退職ノ期日

が之である（制限令第一次施行令第三條第二項）。

六七三

第四項　其他の規定

「労務者移動制限令」は、以上の外第五章に於て除外例、第六章に於て終結規定を設けてゐるのである。

除外例としては、國労働大臣は特殊の経済部門・経営・家庭及び個人に対して上述した労務関係解消の制限（制限令第一章）、雇入の制限（制限令第三章）、申告義務（制限令第二章）に関する規定を適用せしめない旨を命じ得る権限を有すること及び國労働大臣は右の権限を州労働廳長官に委任し得ることを定めたものに過ぎない（制限令第一〇條）。

終結規定は罰則その他三ケ條よりなつてゐる。以下その法文を掲げて置かう。

第一一條　本令ニ違反シ若クハ脱法シタル者又ハ自己ノ業務ヲ労務関係（徒弟関係）ノ合法的解消前ニ抛棄シタル者ハ労働局ノ告訴ニヨリ禁錮及ビ罰金若クハ其ノ一ツヲ以テ處断ス

第一二條　國労働大臣ハ本令ノ実施及ビ補充ニ必要ナル法規及ビ行政規定ヲ定

六七四

ムル權根ヲ有ス

第一三條　(一)　本令ハ公布ト同時ニ之ヲ施行ス

(二)　同時ニ廢止スベキ法令左ノ如シ

(a)　一九三九年三月一〇日附「國策上重要事業労力需要確保令第二次施行細則」（労務者移動制限ノ件）

(b)　一九三九年七月一一日附「國策上重要事業労力需要確保令第三次施行細則」（瀝青炭坑労務者移動制限ノ件）

第三節　緊急労務令の発動及び其の内容

第一款　緊急労務令の発動

前章に述べた如く、所謂緊急労務令は、一九三八年一〇月一六日附「國策上重要事業労力需要確保第三次命令」として公布されたものであり、而も同年九

六七五

月一日より效力を生ずること丶されてゐたのであるが、その後これに対する施行細則も制定公布せられず、從ってまたその発動も見ずしてその儘に一先づ放置された形にあったものなのである。このことについては前にも一言した如く未だ同令の発動條件が備はらなかったものと見るべきであって、固より無用のものを徒らに制定公布したと云ふべきではないのである。即ち、緊急労務令は「公共ノ艱難ヲ克服シ並ニ其ノ克服ヲ準備スルタメニ」一定の期間高権的任務を命ずるものであり、從って國家非常の際に役立たしめんとするものだからである。この点に於て一般産業に於ける労力との関聯に於て國民労務の動員を企圖した「國策上重要事業労力需要確保令」とは趣を異にするのである。

しかるに、この緊急労務令は、大戰の勃発と共に、その本來の使命の下に強力な第一歩を踏み出すこと丶なったのである。即ち、一九三九年九月一日波蘭への進駐が開始せらる丶に伴ひ、情勢は急激なる進展を示し、ナチス独逸の領土は拡大して、占領地の治安工作等には多大の労務者を要求するに至り、本令はこ丶に制定後約一年を経たる一九三九年九月一五日「緊急労務令第一次施行

六七六

令」（Erste Durchführungsverordnung zur Notdienstverordnung）の制定をみるに至ったのである。

その間、一九三九年七月八日附を以て「緊急労務ヲ命ジ得ル官廳ノ告示」（Bekanntmachung der Behörden die Notdienstleistungen fordern können）が、四ヶ年計画受託官の名に於て公布されてゐるのであるが、緊急労務令発動の準備として注目すべきものであること云ふまでもない。告示の内容に就ては後述しよう。

尚、こ丶に注意すべきことは、前掲の「緊急労務令第一次施行令」は、國内務大臣の名に於て公布されてゐることである。これ緊急労務令によって補充さるべき労力が、前述の如く、國家非常の際に於ける高権的任務、殊に警察上の任務に対する労力補充たる性質に基くことだからである。因に緊急労務令も第七條に於て、「國内務大臣ハ本令ノ施行及ビ補充ニ必要ナル法規命令及ビ行政命令ヲ発ス」、「國労働大臣ハ社會保険規定ヲ定ム」と規定してゐるところである。またこの「第一次施行令」は、その施行につき、通常の場合と異なり、

六七七

一九三九年九月一五日制定せられたにも拘らず同年八月二六日より效力を生ずること丶せられてゐるのである（第一次施行令第一二條）。

第二款　緊急労務令の内容

第一項　人的適用範圍

緊急労務令第一條第一項に依れば、「独逸國土ノ居住民ハ公共ノ艱難ヲ克服シ並ニ其ノ克服ヲ準備スル為メニ特定期間緊急労務ヲ命ゼラルルコトアルベシ」と規定し、苟くも独逸國土内の居住民である以上、原則としてその國籍・年齢・性別等一切之を問はづ適用さる丶ものとなってゐるのである。單に独逸國民のみならず、外國人にも之を適用すること丶してゐる点に特色があると言へよう。

但し、外國人に就ては、「國際條約若クハ國際法ノ公認原則ニ基キ免除アル限リ緊急労務ニ服セシメラルルコトナシ」との制限がある（緊急労務令第一條第

六七八

四項）。例へば、外國の大使・公使其の他外交官等が之に該當するのである。緊急労務令は右の外國人に對する場合の他に一つ例外を設けてゐる，即ち、「國防法ニ基ク兵役服務、勤労奉仕団服務、國境守備勤務、警察勤務、親衛本隊服務、親衛隊髑髏隊服務、防空警備勤務、防空治安勤務乃至一般補助勤務ハ常ニ本緊急労務ニ優先ス」と規定してゐることとである（緊急労務令第一條第三項）。従って之等の勤務に服務してゐる者は、當然に緊急労務服務を免除されることゝなるのである。尤も、屢々述べた如く、緊急労務自体が大体に於て、かくの如き種類の高権的任務を對象とするものであるから、之に重ねて緊急労務を課することは無意義であり、のみならず実際上も之等の服務の方が重要なりと云ふべきであるから、右の例外は極めて當然の措置と云ふべきであらう。

以上の外、緊急労務令には適用に関しての例外規定はないのであるが、具体的場合に於て若干の制限を受くべきは性質上當然のことである。依って第一次施行令は緊急労務義務を免除される者を列挙して之を明かにしてゐる（第一次施行令第三條）。即ち、

(イ)　一五歳以下及ビ七〇歳以上ノ者

(ロ)　一五歳以下ノ小児ノ母ニシテ之ト家族的共同生活ヲナス者、但シ労務義務ノ給付ガ母ノ子ニ対スル義務ト合致セザル場合ニ限ル

(ハ)　姙娠六ケ月以上ノ姙婦、産後二ケ月以内ノ産婦

(ニ)　労働不能ノ者

の四つが之である。

第二項　物的適用範圍

緊急労務義務の内容は、一般の労務動員制に於けるよりも範囲が廣く、單なる労力給付のみならず、忍容（Duldung）又は不作為（Unterlassung）をも包含してゐる（緊急労務令第一條第二項）。従って緊急労務義務者は、その占有又は保管に係る物件を労務要求権者の要求に基いて労務服務に利用すべき義務を負はしめらるゝことがあるのである（緊急労務令第一條第五項）。またかゝる物件の使用は、其の物が緊急労務義務者の所有でないと云ふが如き場

合に於ては、一面緊急労務義務者の権利として認めらるべき旨も明かにせられてゐるのである（緊急労務令第一條第五項）。但し、無條件で物件を使用することは、場合によっては、その所有者又は占有者に酷なことがあるから　これに處するために第一次施行令は第一〇條に於て物的給付の場合に際しての補償規定を設け、緊急労務を受くべき者に當該物件の所有者若くは占有者に対する損失補償を命じてゐる。その法文を掲ぐれば、次の如くである。

「緊急労務義務者ガ緊急労務令第一條第五項ニ基キ利用シタル物件又ハ緊急労務ノ給付上不可缺ナル物件ノ所有者又ハ占有者ニ付キ右利用ノタメ経済上ノ損害ヲ生ジタルトキハ右費用ノ負担ヲ其ノ者ニ帰スルコトノ正當ナラザル限リ所有者又ハ占有者ハ緊急労務ヲ受クベキ者ヨリ相當ノ損害ノ賠償ヲ受クルコトヲ得」（第一次施行令第一〇條第一項）。

「損害賠償ニ関シ見解ノ相違シタルトキハ緊急労務者ヲ動員シタル官廳之ヲ決ス。抗告手続ニ関シテハ緊急労務令第六條ノ規定ヲ適用シ抗告ヲシテ延期的効力ヲモタシムルコトヲ得」（第一次施行令第一〇條第二項）。

第三項　緊急労務を命じ得る官廳

緊急労務を命じ得るのは、單に官廳のみであるが、何れの官廳が之を命ずるかは、緊急労務令には明示されてゐないのである。たゞ本令には「四ケ年計画受託官ハ國内務大臣ト協議ノ上緊急労務ヲ要求シ得ル官廳ヲ定ムルコトヲ得」といふことのみ規定されてゐたのである（緊急労務令第二條）。これに基いて一九三九年七月八日附を以て「緊急労務ヲ命ジ得ル官廳ノ告示」に依り明かにせられたこと、前にも一言した通りである。本告示に依れば、(A)長期及ビ短期緊急労務、(B)短期緊急労務、(C)長期緊急労務の三つに分って之を定めてゐる。即ち、次の如くである。

(A)　短期及び長期緊急労務を命じ得るもの

1.　國家の警察執行官（die staatlichen Polizeiverwalter）

2.　下級行政官廳、即ち、

(イ)　都市に於ては市長（Oberbürgermeister）――ウインに於ては

市長（Bürgermeister）、ハンブルグハンザ同盟市に於ては市知事（Reichsstatthalter）、ブレーメンハンザ同盟市に於ては市長（Regierende Bürgermeister）

(ロ) 其の他は州長（Landrat） ── ブレーメンに於ては州長（Landherrn）。但し、後述の(C)に掲ぐる官廳により動員せられる人々に長期緊急労務を命ずる場合は(C)に示された官廳の同意を要するのである。

(B) 短期緊急労務を命じ得るもの

延引を許さない危険ある場合には地方警察官廳（Ortspolizeibehörde）及び市町村長（Bürgermeister）。但し、この場合には州長（Landrat）による事後の證明を必要とする。

(C) 長期緊急労務を命じ得るもの

1. 待命又は休職の國家官吏（Staatsbeamt）に対しては當該行政最高官廳若くはその指定機関
2. 待命又は休職の市町村公吏（Gemeindebeamt）に対しては本人

六八三

の住所地を管轄する上級の市町村監督廳（höhere Gemeindeaufsichtsbehörde）

3. 恩給を受くる退職労働奉仕指導員たる男女に対しては國労働指導者（Reichsarbeitsführer）

但し、以上1乃至3の場合には、該當者が労務手帖義務ある事業に従事してゐないときに限り命じ得ること丶されてゐる。

因に、緊急労務の態様は長期と短期との二つに分たれて居り（緊急労務令第三條第一項）、長期緊急労務は「服務が主タル職業トシテ行ハレ三日以上継続スル場合若クハ三日以上ノ長期ヲ豫期セラルル場合」と定められ（緊急労務令第三條第二項）、其の他の場合は一切短期緊急労務として取扱はれることとなつてゐるのである。

第四項　緊急労務令適用の手續

緊急労務を命じ得る官廳は、前述した告示によって明かにせられてゐるとこ

六八四

ろであるが、かゝる官廳が如何なる手續によって具体的に緊急労務者を動員するかは、第一次施行令によって定められてゐる。

即ち、先づ、緊急労務者の動員は、緊急労務給付を請求する文書を以て為されなければならない（第一次施行令第一條第一項第一段）。しかし、緊急の場合に於ては文書に依らずして他の方法、例へば口頭・合図・電話等を以て請求することも出来るとされてゐる。但し、此の方法は緊急労務がさして重要でない種類のもの又は小範囲に亘るものなる場合に於てのみ許さるるのであって、原則として文書に依る請求によらなければならないのである（第一次施行令第一條第一項第二・第三段）。

また緊急労務義務者が、一定の労務関係又は従業関係にあり、且つ、その労務時間に緊急労務給付に服さねばならぬときは、右の請求は出来る限り、従来の指導者又はその受託官に対して為さるべきものとされてゐる（第一次施行令第一條第二項）。労務関係又は従業関係にある者に対してこの方法で動員を為さない場合に於ては、緊急労務を命じた官廳はその後遅滞なく動員した旨を従

六八五

業者の指導者に報告しなければならないのである（第一次施行令第一條第三項）。

次に、短期緊急労務の場合には問題とならないのであるが、長期緊急労務の場合には、動員を命じた官廳は、當該長期緊急労務者の姓名を労働局に報告しなければならない（緊急労務令第四條第一項）。報告を受けたる労働局は、一般労務配置上の理由に基いてその動員を不可と思料する場合には之に対して異議を挾むことを許されてゐるのである。この異議ある限り緊急労務への動員は之を為すことが出来ないのである（緊急労務令第四條第一項）。但し、次に列挙する者に対しては労働局への報告を要しないものとされてゐる。

1. 官吏（休職官吏、停職官吏を含む）
2. 官廳の使用人及び労務者
3. ナチス党本部政治的指導者及び党支部長を主たる職務とする者
4. ナチス党本部及び党支部使用人及び労務者たることを主たる職務とする者
5. 保険局従業員たることを主たる職務とする者

六八六

辯護士

然し乍ら、公共の労務に従事し、若くはナチス党本部及び支部又は保険局勤務を主たる職務とする者並に辯護士に就ては、當該労務廳若くは其の者監督官廳の同意を得た場合に限り長期緊急労務に動員することを得とされてゐるのである（緊急労務令第四條第二項）。

第　五　項　　緊急労務令適用の效果

緊急労務を命ぜられた者が、指示された労務に服し、また忍容或は不作為の義務を負ふに至ることは固よりその主要なる效果であるが、その他次の如き效果に就き規定せられてゐる。

第一には、緊急労務開始の際に従業関係にあった緊急労務義務者は、緊急労務期間中休暇を得たるものと看做されることである（緊急労務令第五條第一項）。従前の従業関係又は労務関係は緊急労務に動員せられたことを理由として解消することは許されない。

第二には、休暇を與へられたものとせられる結果、その期間中は労賃及び俸給を請求することは出來ないのであるが、短期緊急労務者に就ては、正規の労賃その他の報酬を從來の従業関係より最高三日間分請求し得るものとされてゐることである（緊急労務令第五條第二項）。しかし、このことは労賃その他を支拂ふ経営にとって酷なる場合もあるから、第一次施行令は、國内務大臣によって若干の緩和的措置を講じ得る旨を規定してゐる。即ち、「緊急労務令第五條第二項ニ基ク労賃若クハ其ノ他ノ関係ノ支拂が當該経営ニトリ経営計算上大ナル障碍トナルベキ場合ニ於テハ、國内務大臣ハ國財政大臣ト協議ノ上、苛酷性ノ緩和ヲ認ムルコトヲ得。國内務大臣ハ同時ニ其ノ補償ヲ何レノ財源ヲ以テシ結局之ヲ何人ノ負担ニ帰スベキカヲ定ム」といふのである（第一次施行令第五條）。

第三には、緊急労務に服する官吏は官吏法の適用を受くるものとされてゐることである（緊急労務令第五條第三項）。

第四には、緊急労務に動員されたとき、それが短期なる場合には新な労務契

約は成立しないが（緊急労務令第三條第二項）、長期なる場合には新な労務関係が成立することがあり得るといふことである。この場合に於ける新労務関係は、緊急労務者を動員したる官廳によってのみ解消し得るものとされてゐる（緊急労務令第三條第三項）。解消せしめるか否かは一に當該官廳の自由裁量によって決せらるる。

第五は、緊急労務を受くべき者の側に就てである。緊急労務義務者は必ずしも、緊急労務を命ぜられた官廳の下に於てのみ労務に服するのではなく、緊急労務を命じた官廳は、緊急労務義務者を第三者に割當て其處に於て労務に服せしむることを得るのである（第一次施行令第二條第一項）。かゝる割當に際しては、一定の條件又は賦課を命ずることも出來ることゝされてゐる（第一次施行令第二條第一項）。かくして、すべて緊急労務を受くる者は、労務契約が成立すると否とに拘はらず、要求された給付が十分出來るやうに為すべき義務を負ふのである（第一次施行令第二條第二項）。また、一定の條件又は賦課を命ぜられつゝ緊急労務者の割當を受けた時は、固よりその條件及び賦課をも果す

べき義務を負はねばならないのである（第一次施行令第二條第二項）。

尚、緊急労務義務者が官廳又は國防軍の服務場所若くは國労働奉仕場所に労務給付のために割當てられたときは、緊急労務に基く労務関係解消（緊急労務令第三條第三項）の権限は、當該官廳又は當該場所に移るものとされてゐる。但し、この場合には先に割當てた官廳に対して解消したる旨を報告しなければならないものと定められてゐる（第一次施行令第二條第三項）。

最後に緊急労務義務者及び緊急労務を受くる者には、秘密を守るべき義務が負はされてゐることである（第一次施行令第六條）。緊急労務を請求する者或は緊急労務を受くる者及び緊急労務に動員された者は、その請求又は義務の履行に際して、各種の事項を知り得る為め、之に就き特に國家の福祉を妨害する事項、當局の重大な権威を侵す事項及び秘密にすべく命ぜられた事項は、特に之を黙秘するやう注意しなければならないのである。

第　六　項　　緊急労務者の保護

第一次施行令は、緊急労務者を保護するために、「生活需要ノ保障」(Sicherung des Lebensbedarfs)、「家族扶助」(Familienunterstützung)及び「恩給」(Versorgung)の三点につき特別規定を設けてゐる。緊急労務義務者を特別に保護するの必要は早くより認められた所であるが、第一次施行令に於て初めて規定化されたものである。

これに依れば、先づ個人の生活需要に就ては、国内務大臣は国財政大臣と協議して緊急労務義務者の生活需要の保障を定め、同時に緊急労務義務者に対する報酬率を決定すべきものとされてゐる（第一次施行令第七條第一項第一段）。但し、国内務大臣が特に命じた場合には、生活需要の保障及び報酬率の確定は他の官廳によりなされるものと規定されてゐる（第一次施行令第七條第一項第二段）。　この生活需要の保障、殊に報酬率の確定に基いて生ずる費用は、第三者に対する緊急労務義務者の割當の場合には第三者が之を負担すべきものとなつてゐるのである（第一次施行令第七條第一項第三段）。　また長期緊急労務に従ふ官吏及び独逸労働奉仕指導員に就ては、當該最高官廳、国内務大臣の細目

の規定に従つて、その労務収入を緊急労務によつて與へらるべき報酬の額まで全部又は一部留保せらるゝ場合があり（第一次施行令第七條第二項）、長期緊急労務に従ふ休職又は停職官吏の労務服務は、一九三七年一月二六日附「独逸官吏法」第一二七條及びその他の規定に所謂「公務出張」(Verwendung im öffentlichen Dienst)と看做されることゝなつてゐる（第一次施行令第七條第三項）。

家族扶助は、一九三九年七月一日附「家族扶助施行令」(Familienunterstützungs=Durchführungsverordnung)第三〇條第一項第二号の基準に従つて與へられるものとされてゐる（第一次施行令第八條）。　家族扶助料の支拂は緊急労務者家族の舊生活状態と新生活状態とを比較して決めらるべきこと勿論であつて、本規定により従前よりも経済的悪條件の下で生活させられないだけの保障を受くる譯である。

恩給に関しては、緊急労務者がその労務のために負傷したる如き場合、労務者本人又はその遺族の申請に基いて、一九三九年九月一日附「人的損害賠償ニ

関スル命令」(Verordnung über die Entschädigung von Personenschäden)に基き保護を受くべき旨を定めたことである（第一次施行令第九條第一項）。　本規定の適用は原則として緊急労務による身体障害の場合であるが（第一次施行令第九條第二項）、緊急労務のための身体傷害と認められない場合でも、その身体傷害が緊急労務のために悪化した時は、やはり緊急労務による傷害と看做される（第一次施行令第九條第一項）。　但し、身体傷害が、負傷者の故意に因つて惹き起されたものである場合には、固より以上の保護は認められないところである（第一次施行令第九條第四項）。

尚緊急労務者に就ては、戦時下初めて発動を見るに至つた関係よりして、一九三九年一〇月一〇日附「緊急労務令第二次施行令」(Zweite Durchführungsverordnung zur Notdienstverordnung)を以て緊急労務義務者の社會保険関係を規定し、また引続き一〇月一日附「緊急労務令第三次施行令」(Dritte Durchführungsverordnung zur Notdienstverordnung)を以て、長期緊急労務動員の際に於ける報酬に就き規定されてゐる

が、労務配置に直接関係のあることでもないから、こゝにその詳細は之を省略することゝしよう。

第四節　戦時労力補給源と其の確保

第一款　総説

戦時下に於て最も労力の需要に迫まられる経済部門は、何としても軍需工場及び農業経営であること云ふまでもあるまい。　而も戦争の進展につれて、軍務應召者の数は増大し、これに伴つて戦時経済上に於ける労力の需要はさらに激化の過程を辿るのが常道である。　されば、労務配置行政もたゞ単に一般労務者を対象としてゐることは許されず、国民の全体を対象として戦時下労力の需要に即應する政策に出でなければならないこと言を俟たないところである。

前述の如く、ナチス独逸に於ては戦前既に労務配置に関する大綱が定まつて

ふたゞめ、開戦と同時に直ちに困惑するが如きことはなかつたけれども、労務配置体制の発展に対する裏付けとして、労力補給源の具体的確保には大いに苦心をしなければならなかつたのである。殊に今次大戦の勃発したのは一九三九年九月一日のことであるから、丁度その時は穀類等の収穫期間に衝き當ること丶なり、農業経営にとつては最初から収穫に要する補助労力の調達が問題とされたことであつた。

農業経営に對する労力補給の確保は、前述した通り、夙に平時から各労働局の任務とされて來たところであるが、戦時下に於ては特にその任務の重要性が加はること必然のことであり、勃発の時期はさらに一段と之に拍車をかけたといふ譯である。之に対して労働局は臨機の労務配置対策として、(イ)商工経営従業員を一時的に動員し、(ロ)ヒトラーユーゲントや学生を動員し、(ハ)労働奉仕団を動員し、(ニ)軍務應召中の労務者、殊に農業に從事してゐた者に特に休暇を與へる等の方法を講ずることによつて應急の措置を採つたのである。このために独逸一九三九年秋の収穫は、時々異常な悪天候に襲はれ乍らも、右による臨時

六九五

労働力と農業経営者の努力によつて相當の成果を得たと云はれてゐるのである。

軍需工場の労力需要に対しては、(イ)従前よりの「國策上重要事業労力需要確保令」の活用に依つて労務者を動員し、(ロ)また前述した労務者移動の制限を強化することにより、(ハ)専門工の養成に関する布告を出すことにより、(ニ)婦女労務を動員すること等によつて対處したことであつた。しかし乍ら、如何なる方法を以てしても各経済部門に於ける労力需要を充すといふことは、何れにせよ、戦時下に於ては不可能のことゝなつて來るので、出來る限り適材を適所にかつ重点主義的方法によつて労務者の配置を行ひ、また未だ動員し得る余地ある限り、一切の労力を動員することによつて、以て國総力戦の態勢を整備せんとした次第である。

労務配置の万全を期せんがために、全國の労働局長並に労務配置の第一線に於て活躍する職員のために実別の訓練を実施する等、機構の整備と同時に其處に働く人の充実をも怠らなかつたところである。

戦時下に於ける労務動員としては、一般労務者動員の外に、各種の労務者の

六九六

動員が考へられるであらう。ナチス独逸に於ける発達せる労働奉仕制の如きは、就中注目すべきものであるが、これに就ては章を改めて後述するところであるから、こゝに省略し、以下には、主要なる労力補給源としての婦女労務の動員、学生労務の動員、外國人労務者及び俘虜労務者の動員及経営閉鎖による労務者の需給調整につき述べることゝしよう。

第二款　婦女労務の動員

第二次四ケ年計画の実施に伴ひ労働力の不足に悩まされたナチス独逸に於ては　政権獲得の當時とは全く逆に婦女をも労務に就かしめることによつて一般的労働力の不足を緩和せんとしたこと既に述べた如くである。而して、婦女労務の配置策として、一九三八年二月一五日附「農業及ビ家庭経済ニ於ケル婦人労働力ノ配置強化ニ関スル四ケ年計画施行訓令」により、二五歳未満の婦女子にして被服業・織維工業・煙草製造業に就業せんとする者及び官廳又は公企業

六九七

の使用人たらんとする者に対して一ケ年以上農業若くは家事労務等に従事せしめんとする所謂「婦人労務義務年期制」を確立したことも亦既に詳しく検討したところであるが、其の後、本訓令に関しては、一九三八年一二月二三日附「農業及ビ家庭経済ニ於ケル婦人労働力ノ配置強化ニ関スル訓令、施行訓令」(Durchführungsanordnung zur Anordnung über den verstärkten Einsatz von weiblichen Arbeitskräften in der Land= und Hauswirtschaft)が公布され、さらに強化さるゝに至つたのである。即ち、本訓令に於ては、婦女労務者の就業先の制限を廃止し如何なる公私の経営に於ても、前記の所謂「婦人労務義務年期」を終へた者に非ざれば就業出來ないことゝされてのである。

一般に男子労動力の不足に際しては、之が解決策として先づ婦女労務の動員を考慮するのが常であるが、云ふまでもなく、婦女は如何なる種類の労務にも從事し得るものではないから、動員に當つては、第一に労力の不足を痛切に感ずる経済部門であつて、而も婦女たるの特性に適した部門への配置といふこと

六九八

を考へねばならないこと勿論である。されば第二次四ヶ年計画下に於ても、先づ農業経営と家庭経済とがその対象として問題とされたのである。

然し、戦時下に於ては、男子労務者の多数が軍務に應召して従来の職場を去り、他面に於ては軍需工業に於ける多量なる労力需要がある等、平時に於ける労力不足等の場合とは比較にならぬ程、いや應なしに益々婦女労務の動員が問題とせらるゝに至るのである。従って平時相當の理由に基いて男子労務者に留保せられてゐた職場が、一時的にも、婦女子によって代替せられねばならぬことも已むを得ないことゝなるのである。この点につき、第一次世界大戦當時に於ては、鉱山冶金・屑鉄鍛鉄工場及び其の他の製鉄業・金属加工業等に多数の婦女労務者が従業するに至つたこと周知の如くであるが、婦女の特性を考へるに於ては、かゝる高度の筋肉労働を要する領域にまで婦女を進出せしむることは、労務配置策として決して好ましい傾向とは云へまい。故に、今次欧洲大戦に於ては、独逸は特にこの点に注意し、大戦勃発後第二年目なる一九四〇年にはベルリンその他に於て之に関する研究発表を行ひ、婦女の就業を禁止すべき

六九九

職業の種類・性質及び生産過程を明らかにすると同時に、婦女によって容易に行はれ得る作業の模範例を示した程である。かくして、また國労働大臣の命令等により婦女労務者の就業禁止又は就業の制限を設けてゐるのであって、ナチス的用意の周到さといへよう。

戦時下婦女労務の配置に就て考へねばならぬことは、男子によって占められた職場への補充のために動員することゝ共に、戦時経済への轉換に當って発生した犠牲産業関係に於ける婦女労働力を戦時重要経済部門へ転換せしめねばならぬといふことである。次に配置すべき場所乃至経営として考へられるのは、軍需工業・農業経営及び傷病者の看護作業等がその主なるものであらう。

第一の軍需工業方面へは先づ第一に職業轉換による婦女労務の配置である。犠牲産業よりの轉業は、なるべく従来の職業に類似する方面へ対して行はれるのが好ましいが、すべてがこの方法によることは、特に戦時下に於ては困難なことゝ云へよう。かくして、従来最も婦女労働に適すとされてゐた消費財生産工業・特に被服業・繊維工業方面から軍需工場への配置が行はれるのである。

七〇〇

尚、消費財生産工業の部面からは、農業経営の方面へも労力の配置を行ったのである。

次に軍需工業に於ては、戦前より準備されてゐた「國策上重要事業労力需要確保令」に基く労務義務の適用によって婦女労務の動員も実施せられたところである。

かくて戦局の拡大と共に、一九四〇年の半頃、独逸の軍需工場には、夥しい婦女労務者が配置されて、榴弾・機関銃・装甲車・航空機・電信器械等の製造に従事したのである。而もそれぞれの職場に於ては婦女労務の特性を考慮に入れて、出来る限り之と合致する方法に従って働かしめてゐるのである。即ち、困難な肉体上の緊張を余り伴はしめない様に、また、社會的保護も厚くすることによってその万全を期してゐるのである。このことは、特に婦女労務者の保護として顧みるところであるから、こゝには省略しよう。

第二の農業経営には、(イ)職業を轉ずべき婦女子により、(ロ)戦時下になり義務制とせられた労働奉仕により、(ハ)所謂「婦人労務義務年期制」により、(ニ)学生

七〇一

労務を動員することにより、配置を行ったのである。戦時下食糧の確保に全能力を発揮すべき農業経営には、婦女労務の動員は殊に注目せられたところである。軍務應召による農村に於ける男子労働力の缺乏を補充するには、従前に於けると同様、否、之をさらに一段と強化拡充して婦女労務の動員を考慮したことと云ふまでもあるまい。農業に於ける婦女労務には、直接に農耕に従事する事の他、家婦の仕事の補助、農村児女の世話等、重要にして且つ婦女に適する職場が多いのである。

第三の傷病者の看護作業も、殊に戦時下に於ては婦女の職場として重視されるところであるが、これには主として例の独逸少女団（ＢＤＭ）の活躍が挙げられる。

その他、男子が生命を賭して戦線に活動しつゝある時、銃後の國民に対して、その職域に於ける奉公の要求さるべきことは當然であって、婦人にも亦従来にみられない要求を以て臨まねばならない場合がある。軍需工場への徴用と云ふが如きは即ちそれである。勝利を得るが為には、婦人としての天職の任務の外

七〇二

に、多方面に於て責務と負担とが増大して来ることは必然である。さり乍ら、婦女は労務者たる外に、夫の妻となり、子の母として、國家永遠の勝利の基礎たるべき第二の國民を哺育することを忘れてはなるまい。戦時下に於ける婦女労務の動員も、單に経済的見地のみならず、右の点も絶対に看過すべからざるところに、重要な問題が潜むと共に、困難が伴ふことを注目すべきであらう。

第三款　學生労務の動員

學生は學生として、その儘労務動員することは、色々の意味に於て、婦女労務の動員に於けるよりも、より大なる制約を受くることは勿論であるが、戦時体制下、學生と雖も、許される限りに於ては、國家総力戦の一翼として祖國のために奉仕すべきであらう。たゞ労務動員の分野は極めて限られた狭い範囲を出でないのであって、またその期間も、長期に亘ることは出来ないのである。

ナチス独逸が、大戦の開始直後、最高國防會議の名に於て、一九三九年九月

七〇三

二二日附「上級学生ノ配置ニ関スル命令」(*Verordnung über den Einsatz der älteren Schuljugend*)を制定公布し、満十六歳以上の上級乃至中級学校の学生及び生徒に対し、その休暇中農業上の補助力として配置さるべきことある旨を定めたことは、注目すべきことであらう。殊に、本令が、飽くまでも学生の本分を失はしめないで休暇を利用し、而も農業経営を送んで労力需要の多い季節に適宜休暇を與へる方法によって労力を確保せんとしてゐることは敬服に値するところである。以下本令の内容を述べて置かう。

1. 労務に動員し得る学生は、第一に、満十六歳以上の上級及び中級学校の男子学生・生徒であり(本令第一條)、第二には、同じく満十六歳以上の上級及び中級学校の女子学生・生徒であり(本令第四條)、第三には、一般普通教育を修めてゐる満十六歳以上十六歳未満の少年である(本令第五條)。

2. 労務動員をなし得る期間は、休暇中とされてゐる(本令第一條)。学生の本分たる学習を妨げぬために設けられた制約であること云ふまでもないが、たゞ休暇中とするのみでは、時に労務配置上の時期を失する虞なしとしない

七〇四

ので、有效なる配置を確保するために、文部大臣に適宜休暇期間を定め得る権限を與へることにしてゐるのである。而して「休暇ハ短期クリスマス及ビ降誕祭ヲ除キ、農業上ノ要求ニ應ジ、大体、五月ヨリ一〇月マデニ之ヲ実施スベキモノトシ、第一條所定ノ学生ニツキ六ケ月マデニ上スコトヲ得」とされてゐるのである(本令第二條)。即ち、農業上最も労力の入用な五月より十月迄の六ケ月間に於て適當に休暇を與へて労務動員を為す計画を採ってゐるのである。但し、卒業試験の学年にある学生・生徒については、例外を設けて特別に扱ふこととしてゐる(本令第二條但書)。

3. 満十六歳以上の男子学生・生徒の労務配置は、労働局が州長官(*Landräte*)及び地区指導者(*Kreisleiter*)と協議の上、之を実施することゝしてゐる(本令第三條)。これ各地方の労働局が、その管区内の農業経営の労務需要を絶えず注意し、之に対して迅速且つ適當なる対策を講ぜしめんとする趣旨である。

4. 男子学生・生徒の労務は、一般に農業補助労力、主として収穫作業に配置

七〇五

されるのであるが(本令第一條)、女学生は、農業上の補助労力として配置される代りに農村及び都市に於ける家政の補助又は健康の為の施設及び福利施設の領域に於ける活動に從事すべきものとされてゐる(本令第四條)。これ女子青年労働奉仕に於けると同様である。

次に一般普通教育を修めてゐる少年少女にして、満十歳以上満十六歳未満の者は、学校の所在地に於て比較的軽易な仕事にのみ配置さるべきものとされてゐる(本令第五條第一段)。尚、少年・少女の配置は「学校ノ要求ヲ考慮シ、ナチス党ノ政治指導員ニヨリ為サルベキモノ」とされてゐるのである(本令第五條後段)。

5. 右に述べたところは、一九三五年六月二六日附「防空法」(*Luftschutzgesetz*)及び一九三八年一〇月一五日附「緊急労務令」(*Notdienstverordnung*)に基く配置を妨げることなしと定められてゐるのである(本令第六條)。防空のための勤務及び緊急労務給付のための就業は、右にもまして重要であるから、その優先が明かにされてゐるのである。

七〇六

尚、最後に、「國行政総監ノ指針ニ基キ主務大臣ハ必要ナル施行令ヲ発ズルコトヲ得」とされてゐる（本令第七條）。

第四款　外國人労務者及び俘虜労務者

第一項　外國人労務者

元来、独逸は一九世紀の終り、工業の躍進的発展を遂げるまでは、年々二五万乃至三〇万の海外移住労務者を出してゐた労働力輸出國であったが、それ以後は、次第に反對の傾向を辿り、第一次世界大戰當時の独逸國内に於ける外國人労務者は、農業に於て約百万と稱せられてゐるのである。然し、前大戰に於ける外國人労務者の労力は、結局に於て、國内労務の補給源としてさまで大した役割を果さなかつたといはれてゐること一般の定説である。

ナチス独逸になるや、殊に第二次四ケ年計画の実施以来、年々外國人労務者

の募集が行はれて、労力補給策として農業経営方面へ配置されたことである。外國人労務者の多くは主として、波蘭・和蘭・デンマーク・伊太利等から應募されてゐたのである。

今次欧洲大戰下に於ては、如何なる状態であらうか。軍動員の拡大、労力補給源の減少に伴つて労力需要緩和の一策として外國人労務者が問題とされたこと云ふまでもない。周知の如く、従来労力を募集してゐた東欧は独逸の占領するところとなり、伊太利とは枢軸陣営の下に協力することゝなり、外國人労務の募集に多大の便宜を得るに至つたのである。これと同時に俘虜も亦、労力補給源として當然問題にされたのであるが、俘虜については後述しよう。

占領地に於ける外國人労務者の募集につき概觀すれば、次の如くである。

(イ)　波　蘭

波蘭に於ける労務配置行政は、占領と同時にまづ第一に着手されたこと、人のよく知る如くである。開戰後一ケ月足らずの一九三九年九月末には、労務配置施設が七〇ケ所も設けられたといはれてゐる程である。かくて極めて

短期間の中に、必要な農業労務者を動員して、その秋の収穫作業に當らしめたのである。一九四〇年の夏季には約四六万九千の労務者を数へてゐると報ぜられたのである。

(ロ)　丁　抹

丁抹に対しては石炭及び原料品の供給に関聯して、占領と同時に労務者の募集が開始されたのである。かくて、一九四〇年六月末には労務者の一団が独逸へ送らるゝに至り、主としてハンブルグ、リユベツク、キールへ向けられたのである。之等労務者の多くは主に造船工業に従事したのである。一九四一年二月現在では、丁抹労務者は二万四千に上り、建築工業・金属工業・土木事業方面へ配置されてゐる。

(ハ)　和　蘭

和蘭労務者は、戰前に於ては、特に國境方面に於て農業労務者として使用されてゐたのであるが、占領後はさらに一段と募集に力が入れらるゝこと、なり、募集の要求を拒否する労務者には、失業救済に関する一切の支給を拒

絶することゝして、その能率を上げんとした程である。かくて、一九四〇年六月より一二月末までに約一〇万人の労務者が独逸國内で使用されたといはれてゐる。

之等の労務者は、主に農業・金属工業及び建築業に於ける熟練作業に従事する者で占められてゐるのである。

(ニ)　ノルウエー

ノルウエーに於ける労務者の募集は、小規模で、一九四〇年一二月に五千名の労務者使用に関する第一回協定が締結され、募集には和蘭に於ける如き強制はなく全く自由とされたのである。一九四一年二月末に約一千の労務者が独逸へ送られたといはれる程度で、大した数にも上らないといへよう。

(ホ)　ベルギー

ベルギーに対しては占領後一ケ月後に労務者の自由登録による募集を実施したのである。一九四〇年八月九日頃には独逸向け労務者の数は一週平均千五百乃至二千を数へたが、その後減少し、一九四一年二月頃には再び増大し

て、一週平均六千に至る大量募集を行ひ、総計に於て約一〇万の労務者が動員されてゐるといはれるのである。

(ヘ) 佛蘭西

フランスに於ける募集は、独逸の占領直後西部地域に於て始り、一九四〇年七月より一一月までに独逸國内で就業してゐるアルサス地区の労務者数は二万四千を算した。その他の占領地域では、パリー地区が最も多く、一九四一年二月末にはアルサスに於ける募集を除いて約三万人と稱されてゐる。

(ト) ボヘミヤ・モラビヤ

保護領ボヘミヤ、モラビヤに於ける募集労務者数は一九四〇年八月までに一三万二千に上り、大募集を敢行したことであつた。同地方は独逸が一九三九年三月、その保護下に置いた當時は、失業者僅かに一〇万足らずといはれるから、その後に於ける同地方の就業者数の増大と共に、現在は労務者の不足殊に農業労務者の不足に悩む状態といはれてゐるのである。

七一一

伊太利

次は枢軸國伊太利に就てゞあるが、伊太利労務者の入國協定は既に一九三八年より実施せられ、當時は農業收穫のために約三万人が送られてゐるが、その後この割當数は次第に増加し、一九四〇年には五万三千が入國してゐる。また一九四一年二月には、ローマに於て工業労務者の移入に関する協定が締結され、鉄・鋼・金属・機械工業に於ける監督職員及び労務者が独逸へ送られることゝなつてゐるのである。かくて、伊太利労務者の数は、総計三二万の多きに達すると云はれてゐるのである。

其の他

其他スロバキヤからも一九四〇年末には約四万六千の労務者が独逸へ入つてゐるのである。

かくの如く、外國人労務者の動員は、占領地区の全部及び友邦諸國に対して全面的に行はれてゐるのであるが、その使用に際しては國内労務者とは別な困難が伴ふことも併せ考へらるべき問題であらう。例へば言語の相異による不便

七一二

を初めとし、従来の職業教育訓練の相異等多くの困難な事情が存在するのである。かゝる困難なる事情を排除するために適切な工夫も段々に講ぜられてゐるところであるが、こゝには省略しよう。

第二項　俘虜労務の動員

周知の如く、前世界大戦に於て独逸は、労力補給源として俘虜の労務を大いに動員したのであるが、今次大戦の下に於ても、俘虜労務の動員は、かなり適切に行はれてゐるものゝ如くである。殊に波蘭戦線に於ける俘虜は、當時丁度收穫時期に當つてゐたことゝ、また農業經営に於ける労力の不足が甚しかつたために、その大部分が農業に配置されたのであつた。右の俘虜は一般に、短期間の労務者として配置されたのであるが、極めて有能な労力たることが明かにされ、従つて俘虜の就業せる農業經営の大部分は、秋季に割當てられた俘虜労務者を冬季にも継続使用し、また春季耕作季に際しても、之が使用を希望すると云ふ状態であつたのである。

七一三

かくて労務に利用せられる俘虜の数は、一九四〇年六月には六〇万乃至七〇万を数へるに至り、同年一〇月には百万に達するといふ増加を示してゐるのである。前述の如く、最初俘虜の使用は、農業經営に限られてゐたが、俘虜の労務配置能力その他が調査され、また俘虜の宿舎その他の準備が整ふにつれて、その後鉱業部門、主として褐炭・鉄鉱・加里鉱業等にも就業せしめらるゝこととなり、さらに鉄道保線・電信電話の架設・自動車道路の工事・土地改良工事坑木の伐採等にも使用さるゝことゝなつたのである。

次に、西部戦線に於ける俘虜が、独逸國内に到着するに及んでは、工業方面に使用さるゝ俘虜の数も次第に増加し、一九四〇年八月までには二〇万人にも上つたと云はれてゐる。俘虜を工業方面に使用することは、工業部門に於ける熟練工の不足を告ぐることが激しくなるに伴つて益々問題とされるに至り、一九四〇年一〇月頃より、俘虜の前職の調査を盛んに実施したのである。その調査方法としては、國労働大臣の訓令に基いて、労働局が労務に従事する俘虜につき、建築業・鉱業・金属及び化学工業・農業・林業等各産業部門別に特殊技

七一四

能の有無を調べ、且つ現にその俘虜が適當なる産業部門に配置されてゐるか否かを明瞭ならしむる方法に出でたことである。而してその結果に基いて、特殊技能ある俘虜を適當なる部門への配置策を企図し、工業方面に於ける労務需要の補給に充てたのである。

尚、俘虜の割當に就ては、大戰勃発の直後より、俘虜を管理する軍當局と労働局との間に協定を締び、俘虜の営舎にはそれぞれ労務担當係を配置して俘虜使用に関する諸問題を處理し、以て俘虜労務の適正且つ能率的配置を企図したことは注意に値するところであらう。

第五款　経営閉鎖に因る労務者動員

戰争が長期に及び、また戰線が拡大するにつれて軍務應召者動員の数は益々多数に上る。これと同時に産業部門に於ては軍務應召によつて空となつた職場を補充するため、また次第に増大する軍事上の需要を充足するために、労務者

の需要は加速度的に増大激化すること必然である。従つて戰時経済運営のための労務配置も必然的に重点主義的配置を要求せらるゝこととなるのであるが何れにせよ國民労務の一切について、供給源の確保乃至活用が、常に焦眉の急務として問題にされること云ふまでもないであらう。而して労力供給源の確保は、予備的労務者を初めとして比較的容易な方面より着手される訳であるが、各種の労務者を動員したる後、而も尚労務者の不足を感ずる場合に於て、最後的方策として考慮せらるゝことは、不急不用の経営を閉鎖して之に因つて生ずる労力をば、緊急部門へ振り向けんとする方策である。しかし、元来円滑に運営され来た経営を閉鎖することは、経営當事者に対しては勿論、國家経済上よりも多大の損失となるところであるから、たとへ戰時下と雖も、かゝる方策による労力の供給は出来る限り避けられねばならないところである。されば、この方策は飽くまでも最後的方法として、戰争遂行上、已むを得ない場合に於てのみ許さるべきものなのである。

前述の如く、ナチス独逸に於ては、大戰勃発以来、幾多の方法による労務動

員対策を実施し来つたのであるが、情勢の進展は、戰争第二年目なる一九四〇年に至り、遂に右の非常対策をも講ぜざるを得なくなつたのである。即ち、かかる方策の基礎たるべき法的手段として、一九四〇年三月二一日附「労働力解放ノタメノ経営閉鎖ニ関スル命令」（Verordnung über die Stillegung von Betrieben zur Freimachung von Arbeitskräften）を制定公布するに至つて居るのである。本令は、一九三九年九月一日附「労務配置及ビ失業救済ニ関スル規定ノ改正令」に基いて規定されたもので、五ケ條よりなり、その内容は、要するに、地区経済廳その他に経営閉鎖に関する権限を認め、この権限に基く命令に依て當該経営に就業する従業員の一括的労務関係終了を定め、かくして當該経営を退いた従業員を他の緊急なる部門へ就業せしめんことを企図したものである。本令は、同年三月二八日に公布され、公布と同時に施行されたのであるが（第五條第一項）、その後かなり遅れて、本令に関する施行細則、即ち、一九四〇年八月二七日附「労働力解放ノタメノ経営閉鎖ニ関スル命令ノ施行令」（Durchführungsverord-

nung über die Stillegung von Betrieben zur Freimachung von Arbeitskräften）が公布されてゐるのである。但し、この施行令は、右の三月二一日附命令と同時期及び同範囲に於て遡及して施行せらるゝこと、定められてゐるのである（施行令第六條）。以下、本令につき少しく詳細に述べることゝしよう。

先づ本令第一條は次の如く規定してゐる。

「企業家ニシテ地区経済廳又ハ其ノ他主務大臣ノ指定スル機関ヨリ其ノ経営若クハ経営ノ一部ヲ特定期間ニ閉鎖スルコトヲ要求セラルルトキハ、右閉鎖ト同時ニ経営若クハ経営ノ一部ノ従業員ノ労務関係モ終了スルモノトス、但シ労働局ノ同意ヲ得テ特ニ経営管理ノタメ右時期以後継続就業スル各従業員ニハ之ヲ適用セズ」と。

即ち、右の規定に明かな如く、前述した方策のための経営閉鎖の権限は、地区経済廳又はその他主務大臣の指定する機関に與へらるゝのであつて、また経営の閉鎖は、常に必ずしも経営の全部に就てでなく、時に経営の一部に対して

も命ぜらるゝことがあり得るものとされてゐるのである。次に、右の権限に基く経営閉鎖命令は企業家に対して爲さるべく、閉鎖と同時に、當該経営に従業せる従業員の労務関係は、一括して終了するものと定めたのである。但し、この労務関係終了の原則は、閉鎖命令に因つて當該経営より退く者に就てのみ認められるのであつて、閉鎖を受くる経営を管理するために継続して従業する者に対しては適用されないものとされてゐることを注意すべきである。

かくして、當該経営より退くに至つた従業員は、その身分に就ては一九三九年三月二日附「國策上重要事業労力需要確保令第一次施行細則」に所謂「無期限労務義務者」として扱はれ、経営を退いた時より三ケ月以内に新従業関係に入らねばならないのである（第二條前段）。換言すれば、かゝる労務者は三ケ月以内に適當なる労務場所に配置され、労力不足の補充とされるのである。ここに所謂三ケ月の期間に就ては、期間中に労務場所の変更が行はれ、次の労務場所に就業しなければならなくなつた時も、その時より三ケ月の猶豫を認められてゐる（施行令第三條本文）。但し、最初認められた三ケ月の期間内に従業

七一九

しない場合には、この特典は與へられないのである（施行令第三條但書）。

閉鎖命令に基いて労務関係の終了した従業員には、前掲の第一次施行細則（労務義務施行細則）が適用され、その権利が保障することゝされてゐるのであるが、たゞ同細則第一四條のみは適用を除外されてゐる（第二條前段）。前にも述べた如く、第一次施行細則第一四條は、労務義務者が従前の労務場所に於て少くも三年各従業員又は、その家族の状態を改善するための施設、例へば恩給金庫・共済金庫等に対して出捐してゐる場合に於ては、無期限労務義務を負ふに際して施設主任より相當の賠償を與へらるべき旨を規定したものであるが、本令はこの点に関して別に規定し、之が適用を除外したのである。即ち、本令は第三條に於て、閉鎖を受けた経営に於て従業員が、自己又はその家族の状態を改善する為の施設に出捐してゐた場合には、該施設の存続又は解消に関し、また該施設に對する従業員又はその家族の請求に関しては、該施設が國家的監督の下にある場合にはその監督官廳、他の場合に於ては國労働管理官が最後的決定を為すべきものとしたのである（第三條前段）。またこれと同時に、

七二〇

一九四〇年二月一九日附「経済ノ共同扶助ニ関スル命令」（Verordnung über die Gemeinschaftshilfe der Wirtschaft）に基く扶助の要求が問題となつた場合には、地区経済廳が特定の主務大臣と協議して之を決定する旨を規定してゐるのである（第三條後段）。右の外、一九三九年九月四日附「労務義務者扶助ニ関スル訓令」も亦同じく適用さるゝものと定められてゐるのである（第二條後段）。

尚、本令第一條に基く労務関係の終了に際しては、施行令により従業員の損失補償を認めてゐるのであるが、その内容は次の如く定められてゐる。即ち、

(1) 先づ第一に、労務関係終了に際しての損失補償は、一九二六年七月九日附「使用人解約告知期間ニ関スル法律」第二條第一項による高度の解約告知保護を失ふに至つた従業員に與へられるのであつて、その額に就ては、経営閉鎖の時期に解約せられたものとして右は法律に所謂解約告知期限の遵守によつて得べかりし一切の俸給（副收入も含む）の半額とされてゐるのである（施行令第一條第一項）。

七二一

(ロ) 次は、前掲法律により高度の解約告知保護を與へらるゝ使用人に対して、経営閉鎖時期以前に解約告知が為されてゐた場合には、経営閉鎖と法定の解約告知期限満期との間の期間に就て使用人に與へらるべき一切の俸給（副收入も含む）の半額が損失補償として與へらるゝのである（施行令第一條第二項）。

右の、損失補償は、経営閉鎖前最近の三ケ月中の平均実收を標準として算定し、そのうち半額は経営閉鎖と同時に、他の半額は閉鎖後三ケ月を経て、支拂はるべきものとされてゐるのである（施行令第一條第三項前段）。尚、使用人が、三ケ月以内に新従業関係に入つた時は、損失補償の第二回目の半額は、使用人が、この期間中新経営に於て得た額だけ減額されて支拂はれるものとなされてゐる（施行令第一條第三項後段）。

なほ、右の規定によつて損失補償を與へられた使用人が、経営閉鎖後三ケ月以内に、新従業関係に入つた場合に於ては、閉鎖された経営に従事したる時期は新経営に於ける期間に加算せらるゝことがない旨が明かにせられてゐるので

七二二

ある（施行令第一條第四項）。

また、本令第一條後段但書の適用によつて閉鎖経営管理のために引き続き就業しさるた者が、後日経営閉鎖に基いて該経営より退くに至つた場合にも同じく三ケ月以内に新経営に就業すべきものとされ、本令第二條、第三條の適用を受くるのである（施行令第二條第一項）。この場合の使用人に就ても右に述べた施行令第一條の規定が準用さるゝものとされてゐる（施行令第二條第二項）。

閉鎖命令に基いて労務関係が終了するに至つた従業員に対しては、さらに保護が與へられ、施行令第四條によれば、かゝる従業員が工場住宅に住居してゐた場合には、労務関係終了にも拘らず、工場住宅許與請求権を失はずとされてゐるのである。若し企業主にして住居許與関係を解消せしめんと欲すれば、國労働管理官の同意を得なければならないものとされてゐるのである（施行令第四條）。

本令第四條は「本令ノ施行及ビ補充ノタメ其ノ他ノ規定ヲ行政處分ニヨリ定

ムルコトハ之ヲ留保ス、疑アル時ハ國労働大臣又ハ其ノ委託機関ニ於テ、裁判所ヲモ拘束スル效力ヲモツ行政處分ニヨリ之ヲ決定スルコトヲ得。」と規定し、その施行及び補充につき強力な留保をしてゐるのである。

最後に本令の施行に就てゞあるが、本令は一九四〇年三月二八日に公布され、之と同時に施行されたのである。而もその施行に際しては、公布日以前に行はれた閉鎖にも之を適用するものとして、適用を遡及せしめてゐることが注目せらるる（第五條第一項）。

さらにまた、「官廳ニヨリ命ゼラレタ特定地域ヨリノ撤退若クハ明渡シニ基キ閉鎖スルニ至レル経営ニハ之ヲ適用セズ」と注意規定を設けてゐるのである（第五條第二項）。かゝる場合は、戦時下に於ては一般的にその犠牲を忍ぶべきものと認めらるゝことであるから、固より妥當と云ふべきであらう。

第五節　結語

以上、本章に於ては、今次欧洲大戦勃発後ナチス独逸の戦時経済に於ける主要なる労務配置政策に就て述べて来たのであるが、元来、ナチス独逸の労務配置関係法令の中には、その一環をなすものとして、労働奉仕法のあることを注意しなければならないのである。これに就ては章を改めて後述するところであるが、従来より非常に発達してゐた労働奉仕制度が、戦時に於てはさらに一段と強化され、之と同時に労働力の不足に悩む戦時下労力補給源として大いに活用されたことを忘れてはならない。

最後に我々は再び戦時下に於けるナチス労務配置政策を回顧することゝしたい。

前述した如く、ナチス準戦時経済体制から、大戦開始と同時に戦時経済体制への轉換は、實に見事な手際といへよう。通常の場合、常に起ると考へらるゝ開戦直後の失業も、大した問題にならずして、極めて短期間の中に解消され、またこの事を主たる対象として制定公布された、一九三九年九月五日附「失業救済ニ関スル命令」（Verordnung über Arbeitslosenhilfe）及び、

一九三九年九月一八日附「操短労働者扶助ニ関スル命令」（Verordnung über Kurzarbeiterunterstützung）等の如きも、十分その役目を果して戦争目標の遂行に應じたことであつた。

しかし、その後に続くものは、戦前にも増す大量の労力需要であつたのである。之に伴つて國民労務義務に基く動員者の数も次第に増加せしめざるを得なくなり、戦争開始の第二年目なる一九四〇年一〇月までには、約百万、その中男子八〇万、女子二〇万を動員するに至り、その他、労力補給源の確保を、婦女及び外國人労務者に対して及ぼしたことは勿論、学生の労務動員を実施し、戦争の進展と共に増加する俘虜労務の活用を企図し、遂には、経営閉鎖命令権を地区経済廳その他の機関に賦與して経営閉鎖に基く労務者の一括補充策を講ずる等、労力に対する一切の動員が計画実施された次第である。

然らば、かくして動員された労務者は、如何なる部門へ振り向けられたであらうか。云ふまでもなく、軍需工業就中化学工業及び鉄金屬経済の分野、交通・運輸部門及び土木建築経済部門がその最たるものであらう。之に同時に戦時経

澤下に於て殊に注目せられる農業経営、即ち食糧経済部門が併せて考へられたのである。何故にかゝる労務配置策が要請せらるゝかは、固より軍動員に伴ふ労務者の不足と、戦争遂行上缺くべからざる軍需の充足といふ二大主要原因の然らしむるところであらう。而してこの事情は戦争が進展拡大するに伴ひ、また長期に及ぶに従って益々痛切に要請さるゝのところである。従って戦時下労働力の適切なる確保と云ふことは、國家総力戦の一般的帰結として、勝利への道に重大なる影響をもたらすのである。されば、我々はこゝに、軍隊の動員と軍需工業と交通運輸経営と土木建築経済と農業食糧経済とは、常に一貫せる方針の下に管理統制さるべきことの必要を深く感ずるのである。而も尚、かゝる点への注目は極めて當然のことゝするも、之が遂行の実際に於ては仲々に困難なものがあることを知らねばなるまい。されば勝利のためには國民は如何なる苦難にも堪え、且つ之を突破するだけの精神的態度を要請さるゝ所以も実にこゝにあることを思はねばならないであらう。

ナチス独逸の戦時労務動員体制は、表面上は平時体制の延長と看做さるべき

七二七

ものと云はれることも、それは開戦直後の事情に就ては、或は過言と云へないでもあらうが、物的・人的に益々大量の消耗を餘儀なくされる戦争の過程に於ては、その緊迫感が労務動員制の至る所に現はれてゐることを知るのである。しかし、この事情は、交戦國のすべてに多かれ少なかれ同じものゝ存する事を否定出来ないであらうが要は如何なる程度まで堪えられ、また何時まで永續するかといふ点に懸ることであらう。こゝにナチス独逸労務配置に課せられた今後の重大問題があるのである。

七二八

第四章　労働奉仕法

第一節　総説（独逸労働奉仕制度概観）

第一款　独逸労働奉仕制度の意義

独逸の労働奉仕制度は、前欧洲大戦当時の祖國補助勤務制度並に青少年の農村補助制度にその思想的淵源を有し、戦後に於ける慘憺たる失業に対する救済策として社会経済的意義を認められ、その参加が奉仕者の任意的発意に一任せられる志願制形式の下に、その第一歩を踏み出したのである。

其後一九三五年六月二六日、國労働奉仕法 *Reichsarbeitsdienstgesetz* が制定せられ、従来の任意的参加形式を撤廃して強制的義務制が採用せられるや、その有する意義が全く新しい基盤の上に立つことになった。

七二九

國労働奉仕法第一條によれば、

(一) 労働奉仕の目標は、公益的労働の遂行によって全独逸青年を國民社会主義の精神に基き、民族共同体並びに真正なる労働観、就中肉体労働に対する正当なる尊重へ教育することにありと定められ、

(二) 労働奉仕は兵役義務と同じく独逸民族に対する名誉奉仕 *Ehrendienst* とし、全独逸青年男女に対し國家的一般平等労働奉仕義務 *Staatliche allgemeine gleiche Arbeitsdienstpflicht* が課せられることになった。

斯くして独逸労働奉仕制度は、恰も同年五月二一日公布せられた兵役法 *Wehrgesetz* に基く國民皆兵制度と相俟って、就学義務、労働奉仕義務、兵役義務なる三大國民義務の三位一体的体制を完成せしむる重要なる國家制度である。

七三〇

第二款　獨逸勞働奉仕制度の沿革

第一項　獨逸勞働奉仕制度前史

（独逸に於ける勞働奉仕思想の展開）

独逸に於ける勞働奉仕制度が現行の義務制形態をとるに至る迄、幾多の変遷を閲してゐる。この事は時代の客観的政治的経済的情勢の推移を反映して、勞働奉仕制度がその具体的相貌を変化せしめつつ発展したことを物語るものである。

勞働奉仕の思想は、本来一個人の創案によるものではなく、前世界大戦後の独逸に於ける窮迫せる社会状態の産物である。併し思想的には前世界大戦当時にその萌芽を見ることが出来る。一九一六年一二月五日公布の祖國補助勤務法 Gesetz über den vaterländischen Hilfsdienst は十七才より六十才の男子にして、軍務に服せざる者に対し、祖國の為に補助勤務に服すべき

七三一

義務を課してゐる。之は今日の勞働奉仕義務制の先駆と謂ひ得るのであるが、その制度は自由契約的色彩を帯び、勞働の種類勞働場所は各人の選択に委ねられ、奉仕義務者は主として営利経営の中に於て一般的勞働條件の下に勤務したのである。この制度は種々の事情により、所期の効果を挙げ得ず、遂に一時的施設たるの役割を演ずるに止つた。之と時期を同じうして十四才から十七才迄の少年が出征者の家族補助の為に農村に赴き、無報酬にて業務の補助を行つた農村補助制度 Landhilfe が産出された。此制度は主として志願制によつてゐたため、所謂志願制勞働奉仕の濫觴をなすものといはれてゐる。

大戦終結後、バルティック沿岸地方に駐屯してゐた軍隊が、ボルセヴィズムを防遏しつつ、此の地方を帰還兵士の開墾殖民の為に利用せんと試みた。之が所謂バルティクマー Baltikumer であるが、一九二〇年五月エルベ河畔のハルブルグ近郊で赤軍に敗れてその理想を実現し得なかつた。然しその結果として、勞働力を奉仕的に提供して、開墾移住事業を行はんとする思想が勃興し、國民の注意を喚起した。斯くて　(一)殖民地を得るのに、之を國外に求めずとも

七三二

國内の不毛地沼沢地の開拓によつて目的を達し得ること、(二)この開拓には勞働奉仕の方法が適当なること、(三)勞働奉仕が季節的に傭入れらるる國外勞働者を駆逐して失業防止の一方法なり得ること等が明かとなり、勞働奉仕思想は俄かに一般の理解を得るに至つた。

斯る情勢の下に、一九二〇年在郷軍人の軍人精神を中心としてアウマンの主宰する自由勞働團 Freikorps なるものが結成せられ、「勞働國防」なる標語の下に男女青年を糾合して愛國運動の傍ら、不毛地の開墾、道路網の完成、移住部落の建設等の事業に携つて、大いに殖民思想の高揚に資するところがあつた。

偶々一九二〇年ブルガリヤに於て、國難克服のため義務制勞働奉仕制度が布かれた。即ち大戦後疲弊せる國力を回復し、将来への発展を約束せんがため、同年六月一〇日の法律を以て全國青年男子に対し、一定期間の勞働奉仕をなすべき一般勞働奉仕義務を課し、更に四十才に至る全壮年男女に対し毎年一定日数の臨時奉仕義務を課した。此の奉仕勞働力を以て沼沢地の開拓、鉄道街路の敷設、運河港湾の構築等が行はれたのであるが、其の事業は総て政府の調査選

七三三

択を経たものに限り、管理一切は勞働奉仕局の管掌するところであつた。且奉仕者の衣食住は奉仕者の手によつて自給自足したといはれてゐる。此のブルガリヤに於ける勞働奉仕制度の実行と実績とは当時の独逸に極めて意義深き示唆を與へ、勞働奉仕思想の発達を促進したのであつた。

茲に於て一九二〇年の独逸聯邦議会には嘗て兵役制度が果した教育的効果を別個の形態に於て実現せんとする意図の下に、社会民主党によつて、勞働奉仕義務制採用の提案がなされたが、遂に実現を見るに至らなかつた。一九二三年冬バベリヤ州委員フォンカールは勞働奉仕による國民教育を通じて、経済危機に起因する國民分裂の現象を阻止せんとし、勞働奉仕に関する法案を提出したが之亦不成立を免れなかつた。斯くの如く幾多の思想と試みがなされたに拘らず、その何れもが結実を見るに至らなかつたのは、未だそれが樹立さるべき地盤が固まつてゐなかつたためといはねばならない。

勞働奉仕思想が全國的運動として、最初の具体的表現をもつに至つたのは、一九二四年のアルタム運動 Artamenbewegung であつた。同運動はアルタ

七三四

ム同盟 Bund Artam を本体とし、田園活動に対する自発的労働奉仕によつて、身心の鍛錬、人格の陶冶を計り、波蘭移住労働者を独逸國土より駆逐し、都市集中、農民離村の傾向と闘争する等、目覚しい活動に於て数十万の独逸青年男女を獲得した。然るにその実践の積極性に拘らず、資金の欠乏と政府の無理解により適切な助成措置が阻まれたために次第に衰微の運命を辿つた。

然しこのアルタム運動に刺戟せられて、労働奉仕の機運が普及し、同種の運動が同盟聯盟等種々の形態で企てられ、郷土的事業が各所に簇出した。一九二六年労働奉仕営舎設立運動が起され、遂に労働者農民学生の為めの労働営舎が建設せられたが、之が階級思想の克服に非常な效を奏した。この功績に鑑み、一九二八年独逸國民社会主義労働党 N.S.D.A.P. は、その政策中に労働奉仕制度の一項を加へ、一九二九年には同党により労働奉仕義務制実施に関する建議案が議会に提出された。併し当時猶、経済的理由から実行不能と看做し、思想的理由から強制労働と看做す見地から反対者多く、動議は遂に成立を見なかつた。

第三項　志願制労働奉仕制度 F.A.D. の實施

一九三一年独逸國内の失業者は、当時独逸人口の十分の一に相当する六百万と推定されるに及んで、餓えたる者にパンを與へ、職なき者に兎に角職を與へる應急的措置が、焦眉の急を告げるに至つた。その一方途として、労働奉仕制度を要求する声が愈々高くなつた。時のブリューニング内閣は既存現存の労働奉仕営舎の実績を顧みて遂に志願制労働奉仕制度の断行を決意するに至つた。即ち一九三一年六月五日「経済及ビ財政安定ニ関スル大統領令」を以て労働奉仕志願制を布いたのである。こゝに十年の努力は漸く結実して、労働奉仕は法制化し、國家的制度に取上げられたのである。

此の大統領令に基く労働奉仕制度は純然たる一個の應急的失業対策施設たるに過ぎなかつた。のみならず單なる失業救済策としても幾多の欠陥を包蔵してゐた。

越えて翌一九三二年新政府パーペン内閣は大統領令に基く労働奉仕制度の欠陥を率直に認め、之を除去して制度の強化拡充を図る目的の下に、七月一六日志願制労働奉仕令を発した。同令第一條は「志願制労働奉仕ハ独逸青年ニ公共ノ利益ノタメ自発的ニ真摯ナル共同労働ヲ果シ、同時ニ身心ノ鍛錬ヲ行フ機会ヲ與フルモノトス」と規定して本制度の本質目的を明かにした。奉仕の範囲を原則として二十五才以下の独逸青年に限定し、本制度が青年のための制度なることを示した。併し当時の社会情勢は未だ失業救済的意義を清算することを許さず、助成金制度を残したから、之を目当とする奉仕参加者が続出した。一方本制度を通じて政治的勢力を扶殖せんとする者、低廉なる労働力の提供を受けんとする者等が、奉仕事業負担者として現はれ、政党労働組合等各種團体が、夫々奉仕営舎を設置する状況であつた。その結果制度そのものの発展を見たけれども施設は多種多様であつて所謂乱立状態を呈した。之を調節せんがため、労働奉仕負担者組合の結成が構想せられ、労働奉仕國民聯盟 Volksbund für Arbeitsdienst が生れた。後日一九三三年一月労働奉仕全國聯盟

Reichsbund für Arbeitsdienst に改称改組された。

第三項　國民社會主義的労働奉仕制度 N.S.A.D. への改組

國民社会主義独逸労働党 N.S.D.A.P. は該党の最初から、労働奉仕に多大の関心を持ち、その綱領中に労働奉仕なる文字を見出し得ることを以てしてもこの事は明かである。

然るに党は志願制労働奉仕制度を以て不徹底とし、過渡的存在意義を有するのみとの見解を持して動かなかつた。一九二四年当時 N.S.D.A.P. 第二組織部長たりしコンスタンテイン・ヒーエルはヒツトラーの委託により、党の目標とする労働奉仕義務制施行の準備工作に着手した。

一九三一年秋、オーデル河畔のフランクフルト市郊外チチエノフに、ヒーエル指導の下に労働奉仕講習会が開催された。翌三二年一月には之が実践のためポーゼン州と西プロイセン州の境界地たるハムマーシュタイン練兵場に党の労

労働奉仕営舎を建設した。之等の施設を通じて労働奉仕の実際的体験が集積帰納せられ、本格的発展の方法が攻究せられた。当時ヒーエルの努力は、先づ指導者の養成の一点に集中せられ、該営舎にて國民社会主義的労働奉仕精神と、その実践とを訓練せしめたる指導者を、各地の営舎に於て中堅幹部として活動せしめ、ナチス精神に基く労働奉仕運動を全國的に展開せしめた。其後幾何もなくして各地のナチス的労働奉仕諸施設を統合組織する自発的労働力再訓練聯盟が結成された。ヒーエルは本格的に完労働奉仕事務受託者に任せられ、ナチス的労働奉仕制度を確立すべく専心努力したのであつた。

一九三三年一月三〇日ヒットラー政権を獲得するや、労働奉仕聯邦委員に労働大臣が任命せられると共に、ヒーエルは國労働統監及び労働省内労働奉仕局長に任命せられた。ヒーエルは先づ全國各地に散在する労働奉仕を統一し、之を自己の統率下に置いた。斯くて一九三三年五月四日以来、全独逸労働奉仕はパーペン内閣による志願制形態を継承しつゝ、國民社会主義的指導に服することとなつた。同年秋、労働奉仕の制服制帽其他装備の統一が定められ、全國的劃

七三九

一支配の実を挙げた。

併し地方に於ては地方委員の位置にある労働官吏と実際事務に当る地方指導者の対立する二元的組織が残存してゐた。労働官吏の官僚的管理から労働奉仕を独立せしめ、ナチス的指導者原理に基く指導組織を確立することが緊要事であるとの見地から、翌三四年七月管理事務を職業紹介失業保険局及び地方労働局より解放し、その所管が労働大臣から内務大臣に移さるると共にヒーエルは志願制労働奉仕全國委員に任命された。

一方組織の整備も着々進行し、一三の地方組織及び地方委員が廃せられ、三〇〇の労働管区が置かれ、その下に労働群團、分團を置いてその各指導者が全責任を負ふ組織が確立した。従来の助成制度は廃せられ、國予算による経費支弁といふ形式に於て財政の独立及び確保を図つた。又別に國労働奉仕本部を設けて國民社会主義に基く全國的統一指導の方法を整備した。こゝに従来民間委託的形式による労働奉仕経営は根底より廃棄せられて純然たる國営形式となり独逸労働奉仕制度は全く面目を一新した。

七四〇

此の改革は労働奉仕を以て単なる失業救済対策の一部門なりとする従来の観念を清算し、経済的意義を第二義に置き、青年教育的意義を第一義とすることを示すものであつて、労働奉仕制度の指導原理が百八十度の転回をなしたことは、独逸労働奉仕発展史上特筆すべき事実といはねばならない。

斯くの如くしてヒットラーの政権獲得以後二年半の準備期間に於て、労働奉仕義務制の断行し得る素地が築上げられたのである。しかもこの志願制より義務制への発展的改組が著しい組織的変化なしに行はれ、且何等則るべき模範なき世界最初の企図が実現せられ得たものは、ナチス特有の計画的組織力と強靭なる政治力の致すところであり、之に協力したものは國民全般のナチス的世界観の理解であるといふことが出来るであらう。

第二款　獨逸労働奉仕制度の使命

独逸労働奉仕制度は通常二つの使命を持つといはれてゐる。即ち一は独逸の

七四一

土地に対し、共同社会的労働を加へることによつて独逸民族の経済的強化を実現することであり、他はゲルマン民族の血と信念に生きる新しい型の独逸人を教育することである。併し猶この外に極めて陰蔽されてゐるけれども秘匿し切れないものに軍事的使命がある。

第一項　獨逸労働奉仕制度の教育的使命

独逸労働奉仕制度の教育的使命については、明文の規定がある。即ち「國労働奉仕ハ國民社会主義ノ精神ニ基キ民族共同体並ビニ真正ナル労働観、就中肉体労働ノ正当ナル尊敬ニ独逸青年ヲ教育スベキモノトス」（國労働奉仕法第一條第三項）と定められてあるのがこれである。

労働奉仕制度は、それ自身一つの教育社会として組織せられてゐるが他の教育社会と異る所以は労働作業の遂行と営舎に於ける共同生活との二つの方法を通して教育作用を営む点に存する。

労働作業の遂行は、共同的労働を義務的に行はしめて労働の体験を通じて労

七四二

働の成果を尊重する念を養ひ、労働の成果を具体的な革等、殊に客観的なそれ自身價値を有するものに結ばしめることによって労働の神聖なることを感得せしめる。更に共同労働の威力を認識せしめて献身の何物なるかを自得せしめる。ここに労働奉仕が他の教育機関に対する特殊の地位があり、之を國民社会主義精神によって裏打ちすることによってナチスの所謂真正なる労働観が養はれるのである。

労舎生活は学校と異り、終日にして、且半ケ年継続の共同生活である。しかも指導者の下に厳格なる規律を以て営まれる生活である。職業階級身分の別なく、同一の服装、同一の食事同一の生活様式によって、奉仕者の間に相互扶助と相互理解とを中心として僚友精神が涵養せられ、之を統一された独逸民族意識にまで高揚せしめる。被指導者は指導者の命令に絶対服従し、指導者に対する忠誠と、自己犠牲とを実践を以て体得せしめる。この横断的且縦断的な生活指導原理の体得こそ、営舎生活の最高目標である。ここに民族社会に不可欠な徳性が陶冶される。

七四三

労働作業を中心とし、之に運動体操遊戯を附加する身体的運動は、青年体位の向上に資すべく、民族種族郷土歴史を通じて國民政治への展望を與へつゝ奉仕者に直接國民社会主義的世界観を注入する政治教育は、独逸の政治及び経済を新しい角度より眺める眼を開かしめる。

第二項　國民経済的使命

労働奉仕は奉仕労働なる性格からその労働対象は自ら公益的なるものに制約せらるべきであり、法文も亦之を「公益的事業ノ遂行ニ限定ス」（第一條第四項）と規定してゐる。

独逸は、本来前大戦以前に於てさへ、食糧の自給自足が行はれ得なかつたに拘らず、大戦によって全領土の一三%を喪失したに対し、人口の喪失は九・五%に過ぎなかつたから、食糧不足は之によって一層拍車をかけられたといつてよからう。ここに於てか、独逸民族にとつて最も公益的なるものを、食糧自由 Brotfreiheit に資する事業に見出したのである。食糧自由獲得の対策とし

七四四

ては、平和的には、國内荒蕪地の開墾、沼沢地の干拓、既墾地の改良以外には有り得ない。之等の諸方策の実現には、先づ労働力を必要とする。然るに農村は農民の離村によって著しく疲弊し、労働力に不足し、都市には戦後殊に敗戦國なる特殊事情によって過剰労働力が失業なる現象に於て、社会に重圧を加へてゐた。この過剰労働力を吸收し、集團労働力の形式に於て農村の不足労働力を填補せんとするところに労働奉仕の起源があり、真面目が存する。この過剰労働力を公益的價値創造の労働過程に適用し、その実践によって、食糧自給政策を遂行し、以て失業苦を緩和し、労働力を地方的に分散せしめることを狙つた点に、大きな國民経済的意味を有する。

現実の問題としても食糧自由獲得の如き大事業は、私経済に依つては為し遂げ得ず、私経済を圧迫せず、独逸民族の存立発展上絶対枢要なものであり、之を労働奉仕の提供によって統一的統制的に遂行し得るのであつて、実質的に独逸経済を或程度迄解放し、且強力ならしめたのであつた。

七四五

第三項　軍事的使命

ナチス独逸に於ては殊に労働奉仕関係者は労働奉仕制度の軍事的意義を極力否定する。併し労働奉仕制度の軍事的使命は、その教育的效果と、経済的作用の方向より、必然的に生み出され、現実に事業的使命を果してゐることを否み得ない。

労働奉仕が独乙青年の修練道場として希求する所は何か、規律と犠牲的精神と僚友精神の涵養である。この三者は又同時に軍隊精神の核心をなすものであり、労働奉仕組織及び労働訓練が軍隊的形式に於て行はれる以上、労働奉仕制度に於ける教育が、結果として軍事予備教育に終ることは、言を俟たずとも明かである。

労働奉仕訓練を終つた者は、軍隊教育に於ける所謂第一期訓練を終つたものと、同等或はそれ以上の実力を有し、昨日労働奉仕義務を終つた者は、シヤベルの代りに銃を携へて、今日直ちに戦闘訓練を受け得るのであつて、軍隊教育

七四六

上時間を節約せしめ得る点に於て、貢献するところは頗る大きいと言ふことが出来るであらう。

労働奉仕の労働対象が公益的事業に限られるとしても、それが食糧自由獲得の方面に限定せられなければならぬ理由は何処にもない。平時に於ける国防的施設、都市に於ける防空施設の建設も、亦明白な公益的事業であるし、戦時に於ける糧秣食糧の補給、占領地の應急工作、治安警備亦然り。労働奉仕制度の軍事的使命の途は、制度そのものの中に開かれてゐるといはねばならない。

現実の業績を取上げて見ても、ジークフリート線の構築、東部要塞の建設、波蘭戦線に於ける軍隊への協力は、遺憾なく労働奉仕の第二線的意義を発揮し、此種第二線的活動は、著しく正規兵力を節約せしめ、総兵力をあげて第一線に立たしめ得たのであつて、作戦用兵上極めて重要なる意義を有する。女子労働奉仕さへも軍の給養野戦病院等の後方勤務に服し、労働奉仕の戦時配置は労働奉仕制度の機能より見て、洵に自然な行き方といはざるを得ない。

第二節　志願制労働奉仕法令

第一款　總説

既に述べたる如く、労働奉仕思想はナチスの創案にかかるものではなく、一九一六年一二月五日の祖國補助勤務法は労働奉仕的思想の最初の法的表現をなしてゐる。此の意味に於て同法は労働奉仕的法制の原初的形態として看過することを得ない法規であり、志願制労働奉仕制度を理解する上に示唆するところ多く、こゝにその内容を概説することとする。

独逸労働奉仕制度は最初、志願制労働奉仕制度としてその第一歩を踏出した。此の制度は一九三一年初頭、設立された失業問題委員会 Gutachtenkommission zur Arbeitslosenfrage の提案に基き、一九三一年六月五日の「経済及ビ財政安定ノタメニスル第二次大統領令」Die Zweite Verordnung des Reichspräsidenten zur Sicherung von Wirtschaft und Finanzen によつて「職業紹介及ビ失業保険法」Gesetz über Arbeitsvermittlung und Arbeitslosenversicherung 第一三九條第一項に取入れられたのに始まる。一九三一年七月二三日の「志願制労働奉仕促進ニ関スル命令」Verordnung über die Förderung des freiwilligen Arbeitsdienstes は大統領緊急令の施行細則を規定し「同令補充令」Verordnung zur Ergänzung der VO über die Förderung des freiwilligen Arbeitsdienstes （一九三二年五月二五日公布）は農村移住に関する労働奉仕の配置に関して規定するところがあつた。

併し此等の諸法令は、志願制労働奉仕制度を、失業対策の緊急的処置として規定するに止るものであつて、労働奉仕志願制を本格的に組織化し強化したものは、一九三二年七月一六日の「志願制労働奉仕令」V.O. über den freiwilligen Arbeitsdienst である。同令は一九三二年八月二日の「志願制労働奉仕令ノ效力発生ニ関スル命令」V.O über das Inkrafttreten der V.O.

über freiwilligen Arbeitsdienst により同年八月一日から実施され、同年八月二日同令施行規則 Ausführungsvorschriften zur V.O über die freiwilligen Arbeitsdienst が公布された。爾後一九三五年六月二六日國労働奉仕法が公布せられ労働奉仕義務制が布かれる迄、效力を有し、独逸に於ける志願制労働奉仕制度の基礎法をなしてゐた。

この故に一九三一年の大統領令及びその附属法令に就いては之を概観するに止め、主として一九三二年の志願制労働奉仕令に就いて論ずることとする。

第二款　祖國補助勤務法

第一項　總説

本法制定の次第を略述すれば、一九一六年一一月二四日政府の手によつて、「祖國補助勤務ニ関スル法律案」が議会に提出された。同法案は祖國補助勤務義務の確定（第一條）、補助勤務経営の限定及び戦時局の権限（第二條）、罰則

（第三條）より成る極めて簡單なるものであつたが、議会に於て各政党により大修正を受くることを余儀なくせられ、遂に全文二十数ヶ條の法律として同年一二月二日議会の可決を見たものである。

同法案が政府によつて議会に提出さるるに至つた動機は、一九一六年夏頃より戦線に於ける多数の死傷を補ふため、召集猶豫者が多数召集せられたことと、益々膨張繁忙を加へる軍需工業が多量の労働力を要求したことと相俟つて労働力の不足が顕著になつたので、之が補充の道を、國民の自発的労働奉仕に求めんとするところに存する。即ち同法案の目的とするものは、戦時に於ける労働力の不足に対し、補助労働力を配置せんとするに当り、必要ある法的基礎を附與するにあり、之が方法として祖國補助勤務の法的義務づけがなされたのである。

叙上の如くして制定せられた本法の関係法令の主なるものは次の如くである。

(一)、祖國補助勤務法施行令（一九一六、一二、二一）

(二) 祖國補助勤務法施行令（一九一七、一、三〇）　七五一

(三) 祖國補助勤務法ニ基ク委員会ノ手続規定（一九一七、一、三〇）

(四) 祖國補助勤務法第七條施行令（一九一七、三、一）

(五) 祖國補助勤務法第七條施行令（一九一七、一一、一三）　七五二

因に、本法は労務に関する戦時特殊法規の故を以て「紛争ノ仲裁ニ関係アル規定」は明文を以て存続せしめられ、その他の部分は、一九一八年一一月一二日を以て廃止せられた。

第二項　補助勤務義務

満十七才以上満六十才未満の男子たる独逸國民は軍隊に属せざる限り補助勤務義務を負ふ（第一條）

此の補助勤務義務は兵役義務に類する國民義務 Staatsbürgerpflicht と観念せられる。従つて満十七才以上満七十才未満の男子たる独逸人は、総てこの義務に服し、兵役義務者と雖も軍務に服せざる限りこの法律の適用を受ける。

補助勤務義務は戦時中に限り存續する。

政府は一切の補助勤務義務者を徴集する必要なく、個々の義務者を又は特定の職業者群若くは地域群に属する義務者の徴集を免除することが出来る。

補助勤務とは、戦時に於て戦争遂行の目的に対し直接又は間接に意義を有する一切の経営に於て活動することを謂ふ（第二條）。

補助勤務の為さるべき戦時重要経営の範囲は極めて広く、此の範囲に属するものとしては、(一)一切の戦時工業、(二)各種の戦時経済機構、(三)直接又は間接に戦争の遂行又は國民の給養に役立つ一切の経営がある。官廳及び官廳的施設（学校大学博物館等）も戦時重要経営に属してゐた（第二條第一項）。

之等の経営に於て現に従業せる者は、其人員が必要の限度を超えざる限り、祖國補助勤務義務に服する者と認められる。

戦時重要経営内の過剰労力及び戦時重要経営外の労力は、補助勤務の実施機関の勧奨又は指定により補助勤務を行ふ義務を負ふのである（第二條第二項）。　七五三

第三項　實施機関　七五四

祖國補助勤務はプロシヤ王國陸軍省内に設けられたる戦時局がこれを管掌する。

此の戦時局の下に祖國補助勤務実施機関として次の三種の委員会が置かれた。

第一目　決定委員會　Feststellungsausschuß

決定委員会は一経営又は職業が戦時重要なりや否や、及び従業員労力需要との関係、即ち従業員が必要限度を超ゆるや否や、超ゆるとすればその超過量等に就き決定する権限を有する（第四條第二項）。本委員会は一軍管区毎に又はその一部分に付き設置せられ、議長たる士官一名文官二名及び利益代表者二名（雇傭主及労務者）を以て構成せられる（第五條）。

決定委員会の決定に対する抗告は、戦時局中央所が之を管掌する（第六條第

一項)。

戦時局中央局は戦時局将校二名(内一名は議長)帝國宰相の任命する官吏二名管轄邦中央官廳の任命する官吏一名及び雇傭者及労務者の代表者各一名を以て構成せられる。海軍に関係ある事件に対しては海軍将校が之に加はる(第六條第二項)。

但し官廳勤務者の数に関しては管轄上及び行政官廳が戦時局の意見を聴いて決定をなし(第四條第一項)公の施設に関しては戦時局が管轄上級行政官廳の意見を聴いて之を決定する(第四條第二項)。

第二目　徴集委員會 Einberufungsausschuß

徴集委員会は一般的勧奨によつて所期の目的を達し得ない場合、書面による個別的催告を発し(第七條第二項)書面による催告送達後二週間にして尚之に應ぜざる者に対し業務を指定して強制就業を為さしめ得る(第七條第四項)。

この指定に対する異議は決定委員会に申立て得るが、異議の申立ては停止的效力を有しない(第七條第五項)。

徴集委員会は各軍管区に設けられる。その構成は士官一名、文官一名、利益代表者各二名である。議長たる士官は決定権を有する(第七條第三項)。

第三目　仲裁委員會 Schlichtungsausschuß

仲裁委員会は労務者に対する離職証明書の附與に関する争議並びに補助勤務義務ある経営に於ける労務者及び企業家の間に生じたる賃銀其他労働條件を理由とする争に付いて調停する(第九條第三項及第十三條第一項及第三項)。離職証明書に関しては、適当と認めたる場合は離職証明書に代るべき有效なる証明書を発行し、労働條件に関する争議に就いては仲裁裁判をなし得る。委員会は戦時局の委任をうけたる代表者一名並びに雇傭主及労務者三名を以て構成せらる。内各二名は常置　他の一名は関係補助勤務義務者の属する職業團体中よ

り選出される。

第四目　委員會に於ける手續及び任命

委員会の手続は一九一七年一月三〇日附の手続規定に依る。之によれば、委員会の手続は、一般に裁判所に於ける判決手続と同一の方法に依る。議長は裁判長の地位に当り、口頭弁論は必しも必要條件でなく、口頭弁論に定められた場合に召喚をうけたる者が欠席した場合でも決定をなし得る。調停委員会に於ける弁論は之を公開するが他の委員会に於ける手続は公開しない。証人訊問は宣誓をなさしめ又はなさしめずして之を行ふことが出来る。

委員会の委員の任命は政府之を行ふ。

第四項　義務履行の形式

第二條ニ該当セザル補助勤務義務者ハ、何時ニテモ祖國補助勤務ニ之ヲ徴集スルコトヲ得」るのであるが(第七條第一項)、補助勤務は強制勤務の形式に

よつて履行せられるのではなく、原則として任意的な労働契約の形式に於て為される。但し此の関係への加入強制或は残留強制の方法が存する。

先づ各補助勤務義務者に対しては戦時局の委任をうけたる各部局又は邦中央官廳の一般的勧奨が発せられ、之に基き勤務義務者が自由意思的に、雇傭者と通常の雇傭契約を結ぶのである(第七條第二項)。

若し一般的勧奨に應ずる者の数が充分でない場合、徴集委員会により戦時重要経営内に於て活動せざる勤務義務者に対し書面による催告が為される(第七條第三項)。個別的催告を受けたる者が何等かの勤務に就かざる場合に始めて強制指定が行はれる(第七條第三項)。

以上の如く補助勤務法は一般的召集に対し充分なる員数の應募がなかつた場合に初めて強制手続をとる旨規定してゐる。その強制も極めて寛大であつて、戦時経営内に於て勤務せざる補助勤務義務者に対し書面による催告を発する。之を受けたる補助勤務義務者は、戦時重要経営又は戦時重要職業に勤務すべき公法上の義務を負ふ。此場合義務者は全く自由に就業の場所及び業務の種類を

選択することが出来る。

此等の義務者が二週間内に何れかの業務に従事しない場合、初めて徴集委員会に依て特定の業務に従事すべき旨の指定 Überweisung が行はれる。

指定は特定の部署従つて特定の企業者には行はれる。併し此の場合と雖も年齢家族の状況住所健康状態、従来の業務等能ふ限り顧慮せらるべく、特に其場合期待せらるべき労働賃銀が、当該従業者及其扶養すべき家族にとり、充分なる生計の資を給するものなりや否やに付充分審査することになつてゐる。

強制的に指定せられたる者は其指定の企業者と雇傭契約を締結すべき義務を負ふ。此の義務の履行に対し根拠なき拒否をなす者に対しては、一万マーク以下の罰金又は一年以下の禁錮が科せられる（第一八條）。

契約締結義務は企業者側に付いては規定せられてゐない。蓋し指定は通常企業者の希望に基いて行はれるからである。

指定に基いて勤務に服する者と雖も私法上の雇傭関係に立ち、一切の雇傭契約法規、及其他一切の社会政策的法規は、此の者に対し通例の方法に於て適用

七五九

せられる。

補助勤務に就かしむる強制は一旦勤務したる補助勤務関係に留らしむる強制を伴つて、初めて完きを得る。然るに祖國補助勤務法に於ては、補助勤務に留らしむる強制は間接強制たるに止まり強力なものではない。

即ち労務者が補助勤務の地位を任意に抛棄することに就いては刑罰の適用を受けない。

雇傭契約の解除は何時なりとも可能であり、之を直接拘束する何等の規定も存しない。唯間接強制が定められてゐるに止る。

即ち任意退職者は直ちに無條件にて他の労働関係に入ることを得ない。補助勤務義務者か従来の補助勤務の勤先の発行した離職証明書を提示し得ない場合、又は補助勤務義務者が少くとも二週間前に補助勤務を去つた者でない限り、何人と雖も新に其者を雇傭することを得ない（第九條）。此の規定が何故に間接強制の作用を営むかと言へば、二週間の賃銀中絶期間中に、新に地位を見出すことは困難であり且、通常労務者の生活力から見て二週間の賃銀中絶は生計上

七六〇

堪へ得るところではないからである。この故に間接的強制はよく強制方法たる效力を発揮し得るのである。從つて結果的に観察すれば、この間接強制は二週間の賃銀中絶に堪へ得ざる労務者を補助勤務に定着せしめ、任意的離脱を防止するに役立つといふこととなる。

賃銀中絶に堪へ得る勤務義務者に対しては、新なる個別的催告乃至は指定により、更めて補助勤務に就くことを強制し得るのである。

補助勤務義務者の従来の雇傭主が離職証明書を発行した場合は賃銀中絶期間なくして新規に雇傭し得ることは云ふ迄もない。

補助勤務義務者の各雇傭者は、義務者の離職の場合に、雇傭者が雇傭契約を解除したると、労務者が解除したるとを問はず、離職証明書を発行すべき義務を負ふ。

離職証明書の拒否に関しては調停委員会に対する抗告が認められてゐる（第九條第二項）。

七六一

第五項　補助勤務義務者に對する法的保障

第一目　結社権集會権

祖國補助勤務に従事するものは、其者に法律上許容されたる結社権集会権の行使を制限せられない（第十四條）。

此の規定は一切の補助勤務に従事する者に適用せられ、必ずしも補助勤務義務に依つて勤務に従事する者のみに限られるものではない。

従つて任意に補助勤務に立つ者例へば婦人官吏等に就いても適用せられる。

此の規定は要するに「戦時重要経営に関する労務なるが故に」といふ理由によつて、労務者が本来有する結社集会権が制限せられないといふ事を確認するに止る。併し此規定は補助勤務義務者に対し團結と罷業の可能性を與へるものであつて、その影響するところは大なりと云はざるを得ない。

七六二

第二目　労務者委員會

Arbeiterausschuß

営業條例第七款の適用あり、且五千人以上の労働者又は補助勤務義務に基く労務者が従事する経営に於ては、労務者委員会が設立されることを要する（第十一條乃至第十二條）。

委員は経営内又は経営の一区分内に於て比例選挙の方法により、成年の労務者による直接無記名選挙によつて選挙せられる。

委員会は労務者相互間及び労務者と雇傭者との間の意思の疎通を図る外、経営施設、福利施設、労働関係及賃銀関係に関する動議希望不平を仲介する任務を有する。

第三目　義務的仲裁手續

労働者委員会ある経営に対しては労資間の争議に関し義務的仲裁手続が行は

七六三

れる（補助勤務法第十三條）。

仲裁機関は仲裁委員会である。

両当事者（労務者側に於ては労務者委員会）が一致して裁判所に訴へを提起せざる場合、各当事者は労資間の争議に関し仲裁委員会に仲裁を仰ぐことが出来る。

仲裁委員会は、労務者に対しては離職証明書を拒絶することにより、雇傭者に対してはその意に反して離職証明書に代るべきものを下附することによつてその仲裁裁定を強制する。

第六項　登録制度

祖國補助勤務の徴集実施の補助手段として登録制度がある。此制度に関しては最初一九一七年三月一日公布の祖國補助勤務法第七條施行令が之を規定したが、一九一七年一一月一三日同名の第二次施行令が公布され第一次施行令は第一〇條を除き全部廃止せられた。以後、主として第二次施行令によつてこの登

七六四

録制度が規定せられてゐる。

登録の対象は満十七才以上四十八才未満の独逸人及び独逸在住のオーストリヤ・ハンガリー人にして、常備陸海軍所属者及び異議に基き召集を猶豫せられたる者を除く総ての者である（施行令第二條）。登録の対象が総ての補助勤務義務者でないことは注意を要する。

登録事務担当機関は邦中央官廳の指定した機関である。この機関は申告に基き登録簿を作製して管轄徴集委員会に提出し、その用に供する（第一四條、第一條）。

登録のための申告事項は、

(一) 氏名
(二) 住所
(三) 出生年月日及場所
(四) オーストリー・ハンガリー人については本籍地兵役関係
(五) 家族状態

七六五

(六) 扶助を要する十五才以下の子の数
(七) 現在の職業
(八) 兵役関係
(九) 職業上の地位
(十) 現在業務の従業状態
(十一) 事業の種類及事務名
(十二) 事業の所在地
(十三) 事業に従事したる年月日
(十四) 習得せる職業
(十五) 特別の専門知識
(十六) 特別の語学知識
(十七) 祖國補助勤務志願意思の有無
(十八) 身体上の欠陥

の十八項目である。

七六六

申告手続に関しては地方廳の公示催告により申告義務者は出頭陳述をなすか、或は申告票による書面申告をなすか何れかの方法による（施行令第二條第四條）刑務所、感化院、学校寄宿舎等にある者に就ては、その施設の長が代理申告をなす義務を負ふ（施第五條）。

新に申告義務を生じた者は、二週間以内に（施第八條）、職場又は住所の変更の場合は三日以内に（施第九條）祖國補助勤務法により指定せられた者に就て、雇傭主は所定就業日後三日以内に申告することを要する（施第十條）等の規定がある。

第七項　結　語

前世界大戦中に於ける祖國補助勤務法の構成は大要以上の如くである。之に基いて現行労働奉仕法と比較すれば次の如き諸点に於て著しい差異を見出し得るのである。

(一)　義務負担者が一は満十七才以上満六十才に至る男子独逸人にして兵務に服

せざる者なるに対し、他は満十八才より満二十五才に至る青年男女なること。

(二)　労働奉仕法が制度の教育的使命を高唱せるに反し、補助勤務法は教育的使命に何等触るることなく、主として戦時に於ける不足労働に対する補充労働の配置に重点を置きたること。

(三)　労働奉仕法は奉仕義務者を一團として把握するに反し、補助勤務法は義務者個人を対象とせること。

(四)　労働奉仕法は奉仕を以て名誉奉仕とするに対し、補助勤務法は奉仕義務履行を有償的雇傭の形式に置いたこと。

(五)　労働奉仕法は義務履行の様式を一般的強制徴集に求めたるに対し、補助勤務法は個人的自発的労務就任に勧奨し、勧奨に應ぜざる場合に限つて催告及び指定の順序に従つて義務履行を強制すること。

(六)　労働奉仕法は労働奉仕関係に於て國家が直接当事者の一方に立つに対し、補助勤務法に於ては國家は労務奉仕関係に介入せず、労務関係の成立につき斡旋乃至指定を行ひ、第三者的地位に立つに止ること。

(七)　労働奉仕法は奉仕義務者の奉仕労務につき労働の種類、従業の場所の撰択を許さず、國家の一方的意思に従はしむるに対し、補助勤務法は、奉仕義務の事業種類及び従業場所の自由なる撰択を許し、特定の場合に限り之を指定するに止ること。

(八)　労働奉仕法は奉仕関係を公法上の関係とし、従つて奉仕者の権利義務を公法上のものたらしむるに対し、補助勤務法は勤務関係を私法上の関係とし、一般私法及び社会政策的法規の適用下に置き、私法関係の当事者として有する権利の享有例へば結社集会権等を認めたること。

以上の差異に基き、労働統制殊に労働配置の観点より見れば、現行独逸労働奉仕制度に比して祖國補助勤務制度は極めて不徹底なりとの譏を免れ得ない。先づ第一に義務履行に関し補助勤務法は一般催告、個別催告、指定なる三段の過程を設けたることにより、履行を肯せざる者に対しては、極めて煩雑なる手続を要することが考へられる。

第二には、就業労働の種類及び就業場所の選択を勤務義務者に一任せること

により、計劃的労働配置の遂行が極めて困難であり、緊急なる労務要求に対し適切なる労働力を充分なる数量に於て供給することは不可能といはねばならない。國家の意思により配置し得る労力の限度は指定を為さざるを得ぬ少数者に止ることは、この制度の致命的欠陥といつてよからう。

第三には、勤務関係を私法関係に放置したる結果は、私法関係一般より発生する些細にして煩細なる法律事故の発生を阻止し得ず、之が処理のために特別の機関を以てせざるを得ぬことも亦欠陥の一に数へ得るのである。況んや、勤務義務者の結社集会権を認め、罷業をも法的に保障するの結果を来したことは、補助勤務を義務制となしたる基礎を根底より覆すものであつて、自己矛盾も亦甚しいと言はねばなるまい。

第三款　經濟及び財政安定のための第二次大統領令

本令はブリューニング内閣によつて一九三一年六月五日公布せられ、同年八月一日より施行せられた。本令によれば、志願制労働奉仕は労働大臣の統轄下に置かれ、その助成事務は聯邦職業紹介失業保険局 Reichsanstalt für Arbeitsvermittlung und Arbeitslosenversicherung に委託せられる。

志願制労働奉仕の対象は公益的且附加的 zusätzlich にして経済上有用なる労働たり得るものに限られる。茲に附加的労働とは他の方法を以てしては財政上実行不可能なる労働をいふ。

志願的労働奉仕に対しては助成金が與へられる。聯邦職業紹介失業保険局は、失業保険若しくは非常時救護 Kriegsfürsorge の資金中より労働奉仕の助成を行ふ。

右助成を受け得る者には年齢上の制限はないが、救上扶助部門のうち、何れか一より扶助を受ける権利を有する者に限られる。此の制限によつて労働奉仕の参加者は自ら一定の範囲に限られることになつた。助成受領者の範囲を保護

七七一

受領有資格者に限定したことは、此の志願制労働奉仕制度が失業救済的施設の為にのみ創設せられたことを証明するものであり、更に年齢上の制限を設けなかつたことも之を示し、此の制度が何等教育的意義を有せざることをも表白するものである。

助成額は平日一日一人最高二ライヒスマークと定められた。この金額は労働奉仕の事業の行はれる地方を管轄する労働局から、個々の志願奉仕者のために労働負担者に支拂はれる。助成の継続期間は二十週間に限られる。從つて労働奉仕の作業期間は之によつて定り、奉仕中の期間は被扶助者の扶助最長期間の中に算入せられる。右助成は労働集團の組織が政治的若くは反國家的目的のために利用されないといふ保証が存する場合にのみ許される。

労働負担者 Träger der Arbeit は公共團体若しくは公益を目的とする聯盟、財團に限られ、営利企業はその資格を有しない。

労働奉仕への参加は労働法による労働契約上の関係とは看做されない。

労働実行方法として公的処置 Offene Maßnahmen を以て実行する形式

七七二

と、志願奉仕者を特設営舎 Geschlossene Lager に收容する形式とがあるが、その何れの形式によるかは労働負担者に一任せられる。

大統領令に基く志願制労働奉仕制度の構成は概略以上の如きものであり、一個の失業対策的施設に過ぎなかつた。而も単なる失業救済策としても幾多の欠陥を暴露したのであつた。

第一に志願奉仕者が助成金を受取る手続は極めて煩雑であつた。助成を受くることを要するが為に労働奉仕に参加する者が、助成許可を得るのに数週間を要し、更に助成金を現実に交附される迄に数ケ月を要したことがあるとさへ云はれてゐる。

第二は規定の不完全な為に労働負担者がこの制度を自己の利益のために利用したことである。即ち労働奉仕を目して低廉なる労働力を供給する國家的管理事業となし、甚しきに至つては罷業による労働力の不足を労働奉仕に求める者すらあつたと傳へられる。その結果は此の制度が奉仕者の労働過重を招来するものであるとの批判を得た。

七七三

更に第三としては此の制度の下に於ては規定の二十週間を経つた者は再び失業者の群に流れ込み、しかも奉仕期間を被保護期間に算入する規定の為に、被保護期間は労働奉仕に従事する期間だけ短縮せられるといふ大きな欠陥を有することも看過されないところである。

当時労働奉仕に対する理解が未だ充分でなかつたために、奉仕労働の対象たるべき事業の公益性、附加性の観念が極めて不明確であり、從つて事業計劃が不充分であつて、奉仕労働が結果無為に終り、公益的実利を收めることが少かつた。

奉仕方法の一形式としての公的処置は一般には公開営舎 Offene Lager と俗称されたが、志願奉仕者は唯労働遂行の目的を以て作業地に集合し、一日の労働が終れば —— 通常六時間 —— 帰宅するといふ組織であつて、労働奉仕は契約に基く労働関係を形成しないから、奉仕労働者に対する拘束力が薄弱なる為め、労働負担者は日々増減する人員を以て事業を行ふことを余儀なくせられた。斯くして公的処置を以てした労働奉仕は無職者のための應急管理策たるに

七七四

止り、労働時間以外には奉仕者相互間に何等の連繋なく教育的には何等寄與するところはなかつた。

以上の如く大統領令に基く志願制労働奉仕は単に失業者に仕事と就職の可能性を與へる臨時的緊急手段であつて、其機能より見れば、國家的措置により、過剰労働力を吸收するに過ぎず、吸收したる労働力を、計劃的に配分する労働配置に関しては、全然無力であつた、と結論せざるを得ないのである。

第四款　志願制労働奉仕令

第一項　総　説

一九三二年七月一六日志願制労働奉仕令が制定公布せられた。本令は労働奉仕に制度的形態を與へる法的根據を賦與した最初のものである。本令は同年八月二日発布せられた「同令施行規則」と相俟つてナチス政権獲得後も效力を失

七七五

はず、労働奉仕義務制が布かれるまで志願制労働奉仕制度の準據法をなしてゐたものである。

第二項　志願制労働奉仕制度の組織

志願制労働奉仕は國労働大臣の管轄に属し、同大臣は之に関する所要の施行及補充命令を発する（令第九條）。

志願制労働奉仕の実際的管吏は労働奉仕聯邦委員（Reichskommissar für freiwilligen Arbeitsdienst）が之を行ふ。聯邦委員は労働大臣の發議に基き聯邦政府之を任命し労働大臣に従属する（令第七條）。聯邦委員は志願奉仕者が眞摯なる労働を果し、投せられたる資金に対し適当なる割合の労働成果を收め、志願奉仕者に精神修養及運動競技の機会を與へらるるやう配慮する責任を負ふ。指導者の選抜並びに訓練に必要なる処置も聯邦委員の司るところである（規則第二條）。聯邦委員は聯邦及び職業紹介失業保険局が労働奉仕に充てる資金を管理し（規則第一一條）、要求に應じて聯邦政府に労働

七七六

奉仕の諸問題に関する意見を提出する（令第八條）。以上の諸権限を行ふために聯邦委員は所要の経過規定及び施行規定を発することが出来る（施行規則第二七條）。

聯邦委員の下に労働区委員 Bezirkskommissar があつて、聯邦委員を支持し、労働奉仕の施行に当つては聯邦委員の指令に從ふ（規則第一二條）。又作業の行はるる労働区を管轄する（規則第一五條）。

奉仕作業の行はるる労働地区を管轄する労働局長は、志願奉仕者の参加を、即ち奉仕者が労働奉仕資金により助成され得るや否やの決定を行ふ（規則第一六條）。労働奉仕に関する規定に基き行動する限り、聯邦委員会及び労働区委員の代理人となる（規則第一二條）。

労働奉仕助成機関として聯邦職業紹介失業保険局の諸施設はその利用に供せられる（令第七條）。この故に聯邦委員には聯邦職業紹介失業保険局長を、労働区委員には地方労働局長を以て之に充てる建前になつてゐる。

志願制労働奉仕組織に関係するものとしてこの他に、労働負担者と奉仕負担

七七七

者とがある。

労働負担者とは奉仕労働作業を計劃決定して資金資材を供給する者である。

労働負担者たり得る者は次の各項に該当する者と規定せられてゐる。(一)公法上の諸團体、(二)公益的目的を追求する各種営造物、(三)志願奉仕者の集團を総括する聯合、(四)営利を目的とする企業但しその結果の大半が直接一般社会の利益に帰する場合に限る。

奉仕負担者とは志願奉仕者の労働を管理する者である。奉仕負担者及び志願奉仕者の総括保護のために特に適したる聯合若しくは個人に限られる。

労働区委員は労働負担者に対し作業の認定権を有する。即ち労働負担者の計画する労働作業については労働区委員に対し助成作業の認定の申請をなすを要し、労働区委員は労働負担者の申告に基き作業が労働奉仕に適するや否や、一般的助成條件を充すや否やを決定して認定を與へる。この認定は文書を以てなさるべく当該作用が國民経済上貴重なりと看做さるるや否やをも記入すべきものとせられる。高労働区委員は助成の額及び助成期間をも兼ねて決定する（規

七七八

則第一五條)。

奉仕負担者は聯邦委員に対し労働奉仕者の身体的精神的道徳的訓練に関し責任を負ふ。

労働負担者と奉仕負担者との関係に関しては、法令は唯両者は各々その目的に従ひ互に協力すべきものと定めてゐるに過ぎない(令第三條)。相互の権利義務の詳細なる取決めは両者間の契約によつて定められる。

第三項　志願制労働奉仕制度の作業

志願制労働奉仕の作業は公益的にして同時に附加的でなければならない。此の條件の下に於てのみ助成がなされる。

公益性の意義に関しては説明に及ぶ必要はあるまい。唯、若し奉仕作業が直接には限られたる人的範囲のみを利用するが如き場合は、一般社会がその実施に本質的利益を有する事情あるときは、公益性なる條件を充し得るものとされてゐる(規則第一條)。

七七九

附加的作業とは労働奉仕以外の手段を以てしては為され得ない作業をいふ(令第二條)。施行規則第二條は「作業ガソノ性質範囲若シクハソノ他ノ條件ニ從ヒ、緊急労働トシテ実施サレ得ル限リ、ソノ作業ハ労働奉仕ノ方法トシテ助成サルルコトヲ得ザ」るものとしてゐる。令第二條が、労働奉仕が自由労働市場の労働機会の減少の結果を来すことは許されずと規定したのは制度の本質上当然のことであるが、奉仕作業の範囲はこの方面からも制限される。

作業は「国民経済上貴重ナリ」と看做さるることを要する。作業が労働区委員により斯く認定されるときは、此の認定されたる作業に従事する労働奉仕者は各種の法上の利益を享受し得る。茲に国民経済上貴重なる作業として、土地改良、水利事業、交通改善、植林事業、移住民植民建設に直接間接関係ある作業其他一般経済及び労働市場に対し特に価値ある作用等が挙げられてゐる。

一般奉仕作業に従事する奉仕者の助成期間が二十週間なるに対し、国民経済上貴重なる作業に従事する奉仕者に対する助成期間は、時に之を延長することが出来る(規則第六條)。此種の作業に十二週以上従事する奉

七八〇

仕者は、令第六條に規定する助成の外に、作業開始の日より平日一日に付一・五〇馬克の補助額を、四十週の連続期間を以て植民の為国家債權簿に記帳される。此の記此の記帳は志願奉仕者の申告に基いてのみ為される。此の債權は後日債權者が移住をなす場合資金として利用し得る。その詳細なる説明は省略する。尚此種の作業に従事する奉仕者に対しては作業地への赴任旅費が支給される(規則第九條)。

第四項　志願制労働奉仕への参加

志願制労働奉仕に参加し助成を受け得る者は、原則として二十五才未満の独逸青年である。失業保険非常時救護若しくは福利失業者として公共救護による扶助を受ける資格を有する奉仕者は、助成に関して優先権を有する(令第六條)。

労働奉仕に参加せんとする者は先づ労働局又は労働負担者に申告することを要する。申告それ自体は何等の権利義務を生ずるものではない。労働局は申告者を記帳し参加機会の生じた場合之を本人に通達する。

労働奉仕参加の許可は作業地労働局之を行ふ。即ち聯邦委員の定むる参加許

七八一

可の一般條件に基き、参加希望者が助成を受くることを得るや否やに関し労働局長之を決定する(規則第二條第一六條)。参加許可に際しては、労働局長は奉仕負担者と協議すべく、奉仕負担者の意に反して許可することを得ない。

志願奉仕者は参加許可と共に、純正なる團体精神を涵養し全力を挙げて共同目的に努力する義務を負ふ(規則第三條)。此の義務は独り労働遂行に関してのみならず、共同生活の全般に亘つて果さるべきものである。

労働奉仕への参加は既存の意味に於ける労働関係を構成しない(令第四條)。即ちその労働関係は所謂労働契約に基いて生ずるものではなく、一般労働法規の適用を受くべき限りではない。併し奉仕者は社会保険並びに労働保護を受ける権利を失ふものではない(令第四條)。

第五項　志願奉仕者への助成

助成を受け得るものとの決定を受けたる奉仕者に対しては助成金が賦与せられる(令第六條)。此の助成金は二ケ年を一期として二十週の継続期間、労働

七八二

平日一日最高二マークと規定せられる。國民経済上貴重なる作業に関しては、継続期間の延長が認められる。

此の助成金の支給が行はるる間は、失業扶助並びに非常時救護を受け得ない。助成期間は失業保険及び非常時救護の扶助期間に算入せられない（規則第七條）。

助成金額は志願奉仕者に対する代りに労働負担者に支拂はれ得る。但し当該労働負担者が奉仕者の為に右金額の管理利用を行ひ得る旨の保証ある場合に限る。労働負担者は助成金額の全部又は一部を物的給付として奉仕者に供與することが出来る（規則第一七條）。

労働奉仕助成の為の資金は予算命令の割合に應じて聯邦之を提供する。聯邦職業紹介失業保険局は、労働奉仕に因り失業保険に関して扶助給付を節約し得る金額と同一額を資金として提供する義務を負ふ（令第五條）。斯くして聯邦及び聯邦保険局より提供されたる資金は総括して労働奉仕聯邦委員之を管理する（令第五條規則第一一條）。

七八三

第六項　奉仕労働の法律的保護

令及び施行規則には失業保険に関する規定はないが、社会保険並に労働保護規則の適用に関する規定がある。

志願奉仕者は疾病保険に附せられる。この際義務保険に関する聯邦保険諸規則が準用される。疾病保険に要する費用は志願奉仕資金中より聯邦委員之を支出する。

奉仕服務に対しては職業傷害保険に関する法規が準用される。

労働保護規則の準用に関しては施行規則第二二條は「奉仕作業ト同種ノ從業ニ適用サレル労働時間、日曜休業、危険防止ニ関スル規則並ニ婦女子労働制限ニ関スル規則及ビ之等規則実施ニ関スル諸規定ハ志願労働奉仕者ニ対シテモ適用セラル」と規定してゐる。

第七項　市町村の協力

七八四

市町村は其の区域内に於て承認せられたる作業が実施せらるるときは、聯邦委員並に労働区委員の要求に基き、適当なる補償を受けて同作業に從事する奉仕者に対し宿泊及び給食を行ふ義務を負ふ。右市町村は労働負担者が右補償に対し豫め保証を行ふべき旨の要求をなすことが出来る（規則第二四條）。

第八項　結語

今、志願制労働奉仕令に基く制度を概観するに、之を緊急大統領令に基くそれと比較すれば、機構整備の上に於て將又、制度の本質進化の点に於て著しい進境の跡を見ることが出来る。併し労働規制の上より見るときは尚幾多の欠陥が存するのを否み得ないのである。

其の根本的原因を尋ねると、奉仕制度を國家的施設に取上げながら、之が運営を民間に委託したるが如き形式をとつたところに最大の誤謬があると考へられるのである。

志願奉仕者とその労働を管理すべき奉仕負担者との間には何等法律関係なく

七八五

奉仕負担者が管理上必要なる拘束は法的にも契約的にも何等根據を有しないのであつて、管理権限を有せざる労働管理者といふ寧ろナンセンスが存する。

志願制労働奉仕令は労働奉仕に教育的意義を認めたが之が使命を果すべき機構が欠けてゐることである。同令によれば奉仕者を指導すべき指導者に関しては、殆んど見るべき規定が存しないのである。

次に労働配置の見地よりすれば、その決定機構に重大なる欠陥が存する。奉仕作業を計画する者はいふ迄もなく労働負担者である。その計画したる作業について助成を受くる者には、労働区委員の承認を得ることを要するのであるが、この労働区委員は唯その計画作業が奉仕作業として妥当なりや否や、一般助成要件を具備するや否やの見地から承認不承認の決定をなすのみである。從つて承認されたる奉仕作業は夫々唯それ自身の目的を有するのみであつて、作業相互間に何等の関連を有しない。從つて是等の作業に配分せらるる労働力は各作業単位毎に無関係に使用されることとならざるを得ない。換言すればこの集團的な奉仕労働力が不統一に無計画に利用されてゐるのであつて、この事たる洵

七八六

に文字の意義に於ける労働配置の観念と根本的に矛盾するのである。

要之、志願制労働奉仕令による奉仕制度は、その実施機構の不備と、労働配置決定機構の欠陥との為に、致命的弱点を有するといふの外はないのである。

第　五　款　ナチス政府による志願制労働奉仕制度の改組

ナチス政権は政権獲得後、その世界観に基く実際政策を実施するため、広汎且周到に国家改造を断行した。しかもその方法たるや、一挙にアンシアンレヂームを覆すといふのではなく、既存の制度を能ふ限り尊重し、存続せしめ得る如く、運用を変へて行つたのである。之がナチスの所謂国民革命たる所以である。N・S・D・A・P はかねてより志願制労働奉仕は義務制労働奉仕への前段階的存在たるに止るとし、且現実の制度も前述の如く幾多の欠陥を具備してゐるからナチス治下に於てはやがては亡ぶべき運命にあつたが、義務制断行の準

備の整ふまで、ナチスはその存続を許し、之をナチス的に改組したのであつた。その改組のために約三ケ年半に十二個の法令を公布してゐる。

一九三三年八月二九日「志願制労働奉仕令施行規則変更ニ関スル命令」を発して助成最高額を最高二・一四マーク、助成期間を五二週まで延長し得ることとした。

一九三四年一月二七日の同上第二次変更命令に於て、施行規則二六條を修正して、労働区委員の権限を管区指導者に移すこととした。

一九三四年二月二八日同上第三次命令を以て施行規則第五部植民墾殖を全部廃止した。

同日更に「志願制労働奉仕ニ於ケル傷害保険ニ関スル命令」を発して、労働奉仕制度を労働大臣の管轄から内務大臣の管轄に移した。この移管はナチスの労働奉仕観を反映するものとして重要視すべきものである。即ちナチスの見解によれば、労働奉仕は本来失業救済手段たるべきではなく、政治的教育目的を持つものである。失業救済的意義を認めずとすれば労働大臣の管轄とすべき理

由を失ひ、内務大臣の所管に属すべきものである。蓋しナチスドイツに於ては、内務大臣は独逸民族協同体の政治的建設の為の第一の責任者だからである。

同令第一條は、志願制労働奉仕指導に関し国家委員を置き、内務大臣に下属せしめ、第二條は、志願制労働奉仕令及びその施行のために発したる諸規定が労働大臣に賦与したる権限は之を内務大臣に委譲すと定めた。

一九三四年一一月二九日附の「志願制労働奉仕令第三次命令」は労働奉仕及労働営舎なる表現、及び制服その他の制規は之を労働奉仕の専用とし、若し之を冒用する者には懲役又は罰金に処することを明かにした。

一九三四年一二月一三日「志願制労働奉仕ニ関スル法律」を公布し、志願制労働奉仕所属員は内務大臣の発する規定に従ひ公法的勤務処罰権に服することとし、内務大臣は本法施行及補充の為め法規命令及び行政命令を発し得ることとした。その内容が自由権に関係ある故、特に法律の形式によつたのである。本法に基き一九三五年一月八日「労働奉仕所属員ニ関スル勤務処罰令」が公布された。

一九三五年三月二六日「志願制労働奉仕ニ於ケル疾病救護ニ関スル命令」を以て、志願制労働奉仕令施行規則第一九條は四月一日以後廃せられ、所属員の疾病救護に関しては国家委員必要なる命令を発することとなつた。

一九三五年三月二九日には俸給法が改正せられて、労働奉仕指導者は官吏に準ずる地位を得、俸給法に定むる職制に従ひ国家より法定の俸給を受け得ることになつた。

一九三五年五月二一日兵役法の制定を見、其の第八條は「労働奉仕義務ノ遂行ハ現役ノ前提條件トス」と規定し、こゝに労働奉仕義務制施行は確定的事実となつた。

一九三五年六月五日「志願制労働奉仕ニ於ケル疾病救護ニ関スル第二次命令」が発せられ、同第一次命令施行に伴ふ應急措置が講ぜられた。

第三節　國勞働奉仕法令

第一款　總説

義務制勞働奉仕制度の基準法は一九三五年六月二六日制定の「國勞働奉仕法」*Reichsarbeitsdienstgesetz* である。本法施行の為め「國勞働奉仕法ノ施行及ビ補充ニ關スル命令」*Verordnung zur Durchführung und Ergänzung des Reichsarbeitsdienstgesetzes* なる名称の命令が第一から第九まで公布されてゐる。その他勞働奉仕所屬員の俸給、扶助救護罰則其他に関し夫々特別の法律命令が公布されて居り、又直接間接之等と關連して發せられた告示、訓令等が相当多数を数へてゐる。之等の諸法規が一体をなして、國勞働奉仕制度の構成を根據づけてゐる。今その一々について内容を説明する事を得ないが、その重要法規を基礎として本制度の組織活動を概説することとする。

七九一

第二款　國勞働奉仕の機構

第一項　中央組織

國家制度としての國勞働奉仕は内務大臣の管理に属する（法第二條第一項）。内務大臣は國勞働奉仕法の施行及び補充に必要なる法規を発する（法第二六條）。國勞働奉仕の中央組織としては、國勞働統監とその下に立つ國勞働奉仕本部とがある。

國勞働統監 *Reichsarbeitsführer* は内務大臣の監督の下に、國勞働奉仕全般を指導する責任者であつて、國勞働奉仕に関する最高命令権を有する（法第二條第一項）。從來勞働奉仕國家委員に属する権限は総て國勞働統監に移された（第二次施行令第三條）。

國勞働統監は國勞働奉仕本部の長官として、國勞働奉仕の組織を定め、勞働

七九二

配置を規制し訓練教育の指揮を掌る（法第二條第二項）。

一九三七年一月三〇日の総統布告 *Erlaß des Führers und Reichskanzlers über den Reichsarbeitsführer im Reichsministerium des Innern* によれば國勞働統監は内務省國勞働奉仕局長を兼ね、國勞働奉仕に関する事務に就いては閣議に議席を有する。

國勞働奉仕本部 *Reichsleitung des Reichsarbeitsdienstes* は國勞働統監を長官と仰ぎ、國勞働奉仕事務を統括的に管掌する中央官署である。事務は、奉仕局 *Dienstamt*、隊員補充及申告局 *Amt für Ersatz und Meldewesen*、人事局 *Personalamt*、教育養成局 *Erziehungs- und Ausbildungsamt*、作業指導局 *Amt für Arbeitsleitung*、出版宣傳局 *Press- und Propagandaamt*、司法局 *Rechtshof*、保健局 *Gesundheitsdienstamt*、管理經理局 *Verwaltungs- und Wirtschaftsamt* の九局が之を分掌する。

七九三

第二項　地方組織

國勞働奉仕の地方組織として一九三九年四月一日現在に於て、三九の勞働管区、二三五の勞働奉仕群團、一、六五〇の國勞働奉仕部隊がある。

(一)　勞働管區　*Arbeitsgau.*

國勞働統監に直属して勞働管区がある。勞働管区の統率者は勞働管区指導官である。國勞働統監の命令を管区に於て實行し、管区内の勞働配置教育養成經理管理等一切の責に任ずる。

勞働管区の地域は各種の事情、既存の境界を考慮して定められ、広狭は一定せず、所属員数も夫々異つてゐる。通常四乃至七個の勞働奉仕群團より成る。

(二)　勞働奉仕群團　*Arbeitsdienstgruppe.*

勞働奉仕群團は勞働管区と勞働奉仕部隊との中間的組織であつて、通常

七九四

四乃至八個の労働奉仕部隊より成る。その統率者は群團指導官である。直属部隊の配置及び奉仕経営の全般に亘つて指揮を行ふ。

(三) 労働奉仕部隊 Arbeitsdienstabteilung

労働奉仕部隊は労働奉仕の基礎単位であつて、原則として一部隊毎に一労働営舎 Arbeitslager が設けられてゐる。

部隊は四個の小隊 Zug より成り、小隊は更に四個の分隊 Trupp に分たれ所属員数は幹部を含めて二一八名である。

部隊は部隊指揮官に率ひられ、各小隊には小隊指揮官、各分隊には分隊指揮官があり、各所属員を指揮する。部隊の経理事務に関しては部隊経理官が之を掌り、その補助機関として営舎主事及び物品主事がある。

第三項　指導者学校 Führerschule

國労働奉仕の各組織はナチスの所謂指導者原理 Führerprinzip によつて

七九五

一貫されてゐるから、指導者の素質を重視し、指導者の養成には特別の配慮が施され、指導者養成の専門機関として各種の指導者学校が設けられてゐる。

(一) 分隊指導官学校 Truppführerschule
分隊指導官の養成を目的とする。修業期間五ケ月。

(二) 野外指導官学校 Feldmeisterschule
小隊指導官の養成を目的とする。修業期間八ケ月。

(三) 地区学校 Bezirksschule
部隊指導官の資格を与へることを目的とする。修業期間十五週。

(四) 國労働奉仕学校 Reichsarbeitsschule
高級指導者の養成を目的とする。修業期間三ケ月。

この外に別に経理官学校があつて経理官の養成に当つてゐる。

七九六

第四項　労働奉仕制度の運営

第一目　営舎生活と労働訓練

労働営舎 Arbeitslager は労働奉仕の精神たる秩序僚友精神、犠牲的精神を涵養する道場である。営舎は通常バラック建であるが、極めて簡素清潔であり構造設備は略々統一されてゐる。

営舎生活及び之を基点として営まれる勤務は劃一的な勤務計畫に従つてゐる

営舎生活に於ける日課表は次の如くである。

六時〇〇分	起床
六・〇五―六時一五分	早朝体操
六・二〇―七・一五	洗面寝具整頓朝食
七・一五	集会
七・二〇	國旗國旗掲揚

七九七

七・三〇	作業場へ行進
七・四五―一〇・〇〇	労働奉仕
一〇・〇〇―一〇・三〇	第二朝食
一〇・三〇―一四・〇〇	労働奉仕
一四・一五―一四・三〇	帰営
一四・三〇―一五・〇〇	昼食
一五・三〇―一七・〇〇	体育スポーツ
一七・一〇―一八・〇〇	政治教育
一八・〇〇―一八・四五	長靴掃除点検
一八・五五	集合
一九・〇〇	命令傳達
一九・一五―一九・四五	夕食
一九・一四―二〇・一五	所持品整備修繕
二〇・一五―二一・四五	團欒の夕

七九八

二二・〇〇　清燈

土曜日は原則として労働作業を行はず、主として身体訓練、政治教育に充てられる。

一週の時間配当は次の如くである。

一、作業関係時間		
	作業労働時間（毎日七時間五日）	三五
	舎内勤務、毎日三時間土曜日四時間）	一九
	休息時間	五
	計	五九
二、教育関係時間		
	早朝体操	二
	体育	四
	政治教育	五(三)
	労働作業教育	一(三)
	教練	五
	計	一七

七九九

舎内勤務は夫々当番を定め、哨兵、炊事衛生、清掃等に分ち分業的に行はれる。

起居動作一切は軍隊的規律に服し、銃が軍隊精神の象徴である如く、シャベルを以て労働奉仕精神の名誉ある象徴とする。

休暇は日曜日及び特別の祝祭日（クリスマス及復活祭等）に限られ、外出は週二回を限度とする。

八〇〇

第二目　労働奉仕の経理及衛生

國労働奉仕の経費として國庫より直接支出される金額は約二億マークといはれてゐる。奉仕員一人につき一日一マーク五〇ペニヒの費用が支出され、一日二五ペニヒの支出を受ける。

労働奉仕の経理は教育、作業に当らない経理官が之を司る。

保健に関しては医務官が絶えず奉仕員の健康診断を行ひ、傷病者の手当に任ずる。國労働奉仕本部の保健部は各営舎に於ける経験を基礎として労働量と食事との関係、職業その他経済上の原因より生ずる身体的欠陥の除去に関し調査研究を行ひ、國民体位の向上に資する方策を講じてゐる。

第三目　労働感謝制度　*Arbeitsdank*

國労働奉仕の外なる制度であるが、之と密接不可分の関係あるものに労働感謝制度がある。之は労働奉仕を終了した者に対し、労働奉仕が與へた訓練陶冶を、再び社会に復帰した後も実践せしめ、兼ねて労働奉仕終了後職業保護を行はんとするものである。一九三五年九月ヒーエルを名誉総裁として設立された。

其事業として、

(一)　労働奉仕終了者に対する職業紹介。

(二)　奉仕中不慮の災害を蒙つた者に対する救済。

(三)　将来の職業のための準備教育及び再教育。

八〇一

(四)　有能労働者の地方移住の斡旋。

等が挙げられる。又労働奉仕の服務を完了したる者に労働奉仕証 *Arbeitspass* を與へ、党及び労働戦線と密接なる関係を保ち、奉仕終了者の就職斡旋に当つてゐる。労働奉仕証は労働奉仕義務履行完了を証明し、その所有者に種々の便宜を供與する。特に就職に関しては優先権が與へられる。

第三款　労働奉仕所属員

労働奉仕所属員 *Angehörigen des Reichsarbeitsdienstes* とは、(一)幹部、(二)召集されたる労働奉仕義務者、(三)志願労働奉仕者をいふ（法第一〇條第一項）。その他、特定の作業をなすために必要なる人員が雇傭契約によつて雇入れられる。

八〇二

第一項　労働奉仕義務者
Arbeitsdienstpflichtige

國労働奉仕法第一條第二項は「全独逸青年ハ男女ヲ問ハズ労働奉仕ニ於テ独逸民族ニ奉仕スル義務ヲ負フ」と規定し独逸青年男女全部に労働奉仕義務を課してゐる。こゝに所謂独逸人とは独逸國籍を有するものであつて、同時に他國の國籍を有するものを含む（第二次施行令第一條）。

労働奉仕義務は満十八才を以て始まり、満二十五才を以て終る（法第三條第二項）。労働奉仕義務者は原則として満十九才に相当する年に於て徴集される。但し志願による労働奉仕参加は右年齢前に於ても許される（法第三條第三項）。

労働奉仕が名誉奉仕なる本質に基き、次の各号に該当する者は奉仕義務を負ふ資格なしとせられる（法第五條第一項）。

一、懲役刑に処せられたる者
二、公民たる名誉権を有せざる者

八〇三

三、刑法第四二條により保護又は矯正の処分に服しつつある者。
四、名誉毀損の行為に因つて國民社会主義独逸労働党より除名せられたる者。
五、國事犯により処罰せられたる者。

但し三及び五に就いては内務大臣は之が除外例を設け得る（法第五條第二項但書）。

一九三七年三月一九日の「國労働奉仕法ノ変更ニ関スル法律」*Gesetz zum Änderung des Reichsarbeitsdienstgesetz* は國労働奉仕法第七條を改正し、ユダヤ人は総て同労働奉仕に参加することを得ないとし、ユダヤ混血児は國労働奉仕指導者の上官たることを得ない旨規定した。ナチスの民族観から、将又労働奉仕が名誉奉仕なる点から観て当然の規定である。ユダヤ人なるか否かの判定は、一九三三年八月八日の独逸國官吏法 *Reichsbeamtengesetz* 第一條イ第三項に基く内務大臣通牒の標準に従つて定る。

國労働奉仕に適格を有せざる者、例へば身体的故障により奉仕に堪へざる者

八〇四

の如きは勿論召集されない（法第六條第一項）。

労働奉仕義務者にして外國に居住し若しくは長期間外國に滞留せんとする者は二ケ年間、例外的には外國に居住する限り、永続的に労働奉仕義務を免除する（法第六條第一項）。

労働奉仕義務者は二ケ年間、止むを得ざる職業上の理由存するときは、五ケ年間召集猶豫を受けることが出来る（法第八條）。猶豫の理由として一時的に奉仕不可能なる場合、裁判所の手続が停滞してゐる場合、特別の家庭的職業的理由の存する場合等が挙げられてゐる（第二施行令第一〇條）。

第二項　召集せられたる労働奉仕義務者
Einberufene Arbeitsdienstpflichtige

労働奉仕義務者の召集は原則として満十九才に達する青年に行はれる。此の年齢は現役召集の年齢との関係に於て定められたものである。召集事務は國労

八〇五

働奉仕補充事務所に於て之を行ふ（法第三條第五條）。

召集区域は徴兵区と区域を同じくし、その手続は徴兵手続に準ずる。

召集は毎年春秋二回行はれ、夏期奉仕期間は四月一日より九月末日迄、冬期奉仕期間は十月一日より翌年三月末日迄である。

召集せられたる後は財産身分階級等の区別は一切認められず、全然平等無差別の取扱を受ける。

召集せられたる奉仕義務者は奉仕参加に際し「宣誓、自分は独逸國及び民族の指導者アドルフ・ヒットラーに不変の忠誠を誓ひ、その任命せる指導者に無條件に服従し、自己の奉仕義務を忠実に履行すると共に、國労働奉仕所属員全部に対してよき僚友たらんことを誓ふ」、又独逸國籍を有せざる奉仕参加者は、「宣誓、自分は独逸國民世に誓つて、國労働奉仕に於ける労働員としての自己の義務を忠実に履行せんことを誓ふ」との宣誓を為すことを要する（第二次施行令第二條）。

召集せられたる奉仕義務者はこゝに正式に労働奉仕所属員となり、一九三三

八〇六

年九月一日制定せられたる制服制帽を着用する。この制服制帽は徽章及び労働奉仕の名称と共に正しき使用方法を法的に保障せられ、之に違反するものは所定の処罰を受けなければならない。

第三項　志願労働奉仕者 *Arbeitsdienstfreiwillige*

志願労働奉仕者とは、國労働奉仕法による奉仕義務の履行としてではなく、自発的意思に基き労働奉仕に参加する者を云ふ。

國労働奉仕法は第三條第三項但書に於て「但シ右年齢前ノ志願ニ因ル労働奉仕参加ハ之ヲ許可スルモノトス」と定め、志願による労働奉仕参加を認めてゐる。

志願者の参加許可年齢は初め満十七才以上であつたが（第一次施行令第二條）、後、満十六才以上と改められた（第八次施行令第二條）。この改正は専門職業教育が労働奉仕制度によつて中断されないやうにするためといはれてゐる。

志願者の範囲に就いては、國労働奉仕法に何等の直接規定もないが、第二次施行令第二條には、独逸國籍を有せざる者の國労働奉仕参加には総統の許可を要すとし、その許可期限は内務大臣に委譲されてゐるから（一九三六年三月二六日総統布告）外國人の志願参加も許されてゐると解すべきであらう。

志願奉仕者も労働奉仕参加後は一般労働奉仕義務と同一の所属関係に立つ。

第四項　幹部 *Stammpersonal*

國労働奉仕の幹部は、命令権を行使する正規指導官 *Planmäßige Führer*、経理官医官の如き事務官 *Amtswalter* 及び之等の候補者 *Anwalter* より成る。其の内、正規指導官と事務官とは職業的に労働奉仕に従事する者であり（法第一一條第一項）此の両者に就いては定年退職制が採用せられてゐる（法第一一條第二項）幹部は一團として指導者團 *Führerkorps* を形成してゐる。

幹部職員は公法上の地位を有し、この地位に基いて命令権を行使し得る。幹部の地位は軍人行政官と同様、官吏であるが、軍人その他の一般官吏に対して独立する公務担当者である。蓋し、その権利義務は直接には、國労働奉仕法第一〇條乃至第二五條に規定せられ、國官吏法は補充的に適用されるに過ぎない。

一九三五年一二月一三日公布の「國労働奉仕所属員ノ俸給其他ニ関スル法律 *Gesetz über die Besoldung u.s.w. der Angehörigen des Reichsarbeitsdienstes*」は俸給法を改正し、幹部の職制 *Dienstgrad* 並に俸給 *Besoldung* を定めてゐる。

幹部の任免は労働指導官職以上の高級幹部については総統が、其他の幹部については内務大臣が労働統監の申出に基き之を行ふ。但し内務大臣は右権限を労働統監に委任することが出来る（法第一一條第五項）。

免官事由として、(一)正当なる依頼、(二)職務遂行を阻害すべき身体的精神的故障、(三)上官により判定せられたる服務上の無能力が挙げられてゐる。其他、第五條第七條の定むる所属上の障害あるときは、手続終了後に判明した場合でも免官される。その免官通告は理由を附して法定の告知期間を置いてなさるべきである（法第一二條）。

他の官廳の官吏は、國労働奉仕の事務官となることによつて、既得の財産法上の請求権を失はない（法第一一條）。

指導官候補者は任命に先だち、文書を以て少くとも十ヶ年継続服務の誓約を行ひ、且アリアン人種に属することの証明を行ふべきものとし、國防軍現役を終了せることを要件とする（法第一一條第二項）。

第五款　國労働奉仕所属員数

國労働奉仕所属員総数 *die Stärke des Reichsarbeitsdienstes* は奉仕期間と共に、總統が毎年布告を以て之を定める（法第三條）。

一九三五年六月二七日の「國労働奉仕ノ奉仕期間及ビ人員総数ニ関スル総統布告」*Erlass des Führers und Reichskanzlers über die Dauer der Dienstzeit und die Stärke des Reichsarbeits-*

dienstes によれば、一九三五年一〇月一日より一九三六年一〇月までの期間に於ける人員は幹部を加算して平均二十万人と定められた。更に一九三六年九月二六日の総統布告 Erlass des Führers und Reichskanzler über die Dauer der Dienstzeit des Reichsarbeitsdienstes und die Stärke des Reichsarbeitsdienst und des Arbeitsdienstes für die weibliche Jugend 第二條により、

一九三七年一〇月一日迄に　三十万人に

一九三八年一〇月一日迄に　二七万五千人に

一九三九年一〇月一日迄に、三十万人に

夫々増員された。一九三七年一一月二四日の総統布告 Erlass des Führers und Reichskanzlers über die Sommer- und Winterstärke des Reichsarbeitsdienstes und über die Stärke des Arbeitsdienstes für die weibliche Jugend により一九三八年一〇月一日以後召集全員の五分の三は夏季に、五分の二は冬季に召集されることになつた。之

八一一

は主として農村に於ける繁閑を考慮し、都市出身者を主として夏季に、農村出身者及び季節労働者を主として冬季に召集して労働配置上、並に奉仕義務者の便宜を図つたものである。

第六項　労働奉仕所属関係

労働奉仕の所属関係は任官若しくは召集の日から被免又は解除の日まで継続する（法第一三條）。

労働奉仕義務者並びに志願労働奉仕者は、㈠召集後第八條に依る延期理由生じ其の申出があつた場合、㈡奉仕実行に必要なる肉体上又は精神上の資格を喪失した場合は所属中と雖も所属関係より離脱する（法第一六條第一項）。第五條第八條の規定する労働奉仕所属障碍が判明した場合も亦同様である。

所属後二ケ月を経過した者に就いては職業に止むを得ない事由あるときは早期除隊が許される（第八次施行令第一條）。これはナチスの四ケ年計画の要求に基くものといはれ、工業方面及び農業関係の熟練労働者の必要に應ずるもので

八一二

ある。

國労働奉仕法第一五條乃至第二五條は労働奉仕所属員の権利義務を規定し一九三五年一〇月一日より実施せられてゐる（第一次施行令第一條）。その大要は次の如くである。

労働奉仕所属員は國労働奉仕勤務処罰令に服する（法第一五條）。処罰関係に関しては別に款を改めて解説する。

労働奉仕所属員は職務関係又は奉仕関係に属するといふ理由から、身分関係財産関係に於て種々の拘束を受ける。

第一は結婚に関し許可を受けなければならない。結婚の許可は二十五才以上の者に対してのみ與へられ、配偶者たるべき者はアリアン人種に属することを要する。

第二は、自己又は家族のために工業経営を引受け或は有償の副業に就く場合（法第一九條）。後見人、後見監督人保護者輔佐人等になる場合、國州市町村の名誉職を引受ける場合（法第二〇條）何れも許可を受くることを要する。

八一三

N.S.D.A.P.に加盟する労働奉仕所属員は労働奉仕所属中、党及びその関係組織の為めにする政治的活動を停止せしめられる（法第一七條第一項）。其他の所属員も國労働奉仕の内外に於て各種組合に関係せんとする場合、許可を受くることを要する。但しN.S.D.A.P.への加入は許可を要しない（法第一七條第二項）。

之等の許可権限は、野外指導官補以下の地位の者に就いては労働管区指導官それ以上の高級者に就いては労働統監が之を有する（第二次施行令第二二條）。

労働奉仕所属員は服務中疾病に罹り或は傷害を受けたる場合に無料にて診療治療を受くる権利を有し（法第二一條）國労働奉仕俸給令 Besoldungsordnung für den Reichsarbeitsdienst による俸給が保障せられてゐる（法第二二條）。

國労働奉仕所属に基く財産法上の請求権に関しては國官吏に適用せらるる法規の準用がある。

労働奉仕義務を完了した者は、公職に就くに際し優先権を有し、職業紹介に

八一四

関しても優先的に取扱はれ、一般職務に復職する場合も労働奉仕のため休職したことによつて不利益を受けない（軍人並ビニ労働奉仕者救護ニ関スル命令、同令第一施行令）。

労働奉仕服務中傷害を受けたる者 Dienstbeschädigte 及び十ヶ年以上勤続したる退官幹部とその遺族に対しては別に定めらるべき国労働奉仕扶助法の定むる所に従ひ扶助救護を受け得る（法第二四條）。

退職したる労働奉仕所属員に対し、総統又はその権限受任官は、国労働奉仕制服着用の特権を賦与することが出来る。但し原則として十ヶ年以上勤続した者に限られる（法第二五條）。

第四款　労働奉仕法律関係

茲に労働奉仕法律関係といふのは、労働奉仕に於ける幾多の法律的諸関係中一般法律関係とは著しく趣を異にし、いはゞ労働奉仕特有の法律関係ともいふ

八一五

べきものを指す。即ち一般法律関係の観念を以てしては律し難い特異の法律関係である。

先づ第一に考察せらるべきは労働奉仕への参加所属及び労働奉仕に於ける労働関係である。国労働奉仕法第一四條は「国労働奉仕ヘノ所属ハ労働法及救護義務令 Fürsorgepflichtverordnung 第一一條ノ意義ニ於ケル労働関係若シクハ雇傭関係ヲ構成セザルモノトス」と定めてゐる。これによれば労働奉仕に於ける作業労働は、労働契約乃至雇傭契約に基く労働でないといふことになる。然らばこの労働の性格構造を如何に解すべきか、国労働奉仕法第一條第一項は、国労働奉仕は独逸民族に対する名誉奉仕 Ehrendienst とし、その奉仕を義務とするところにその本質が存する旨を宣言してゐる。茲に於て労働奉仕への参加所属及び労働奉仕に於ける労働関係は、名誉奉仕義務履行といふ事実関係であつて、奉仕義務の履行が或は労働奉仕への参加となり所属となり或は労働奉仕に於ける労働実行といふ形をとると解さるべきである。奉仕義務履行といふ一連の事実関係の或部分を捉へて参加といひ所属といひ、他の部分

八一六

を捕へて労働実行といつてゐるのである。所属関係に表はれる権利義務は所属関係そのものから発生するのではなく、所属関係といふ事実関係に、夫等のものが附着せしめられてゐると理解さるべきであらう。奉仕労働者は労働法上の被傭者でなく、労賃を受取るべき権利を有せず、労働そのものが無償労働なのである。更に一般労働法規の適用を見ないのは当然のことである。

斯る生活関係を結ばしむる根源たる奉仕義務は公法上の義務であるから、この生活関係は公法関係と見らるべく、私法的な労働法規の適用を見ないことは、この点からも説明が出来る。

第二に考察さるべきものは作業引受に関する法律関係である。国労働奉仕による作業の引受は労働負担者の申出を前提要件とする。この申出には必要なる基礎計画が添へられねばならない。労働負担者は前に言及せる如く労働奉仕によつて遂行せらるべき事業の計画者である。

国労働奉仕本部は提出されたる事業計画に基き、許可を与ふべきか否かの決定を行ふ。許可決定はいはゞ労働奉仕によつて当該作業を行ふことを引受ける

八一七

決定であり、この引受は許可証の交付に依つて表示せられる。此の許可証 Gewährungsurkunde の交付により、国労働奉仕は国労働統監の定める「一般條件」Allgemeine Bedingungen に従ひ、必要あるときは之に附加する「特殊條件」Besondere Bedingungen に従ひ、労働実行が確約されるのである。こゝに於て奉仕負担者たる国労働奉仕と、労働負担者との間に契約が成立するのである。一九三七年以来行はれるこの許可証の発行によつて、国労働奉仕と労働負担者との間に私法的契約が結ばれるとせられた従来の状態は排除せられて、国労働奉仕と労働負担者との間の契約は公法契約と看られることになつた。即ち国労働奉仕は国家施設であり、その相手方たる労働負担者は常に公益団体であり、公益のために、公益的作業を行はんがために結ばれる契約をどうして私法契約と云ひ得るか。従つてこの契約に適用され、之を規律するものは私法法規ではなく公法法規たることは論を俟たない。

上述の「一般條件」は次の如き根本條項より成る。

一、労働負担者は技術的に欠点なき事業計画を作成し、必要なる官庁の認

八一八

可を得、経費支弁の途を確保すること。

二、労働負担者は労働遂行に必要なる労働用具の整備に対し現金を以て代償すること。

三、労働負担者は労働遂行に必要なる経費支弁の義務を負ふこと。

四、国労働奉仕は自己の責任に於て固有の指導により労働を遂行すること。

五、国労働奉仕は労働負担者が条件を履行せざるとき、或は国家権力、国家の必要、其他避くべからざる事情により労働の継続が妨げらるるときは、作業を中止し得ること。

第五款　労働奉仕勤務処罰令

国労働奉仕法第一五条は「国労働奉仕所属員ハ国労働奉仕勤務処罰令ニ従フモノトス」と規定し、こゝに予定せられた国労働奉仕勤務処罰令 *Dienststrafordnung für die Angehörigendes Reichsarbeitsdienstes*

は一九三六年二月二五日附を以て制定せられた。同令は一九三八年二月一一日の「国労働奉仕法第九次施行令」によつて一部改正せられた。

国労働奉仕所属員は総て、国労働奉仕に参加したる日から解除罷免の日までこの勤務処罰令に従ふ（令第一条）。此の勤務処罰令によつて問はるべきものは、国労働奉仕協同体の名誉及びその公的信用を毀損し、或は労働奉仕に於ける僚友精神を害し、又は労働奉仕に於ける訓練及秩序に反する一切の作為不作為である（第二条第一項）。

処罰に至らざる程度の軽微事件に対しては匡正 *Zurechtweisung*、戒告 *Mahnung*、叱責 *Rüge* が申渡される（第二条第二項）。

勤務罰に軽罰と重罰とがある。軽罰には時間外特課内務勤務、単純譴責がある。重罰には重譴責、三十日迄の禁足、三十日迄の室内禁錮、二十一日迄の重禁錮、二百四十日迄の舎房禁錮、昇進権の剥奪、昇進の停止、国労働奉仕よりの除名及び追放の種類がある（第三条）。

部隊指導官以上の団体指導官は処罰権を有し、行為者の直属上官が処罰を行

ふ。但し国労働奉仕の名誉信用僚友精神を害する行為、並に舎房禁錮除名追放に該る行為に関しては、処罰権を有する上官を裁判長とし二名の陪席より成る特別の勤務刑罰部 *Dienststrafkammer* がその処罰を決定する。

第六款　奉仕労働保護関係法令

労働奉仕は社会保険法に於ける所謂就業関係 *Beschäftigungsverhältnis* を成立せしめるものでないから（国労働奉仕法第二次施行令第一七条）、労働奉仕所属員はその服務期間中原則として社会保険法の適用範囲外に立つ訳である（国労働奉仕法第六次施行令第一条）。然し労働奉仕内部に於ては奉仕労働は保護せらるべきであり、労働奉仕期間前後に従来の社会保険関係との接続関係が問題となり、更に奉仕終了後の扶助及び職業保護の問題も生じ相当重要視すべき部面である。

奉仕労働保護関係は、労働奉仕所属員の疾病保険、傷害保険、失業保険を含

む社会保険関係、奉仕脱退の旧所属員の扶助及び保護関係、奉仕所属員の就業関係の三方面から考察されることを要する。併し之等三方面に関する労働奉仕関係法令の想定するところは、直接労働規制とは関係するところ比較的小なるのみならず、その内容は相当複雑であり限られた紙幅の能くするところではないから、こゝには極めて概観的叙述に止める。

国労働奉仕法第二一条は労働奉仕所属員が疾病に罹り或は傷害を受けたる場合は無料で診療治療を受け得ると定めてゐる。此の規定に関して、一九三五年一〇月一八日の第三次施行令及び同年一二月三一日の第四次施行令は、志願労働奉仕者に対する傷害保険規定を暫定的に、国労働奉仕者に適用することを定めたが、一九三六年三月二三日の第五次施行令は之を廃し奉仕所属員特に幹部の無料医療に就いて規定してゐる。一九三六年四月一日実施の第八次施行令は奉仕義務者の疾病による早期脱退の場合の取扱に関し規定するところがあつた。

奉仕完了者又は早期脱退者に対する社会保険関係に関して統一的規定は存しない。疾病保険に関しては第六次施行令第二条並に第三条に、失業保険に関し

ては最初第六次施行令第四條に、後には之を廢止した一九三七年九月三〇日の「兵役及ビ労働奉仕完了後ノ失業手当ニ関スル法律」Gesetz über Arbeitslosen unterstützung nach Wehr- und Arbeitsdienst. に若干の規定がある。何れも労働奉仕をなしたることによつて不利益を受けない様考慮が拂はれてゐる。

國労働奉仕法第二四條には奉仕業務傷害並に十ケ年以上奉仕したる後退官したる幹部及びその遺族の扶助については國労働奉仕扶助法に譲る旨の條項がある。之に関連して一九三六年四月二三日附「暫定的國労働奉仕扶助ニ関スル法律」Gesetz über die vorläufige Reichsarbeitsdienstversorgung. 及び翌日公布の「同法第一次施行補充命令」同年一〇月四日の「同法第二次施行補充命令」がある。更に復還家族の扶助に関して一九三六年三月三〇日の「召集兵役義務者ノ家族扶助ニ関スル法律」Gesetz über die Unterstützung der Angehörigen der einberufenen Wehrpflichtigen und Arbeitsdienstpflichtigen 及び同日附同法施行規則

Durchführungsvorschrift が制定された。然るに一九三八年九月八日に至り國労働奉仕法第二十四條に予定せられた國労働奉仕扶助法 Reichsarbeitsdienstversorgungsgesetz が制定せられて以上諸法令の内容を統合規定した。更に同年同月二九日「國労働奉仕救護扶助ニ関スル現行規則ノ綜合告示」Bekanntmachung der Zusammenhängende Fassung die für Reichsarbeitsdienst Fürsorge und Versorgung geltenden Vorschrift が公布された。

労働奉仕参加前の就業関係及び労働奉仕完了後の就業関係、特に復帰の問題は保護せらるべき性質のものであり、既に第二次施行令第二四條は之に就き原則的規定を設けた。其後一九三六年九月二六日の「除隊労働奉仕者退営軍人ノ就職ニ関スル命令」Verordnung über die Unterbringung der Ausscheidenen Arbeitsmänner und Wehrpflichtigen 一九三六年九月三〇日の「軍人及ビ労働奉仕者ノ救護ニ関スル命令」Verordnung über Fürsorge für Soldaten und Arbeitsmänner 一九三七年

一二月二九日の「同令第一次施行補充命令」等何れもこの問題を取扱ひ、労働奉仕参加が従来の就業関係及び完了後の就業及び復職の問題に関し不利益とならざる様規定した。

第七款　労働奉仕の實行

労働奉仕に於ける労働対象は公益的作業に限定されてゐる。此の事は独逸労働奉仕発展史を一貫する大原則である。國労働奉仕法も亦之を規定してゐる。公益的作業といへばその範囲極めて広く、その種類も多種多様であるが、労働奉仕制度成立以来、その内、土地への労働が労働奉仕最大の活動分野となつてゐる。「シャベルと麦の穂」といふ労働の徽章は、労働奉仕のこの任務を象徴するものである。食糧自由と資源自由の目標に驀進する第二次四ケ年計画は、労働奉仕を食糧闘争の第一線に押出したのである。そしてそこには何よりも先に、労働奉仕の集團的大労働力が尊重されたのである。

独逸の土地は面積に於ても將又、地形土質等の存在状態に於ても多大の制約を受けてゐる。この制約を破砕するためには、何等かの方法を以てする新耕地の獲得、未墾地の開拓、既墾地の改良等の方法によらざるを得ない。之等土地開拓事業の遂行によつて民族の食糧難は著しく軽減せられ得るのであつて、土地への労働こそ、民族にとつて最も切実な公益的事業なのである。

土地開拓事業の責任を負ふ者は、國食糧農業大臣と國食糧職分團であり、之等と協力して実際労働に当るものが國労働奉仕である。

労働奉仕に於ける労働配置を規制するものは國労働統監であるが、國労働統監は國労働奉仕を先づ土地開拓作業に配置してゐる。

土地開拓事業の範囲に於て労働奉仕の行ふ事業は次の如くである。

一、新耕地獲得事業　Neulandgewinnung

海岸の築堤、埋立、開拓によつて五十万ヘクター　の新土地を獲得することが出来る。

二、未墾地開拓事業　Kultivierungsarbeit

沼沢地の乾拓、荒蕪地の開墾によつて三百万ヘクターの耕地を開き得る。

三、耕地改良事業　*Bodenverbesserung*

土地改良事業として重要なる作業は耕地排水、耕地灌漑、土地堀返の三である。

排水溝渠構築等によつて八百万ヘクターの土地が、耕地灌漑によつて五百万ヘクターの土地が改良され得る。北独逸地方の耕地の泥灰石質の土地を堀返して地味を豊饒ならしめることも無視し得ない意義を持つ。

四、水害防護事業　*Hochwasserschutzbau*

約百万ヘクターの土地が洪水の危険から免れ得る。

五、耕地整理事業　*Felderbereinigung*

耕地整理によつて約五百万ヘクターの面積が相貌を変じて農業経営を容易ならしめる。

六、産業道路建設事業　*Anlage von Wirtschaftswegen*

七、国内移住地開発準備　*Vorbereitende Siedlungsarbeit*

八二七

八二八

以上の外、公益的事業として労働奉仕が配置される作業に次の如きものがある。

一、森林事業　*Forstarbeit*

二、収穫援助事業　*Erntenothilfe*

三、災害防止事業　*Katastrophenschutz*

四、国防施設構築事業　*Bau der Staatsverteidigungsanstalten*

之等の各事業に奉仕労働力が如何に配置されたか、最近の数字を以て示せば次の如くである。

	一九三七年夏半季	一九三八年
農耕地作業	七六・二	五五・〇
道路建設	四・三	一五・〇
山林事業	七・四	一〇・〇
移住事業	二・〇	五・〇
其　他	一〇・一	一五・〇

ナチス政権確立当時は計画的な労働配置の基礎となるべき資料が整ふてゐなかつたが、其後資料の蒐集と調査の徹底とに努力したる結果、国労働奉仕はそれ自身遂行すべき作業を全国的規模に於て企劃し、尨大なる作業計劃を樹立して、之に配当すべき統一的な労働配置案を完成した。その公表するところによれば、国労働奉仕が現に行ひ将来完成せんとする大計画作業は六七件に及び、中には十数年二十年の継続的大事業を含み、計画当事者の言によれば、今後二十年間労働奉仕が行ふべき作業が用意されてゐるとのことである。

第七款　結　語

国労働奉仕法に基く義務制労働奉仕制度の概要は以上の如くである。今労働規制の立場から之を観察すれば、ナチス特有の巧妙なる組織力と逞しい実践力とによつて略々完璧の機構が造り上げられたといつてよからう。

先づ第一に特筆さるべきことは、制度全体の組織が指導者原理によつて一貫

八二九

八三〇

されてゐることであつて、この指導者の責任と奉仕義務者の服従とによつて、労働奉仕全体が最高の指導方針に従つて手足の如く動き得ることになつた。換言すれば強力規制乃至配置の根本的可能性が生み出されたのである。このことは更に云ひ直せば指導機構、作業実施機構の完成である。

志願制労働奉仕制度にあつては経験の不足訓練の不充分といふ事情があつたとはいへ、作業指導は奉仕者に対し拘束力ある管理権限を有せざる奉仕負担者及びその代理人に一任せられ、之等指導的地位に立つ者が営利的経営に於ける一般様式に従つて奉仕者を動かすといふ状態に対し、国労働奉仕制度にあつては、指揮指導の統一は作業実施に迄及び、労働が訓練された軍隊的形態に於て行はれる。作業に用ひらる労働力は、公権力によつて編成せられた労働力であり、之を指揮する指導者は公権的統制団体としての国労働奉仕が有する公権的管理権能を分有するのであつて、指導者が有する管理力は強きに過ぎることはあつては、弱きに過ぎるといふことは絶対に有り得ないのである。

次に労働配置機構の完備が挙げられる。国労働統監は労働配置の決定権を有

するのであるが、彼が主宰する労働奉仕本部の作業指導局は、作業計畫労働配置について統一的事務を司るのである。前述の大事業計畫もこゝで立案せられたものである。形式的にいへば労働負担者が奉仕事業の計画者であるが、作業指導局はその立案せる計画を労働負担者に示して、その採択を勧奨するといふのがむしろ実際に近いであらう。若し然らざれば、國労働奉仕が労働負担者とならざる限り國労働奉仕本部の事業計画は文字通り一片のペーパープランたるに終るであらう。斯くの如き機構の下に於て初めて統一的計画的労働配置が行はれ得るのである。

要之、志願制労働奉仕制度に加へた批判と全く逆の批判を國労働奉仕に與へ得るのである。

八三一

第四節　戦時労働奉仕法令

第一款　總説

戦争勃発によつて所謂戦時総動員が行はれるや、國家全般の客観的情勢は人的にも物的にも顕著なる変化を来し、軍事的戦時要求が生活のあらゆる部面に於て強化せられて来た。この趨勢に対し、労働奉仕が独り超然たるを得ないのは当然のことであり、むしろ労働奉仕はこの要求に即應して、戦時的体制の強力なる一翼としての役目を果すに至つた。この労働奉仕制度そのものの戦時体制化の道を開く為に、旧法の改正と若干の新法制定を見たのである。

こゝに戦時労働奉仕法令とは、全然新なる戦時労働奉仕制度に関する法令ではなく、従来の労働奉仕制度の戦時拡充乃至戦時体制化に関する法令を意味する。労働奉仕の戦時体制化の最も顕著な面は、労働配置に関する部分であつて、

八三二

労働奉仕の有する強力なる集團的労働力を、戦争要求の方面に配置することに存する。

第二款　國労働奉仕法の改正

國労働奉仕法は一九三大年制定以来、一九三八年一部の改正を見たる外、殆んど変更を見なかつたのであるが、開戦直後、即ち一九三九年九月八日相当部分の改正が行はれた。併しその改正は労働奉仕制度の戦時体制化といふより、むしろ単なる形式上及び文言上の整備に止る。

改正の第一点は、開戦と共に断行せられた女子労働奉仕義務制施行に伴ひ、之を國労働奉仕法内に取入れて、形式上の整備を行つたことに存する。即ち國労働奉仕所属員中に女子青年労働奉仕所属員を含むこととした。之によつて國労働奉仕に関する一般規定が、男子女子双方に適用されることとなつた。勿論同一に律することを得ざる部分に関しては、例へば処罰規定、扶助規定の如き

八三三

夫々各別の立法が行はれてゐる。

第二点は、國労働奉仕男女指導員の脱退事由に関し、本人の死亡以外に解除 Entlassung の場合、依願退職 Entfernung 若しくは除名 Ausstoßung による場合、裁判上の判決による失格の場合の三つの場合を規定し、解除による場合に関して更に大個の場合を詳細列挙した（第七條）ことである。

第三点は、國労働奉仕徴集の猶豫規定の改正である。旧法第八條は「労働奉仕義務者ハ國労働奉仕徴集ヲ二ケ年マデ、已ムヲ得ザル職務上ノ理由アルトキハ、五ケ年マデ延期スルコトヲ得ル」旨規定してゐるのを、「國防軍現役義務履行ヲ猶豫中ノ労働奉仕義務者ハ相当期間労働奉仕義務ノ履行ヲ猶豫セラレ得ル」と改めた。この改正の趣旨は兵役服務義務を労働奉仕義務に優先せしめんとするものであつて、戦時總動員下國防第一主義に從つたものである。

改正國労働奉仕法は一九三九年九月九日附を以て新修國労働奉仕法告示 Bekanntmachung der neuen Fassung des Reichsarbeitsdienstgesetzes として公布された。

八三四

國労働奉仕の改正に伴ひ同年九月二九日新なる國労働奉仕法施行補充命令が公布された。同令は旧法の施行補充命令が九次に亘り公布されてゐるのを、整理統括し新法に適應した形式を以て制定せられたもので、六三條よりなる命令である。同令公布により旧法の施行補充令は、その内若干の規定を残して全部廃止せられた。更に一九三九年一〇月一〇日同法第二次施行補充命令、一九四〇年一一月一六日同法第三次施行補充命令が発せられた。

第三款　戦時男子青年労働奉仕継續に関する命令

一九三九年一二月二〇日、「戦時男子青年労働奉仕継続ニ関スル命令」*Verordnung über die Fortführung des Reichsarbeitsdienstes für die männliche Jugend während des Krieges* が発せられた。本法は新修國労働奉仕法の一部を戦時情勢に應ずべく改正し戦時中

継続せしめる趣旨に出たものである（第一條）。

先づ、戦時下の國労働奉仕の任務を專ら戦争に関係ある労働の実行に限るものとし、國防軍総司令官から、戦争遂行のための労働配置要求あるときは、この要求をして他の一切の労働配置要求に優先せしめる（第二條）。

次に労働奉仕所属員は戦時に於ても原則として國労働奉仕法の適用を受けることに変りはないが、國防軍の配置下に置かるるときは、配置の種類に應じて一般軍人に適用される法規に從ふ。この適用に関しては國防軍総司令官と國労働総監とは緊急に連絡すべきものとする（第三條）。

労働奉仕義務の履行が原則として國防軍現役召集の要件をなすことは戦時に於ても変更を見ない。併し戦争遂行及び戦時経済上の要求に基き、國防軍総司令官と國労働統監との協議により例外措置がとられ得る（第四條）。

労働奉仕の奉仕期間は原則として六ケ月たることに変更はないが、戦時下國防軍の配置上の要求ある場合に限り適宜之を短縮し得る。之と同時に、下級指導者の数を節約するため、志願による奉仕者の奉仕期間を十二ケ月迄延長し得

ることゝなつた（第五條）。

労働奉仕指導員にして、軍人として國防軍に所属し、教育を受けたる直後の者は引続き軍所属に留る。三五才以下の労働奉仕指導員の一部は軍に編入し若しくは教育召集を受ける。労働奉仕指導者総数の四〇パーセントまで國防軍に編入され得ることとなつた（第六條）。

國労働統監は戦時配置の必要に應じて、國労働奉仕の組織を適宜変更し得る。必要なる場合は國防軍総司令官と協議することを要する（第七條）。此の種の戦時改組は形式的には法規の上で行はれてゐないが、波蘭戦線に出動した部隊について、労働奉仕部隊が建設中隊に改編されたことが傳へられてゐるから、部分的には実際行はれてゐることと想像されるのである。

軍配置下の労働奉仕所属員は、当然軍部官署に從属する。その從属の範囲は労働配置の目的に與し委囑された任務の遂行上必要な程度に限られる。軍当局は自己に從属したる労働奉仕所属員の経済上及び保健上の問題に関しその責に任する。其他の点に関しては従来の通りとする（第八條）。

以上の如く本令は労働奉仕制度の戦時体制化を本格的に規定した法規であつて、戦時労働奉仕法令の眞面目を発揮したものである。本令の施行令 *Verordnung zur Durchführung der V.O. über Fortführung des Reichsarbeitsdienstes während des Krieges* は一九四〇年四月一日公布されてゐる。

第四款　國労働奉仕指導員任命効力發生に関する命令

労働奉仕指導員の任命関係について、戦時非常取扱を定めたものに、一九四〇年二月二九日の「國労働奉仕指導員任命效力発生ニ関スル命令」*Verordnung über die Wirksamkeit von Ernennung von Reichsarbeitsdienstführern* がある。國労働奉仕法施行補充命令第一八條によれば、総統及び國労働統監の任命した上級労働奉仕指導員の任命は労働奉仕官報上の公示と同

時に效力を発し、右以外の下級指導員の任命は命令によつて效力を発生することになつてゐる。即ち任命処分の日に任命效力の発生を見ない場合があるのである。從つて若し、労働奉仕指導員中、任命処分後、任命効力発生前に於て死亡したる者あるときは、任命效力なき者として取扱はざるを得ないのであつて此の不都合を除去せんが為に、本令は戦爭関係に於て死亡したる者に関しては任命処分ありたる日に任命效力を発生したるものと看做すといふ暫定措置を講じた。この新規定は開戦の一九三九年九月一日に遡つて效力を発生する。

第五款　國労働奉仕保護法

國労働奉仕制度が有する戦時的意義の増大に鑑み、同制度の法律的確保の手段が講ぜられるに至つた。既に男子青年労働奉仕所属員勤務処罰令及び女子青年労働奉仕所属員勤務処罰令が夫々男子女子の労働奉仕所属員の反秩序行為を対象として規定するところがあるのであるが、男子及び女子所属員を通じ、又

八三九

所属員以外の第三者による労働奉仕制度そのものに対する危殆行為を総括して規律する必要があるのである。斯くの如き立法理由を以て生れたのが一九四〇年三月一二日の國労働奉仕保護令 *Verordnung zum Schutz des Reichsarbeitsdienstes* である。本令の規律対象となるべき行為は、労働奉仕義務拒否の挑発及びその教唆、労働奉仕所属員の反秩序的行為の煽動、労働奉仕義務履行の忌避及びその幇助、労働奉仕所属員の逃亡及びその教唆幇助であつて、之等の行為をなしたる者に対しては情状重き者には懲役、軽き者には禁錮を課することにしてゐる。女子労働奉仕者の逃亡及びその教唆幇助は禁錮を以て処遇せられる。尚本令は東部編入地方、ボヘミヤ、モラヴィア保護領の独逸國籍を有せざる者にも適用される。

第六款　奉仕労働保護関係法令の整備

國労働奉仕所属員の法律的保護に関しては扶助関係に就いて、一九三八年國

八四〇

労働奉仕扶助法が制定されてゐるのであるが、戦時下に入り、一九三九年九月二八日附同法第二次施行補充命令、一九四〇年五月九日附同法第三次施行補充命令、同年一一月二八日第四次施行補充命令が出されてゐる。更に一九四〇年一二月四日には「國労働奉仕救護扶助ニ関スル現行法規ノ綜合告示変更補充」が発せられた。

尚職業保護に関して、一九四〇年九月一八日「戦時及戦後ニ於ケル退職軍人及ビ脱退男子労働奉仕所属員ノ職業保護ニ関スル命令」が出されてゐる。*Verordnung über Berufsfürsorge für entlassene Soldaten und männliche Angehörige des Reichsarbeitsdienstes im und nach dem Kriege.*

第七款　結語

戦爭は独逸労働奉仕に新なる使命を要求した。即ち労働奉仕は戦時使命に動

八四一

員されることになつた。その活動分野は、労働奉仕制の性格に適應して定められてゐる。この労働奉仕の戦時配置の可能性は既に一九三八年夏西部要塞線の構築に際し大規模に配置され、絶大な成績を挙げたことによつて証明されてゐた。この事たる、独逸労働奉仕の軍事的使命に基き、平時には潜在し秘匿されてゐた國防的機能が赤裸々に発揮されたことを意味する。斯くの如き独逸労働奉仕の軍事使命の発露はこゝに所謂、戦時労働奉仕令による労働奉仕の戦時体制化によつて一層の拘束が加へられた。戦時労働奉仕法令中の圧巻たる「戦時中男子青年労働奉仕継続ニ関スル命令」が労働奉仕の作業を戦争遂行に関係ある労働に限定して戦時労働配置上、重要な役割を演ぜしめ、更にこの配置機能を完全に発揮せしむべく臨時措置として國防的労務配置の要求に最優先権を與へ、その要求に應じて労働奉仕組織変更並びに奉仕期間短縮等の道を開いたことは洵に当然の行き方といはねばならない。

茲に以上の労働奉仕の戦時体制下に於て労働奉仕が如何に戦時的配置の作用を営んだかを示すこととする。戦争勃発と共に國労働奉仕はその活動分野に多

八四二

角性を示さねばならなかつた。如何に戦時体制下とはいへ、労働奉仕の活動分野は労働奉仕の性格に適應して定められる。先づ労働奉仕の一部は、西部要塞線の強化に従事し、一部は東部國境に於て防禦陣地の築造に配置され、他の一部は、独逸全國の收穫援助に動員された。尚残部は平時と同じく國内の土地経済的事業に配備された。斯様に独逸労働奉仕が多種多様の任務を持つ労働分野に急速配置せられ得たことは洵に驚嘆に値するといはねばなるまい。

戦時下に於ける奉仕労働力が如何なる割合を以つて配置されてゐるが、極めて注目に値し興味ある問題であるが、戦時秘密体制の下に於ては知るべくもない。今一般的報告によつて、戦線配備についた労働奉仕部隊の活動についていへば、國労働奉仕所属員は、一部武装し、國防軍に従属された。戦争の必要に則して、組織の一部改編が行はれ、各分團は建設中隊に強化され、この中隊を基礎として建設旅團が編成された。その任務は兵站線の修理確保である。破壊された道路、鉄道の修復、砲撃爆撃の跡の地ならし、遺棄鹵獲兵器の分類整理橋梁の修理、架橋、補助憲兵としての占領地の治安維持、宿舎営舎の設営等が

活動の実例として挙げられてゐる。即ち労働奉仕は第二線的意味に於て、國防的機能を果したのである。しかもその場所は決して銃砲火の洗礼を受けざる安全地帯ではなく、彈雨をくぐつての活動が傳へられてゐる。

以上述べたる所により、独逸労働奉仕制度は、戦争を機縁として教育、経済及び軍事の三大使命を完全に果し、戦線及び銃後を通じ戦時配置の機能を遺憾なく発揮して独逸國防上絶大の貢献をなしたものと言ふことが出来る。

第五節　女子労働奉仕令

第一款　女子労働奉仕制度の使命

一九三五年六月二十六日の國労働奉仕法第一條は、國労働奉仕が独逸國民に対する名誉奉仕であり、独逸青年は男女を問はず、此の労働奉仕を通じて國民に奉仕すべき義務を負ふことを宣言した。これによつて労働奉仕義務は一面的

に男性のみに課せらるべきものでなく、独逸青年男女の総てが、國民社会主義の精神を以て民族共同体及び労働に対する正しき理解特に肉体労働に対する正当なる尊敬を目標として教育さるべきこと、その奉仕労働が專ら公益的事業の遂行にあてらるべきことが明かにされたのである。即ち、独逸労働奉仕に於ては男子青年も女子青年も共に同様の立場に立つといふ原則が確定せられた。併し同法第九條は女子青年の労働奉仕義務に関する規定は之を特別規定に譲るとし、同法制定後、第二次世界大戦勃発に至る数年間、女子青年の労働奉仕義務制実施に関する何等の規定を見ず、女子労働奉仕に関する限り従来の志願制形式による形態が依然として行はれてゐた。然るに一九三九年九月四日女子労働奉仕義務施行令が公布せられて、遂に國労働奉仕法第一條の原則が現実に行はるることとなつた。斯くの如く、独逸労働奉仕に於ては制度の理念上、男子女子に何等の区別を設けてゐないのであるから、女子労働奉仕に就いてはその本質及び目的に関しては男子労働奉仕に関して述べたるところは其まゝ、女子労働奉仕に妥当すると断言して差支ないであらう。

併し、ナチス世界観に基く社会観及び女性観は男女両性の生理心理性格の差異を正確に認識して、男女の活動分野に関しては明確なる一線を劃し、男性の女性化、女性の男性化を極力排撃して女子が主婦として母として完成することを以て理想とし、従来の社会的傾向に鑑み「婦人よ家庭に帰れ」といふ声を大にしたのであつた。ナチスの此の女性認識は労働奉仕に就いても浸透し、女子労働奉仕の使命は男子のそれと同様であるとしても、その使命の果し方に就いては男子と女子とに於て、自ら異るところがなければならぬとするのである。

女子労働奉仕の運営及びその教育目標に就いて、國労働統監コンスタンティン・ヒエールは大要次の如く語つてゐる。

「女子労働奉仕の任務は全然婦人労働の範囲に存すべきものであり、『男性化』への如何なる企図に対しても、それを迷誤なりとして極力排斥する。此事は独り労働配置に対してのみ適用さるるに止らずして、女子労働奉仕の営舎に於ける生活の全構成に対しても適用されるのである。併し労働奉仕に於ける教育目標そのものは男子青年に対するものと全然同一であらねばならない。即ち

総統とその民族に対する忠誠の念、服従精神、規律、僚友精神の涵養、民族共同体への教育等男子に関して要求される徳目は同じく国民の一半たる女子に就いても要求さるべきであり、その間に逕庭があつてはならないのである。従つて女子労働奉仕は全国民をナチス精神の理解に教育すべき一連の組織の欠くべからざる一環なのである」と。

女子労働奉仕の目的使命に就いての直接規定は存しないけれども、国労働奉仕法の主旨から見て、先づ第一に教育的使命が想起せられる。即ち先づナチス民族協同体の思想によつて女子青年を訓練し、奉仕労働を通じて体位の向上を図り、他日健康なる主婦たり母たるの素地を造り、次に農家移住者の家庭の主婦援助、家事手傳、幼稚園、繁期託児所関係の仕事への参加、等の経験を通じて主婦として又母としての準備教育の実を挙げんとするものであることは自ら明白である。

国民経済的使命に関しては、婦人の社会的地位、婦人労働力及びその能率から見て、直接且多大なるものを所期することは不可能に近い。併し失業苦時代

八四七

任意制ではあつたが多少の過剰女子労働力を吸収したること、戦時不足労働時代に入り義務制によつて増強されて以来、女子労働力を集団的に把握して農村援助、軍需生産方面の労務員、軍事関係病院の補助看護婦、空襲下に於ける衛生部員等として不足労働力を填補したること等、男子労働奉仕と同様、労働配置上の作用は、決して看過することを得ないのである。

軍事的方面に関しても、前述戦時下に於ける労務配置が軍事関係面に於て行はれることにより、直接にではないが、間接に軍の活動を援助することとなり、その貢献するところは決して軽少ではないであらう。

第二款　女子労働奉仕制度の構成

女子労働奉仕は始め一九三一年六月五日の大統領緊急令及び一九三二年七月一六日の志願制労働奉仕令に基き、志願制形式に於て男子労働奉仕と合同して行はれてゐた。後、一九三四年一月より独立して別個に実施せられることと

八四八

なつた。作業の主体は独逸労働奉仕協会全国聯盟 Reichsverband deutscher Arbeitsdienstvereine であつて、その指導者はショルツ・クリンク夫人 Scholz-Klink であつた。国中央職業紹介及失業保険局がその財政と管理とを担当してゐた。

一九三五年国労働奉仕法が公布せられて男女労働奉仕義務の原則が明かにされたが、男子労働奉仕義務制に対し、女子労働奉仕義務制は、他日に留保された（法第九條）。其の留保の原因に就いては、当時指導者の不足、その養成の困難、営舎の不足等機構上の前提條件と財政上の條件とに欠くるところがあつたためと言はれてゐる。

然し、国労働奉仕法公布の翌日即ち一九三五年六月二七日附の国労働奉仕法第一次施行補充令五條は「労働統監ハ志願制女子労働奉仕ニ対シ女子青年ノ労働奉仕義務ノ準備ニ必要ナル措置ヲ行フ」と規定し、奉仕義務制実施の準備は之を第一歩として着々進められることになつた。けれども女子労働奉仕義務制は、世界に未だ経験なき制度であつたから、全く独創的に構想せられねばなら

八四九

ず、男子労働奉仕に於ける経験を集積反省し、之を生かす必要もあり相当長期間を要することが明かであつたから、女子労働奉仕義務制は一九三七年一〇月一日迄は実施されない旨公表された（第二次施行令第十一條）。一九三六年八月一五日の同法第七次施行補充令によつて、従来の女子労働奉仕は四月一日に遡つて改めて国労働奉仕に編入せられ、国労働統監の管轄に服し、国労働統監は爾後女子労働奉仕に対する全責任を負ふこととなつた。名称も従来の婦人労働奉仕 Deutscher Frauenarbeitsdienst から女子青年労働奉仕 Arbeitsdienst für die weibliche Jugend と、改称せられ、その施設は総て、国労働奉仕に移管せられた。茲に於て女子労働奉仕は従来の職業紹介及び失業保険の為の国家施設から労働奉仕の所管事務に移されたのであるが、これは婦人労働奉仕が行政的に国労働奉仕に統一されたと言ふに止り、義務制が実施せられたのではない。

一九三六年九月二六日の女子青年労働奉仕に関する総統布告により「現在過渡的ニ実施セラルル志願制女子労働奉仕ハ労働奉仕義務制準備ノタメニ計画的

八五〇

ニ発展セシムベキモノ」とし、「女子労働奉仕人員ハ一九三七年四月ヨリ一九三八年三月ニ至ル期間ニ万五千ノ所属員（幹部ヲ含ム）ニ増加スベキモノ」とせられ一九三五年、一九三六年当時一万より一万五千を出でなかつた人員が増強せられた。此の人員は、更に一九三七年一一月二四日の総統布告により「一九三九年四月一日ニ至ル期間内ニ三万人ニ」又、一九三八年九月七日の総統布告により「一九四〇年四月一日ニ至ル期間内ニ三万人ヨリ五万人ニ増加」せられた。斯くの如くして女子労働奉仕は、健実に発展して行つたのであるが、之に伴ひ、義務制施行の準備も着々進捗し、一九三九年夏には、女子指導者団の結成も成り、女子労働奉仕義務制断行の機は熟して来たのである。

偶々、一九三九年九月第二次世界大戦勃発するや、戦時動員の結果、既に第二次四ケ年計画によつて萌してゐた労働力不足の傾向はここに一大拍車を加へられ、労働力配置の問題が緊急の必要を以つて前面に押出され、女子労働力の配置も、従来とは趣を異にして真剣に考慮せらるべきこととなつた。茲に於て国防会議は開戦後一週間の一九三九年九月四日女子労働奉仕義務施行令を発布

八五一

した。

其の第一條は「女子青年労働奉仕人員ハ之ヲ一〇万人ニ増篤ヘベキ」旨規定し、第二條により「國労働統監ハ職業ニ従事セズ、職業教育又ハ学校教育ヲ受ケ居ラズ且農業上ノ協働家族トシテ緊要ナラザル一七才以上二五才未満ノ未婚女子ニ対シ國労働奉仕義務遂行ノタメニ召集スル権限ヲ有ス」こととなつた。

本令公布と共に義務制女子労働奉仕制度の建設は急テンポを以て行はれた。既に僅か四週間にして女子労働営舎数は七五〇より一、六〇〇に増加し、翌四〇年一月一日には、一、八〇〇に、同年四月一日には二、〇〇五に激増した。従来、所謂ワンダーフォーゲルに利用されてゐた多数の青年無料宿泊所 Jugendherberge が女子労働営舎に徴用せられた。一〇月一日に奉仕期間満了となるべき女子労働員もクリスマス迄奉仕期間が延長せられ且新に二万五千名の女子労働員が最初の奉仕義務者として召集せられ、此の急増した人員を以て強化したる労働配置が行はれた。

女子指導者養成に関しても従来一一の女子指導者学校の外に一七の補助学校

八五二

が設けられ四週間の課程を以て最も重要な問題のみを教授する女子指導者候補者の速成教育も行はれた。

女子青年労働奉仕の組織も男子のそれと同じく、指導者原理によつて一貫されてゐる。國労働統監が女子労働奉仕最高責任者として女子労働奉仕の組織を定め、労働配置を規制し、教育養成を指導する。労働奉仕本部に於ける各部には、女子指導員が部員として活動し、男子青年労働奉仕との連絡、その経験の交換に当つてゐる。

地方組織として一九四〇年現在二五の地区 Bezirk に分れ、各地区に地区本部 Bezirksleitung が設けられ、地区指導者が置かれてゐる。その下に事務担当者 Sachbearbeiter 及び補助者 Gehilfe がある。

一地区は通常三乃至五の営舎群 Lagergruppe を統率し、一営舎群には四乃至八営舎 Lager が所属する。各営舎は定員四十名とし、営舎指導者、同助手、経理係事務係予備助手各一名、班長三名及び三二名の女子労働員があり、三班に分れてゐる。女子労働営舎に於ける生活日課等、大体男子労働奉仕に於

八五三

けるそれに準ずる。

女子青年労働奉仕所属員たることに要する資格其他女子指導者たるためには女子指導者学校を経、特別の経歴が條件とすることは男子労働奉仕に於けると異る所はない。

女子青年労働奉仕の申告召集事務は男子青年労働奉仕のそれと同様であつて予め定められた年令該当者が徴収せられ検査を受ける。一九三九年十月及十一月には一九二一、一九二二年生れの女子青年が、國労働奉仕申告事務官によつて徴集せられ、法定條件に合し奉仕義務に適する者が召集せられた。女子青年労働奉仕義務者の外に徴収年令に達せざる労働奉仕志願者も亦、女子青年労働奉仕に参加し得る。

労働奉仕参加後第二週乃至第三週の間に於て、労働奉仕旗の下に厳粛な宣誓式が行はれる。宣誓の文言は男子のそれと同一である。

規定の奉仕期間を終了したるものには労働奉仕証 Arbeitspass が與へられ、中途離脱者にも奉仕期間に関する証明書が與へられる。

八五四

女子青年労働奉仕所属員に就いては、特別に定められた女子青年労働奉仕勤務処罰令が定められてゐる。

第三款　女子労働奉仕制度の活動

前款「女子労働奉仕制度の使命」に於て一言したる如く、ナチスの女性観から、女子労働奉仕に於ける奉仕労働の活動分野は相当に制限されてゐるのであって、その作業は、将来主婦たり母たる準備教育に適当な仕事が選ばれてゐる。従つてその労働作業による結果から直接国民経済的意義を求めることは、むしろ当を得ざるものと言はねばならない。

女子労働奉仕に於て、従来行はれてゐた作業は大体、(一)農村援助、(二)都市社会事業、(三)幼稚園託児所等、保育事業の三に分類されてゐる。之等の方面に従来如何なる割合を以て女子奉仕労働力が配置されてゐたか数字を以て表はして見ると、

八五五

	一九三七年	一九三八年	一九三九年八月
農村援助	八〇・一	九〇・〇	九〇・六五
都市社会事業	一三・七	七・〇	二・〇三
託児所関係事業	五・七	三・〇	一・七八
其他	〇・六		〇・二五

此の数字によつて知らるる如く、女子労働奉仕作業の殆んど大半は農村援助に向けられてゐる。即ち女子労働奉仕の奉仕期間六ケ月の大半、勤務場所として農民又は移住者の家庭に持ち、其所に於て、家婦の手傳ひをなすべきこととなつてゐるのである。子女の多い家庭、其他人手を必要とする家庭を婦人労働によつて援助することによつて主婦を、独逸の母を助けて、民族に奉仕し、その奉仕労働を通じて、独逸人殊に独逸農民の生活体験を習め、食糧生産の何物たるかの理解と、知識を得せしむるのである。此の農家に於ける主婦援助は主として室内作業であるが、屋外作業として、農村主婦の農耕労働の介輔をなすこともある。此の農村への女子労働力の配置は第二次四ケ年計画の要求するところである。即ち女子労働奉仕労働員の助力によつて、家婦が専門家として農事に専力し、之に多分の時間と労力とを捧げ得るからである。殊に戦時下、男子労働力の欠乏を女子労働力を以て補充することは、絶対的要求される配置方法である。農村援助には、相当の予備的訓練を必要とし、女子労働員は営舎に入所後暫く助力者として必要な理論的実際的訓練を受けたる後、農村家庭移住者家庭に出向くことになつてゐる。

八五六

託児所、幼稚園関係事業も農村援助と一連の聯関をもち、農繁期の託児所に於ける作業がその主たるものである。

都市社会事業は市中の社会事業を指すのではなく、都市周囲の移住者の家庭援助であつて、市中への配置は行はれない。

以上各種の作業を通じて、一日の勤労時間は、作業場所への往復時間を算入して、七時間と定められてゐる。

女子青年労働奉仕義務制が施行せらるるや女子労働奉仕の活動は一段と意義を加へて来た。蓋し、義務制施行によつて、女子労働員の員数が激増し、集団労働力としての実勢力が加つたからである。一九三九年夏、女子労働奉仕所属員は四万名に達し、約三万名の女子労働員が毎日七時間宛農村に労働する事となつた。之を換言すれば一九三九年夏、既に毎日二一万労働時間が農村に配置された事を意味する。この事は更に言を換ふれば三〇万の農村主婦が二一万時間の餘裕を持ち得る事である。一九三九年秋義務制が施行せられ、一九三九年一九四〇年に至る各半季には三五万時間の女子労働力が農村に賦與されたのであるが、四〇年夏半季それ以後に於ける増加は更に刮目に値するであらう。

八五七

女子青年労働奉仕義務施行令第一條によれば、女子青年労働奉仕所属員は十万名に増高されたのであるから、これによつて生ずる一日の女子労働力は一日七十万時間に達する。この厖大なる女子労働力が、戦時下、如何に配置されてゐるか、現在統計上窺ひ知り得ないのであるが、戦時体制の要求、性格から推察して、軍需生産関係の労務員、軍関係病院の補助看護婦、空襲下の衛生隊補助員等として配置されるであらうことは想像に難くないのである。

八五八

第四款　女子労働奉仕制度の戦時擴充

女子労働奉仕制度の戦時拡充は先づ第一に女子労働奉仕義務制の断行、第二に女子労働奉仕奉仕期間の延長、第三に義務制施行に伴ふ諸制度の整備の三つの面に於て見られる。その何れも戦時労働配置といふ根本的要請によって惹起されたものである。

戦争遂行に伴ふ男子労働者の軍務應召に伴ひ、労働力不足の現象が顕はれ、之を女子労働力によって填補せんがため、女子労働力配置の強化が行はれることは言を俟たないところである。独逸労働奉仕制度に於ては、既に国労働奉仕法により、男女平等の労働奉仕義務の原則が宣明せられ、唯女子に就いては義務制組織確立の準備のため、暫く即時実施が留保されてゐたが、着々としてその準備工作進捗して断行の機運が熟しつゝあった時、偶々第二次世界戦争勃発して、戦時労働配置の要求が現実焦眉の急を告ぐる問題となったので、女子労

八五九

働力を集團労働力として把握し得る女子労働奉仕義務制が、急速に断行せらるるに至ったのである。

女子労働奉仕義務制を直接根據づける法規は開戦直後、最高国防会議を制定し、法律的効力を有する一九三九年九月四日付の女子青年労働奉仕義務施行令 *Verordnung über die Durchführung der Reichsarbeitsdienst-st für die weibliche Jugend* である。同令は僅か三ケ條の簡單な命令であるが、世界に於て始めて女子青年に対する労働奉仕義務を課した歴史的な法規である。其第一條は「女子青年労働奉仕人員ハ之ヲ一〇万名（幹部ヲ含ム）ニ増加ス」ることを定め、第二條は「国労働統監ハ一七才乃至二五才ノ未婚女子青年ニシテ、未ダ全的ニ職業ニ從事セズ、職業教育又ハ学校教育ヲ受ケ居ラズ、且、農業上ノ協働家族トシテ緊要ナラザル者ニ対シ、国労働奉仕義務遂行ノタメニ召集スル權限ヲ有ス」と規定して女子労働奉仕義務者中、召集さるべき者を限定し、召集權限を明示した。更に第三條は「国務省内国労働統監ハ労働大臣ト協議ノ上、本令施行及補充ニ必要ナル法規命令及ビ行政命令ヲ定メ」

八六〇

得ることを明かにした。

此の第三條に基き一九三九年九月二一日女子青年労働奉仕義務施行令施行補充命令が公布せられた。

本令によれば、国労働統監は、女子奉仕義務者の申告及び、召集の時期を定め（施行令第一條）女子奉仕義務者は労働奉仕申告事務局の呼出、又は命令に対し、口頭若しくは文書による申告をなし、召集命令に從ふべき義務を負ふ（同第二條）。更に施行令第二條に掲ぐる召集免除者を定義し、即ち「全的ニ職業ニ從事スル者」とは、法定の労働手帳を有し、少くとも本令施行以来、賃銀俸給受領者として全的に就業せる者「職業教育ヲ受ケツツアル者」とは少くとも本令施行以来、正規の職業訓練（徒弟見習等）に從事する者若しくは晝間実業学校に通学せる者「学校教育ヲ受ケツツアル者」とは、少くとも一九三九年復活祭以来、公立学校に通学中の者「農業上ノ協働家族トシテ緊要ナル者」とは、農民農場主、農業労働者の子弟にして、協働家族として、農業上緊急なる関係にある者と定めてゐる。以上四條件の何れかに該当することが不明瞭な

八六一

るときは労働奉仕事務局は、出頭を命じ、若しくは書面による申告を命ずることが出来る（同第三條）。この命令に從はざる者に対しては、情状により罰金又は拘留を加へ得る（同第四條）。女子奉仕義務者は一時的不適格、未決又は服役未了等を理由として若しくは、特殊の家計上経済上職業上の理由に基き、義務遂行を猶豫せられ得る（同第五條）。

徴集事務は、一般内務行政機関により身体検査は一般内務行政機関の協力の下に労働奉仕申告事務局により、召集事務は労働奉仕申告事務局によって行はれる（同第八條）。尚徴集手続に関しては、一九四〇年六月二八日附「国労働奉仕女子徴集ニ関スル命令」*Verordnung über Erfassung der weiblichen Jugend für den Reichsarbeitsdienst* に詳細なる規定がある。

第二の女子労働奉仕奉仕期間の延長は女子労働奉仕解除日の延期の形式で行はれる。最高国防会議議長及び、労働統監協議の上定められた一九三九年九月五日付女子青年労働奉仕一般的解除日ニ関スル命令 *Verordnung über*

八六二

den allgemeinen Entlassungstag im Reichsarbeitsdienst für die weibliche Jugend により同年九月末日満期解除となるべき三万名の女子青年労働奉仕員は、解除日を一般的に、九月末日以後に繰下げられ、当分引續き女子労働員として戦時下不足労働を補充する事となつた。実際は同年クリスマス迄、労働奉仕に留つた。尚同令によれば、國労働統监は「正当ナル理由アル場合、期前ノ解除ヲ許可シ得ル權限」を有する。

第三の義務制施行に伴ふ、女子青年労働奉仕に於ける該制度の整備に関しては、先づ一九三九年一一月一一日付労働奉仕女子所属員及後遺家族ノ暫定的救護及扶助ニ関スル命令及び翌日付同令第一次施行補充命令が公布されたが、一九四〇年一二月二〇日「女子労働奉仕所属員及後遺家族ニ関スル救護及扶助法」（略称女子労働奉仕扶助法）Fürsorge= und Versorgungsgesetz für die weiblichen Angehörigen des Reichsarbeitsdienst und ihre Hinterbliebenen（abk. Reichsarbeitsdienstversorgungsgesetz W.J.）及び翌日付同法第一次施行補充命令 1.V.O. zur

Durchführung und Ergänzung des Reichsarbeitsdienstes W.J. の公布によつて廃止せられた。この女子労働奉仕扶助法の内容は、男子労働奉仕扶助法のそれと大同小異なるが故にその説明を省略する。

女子青年労働奉仕義務処罰法規に関しては一九三七年七月六日、女子青年労働奉仕所属員勤務処罰令 Dienststrafordnung für die Angehörigen des Arbeitsdienstes für die weibliche Jugend があるが、女子青年労働奉仕が義務制化したに伴ひ之を整備する必要上、一九四〇年一月三〇日國労働奉仕女子所属員勤務処罰令 Dienststrafordnung für die weibliche Angehörigen des R A D. が制定せられた。

第六節　結語（労働規制の観点より見たる労働奉仕制度の作用）

独逸労働奉仕制度はその成立以来、独逸國内の客観的情勢の推移と制度その

ものの変化とによつて幾多の変遷を見てゐる。即ち、失業救済事業としての志願制労働奉仕制度から教育的意義の志願制労働奉仕制度に変じ、更に教育的義務労働奉仕制度から労働配置的機能を発揮する義務制労働奉仕制度に進展した。といふことが出来る。

此等のあらゆる変遷を縫ふて終始一貫して変らざるものが三つあると考へられる。その一はその労働対象が公益的作業なること、その二は奉仕労働力が常に集團労働力として把握されてゐること、その三は制度そのものが労働配置的作用を営むことである。是等三大原則そのものは不変であるが、その具体的顕現は時代の進運と共に変化してゐる。

先づ労働対象となるべき公益的事業の種類が変化を見てゐる。之は一面労働配置対象の変化といふことも出来るであらう。この変化は労働力が如何なる割合を以て配置されてゐるかを見ることによつて明かである。即ち一九三二年、本制度成立当初、土地改良事業に二〇・四%、道路交通改築事業に一七・三%、植林事業に一〇・〇%、移住民事業に四・七%、スポーツ及休憩所造作労働に

三八・九%、其他八・七%といふ割合を以て労働力が配置されてゐる。一九三五年中葉の数字は土地作業に六〇%、道路建設に一五%、山林事業に一〇%、移住民事業に五%、其他一〇%の割合を示し、一九三八年の公表では、土地作業五五%、植林作業に一〇%、移住民作業に五%、道路建設に一五%、其他一五%といふ状況である。之等の数字によつて公益事業の内容が、当初の社会生活的公益事業から経済的公益事業へ、更に最近軍事的公益事業へと推移してゐるのを観ふことが出来るのである。この事は既に一言せるが如く、労働配置の観点の変化を示すものであつて、頗る興味深き事実といはねばならない。

更に労働配置的性格の変化も考へられ得るのであつて、労働奉仕制度が國家的設備として取上げられた最初は、失業救済手段たることを以て本質目的とし、所謂過剰労働力の吸收といふ配置作用が重要視せられ、この吸收された労働力を如何に放出利用するかは、殆んど顧慮せられなかつた。然るに第二次四ヶ年計画の進捗と共に労働力不足の現象が顕はれるや、逆に如何にしてこの不足労働力を填補するかといふことが第一の問題となつて来た。労働配置に於て労働

力の吸收と放出とは相互に表裏をなすものであつて、一を離れて他は有り得ないのであるが、その何れに重点を置かるべきかの問題は生じ得るのであつて、ここに労働配置的性格の変遷を認めざるを得ないのである。

労働配置性格の変遷は視角を変へて眺めるならば、集團労働力認識の変化である。最初失業救済手段として労働奉仕に集めたる労働力は失業救済の緊急性に圧されて全く放任せられた。其後集團労働力の威力は認識せられるに至つたが、之を計画的に配置する組織を欠いたために、無計画な不統一な労働配置に終つたのである。然るにナチス時代に入り労働力の不足に悩むに至るやこの集團労働力の威力は、明白且深刻に認識せられ、配置決定機構の整備に伴ひ、之が計画的利用が所期し実現せられるに至つた。其の最も徹底せる形態が今日の戦時体制化したる独逸労働奉仕制度である。

第三編　賃銀統制

第一章　總說

第一節　賃銀統制の意義

賃銀其他労働諸條件を、自由契約としての雇傭契約に一任しておくときには、恰かも物の價格を自由契約としての賣買契約等に一任しておく場合と同じく、需要供給の關係に支配される。即ち、労働力の供給が需要に比し遙かに大なるときは、勢ひ賃銀は下落し、反対に労働力の需要が其供給に比し著しく大なるときは賃銀も勢ひ上昇する。そして此後者の場合には、單に賃銀の上昇のみならず、副現象として労務者の引抜が事業主により行はれ、労働市場は著しく混乱状態に達する。又、此引抜が益々賃銀を法外に上昇せしめるといふ結果になる。其結果は一般物價を上昇せしめることになるのである。所謂賃銀統制は斯る賃銀の下落又は上昇を何等かの人為的手段により安定せしめることである。

此統制の方法は、事業主の協定に依る場合と、法による場合と、ドイツに於ける国労働管理官（Reichstreuhänder der Arbeit）又は特別労働管理官（Sondertreuhänder der Arbeit）による場合、我国に於ける労務管理官（註）に依る場合等種々ある。

（註）　昭和十七年二月二十五日重要事業場労務管理令第二十条第一項に依れば、厚生大臣は、廳府縣及鉱山監督局の高等官中より労務監理官を命じ、厚生大臣の指定する重要事業場につき、従業者の使用、従業、賃銀、給料其他労務管理に関する事項に関し厚生大臣の命を受け事業主及び従業者の監督指導を為さしめることになつてゐる。

次に賃銀の統制される場合に、専ら其下落を防止せんとする場合と、反対に其上昇を抑止せんとする場合とがある。孰れもそれは異つた意味を有し、使命を担当してゐるが、此両者は勿論同時にも行はれるのである。現に後述の如く我国の賃銀統制令が此両統制を行つてゐる。

次に賃銀統制の方法として、最低賃銀又は最高賃銀を公定するか或は或一定時点を以て下落又は上昇を法に依り停止する場合とがある。緊急を要する場合の臨時的措置としては、後者即ち、或一定時点を以て賃銀を停止するのが最も敏速なる処置である。然し、之は一般物價統制の場合と同じく、飽まで已むに已まれぬ臨時措置であつて、決して賃銀問題を解決したものではない。即ち、停止された際に於ける　各経営に於ける賃銀は、或は著しく上昇してゐるものもあれば、又比較的上昇してゐないものもある。之を其ま〻停止すれば自然経営相互間に於ける賃銀は其均衡を失するのである。従つて之を直に解決せんとすれば、凡ゆる経営につき適正なる賃金を公定しなければならぬ。それは公定物價以上に至難のことである。蓋し、商品と異り、労働力の場合には、男女の別、年齢別、業種別、地域別、経験年数別等を考慮して其各々につき適正賃銀を公定しても、果してそれが適正なりやは疑問である。他の條件が一切同一としても、具体的労務者の能力を如何にして算定の基礎に置き得るかである。本稿に於て述ぶる如く、ナチス賃銀統制は、従つて斯る適正賃銀の公定をなさず

戦時に於ては、賃銀停止の形式によつたのである。反之、我国に於ては、九・一八物價停止令と同じく、一應賃銀臨時措置令を以て一斉に賃銀を停止し、然して同令の有効期間一年の間に専ら適正賃銀確定に対する研究が積まれ、現行賃銀統制令に切替へられ、其後同令に基き告示又は通牒により刻々と適正賃銀算定基準が公定されてゐるのである。

又、賃銀統制の方法としては、個々の労務者に対する賃銀額の統制のみならず、一経営に於ける賃銀総額に対する統制方法もある。我賃銀統制令第十四條の如きは、平均時間割賃銀を基準として此方法を採つてゐる。蓋し賃銀総てを適正に公定することは不可能であるから、結局経営を基準として統制するより外に方法がないわけである。更に賃銀統制の方法として考慮せねばならぬのは賃銀額の統制と賃銀形態に関する統制とである。賃銀形態とは、賃銀支拂の方法であり、各労務者の取得する賃金額は如何なる形式に於て算定されるかである。此賃銀形態には種々のものがあり、各経営に於ても一形態を採用することは極めて稀であり、多くは数個の形態を併用してゐるのが常である。然し、其基本的なものは、要するに賃銀を労務者の就業した時間により決するか、或は労務者の労務の結果としての出来高に依るかである。今賃銀形態を厚生省労働局の「工場鉱山に於ける賃銀形態（註）」に從ひ、分類するならば、

(1) 定額制
- 時給
- 日給
- 週給
- 月給

(2) 出来高拂制
- 単純出来高給
  - 日給を保証するもの
  - 日給を保証せざるもの
- 其他の出来高給
  - 日給を保証するもの
  - 日給を保証せざるもの

(3)　時間割増拂制 ── ハルセイ割増給
　　　　　　　　 ── ローワン割増給
　　　　　　　　 ── 其の他の割増給

（註）　定額制とは、作業能率を向はず就業時間の労務に対し、一定時間につき定められたる單價に依り賃銀額を算定し、之を支拂ふ制度である。出来高拂制は、製品の出来高数量に應じて賃銀を計算する制度であつて、單純出来高給は、所謂單價請負と称するものであり 単價×作業個数 に依つて示されるものである。出来高拂制で單純出来高給に属しないものが其他の出来高給であり、テイラー、メリック等の出来高拂制は之に属する。單純出来高給制によると、労務者の所得は、その日〳〵の出来高によつて左右されるから、労務者は最低生活費さへも收得し得ない場合がある。而も通常、出来高拂制に於ては、不合格品に対しては賃銀は支拂はれない。斯る不合格品の材料、間接費に関する損失は雇主の負擔となる。斯くして此の出来高拂制に日給保証を結びつける制度が生れる。

時間割増拂制とは、標準時間を基準として作業能率の上昇に依り作業時間を節約した場合割増を付する制度である。ハルセイ割増給とは、一定の仕事を為すに要する時間を從来の經驗により決定し、労務者が若し此予定時間を短縮したときは、その短縮時間に対し割増が與へられる。然も此割増金額は彼の賃率より低く決められるのである。一時間当りの割増が時間賃率より少いことが此制度の特徴である。ローワン割増給とは、先づ労務者に対し一定の仕事につき許與時間を定める。若しこの許與時間内に完成したときは、その時間短縮と同じ割合だけ、労務者の実際作業時間に於ける賃率を増加するのである。例へば、或る労務者の賃率が一時間二〇銭であつて、此者に指定された或仕事の許與時間が一〇〇時間、実際の完成時間が七五時間とする。與へられた一〇〇時間に対する賃銀は二〇円であるが、七五時間で完成したときは $20銭 \times 75 \times (1 + \frac{100-75}{100})$ $= 20銭 \times 75 \times 1.25 = 18.75円$ となる。斯くして労務者は一時間五銭の割増を受け、事業主のコストは一・二五円だけ低減する。

之等の賃銀形態は、單に從来の如く經營能率の点より重要なる許りでなく、賃銀統制の場合に於て賃銀額の統制と共に必ず考慮されねばならぬ。蓋し如何に賃銀額の統制をしても、賃銀形態は之を自由契約に一任しておくときは、結局両面の一面のみに対する統制となり、統制された結果は、統制を受けざる面へ反動的に出現するのである。從つて賃銀統制の場合には、賃銀形態に対する統制も必要となるのである。我國の賃銀統制令第八條等は此趣旨に基くものである。

扨賃銀統制は如何なる要請に基き為され、又如何なる國民經済的機能を担当するかを見よう。

1. 低物價政策の遂行

賃銀統制 ── 勿論賃銀の上昇を統制する場合 ── は、一國が低物價政策を遂行するに際して不可欠のものである。蓋し、賃銀は製造原價の重要な構成要素である。賃銀費は材料費と共に直接費の主要部分を占める許りでなく、又間接費中に於ても少なからざる部分を占める。從つて若し此賃銀が上昇するときは、製造原價は当然に上昇し、一般物價の高騰となる。故に低物價政策を遂行するには万難を排して賃銀統制を為すの要があるのである。

2. 労務者の移動防止

賃銀が上昇するのは、前述の如く、労働力の需要が其供給に比し大なるが故である。斯る場合に若し賃銀を統制せざれば如何なる事態に立至るであらうか。賃銀が統制されてゐないから、労働力の需要者としての事業主は自ら賃銀を吊上げ労働力を獲得せんとする。其結果賃銀は驚異的高騰を示し、労働市場は全く混乱状態に陥る。労務者は一工場に落付くことがなく転々とし、其結果生産力も減退する。又、國家の要請する産業部門への労務の確保も勿論期し得ない。斯くして労務統制の眼目たる労務配置を遂行せんとすれば、必ずや賃銀統制を為さなければ其実を挙げ得ないのである。蓋し如何に労務者の移動を禁じ、雇入、退職等を規制するも、事実各經營に於て賃銀が異り、凹凸があるならば、賃金の高きところへ労務者の流れるのは必然である。斯の如く、賃銀統制は単に低物價政策の遂行のみにとどまらず、労務者の移動防止にも必要なのである。

3、労働力の維持及び労働生産性の向上

之は最低賃銀の確立、即ち賃銀の下落を防止せんとする賃銀統制に於てである。労務者が労働給付を持続するがためには、彼自身及び家族が生活して行く上に必要な諸種の支出を受取る賃銀によつて支弁し得なければならない。從つて労務者の最低生活費を保障する最低賃銀が確保されねば、労働力を維持し、労働生産性を向上せしめることは出来ない。労働者個人の保護にもなるのであるが、生産力拡充なる國家目的遂行上、労働生産性を向上するために斯る最低賃銀に対する賃銀統制も必要となつて来るのである。此点一般物價の統制と異る趣を有してゐるのである。

以上の如く、賃銀統制の担当する使命は極めて大であり、単なる物價対策又は労務対策にとどまらず、凡ゆる産業経済の面に対して重大なる意味を持つのである。本稿に於ては、専らナチス政権樹立後のドイツ賃銀統制立法を通して其全貌を概観しよう。

第二節　ナチス賃銀統制立法の沿革概観

ナチス賃銀統制立法の全部は之を附録に於て制定年月日順に掲げた。之等の中「家内労働ニ於ケル賃銀保護ニ関スル法律」（一九三三年六月八日）は、一九三三年六月二七日の「家内労働法」を一部改正したものであり、之等は孰れも一九三四年三月二三日の「家内労働ニ関スル法律」に依り廃止された。この法律は、賃銀に関しても、家内労働者を保護したものである。本稿に於ては、之を賃銀統制の外廓的なものとして其の解説を省略し、附録に賃銀関係の條文を掲げるにとどめた。

ナチス賃銀統制立法は之を沿革的に観て三期に分けるのが妥当である。即ち

第一期　之は、一九三四年一月二〇日の「國民労働秩序法」を中心とするも

のである。この時期に於ける賃銀統制の特色は、賃銀等の専ら最低限度に対する統制であり、更にその統制が経営内の統制を原則としたことである。同法には後述の如く國労働管理官の制定する「準則」乃至「賃率規則」があり、時を経るに從ひ斯かる経営外の統制、更には國家的統制へと発展して行つたけれども、尠くとも立法形式の上よりは、「経営規則」による統制を、即ち経営内の統制を原則的立前としてゐたと云ひ得る。然し、実際には、経営規則自体が國労働管理官の制定する賃率規則に違反することを許されなくなり、次第に賃銀の國家的統制へ向ひつゝあつた。蓋し、経営規則にのみ一任しておくときは、賃銀等が経営規則の任意的記載事項なるがため、之を経営規則に規定せず、從つて賃銀の経営内の統制は実際に殆んど行はれなかつたからである。

斯の如く此の時期に於ては、「経営規則」「準則」及び「賃率規則」による賃銀等の最低限度確立が意図されたが、決して現代的意味に於ける賃銀統制立法は行はれなかつたのである。

第二期　之は一九三八年六月二五日の「賃銀形成令」を中心とするものであり、その特色は、前期が専らいはば最低賃銀率の確保のための立法なりしに対し、最高賃銀率に対する國家統制を特定の産業部門に対し行はんとするところにある。

蓋し、四ケ年計画遂行のために労働力の不足を告げ、茲に新しく労務配置問題が登場したのである。從来賃率規則により確定されてゐたのは単に最低賃銀率のみであつたから、各経営は労働者を争奪し、又引抜防止のため互ひに賃銀を吊上げ、所謂「誘惑賃銀」の横行となつた。斯る現象は労務配置計画を阻害するのみではなく、又他面價格安定に対しても著しい脅威である。從つて茲に最高賃銀率を確立するの必要を生じたのである。然し、実際には後に詳述する如く、最高賃銀率の確定が行はれたのは、極めて稀であつた。斯くしてそのまま次の第三期に這入るのである。

第三期　之は対英宣戦布告の翌日、一九三九年九月四日の「戦時経済令」の第三章「戦時賃銀」に関する規定を中心とするものであり、ナチス戦時賃銀政策の時代と云ひ得る。此の時期に於ける特色は、先づ賃銀形成令のもとに於け

るよりも、最高賃銀率の確定される場合が拡大され、特定の指定産業部門より全産業部門がその統制の対象となつたことである。更に一九三九年一〇月一二日の「戦時経済令第三章ノ第二次施行規則」によつて一九三九年一〇月一六日現在を以て一切の賃銀等が停止され、単にその引上のみならず、引下も禁ぜられたことである。尤も之には幾多の例外があり、実際には合理的に行はれた。外見戦時の非常立法の如く見へるが、決して準戦時体制のもとに於ける賃銀政策の大綱が戦時下に於て一切拋棄されたのではない。勿論「割増賃銀」の廃止とか、「休暇制」の廃止とかに関する規定も、本令により定められたが、之固より大戦勃発直後に於ける臨時的措置であつた。後述の如く、之等は孰れも数ケ月を出でずして戦前の状態に復帰せしめられたのである。

以下私は此三期に分けて、第三章　国民労働秩序法に於ける賃銀統制、第三章　賃銀形成令に於ける賃銀統制、第四章　戦時経済令に於ける賃銀統制としてナチス賃銀統制立法を述べよう。

第二章　国民労働秩序法に於ける賃銀統制

第一節　経営規則に依る賃銀統制

国民労働秩序法は、賃銀並に労働諸条件の規則の重点を、ナチス社会政策の根本思想たる「経営協同体」の観念に従ひ、経営内に置いた。従つて正常且一般的な賃銀並に労働諸条件は、経営指導者のみによつて定められるか、又は常時二十名以上の使用人（*Angestellte*）及び労務者を有する経営に於ては、信任協議会（*Vertrauensrat*）の諮問を経て、経営の従者（*die Gefolgschaft des Betriebs*）（註二）のために書面を以て経営指導者が作成する経営規則（*Betriebsordnung*）に於て規制されるのが原則的規定であつた（同法第二十六条）。そして此の経営規則に於て具体的に規定された事項は、総て経営従業員に対し、最低条件として法的拘束力を有してゐた（同法第

三十条）。即ち、経営規則に違反して、所定条件よりも経営従業員に対して不利な条件が強要された場合に、彼等は法的保護を受けたのである。然るに此の経営規則の記載事項をみるに、必要的記載事項と任意的記載事項とに分れて居り、而も茲に問題として居る賃銀報酬額の最低条件は任意的記載事項の一となつてゐる。即ち、必要的記載事項（同法第二十七条第一項）

1、一日の通常労働時間及び休憩の始期及び終期。
2、労働報酬支給の時期及び方法。
3、出来高制又は請負制を採る経営に於ては其の労働の計算の基礎。
4、罰金の定あるときは其の種類、額及び徴収に関する規定。
5、告知期間を遵守せずに労働関係の解約を為し得べき法定事由以外の事由。
6、法律規定の範囲内に於て経営規則又は労働契約に於て労働関係の違法解約に対し罰金の定あるときは、徴収した罰金額の使途。

任意的記載事項（同法第二十七条第三項）

1、労働報酬の額。
2、其の他の労働条件に関する規定。
3、経営の秩序、経営内に於ける従業員の行動に関する規定。
4、災害防止に関する規定。

経営規則に於て右の任意的記載事項たる労務者若くは使用人に対する労働報酬を定めんとするときは、各経営従業員の業績（*Leistung*）に應じて報酬を與へ得る余地のある如く最低額を定めなければならぬと規定されてゐる。又、其の他特別の業績に対し適当なる報酬の支給を為し得る様に考慮しなければならぬ（同法第二十九条）。之は所謂「業績賃銀」の原理によるものである。ドイツ労働戦線の社会政策的報告書は、業績賃銀について、「国民社会主義的賃銀政策は二つの根本要求から出発してゐる。すなはち一つは……協同体の各員に対して生活と労働力を維持するに足る最低賃銀を確保すべき協同体の責務から出発し、他は業績賃銀の原理、すなはち、すべての賃銀所得の高はそれに先立つてなされた業績に依存すべきである、といふ思想から出発してゐる。最低

條件と業績原理とは相互に補足し合ひ國民労働秩序法に於ては緊密に結合してゐる」と述べてゐる（註二）。

経営規則を印刷したものは、之を各課に於て経営従業員の見易き適当な場所に掲示しなければならぬ（同法第三十一條第一項）。又、此の経営規則は、期日について何等の定なきときは、之を掲示した翌日より其の效力を発生する（同法第三十一條第二項第一段）。経営従業員の請求あるときは、経営規則の印刷物を交付しなければならぬ（同法第三十一條第二項第二段）。元来経営規則は経営従業員に対し最低條件を確保せんとして、経営指導者に対し作成義務を課したものである。現に本法第七十一條に依れば、本法により経営規則を制定すべき経営に於て就業規則の定めなきとき又は現行の就業規則が本法の規定に反するときは、経営指導者は遅くとも一九三四年七月一日までに経営規則を定めなければならぬ。経営規則が效力を生ずるに至るまでは、従前の従業規則が経営規則として仍其の效力を有すると規定してゐる。斯の如く、経営規則は之が作成が強制されて居り、且それは経営従業員に極めて利害関係大なるものであるから、之を彼等に周知せしめる方策を講じたのである。

（註一）die Gefolgschaft des Betriebs 経営の従者とは、経営指導者に対する語であり、従業員のことを言ふ。経営、企業を「経営協同体」と観念し、事業主・従業員の関係を指導・服従の関係と理解し、経営指導者に対し、従業員を斯く呼ぶのである。両者を利益対立の関係とみずに、生産のための協同の関係と見るところにナチス観が表現されてゐる。

（註二）Deutsche Sozialpolitik, Bericht der Deutschen Arbeitsfront, 1937, 大原社会問題研究所訳「独逸社会政策と労働戦線」二五頁。

以上の如く、國民労働秩序法に於ける賃銀等の規制については、従前の就業規則に代る経営規則が先づ第一に注目されねばならない。而も之は後述の國労働管理官の準則及び賃率規則に対し原則的なものであつた。然し、尠くとも賃

銀規制に関する限り、此の経営規則は例外的な模範経営を除き殆んど実現されなかつたのである。蓋し既述の如く、経営規則に於て賃銀報酬額の最低條件等は任意的記載事項となつてゐるがために、而も一度之等を経営規則に記載する限り、それは法的拘束力を有するに至るので、協同体精神にめざめざる名のみの経営指導者は之等を記載しなかつたからである。それは本法が之等の規制を経営内に於ける決定に一任したことによるものであり、而も猶「経営協同体」を強調するナチスの社会政策としては斯くせざるを得なかつた蔽ひ難き矛盾があつたのである。本法の立法者の一人マンスフエルト（W. Mansfeld）は、本法実施前に「経営協同体」の観念を強調し、経営内賃銀規制の必要なることを説いた。然るに本法実施後五年、同じ此のマンスフエルドは如何に述べてゐるか。「賃銀の形成を経営指導者に一任し、社会的構成の重点を経営内に移すのは、一の冒険であるといふことが当初より強調されてゐた。然し、協同体の原理を労働生活の中に、その最後のしかも決定的な帰結に及ぶまで実現せんとする限り、それは企図されねばならなかつたのである。國民労働秩序法は、意識的に経営を、行き過ぎた超経営的拘束から解放して、國家乃至、團体政策的な規範を作け、労働諸條件の経営内での規制を要望すべき目標として強調したのである。法律はこれによつて、勿論差当つて一つの綱領と一つの指針とを樹てたにすぎない。新たな社会政策のこの傾向を実現せんがためには、経済に従事する人々の極めて立入つた教育活動を必要とする。……数十年の久しきに亘り之と反対の考へを懐いてゐた人々を、内心的にも亦協同体的活動の確固たる信奉者たらしめ、苟も協同体の道を外れざらしめるは、一朝一夕になし得べきことではない。賃銀の規制についても、実際に経営内での規制を強化せんとする傾向は、これまで僅かの範囲に於て実現し得るに過ぎなかつたのである」（註三）と。

（註三）W. Mansfeld, Fünf Jahre Gesetz zur Ordnung der Nationalen Arbeit, Deutsches Arbeitsrecht. 7. Jahrgang. 1939, Heft. 5; 服部英太郎「賃銀統制の展開」社会政策時報第二四二号七頁。

斯の如く、國民労働秩序法に於て原則的に規定されてゐた経営内に於ける自由な賃銀規制は実現されず、却つて例外的なものとして規定されてゐた國労働管理法による超経営的な賃率規制が一般的な常則となつてゐた（註四）。現に賃率規則は、一九三六年上半期末に於て一、二〇〇を数へ、其の後一ケ年間に、更に九七九を増加してゐる。一九三八年初には、労働者に関するもの三、一八七、職員に関するもの九九八に達し、工鉱業各部門はもとより交通業、銀行保険業、接客業、農林水産業等広汎な産業部門に亘つて之が貫徹されてゐるのである（註五）。

（註四）服部、前掲八頁。

（註五）前掲「独逸社会政策と労働戦線」一四二頁。

本法第十六條によれば、一般的労働條件、特に経営規則の制定に関する経営指導者の決定が経営の経済的又は社会的要求に適合せざるものと認めらるる場合には、経営の信任協議会の過半数を以て遅滞なく書面を以て國労働管理官に訴を提起することが出来る。國労働管理官は、此の訴につき決定をなさねばならぬ。又、彼は経営指導者の決定を破毀し、自ら必要な規則を定め得る（同法第十九條第一項第三号）。本法が経営内の自由な賃銀規制を原則的立前としながらも、尚且つ斯る規定を設けねばならなかつたのであり、茲に我々は賃銀の國家的統制の端初的規定を見るのである。勿論之は規定の上よりの立言であつて、既述の如く、経営内に於ける賃銀規則が現実に行はれなかつた以上、斯る規定自身活動の余地は存しなかつたであらう。我々はそれが現実に行はれたか否かといふことよりも、一方に於て國家的統制を避けながらも、尚且其の端初的形式を立法的に表現せざるを得ない矛盾、仮令其の表現が意識的たると否とを問はず、國家的統制への必然的発展を内含する萠しとして注目しなければならぬのである。

第二節　國労働管理官の準則に依る賃銀統制

國民労働秩序法第三十二條第一項に依れば、國労働管理官は専門家委員会（Der Sachverständigenausschuß）の協議を経て経営規則及各個の労働契約の内容に対する「準則」（Richtlinien）を定めることが出来る。此の「準則」は次節に詳述する「賃率規則」と同様に、本法第二次施行令第七節の諸規定に從ひ、國労働管理官により、其の制定並に変更、廃止に際し、正文及び其の旨を國労働大臣に公告のため送付及び申告され、労働公報を以て公告される（同令第二十一條、第二十三條）。又、國労働省は之の登録を行ひ、何人と雖も之を閲覧し、又は登録事項に関し報告を求め得る（同令第二十三條）。

此の「準則」は、「経営規則」の如く、それ自体としては法的拘束力を有するものではない。然し、行政官廳によつて公布され、國家権力によつて支持されてゐるが故に、「準則」は各個の経営規則及び個別労働契約に於て具体的にその儘顕現し、斯る形式に於て法的拘束力を有するに至るのである。殊に「賃率規則」が一経済部門毎に制定されるのに対し、「準則」は一経済部門内に於ける各経営につき制定し得るが故に、経営の相異る特殊事情を考慮して最低條件を確定し得るから制度としては合目的的である。然し、此の制度も、経営規則と同様に実際的價値は極めて少なかつた。現に此の「準則」は、一九三六年下半期より一九三七年上半期末までの一ケ年間に僅かに十八公布されたにすぎない（註一）。ドイツ労働戦線の報告によるも「労働法上の構成にとつて軽視し難い此の要具を活用すべき時期が未だ到来しないことを意味する」（註二）と述べてゐる。一九三八年初に於ても、準則は、労働者に関するもの八十九件、職員に関するもの十四件にすぎず（註三）、賃率規則とは比較すべくもない。立法者マンスフエルトも「本質的に彈力性に富んだ準則は、之まで僅かしか行はれてゐない。そして唯、個々の模範経営のみが集團的決定の適用範囲より除外され、現在既に自らの定めるところに一任されて居り、而も最も良い結果を示してゐるに過ぎない」（註四）と述べてゐる。

（註一）（註二）　前掲「独逸社会政策と労働戦線」一四一頁——一四二頁。
（註三）*Statistisches Jahrbuch für das Deutsches Reich* 1938. S.357.
（註四）服部、前掲九頁、*W. Mansfeld. a.a.O.*

斯くして本法に依る賃銀統制の第二の手段も、先づ不成功に終つたと言はねばならぬ。經營の特殊事情を考慮することは望ましいことである。然し、之に着手するならば自ら數量的に限界のあることを知らねばならぬ。況してやそれ自身法的拘束力なき以上、實踐的價値の小なることは当然であり、此の点特殊事情を無視しても比較的一般的にして且法的拘束力を有する賃率規則と比較すべくもない。統制の実を挙げんとすれば國家統制によるの外なく、それは勿論嚴然たる法的拘束力を前提とするものでなければならぬことを、我々はナチス初期賃銀政策の実際より教へられるのである。

　從つて此の「準則」の制度は、賃銀統制の國家統制に依る最初の制度であることを看過してはならぬ。勿論經營の全領域に対しての遂行の可能性は毛頭存しなかつたとしても、經營内の賃銀統制を離脱して、次の賃率規則へ観念的に移行する一制度として重要性を失はぬのである。

第三節　賃率規則に依る賃銀統制

ナチス以前に於けるドイツの賃銀政策は、所謂集團的賃銀協定、賃銀の社会的自主統制であつた。經済的・社会的に弱者たる労働者が團結して労働組合を結成し、以て集團的に労働條件を改善せんとするのであつた。獨占資本制の自主的統制より國家的統制への發展に對應して、賃銀統制も必然的に自主的統制より國家的統制へと転換して行つた。「國民社会主義國家は、自由主義的傾向を意識的に斥け、労働諸條件の基礎を意識して官廳的に決定することによつてこの發展を最後的完結にまでもたらすであらう……國家は經済造營の基礎、即ち賃銀を或る程度まで自ら決定することを放棄する訳には行かない」と強調さ

れ（註一）、斯る賃銀の國家的統制の思想は、遂に國民労働秩序法に於ける國労働管理官の「賃率規則」（*Tariffordnung*）となつて実現したのである。

（註一）*W. Schumann u. L. Brucker, Sozialpolitik im neuen Staat.* 1934. S. 219 ff.　服部、前掲一一頁。

國民労働秩序法第三十二條第二項に依れば、國労働管理官はその管轄地区内の同一部門の經營の從業員保護のために、労働関係規制の最低條件の確定につき緊急の必要ある場合には、專門家委員会の協議を經て書面を以て賃率規則を定めることが出来る。この賃率規則の規定はその適用を受ける労働関係に対しては、最低條件として法的拘束力を有し、之に反する如き經營規則は無效となる。この点既にみた「準則」と著しく異るのである。賃率規則は準則と同様、國労働管理官が之を告示するのであり（同法第三十二條第三項）、又その制定、変更に際しては正文二通が國労働大臣に送付され、廃止の際はその旨申告される（同法第二次施行令第二十一條）。それは労働公報を以て公告され（同令第二十二條一、國労働省は賃率登録（*Tarifregister*）を行ふ（同令第二十三條）。賃率登録の閲覧を為し得ること、登録事項に関し報告を求め得ること、國労働管理官がその制定した賃率規則に関し請求に應じて報告をなすべきこと、総て準則と全く同様である（同令第二十三條第二項、第二十五條）。賃率規則は準則と異り經營の特殊事情を考慮して制定されるものではない。そこで本法第十四次施行令第二條は、國労働管理官がその管轄地区内に於て個々の經營又は經營内の部局若くは一定の從者に対し經済的又は社会的理由により緊急の必要ありと認むるときには、賃率規則の総ての規定又は個々の規定の適用を書面に依る訓令に依り排除することが出来ると規定した。而もこの訓令に遡及效を與へ得る。

　故このナチス賃銀統制に於ける支配的な形態、即ち國労働管理官の制定する賃銀規則は、勿論賃銀の最低率の確保を目的とするものであつた。後述の如く賃銀統制が價格安定及び労務者の移動防止等の如く多面的な課題を担当するに至つても、賃率規則は決して其の固有の使命たる賃銀の最低率の確保を失つた

のではなかつた。却つてそれは厳密に維持され、適正なる最低賃銀の確保こそナチス賃銀構成の第一原理だつたのである。既述の如く最低賃銀の確保は、ナチス以前に於ては、自主的賃銀統制に一任されてゐたのであり、労働協約制度（Tarifvertrag）がその最も有力なる典型的のものであつた。ナチスは、この最低賃銀確保を先にみた如く、先づ第一に経営内の自主統制、即ち経営規則に、次いで国家統制の端初的形態としての国労働管理官の準則によらしめたのであるが、その孰れもそれのみにては不成功に終るので、茲に賃銀規則の形態により之を強化し、完全に国家統制へ移行したことは、確かに劃期的な意味を持つものである。然し、実際には、ナチス賃銀統制の当初の課題は、既存の労働協約による秩序を破壊するどころか、その崩壊を防止せんとすることにあつた。蓋し尠くとも或る程度の労働市場の安定を保障して来た労働協約を一挙に廃棄して了ふことは弊害があつたからである。ナチスは決して既存の制度の破壊のみを事としたのではなく、旧イデオロギーに対してこそ敢闘したが、旧制度は吸収し得る限り之を利用したのである。国民労働秩序法の公布後も、従前の労働協約は賃銀規則として仍其の効力を持続した。後になつて旧労働協約の登録が行はれ、登録されなかつたものは、一九三七年上半期末を以て無効とされた。然し、旧全国労働協約の内四十九件が全国賃率規則として其の効力を持続し、国労働管理官の各管轄区域内に於ける地区労働協約の効力を持続するものは、遥かに多数に上つたとのことである（註二）。之は、ナチスの国家的賃銀統制が、その典型的支配的形態、即ち賃率規則に於て、如何に旧体制の社会政策的遺産に負ふてゐるかを物語るものであり、又同時に最低賃銀確保の歴史的な制度的強靭性を現実に示すものと言ひ得るであらう。然し、賃率規則による最低賃銀確保は、単に従来の労働協約を受継いで居ればよいのではなかつた。適正なる最低賃銀確保を実現せんがためには、従来の賃銀水準そのものを検討し、之に修正を加へねばならなかつた。完全就業者の家族が、ナチス社会事業或は冬季救済事業の対象となるが如きは完全に一掃されねばならなかつた。又、各地区の賃銀率の統一、生計費の地方的差異・工業立地の新しい條件・工業の配置替・新工業の建設等を最も精確に顧慮して新しい賃銀の規制が行はれねば

ならなかつた。果せるかな賃銀規則に、請負制に於ける報酬に関して請負保証條款が加へられ、時給賃銀率に達しないときには、劣等給付條款に該当しない限り、賃率所定時間賃銀を保証するものが多くなつた。斯くて、賃率規則は労働條件の一般的改善の最も敏速な方法として重要性を有し、その新しい制定と変更が孰れも労働條件の改善を含んでゐたのであつた（註三）。

（註二）　前掲、「独逸社会政策と労働戦線」一四二頁以下。

（註三）　服部、前掲一三頁以下。

賃銀統制に当つては物價変動との関聯性を合理的に解決しなければならぬ。このことは夙に第一次世界大戦後、貨幣價値下落の賃銀に及ぼす影響を中心に、ドイツに於ても論議に上り、生計費の変動に依る伸縮賃銀制の必要が説かれた。そして労働協約制度が確立するや、この制度こそは賃銀を生計費に適應せしめる最も適当なものであり、又生計費指数こそは労働協約を平和的に自動的に行ふ要素であることが強調された。然し、現実にはこの最も基本的な課題を遂に解決し得なかつた。従つて労働協約を受継いだ国家的賃銀統制の形態としての賃率規則は、この点に関しては全く何等の遺産をも承継しなかつたのである。而も新しい賃銀統制は、この問題を全く異る基準により解決せざるを得なくなつた。蓋し、ドイツ国民経済は、先づ第一に失業を排除するがため凡ての力を配置することをその課題とし、更に再軍備を重要国策とすることによつて、賃銀政策も亦自らその方向と内容が之によつて規制されたからである。斯る国策の達成は、價格の安定を前提條件とし、又價格の安定は賃銀の安定を要請する。かくして今や物價の変動に伴ふ賃銀の安定乃至調整でなく、反対に賃銀の安定を價格の安定の前提要件たらしめることが、賃銀統制の新たな課題となつた。来るべき大戦に備へてドイツ国民経済の全構造と国民経済力を動員せんとするに当つて、所謂價格形成時代へ転換し、價格停止令が公布実施され、之に伴つて賃銀の安定化が愈々完遂されねばならなかつた。即ち、第二次四ケ年計画宣言後わけても價格安定のために国家的價格形成が行はれ、之に対應して賃銀安定のために国家的賃銀形成が行はれた。價格形成官が国家的價格形成を担当し

たのに対し　国労働管理官こそは国家的賃銀形成を独占的に担当したのである。而して国労働管理官の制定する賃率規則は専ら最低諸條件の確立に限定されてゐたから、それは賃銀並に労働諸條件の事実上の構成を規定したわけではなく、事実上の構成が各経営の経済力並に経営内の生きた社会的意志によって展開される基礎をなしたにすぎない。国労働管理官は、上述の如く最低賃銀の決定のみをなし得るのであり、それ以外の賃銀の規制については単に教育的干渉をなし得るにすぎない。

更に賃率規則について注目せねばならぬのは業績賃銀（Leistungslohn）である。国民労働秩序法第三十二條第二項及び第二十九條に依れば、経営指導者が経営規則を以て労務者又は使用人に対する労働報酬を定めんとするときは、業績賃銀のために余地を残さねばならぬとなって居り、而も之が賃率規則の公布の際にも準用され、国労働管理官は之に拘束される。

第四ケ年計画の完遂は、労働力わけても熟練工の不足を生じ、依然茲に労務配置問題が緊急の問題となった。既に述べた如きナチス賃銀統制に於ける賃率

規則による最低賃銀率の確定は、それを自由に超ゆることを得る可能性を経営指導者に留保して居り、之に対しては何等国家的規制がなされてゐなかった。即ち、経営指導者は高賃銀を約束することによって他の経営より不足してゐる労働者を引抜き、又他より引抜かれることを防止せんがために又より高賃銀が約束されるに至った。之は労務配置及び賃銀統制にとってのみではなく、價格安定にとっても著しい脅威となった。かくして遂に「誘惑賃銀及び景気賃銀」（Lock- und Konjunkturlohn）の事実は最高賃銀の国家的統制、賃率規則を以て労働諸條件の最高限度を確定し得る様に要望せしめるに至った。斯る要望は賃銀統制自体に対する考へ方を根本的に改変せしめるものである。ドイツ労働戦線は、業績賃銀を完遂するの立場よりこの要望に率先反対した。労務配置の問題は専らそれ自体として解決さるべく、最高賃銀の確立によってなさるべきではない。最高賃銀を確立することは、業績と報酬との自然的な健全な結合関係を破壊するものであると主張された（註四）。更に一九三八年六月、ナチス社会政策中央

機関誌は、最高賃銀は賃率規則の精神と矛盾し、又ナチス労働体制の目的とも合致しないと明確に反対の立場を闡明してゐる（註五）。国民労働秩序法が賃率規則の規定を以て明確に最低労働諸條件の確立と解釈してゐるのは、経営従者のため如何なる場合にも一定の労働所得を確保せんとするに止まるものではなく、各経営に於ける事実上の賃銀の決定を経営指導者に一任せんとすることにあった。経営指導者は、経営従者の受ける報酬を彼等の業績を考慮して決定しなければならぬ。又、労働者の受ける給付は、現金賃銀の外に、社会的手当、養老制度、賞與、給食施設、低廉住宅の提供等幾多の給付がある。之等の自発的な経営内の給付によって経営協同体は鞏固となり、現金賃銀水準を動揺させずに労働者階層の生活状態を改善せんとするのが、之までのナチスの賃銀政策であったのである。賃銀の過度な上昇に対する諸策は、他に求められるべきものであり、労働配置の領域にも、價格監視の領域にも存する。我々は、最高賃銀確定の問題に対し、如何にナチス社会政策担当者が業績原理及び経営協同体の理念を防衛せんとしたかを知ると共に、社会政策担当者に対し如何に此の問題が衝撃を與へたかを察し得るのである。にも拘らず旬日ならずして次章に述ぶる賃銀形成令が公布されるに至った。そして茲にナチス賃銀統制は新しく第二の段階に這入ったのである。

（註四）前掲「独逸社会政策と労働戦線」五四頁以下。

（註五）Höchstlöhne widersprechen dem Geiste der Tarifordnung, Soziale Praxis. 47 Jahrgang. Ht. 12, 1938. 服部、前掲二二頁。

第三章　賃銀形成令に於ける賃銀統制

前章第三節に述べた最高賃銀の國家的統制に依る確立に対するナチス社会政策の中央機関誌の反対があつてから旬日ならずして、一九三八年六月二五日四ヶ年計畫受託官の命令を以て賃銀形成令が公布された。

同令の立法趣旨は、國防及び四ヶ年計畫遂行のために價格形成及び賃銀上昇に於ける不変性を必要とすることである。斯る趣旨のもとに同令は國労働管理官に、賃銀及び労働諸條件の発展に依る國策的重要事業の侵害を防止せんがため凡ゆる対策を採る全権を與へた。之により國労働管理官は新たに最高賃銀を決定する権限を有するに至つた。即ち、國労働管理官及び特別労働管理官は、賃銀條件及び労働條件を監視し、且賃銀及び労働條件の高騰による軍備拡充及び四ヶ年計画実施の妨害を防止するために必要なる一切の措置を講ずることを要する。そして國労働管理官及び特別労働管理官は國労働大臣の指定する経済部門に於て最高賃銀及び最低賃銀を拘束力を以て確定する権限を有する（同令第一條）。本令に基いて國労働管理官及び特別労働管理官の発する措置に違反し、又は之を回避する者は、禁錮及び無制限額の罰金又はその孰れかに処せられる（同令第二條）。

本令実施行後、一九三九年対英戦前、既に大多数の労働管理官管区について特別最高賃銀が決定され、而も賃率規則による最低賃銀をもつてそのまま同時に最高賃銀となす旨決定された場合もあつた。此の最低にして且最高の限度を超へることは、特別の業績のあつた場合にのみ一定の限界内に於て許さるべきものとし、加ふるに國労働管理官の同意を必要とするところもあつた。又、大半の労働管理官管区に於て、転職の場合の女子使用人の給料引上げは禁止され、最高初給賃銀が拘束力を以て決定されたところもあつた。特に技師、建築家、物理及び化学関係技能者の初任一ヶ年間の最高俸給が決定された（註一）。然し、之等は後述の戦時経済令第二次施行令による一般的賃銀停止前に於ける官廳統計による最高賃銀決定に関する稀な例であり、賃銀形成令により國労働管理官

が最高賃銀を決定したのは、極めて稀であつた（註二）。即ち、本令は國労働管理官に最高賃銀決定の権限を與へたのであるが、之が実際に行使されるのは、経営内に於ける賃銀統制の弊害が到底他の領域――賃銀以外の領域――に於ける処置を以てしては排除し得ない場合にのみ限られてゐたのである。

（註一）Die Tariflöhne im Jahrgang 1939. Wirtschaft und Statistik, 1940 Nr. 2　服部、前掲二大頁。

（註二）服部、前掲二大頁。

本令が従来経営の自由に委ねられてゐた賃率規則による賃銀以上の賃銀の決定を、國家の監督に服せしめるに至つたのは、決して業績の増進を條件とする賃銀の改善を國労働管理官に抑制せしめんとするものではなかつた。実に既述の「誘惑＝景気賃銀」を排除し以て賃銀の安定を確保するにあつた。然し、個々の場合に賃銀上昇の理由が、業績賃銀の添加によるものか、或は景気賃銀に基くものであるかは、之を判別し難い。業績賃銀は特に個人的性格を有するものであり、従業員の足止め乃至争奪のための誘惑賃銀との区別の標準となる。本令第一條第二段は、経営規則又は勤務規則及び労働契約の変更の場合に國労働管理官が最高賃銀及び最低賃銀を決定する権限を有することにしたから、之によつて國労働管理官は、個人的業績に無関係な一般的賃銀値上けを抑制し得た。

この賃銀形成令により勿論理想的な賃銀形成が行はれたのではない。放任しておくならば益々歪曲される虞のある賃銀形成が、本令によつて硬直化したにすぎない。それにも拘らず、本令は國労働管理官に対し最低賃銀の確定に代ふるに適正賃銀のための配慮を一任することになつたことを看過してはならぬ。本令施行後、賃率規則の定める賃銀率は、最低生活費の表現ではなく、むしろ適正賃銀の表現となりつゝあることは、特別業績の場合に於てのみ之を超へることが許されるといふ規定によつても明かである。

第四章　戦時経済令に依る賃銀統制

対英宣戦布告の翌日一九三九年九月四日の戦時経済令は、第三章に於て「戦時賃銀」と題し、第一八條乃至第二一條の四ケ條に於て戦時賃銀体制の根本を定めた。次いで戦時経済令第三章（戦時賃銀）ノ第一次施行規則（経営閉鎖ノ場合ノ解約告知期間ノ短縮ノ件）（一九三九年九月一六日）、戦時経済令第三章（戦時賃銀）ノ第二次施行規則（賃銀俸給停止ノ件）（一九三九年一〇月一二日）、戦時経済令第三章補充令（日曜割増、祭日割増及夜間割増）（一九三九年一一月一六日）、戦時経済令第三章補充令（農業及林業ニ於ケル超過労働割増）（一九四〇年三月二九日）等が公布され、戦時賃銀体制は確立したのである。之等は孰れも第一次世界大戦当時に於ける醜状を再び繰返さざらんがために講ぜられた措置である。以下之を数節に分け述べよう。

第一節　國労働管理官の労務統制権限の擴大

戦時経済令第十八條第一項に依れば：國労働管理官及び特別労働管理官は、國労働大臣の詳細な訓令に従つて、労働所得を直ちに戦時情勢に即應せしめ、且賃率規則によつて賃銀・俸給及び其の他の労働條件の最高限度を拘束力を以て確定すべき権限を有するに至つた。既に述べた如く、賃銀形成令は斯る國労働管理官の権限を個々の経済部門につき與へてゐた。従つて権限それ自体は本令に於て新しく規定されたものではないが、権限を、個々の経済部門に限定せず、全経済部門に拡大され、従来指定されない経済部門に於ては、賃率規則に定める賃率以上の賃銀が許されたのが――事実孰れの経営に於ても賃率規則の賃率を遥かに超えてゐた――本令に於て最早賃銀の最低限度も最高限度も破り得ない様な賃率規則が定められることになつたことを注目せねばならない。斯の如く國労働管理官の賃銀規制権を拡大したのは、勿論賃銀形成令の際に述べた如く、「景気＝思惑賃銀」を排除し、一切の賃銀統制をなし、適正賃銀を発見せんことを期すものである。尚、本令第十八條第二項に依れば、経営又は行政官廳が新設され又は移転したとき、若くは労務者又は被傭者が本令施行後従前と異る業務に従事するときは、同種の経営又は行政官廳に適用され若くは新業務に標準となる賃銀率及び俸給率が適用され、賃銀率及び俸給率について疑のあるときは、國労働管理官又は特別労働管理官が之を決するとしてゐる。

尚、國労働管理官の労務統制権限の拡大につき、賃銀統制と直接の関係なきも、一言しなければならぬのは、解約告知期間の統制である。國民労働秩序法第二十條に依れば、常時百名未満の従業員を有する経営に於て、四週間以内に九名以上を解雇せんとするとき、並びに常時百名以上の従業員を有する経営に於て一〇％又は五十人以上を四週間以内に解雇せんとするときは、経営指導者は國労働管理官に対し、解雇前に文書を以て通告せねばならないのである。然るに「戦時経済令第三章ノ第一次施行規則」は、この解約告知期間を國労働管理官に於て短縮し得ることとした。短縮をなし得る場合は、戦争状態に入り経営が休止、操短又は転換される場合である。又、短縮は必ずしも各経営の總従業員或は経営團体の総従業員に対してのみならず、各従業員に対してもなし得るのである。解約告知期間の短縮と同様、操短実施の通告期間についても、國労働管理官は短縮することが出来た。又、既に支拂期に達した報酬の支拂につき國労働管理官は、法律の規定又はその他の規則と異る定をなすことが出来る。戦時災害のため経営困難となつた様な場合に考慮されるのである。

第二節　賃銀停止

独逸の戦時賃銀体制に於て特に注目すべきは、一般的賃銀停止の断行である。即ち、一九三九年一〇月一二日の「戦時経済令第三章ノ第二次施行規則」により、現行の賃銀率及び俸給率（家内労働に於ける報酬を含む）並びに其の他の規則的に行はれる給與乃至は一回限りの給與等、同規則公布の日（一九三九年一〇月一六日）現在を以て其の引上が禁止されることになつた。一九三六年一一月二六日附の價格停止令に對應すべきものである。この賃銀停止令の目的は國労働管理官の賃銀統制の權限が労働條件の契約による変更又は自発的給與等によつて根本的に覆へされる危険を防ぐにある。

本規則第一條第一項は、前述の如く、現行の賃銀率及び俸給率（家内労働に於ける報酬を含む）及び其の他の規則的に行はれる給與乃至は一回限りの給與等の引上を禁じ、その例外として、法律、賃率規則、同労働大臣の認可せる就業規則、國労働管理官又は特別労働管理官の認可せる経営規則に基く引上及び國労働管理官又は特別労働管理官の訓令に基く引上を認めてゐる。更に本條第三項は、國労働管理官又は特別労働管理官にこの例外を認むる權限を與へてゐる。本條第二項は、新設の経営（行政体）又は経営部門に対し、並びに新規雇入れ又は他の労働に従事せしめられる従業員に対しては、戦時経済令第二項を適用すと規定してゐる。従つて斯る者に対しては、同種の経営又は行政官廳に適用され若くは新業務に標準となる賃銀率及び俸給率が適用される。賃銀率及び俸給率について疑のあるときは、國労働管理官又は特別労働管理官が之を決する。

本規則第二條によれば、労働所得引上のために既定の試験済の出来高拂賃銀（Akkord）を変更することを禁じてゐる。又、新規の出来高拂賃銀については、その基準を周到に調査し、之による労働所得が経営内の同種の労働に対する通常の労働所得を超過しない限度に於て確定しなければならぬ。出来高拂賃銀の基準を変更する場合には、それが労働所得の引上とならぬかにつき再審査しなければならぬ。之等出来高拂賃銀に関する労働所得引上禁止のための規定は、賞與金にも準用される。尚、國労働管理官又は特別労働管理官は之等の例外を認めることが出来る。

以上孰れも労働所得の引上禁止に関するものであるが、本規則は又他面その引下をも禁止したのである。即ち、第三條は、上述労働所得の引上禁止に関する第一條及び第二條を賃銀率又は俸給率の引下、規則的に行はれる給與の低減、労働所得減少のためになされる既定の試験済の出来高拂賃銀の変更について準用してゐる。

尚以上の如き賃銀等の引上又は引下禁止に違反した場合には、戦時経済令第二十一條が準用され、國労働管理官又は特別労働管理官により無制限額の金銭による秩序罰が科せられる。

斯の如く本規則は現行の労働所得の引上及引下を禁止したのであるが、必ずしも一切の労働所得の引上を妨げんとしたものでないことは、次節に述べるところに依り明かであらう。即ち、業績原理は依然戦時下に於ても維持され、以て経営能率の増進が奨励された。又、家族手当賦與のための労働所得の増給も認められた。労働時間の延長、日曜労働、祭日労働、夜間労働の実施等による増給とかも認められたのである。即ち、独逸に於ては、戦時になつても、賃銀政策は事情の許す限り平時に於ける其の大綱が維持されたのであり、本規則を以て賃銀等が硬直化したのではないことを注目せねばならぬ。

第三節　割増賃銀に對する規制

戦時経済令第十八條第三項は、超過労働・日曜労働・祭日労働及び夜間労働に対する割増賃銀の支拂を禁じた。之はヒットラーの所謂「戦線及び銃後に於ける犠牲均霑の原則」を具現したものである。即ち、戦線に於ける将兵が晝夜を分たず、日曜も祭日も只管國家のため献身的に義務を遂行してゐるに拘らず、銃後に於ける労務者のみが、特別の割増を要求して正規の労働以上の労働をなすことは、戦時道徳上も是認し得ない。殊に戦線の将兵のみならず、一般國民も、従来の生活水準を引下げ、高度の戦時増徴税納付の義務を遂行しつつある際、多くの労務者は所謂免税限度のために斯る義務をも免れてゐるのであるから、戦争に対する彼等の負担すべき犠牲として、特殊労働に対する割増賃銀の廃止は当然の措置であるといふのである。

割増賃銀廃止の結果は当然に各経営に於ける労務費の節減となる。然し、之は決して経営の利益に帰せらるべきものではなく、一般国民の利益に帰せしめられなければならぬ。戦時経済令第二十三條第一項は、斯る趣旨から、労務賃の節減は之に相当する価格の引下に充当すべき義務を経営者に課したのである。即ち「総テノ種類ノ財貨及ビ給付ニ対スル価格及ビ報酬ハ本令第三章（戦時賃銀）ニ基キ財貨及ビ給付ニ付キ労務費ノ節減ノ行ハレタル限度ニ之ヲ引下グベシ」と規定した。然し、超過労働乃至夜間労働とかは、消費材工業には殆んど行はれないから、割増賃銀の廃止による価格引下は日常生活必需品に関しては極めて稀である。然し直接間接国防目的のために使用される物資に付てはその效果が現れた。

対英開戦と同時に実施された斯る割増賃銀の廃止も暫定的であった。一般の独逸戦時経済政策の特色である如く、当初極めて厳格に行はれ、次第に緩和される傾向は、此の場合に於ても全く同様であった。開戦後三ケ月にして、割増賃銀の廃止も緩和されるに至った。即ち、一九三九年一一月一六日附で戦時経済令第三章の補充令が公布され、十一月二十七日以後再び開戦前の如く、日曜労働・祭日労働・夜間労働に対する割増賃銀の支拂が復活されることになった。尤も本令によって超過労働に対する割増賃銀の支拂は復活されなかった。本令前文は割増賃銀支拂の復活について次の如く述べてゐる。「夜間労働ハ戦時ニ於テハ灯火管制ニ依リ特ニ従業員ノ労働力ヲ極度ニ消耗セシム。夜間労働ハ又生活維持ノ為メ高度ノ給與ヲ必要トス。日曜労働モ亦戦時ニ於テハ従業員ニ対シ格別ノ障碍ヲ招来シ、此ノ障碍ハ其ノ除去ヲ是認セラルルモノナリ。故ニ戦時経済令第十八條第三項ノ規定セル日曜割増・祭日割増及ビ夜間割増ノ停止ハ単ニ一時的ノモノトシテ考慮セラレザルベカラズ」。

超過労働に対する割増賃銀についても、一九三九年一二月一二日附の労働保護令の制定と同時に復活実施された。但し、一日十時間以上に亘る超過労働のみに割増賃銀支拂の義務が認められ、而も割増賃銀の額は原則として二五％と定められた（同令第五條）。

又、一九四〇年三月廿九日附で「戦時経済令第三章ノ補充令」が制定され、農業及び林業に於て、超過労働に対する割増賃銀支拂の禁止は、一九四〇年四

月一日より適用されないことになった。従って此の場合には、割増賃銀の支拂は無條件にして、前述の如き制限はなかった。

然るに、一九四〇年九月三日「超過労働割増ノ再施行ニ関スル命令」が公布され、戦時経済令第十八條第三項の超過労働に対する割増支拂の禁止が、一九四〇年九月八日より廃止され、又同日より前述労働保護令第五條も廃止され、茲に超過労働に対する割増賃銀の支拂も戦前と全く同一の状態に復活されたのである。

第四節　休暇に関する統制

戦時経済令第十九條により、休暇に関する規定及び協定は当分の間其の效力を停止され、再実施に関しては、国労働大臣が詳細なる規定を発することとなった。休暇（Urlaub）とは所謂公休のことであり、過激な労働より一時休養のため自由な時間が與へられ、而も其の間賃銀が支拂はれる場合を云ふ。其の他のための休暇については——例へば病気のための休暇とか、忌引其の他特別事情による休暇——本令は適用されないのだから、勿論廃止されたのではない。休暇の廃止によって休暇料を節減し得た場合には、増割賃銀の支拂禁止により割増賃銀を節減し得た場合と同じく、価格引下に充当されねばならない。

斯の如く休暇の廃止されたのは、割増賃銀の一時的廃止と同じく、戦時に於て銃後勤労者が継続して賃銀の支拂を受けながら休暇を貰って休養するのは妥当でないといふことに基く。

然し、斯る休暇の廃止も暫定的なものであり、既に上述の如く、戦時経済令第十九條は、其の後段に於て、休暇制の再施行に関しては国労働大臣が之を定むと規定してゐる。即ち、戦時経済が円滑に運営され、情勢が好転したときには、休暇廃止は緩和されるか、更に進んで休暇制の復活が可能なることを留保してゐるのである。果せるかな、一九三九年一一月一七日「休暇再施行ニ関スル訓令」が発せられた。即ち、同令によれば、

一、一切の休暇に関する規定及び協定は、一九四〇年一月一五日以降再びその

效力を有するに至つた。休暇廃止のために休暇をとつてゐないときには、この一九四〇年一月一五日以降にその休暇をとることが出来る。然し、既にとつた休暇日数は之を加算し得ないから、残余の休暇のみをとり得るのである。休暇を新しくとり得ることになつたが勿論之を直ちにとり得るのではなく、就業後一定期間が経過してゐなければならぬ。この休暇請求権取得のための期間には、休暇廃止期間も加算されるのである。尚、戦争継続中は、冬季にとらるべき休暇につき延長期間の定があつても、之を行使し得ないのである。

二、経営指導者は経営上の状況に應じて休暇を與へる時期を決することになつてゐる。而も休暇を與へるについては、休暇を一年中に周到に割付けることに注意せねばならぬ。即ち、各労務者が各自勝手な時期に休暇を要求することを認めては、経営上の要求が犠牲になるので、反対に経営上の状況に應じて休暇を付與すべきことにしたのである。

三、一九三九年度の残余の休暇は、遅くとも一九四〇年六月三〇日までに之を與へなければならぬ。戦争状態のために休暇を付與することが出来ない場合には、國労働管理官又は特別労働管理官が補償を許與する。然らざる場合には、経営指導者は一九四〇年六月一日以降休暇の全部又は一部の補償をなし得る。此の場合には國労働管理官又は特別労働管理官の同意を要しない。

上述の如く、戦時経済令第十九條は休暇制の再施行を國労働大臣が詳細に定むと規定してゐたが、右に述べた如く特殊問題についてまで詳細なる規定を設けることは不可能であつた。そこで右の休暇再施行に関する訓令第五條は、疑はしき特殊の問題を生じたときは、行政手段により國労働大臣が之を決するとし、その一般的規制を避けたのである。然し、それにしても或る程度の規定を示す必要があつたので、國労働大臣はこの第五條に基き、一九四〇年二月一六日附にて行政命令を発した。その内容を概説すれば、

一、休暇再施行に関する訓令第一條によれば、休暇廃止のために行使されなかつた休暇請求権を追加的に行使し得ると規定されてゐる。之は、休暇廃止期間中に退職せる従業員にして、休暇廃止がなければ、退職の際、休暇請求権

を行使したであらうと考へられる者についても亦同じである。尤もこの場合には、休暇請求権の追加的行使は意味がないから、請求権の補償が認められることになる。之には國労働管理官の許可を必要としない。

二、應召従業員にして休暇請求権を行使してゐない者に対しては、退職従業員と同じく應召当年分の休暇を補償する。應召者が賃銀又は俸給の全部又は一部を継続して支拂を受けてゐる場合、若くは家族手当を経営より受けてゐるときは、之等は当然休暇補償中に加算される。公務従業員の場合には、財政、内務両省協議の上、財政大臣布告範囲内に於て勤務俸が継続支給され、其の額が休暇報酬を超えるときは、既に休暇請求権の補償あつた旨を一般的に定め得る。

三、休暇規定上、冬季休暇に対し休暇期間の延長が認められてゐる限り、一九三九年より一九四〇年の冬季に対する追加休暇請求権は消滅する。

四、労働局が無期限の労務義務者として徴用した場合に、従来の雇傭関係の消滅が認められる。斯る場合退職当時、旧経営に基いて既に発生してゐた休暇請求権は補償される。

五、労働局が期限付の労務義務者として徴用した従業員が、一九三九休暇年度につき、旧経営に於て休暇請求権を行使せず、又新経営に於ては休暇請求権が発生しない間に、而も一九四〇年七月一日以後旧経営に復帰した場合には、旧経営に適用される休暇規定に從ひ、両経営就業の期間を合算した結果発生せる一九三九年休暇年度の休暇を旧経営によつて補償される。若し一九四〇年七月一日以前に旧経営に復帰した場合には、一九四〇年六月三〇日までの分の休暇が與へられる。尤も休暇日を與へることが出来ない場合には、休暇請求権の全部又は一部が補償される(註一)

(註一)　一九四〇年二月一六日附國労働大臣の行政命令については、*Reichsarbeitsblatt, Jahrgang* 1940. *Heft* 6. に掲載されてゐるとのことなるも、入手し得なかつたがために、菊池春雄著「ナチス労務動員体制研究」三三三頁以下に據つた。

結語

以上ナチスの賃銀統制の立法を沿革的に敍述した。最後に之等を通じて理解し得るナチス賃銀政策の特色を一言しよう。

繰返し述べた如くナチス当初の賃銀政策は専ら最低賃銀率の確保に向けられたものであつた。而もその確立の手段としては、旧体制下に於て可成り成功した労働協約を賃銀規則に継承し、その不妥当なもののみ修正するの挙に出た。尠くとも賃銀政策の領域に於ては、旧体制と新体制とを実質的に截然と区別し得ない程である。蓋し最低賃銀率の確保は全く社会政策的なものと考へられてゐたから、当然と云はねばならぬ。

ナチス賃銀政策に於ける劃期的なる一大転向は、四ケ年計畫遂行に伴ひ、賃銀形成令が発動され、最高賃銀率を公定せしことである。玆に賃銀の領域に於ける国家統制が初まつたのである。然し、それも実際には立法形式上のことで

九二六

あり、事実最高賃銀は設定されなかつた。対英戦争勃発と同時に之が実現され、相次いで賃銀の引上、引下共に禁止されることとなつた。然し、この賃銀停止も決して融通性を欠くものではなかつた。又、戦争勃発と同時に「割増賃銀の廃止」「休暇廃止」等の如く臨時的措置が講ぜられた。然しそれも数ケ月ならずして戦前と全く同一の状態に復帰されてゐるのである。準戦時体制より戦時体制に入るや、急に統制を強化し、人心を引締め、軈て情勢の好転と共に、長期戦に堪へ得る如く全く無理のない統制へと復帰せしめるのである。他の領域に於てもナチスは常に斯る方法を採つてゐるのであるが、賃銀統制の領域に於ては、既述の如く此の点が極めて明白に現はれてゐるのである。従つて開戦後数ケ月を経た当時に於ては、特に開戦前と之を截然と区別し得ないのである。

本稿に於ては、ナチス賃銀統制を三期に分けて述べた。勿論三期に分つべき充分の理由はある。此の間立法的に発展もあつた。殊に賃銀形成令の如きは特筆すべきものである。然し、立法自身と実際の状態とは相異るのである。賃銀に関する現実の形相をみるならば、極めて円滑に発展して行き全くの飛躍がな

九二七

かつたといふも過言ではない。

戦前より既に準備されてゐたのであり、労働協約、ナチス下に於ては賃率規則により既に此の領域に於ける確固たる秩序を有してゐたのである。開戦即刻採られた臨時措置はいはば国民を精神的に自粛せしめるものに過ぎなかつた。

翻つて我国の戦前と戦後、更には戦時下に於ても、旧賃銀統制令、賃銀臨時措置令及び新賃銀統制令の改変をみるとき、又各法令の詳細なる規定内容をみるとき、彼我を比較して思半ばに過ぐるものがある。蓋し我国に於ては広く労資問題一般がドイツに於けるが如く試錬を経ずして戦時体制へと突入した。而も用意されてあつたと否とを問はず、即刻に国家目的に即應する如く改変しなければならなかつた。然るに当初採られた政策は自由主義を前提としての統制であつた。為に即刻に国家目的に即應せず、次第に改変を続けて、而もそれは單に立法形式の上のみならず、現実の生活関係をも改変せしめて行つたのである。彼我を比較して今後大いに暗示を受けるものをナチス賃銀統制立法より理解し得るのである。

九二八

附録　ナチス賃銀統制立法

目次

九二九

九、祝祭日ノ賃銀支拂ニ関スル四箇年計畫実施ノ指令（一九三七年一二月三日）

一〇、祝祭日ノ賃銀支拂ニ関スル家内労働ニ対スル規定（一九三七年一二月一五日）

一一、賃銀形成ニ関スル命令（一九三八年六月二五日）

一二、戦時経済令抄録（一九三九年九月四日）

一三、戦時経済令第三章（戦時賃銀）ノ第一次施行規則（第一次戦時賃銀施行規則）（一九三九年九月一六日）

一四、戦時経済令第三章（戦時賃銀）ノ第二次施行規則（第二次戦時賃銀施行規則）（一九三九年一〇月一二日）

一五、戦時経済令第三章（日曜割増、祭日割増及夜間割増）ノ補充令（一九三九年一一月一六日）

一六、休暇再施行ニ関スル訓令（一九三九年一一月一七日）

一七、労働保護ニ関スル命令（一九三九年一二月一二日）抄録

一八、労働保護ニ関スル命令ノ施行訓令（一九四〇年一月一四日）抄録

一九、戦時経済令第三章（農業及林業ニ於ケル超過労働割増）ノ補充令（一九四〇年三月二九日）

二〇、超過労働割増ノ再施行ニ関スル命令（一九四〇年九月三日）

一、家内労働ニ於ケル賃銀保護ニ関スル法律（一九三三年六月八日ホツヘ第三巻六六五頁）抄録

第一條　一九二三年六月二七日ノ家内労働法中左ノ如ク改正ス

第一号　第四條ヲ左ノ如ク改正ス

「第四條　家内労働者ニ対シ労働ヲ提供スル者ハ其ノ提供ガ第一條第一項第二段所定ノ種類ノ仕事場（Werkstätte）ニ於テ為サレザル限リ労働ヲ引受クル者ニ対シ自己ノ費用ニ於テ労働ノ提供毎ニ労働ノ種類及ビ範囲ハ之ニ対シ決定サレタル報酬及ビ発行及ビ提給ノ日ヲ記入スベキ賃銀手帖（Lohnbuch）ヲ交付スベキ義務ヲ負フ。新シキ見本（個別品ノ仕上）（Ausarbeiten）ニ対シテハ本規定ハ之ヲ適用セズ

賃銀手帳ノ発行ニ関スル規定ハ工業経営者ガ継続番号ヲ有スル賃銀

票（Lohnzettel）又ハ労働票（Arbeitszettel）及ビ之ヲ整然ト蒐集スルノニ適セル之等ヲ挿入スベキ簡易綴器（Schnellhefter）又ハ貼附帳ヲ交附スルニヨリテモ亦足ル。家内労働者ハ整然ト保管スル事ニ努ムルヲ要ス

國労働大臣ハ家内労働ノ総テノ又ハ個々ノ部門又ハ種類ニ対シ第一項及ビ第二項ニ於ケル賃銀支拂書（Lohnbelege）ノ形式、内容及ビ発行ニ関スル規定ヲ発スル事ヲ得。此ノ場合協力スル家族ノ員数及ビ年齢ニ関スル記載ヲ規定スル事ヲ得。此ノ規定ハ個々ノ地区ニ付キテモ発スル事ヲ得。國労働大臣ガ規定ヲ発セザル限リ最高州廳又ハ其ノ委託ヲ受ケタル官廳ノ権限ニ属ス。斯ル規定ノ制定前ニ職業紹介失業保険中央局総裁（Der Präsident der Reichsanstalt für Arbeitsvermittlung und Arbeitslosenversicherung）又ハソノ指定セル地方事務局ノ意見ヲ聽クベキモノトス。営業條例第一一四條a及第一一四條bニ基キ発セラレタル一九一三年二月一四日ノ衣服及ビ下着類ノ仕立販賣ニ対スル賃銀手帳ニ関スル告示ハ之等ノ営業部門ニ対シ第三項ニ基キ命令ガ発セラレザル限リ衣服及ビ下着類ノ仕立販賣ニ於ケル家内労働ニ対シ仍其ノ效力ヲ有ス」

第二号　第四條ノ後ニ左ノ如キ第四條aヲ追加ス

「第四條a　一枚ノ賃銀支拂書ニヨリ提供サルベキ労働量（Arbeitsmenge）ニ関スル家内労働專門委員会若クハ賃率規則ノ規定ガ家内労働ノ個々ノ営業部門又ハ種類ニ対シ適用アル限リ（第二〇條第三項）家内労働者ニ過長労働ヲ提供スルコトヲ得ズ。過長労働ガ提供サルベキトキハ、之ニ從事セル補助労働者ニ対シ第四條ニ從ヒ更ニ賃銀支拂書ヲ交付スベキモノトス

重要ナル原因アルトキハ、特ニ適当ナ失職セル家内労働者ナキ場合又ハ充分ナル員数ナキコトニ付労働官廳ノ証明アルトキハ営業監督官ハ、一枚ノ賃銀支拂書ニテ一家内労働者ニ過長労働ヲ提供スルコトヲ一定期間工業經営者ニ許可スル事ヲ得」

第三号　第一七條第一項ヲ左ノ如ク改正ス

「國労働大臣又ハ州政府（Landesregierung）ガ異ル定ヲナサザル限リ、家内労働法ノ施行ニ関スル監督ニ付キ営業條例第一三九條bハ之ヲ準用ス、営業監督官ハ工業經営者及ビ家内労働者ノ賃銀支拂書ヲ閲覧スル権限ヲ有ス」

第四号　第二〇條ニ左ノ如キ第三項ヲ設ク

「労務ノ配置適正ナラザル外弊害アルトキハ專門委員会ハ一定期間第四條第一項及ビ第二項ノ一枚ノ賃銀支拂書ニテ提供スル事ヲ許ス最高労働量ニ関スル規定ヲ、ソノ技術的ニ可能ナル家内労働ノ個々ノ営業部門又ハ種類ニ付キ定ムルコトヲ要ス労働量ハ、標準ノ（vollwertig）且整備セル（eingerichtet）労働力ガ同種ノ労働者ニツキ法律ニヨリ許サレタル労働時間内ニ補助労働力ナシニ成シ遂ゲ得ルコトヲ以テ測定スベシ」

第五号以下省略

二、國民勞働秩序法抄錄（一九三四年一月二〇日
ホツヘ第六巻第三五一頁）

第六條 (二) 信任協議会（Vertrauensrat）ハ勞働給付ノ改善、一般的勞働條件、特ニ経営規則（Betriebsordnung）ノ制定及ビ実施、経営保護ノ実施及ビ改善、総テノ経営従業員（Betriebsangehörigen）相互間及ビ経営トノ結合ノ強化並ニ共同体全員ノ福祉ノ為メノ一切ノ措置ニ付協議スルコトヲ其ノ任務トス。……以下省略

第十六條 一般的勞働條件特ニ経営規則（第六條第二項）ノ制定ニ関スル経営指導者（Den Führer des Betriebes）ノ決定ガ経営ノ経済的若クハ社会的事情ニ適合セザルモノト認メラルル場合ニ於テハ之ニ対シ経営ノ信任協議会ノ過半数ヲ以テ遅滞ナク勞働管理官（den Treuhänder den Arbeit）ニ書面ヲ以テ訴ヲ提起スルコトヲ得、経営指導者ノ決定ハ訴ノ提起ニヨリ其ノ效力ヲ妨ゲラルルコトナシ

第十九條 (一) 勞働管理官ハ勞働平和ノ維持ニ努ムベシ。其ノ職務遂行ノ為左ノ権限ヲ有ス

三、第十六條ニヨル信任協議会ノ訴ニ付キ決定ヲ行フコト、勞働管理官ハ経営指導者ノ決定ヲ破毀シ自ラ必要ナル規則ヲ定ムルコトヲ得

五、経営規則ニ関スル規定第二十六條以下ノ遵行ヲ監督スルコト

六、第三十二條ニ定ムル條件ニ従ヒ準則（Richtlinien）及ビ賃率規則（Tarifordnung）ヲ定メ且ツ其ノ遂行ヲ監督スルコト

第三章　経営規則及ビ賃率規則

第二十六條 常時二十名以上ノ使用人（Angestellte）及ビ勞務者ヲ有スル経営ニ於テハ其ノ経営指導者経営ノ従者（die Gefolgschaft des Betriebes）（第一條）ノ為メ書面ヲ以テ経営規則ヲ作成スルコトヲ要

ス

第二十七條 (一) 経営規則ニハ左ノ勞働條件ヲ記載スルコトヲ要ス

一、一日ノ通常勞働時間及ビ休憩ノ開始及ビ終了

二、勞働報酬支給ノ時期及ビ方法

三、出来高制（Akkord）又ハ請負制（Gedinge）ニヨル経営ニ於テハ其ノ勞働ノ計算ノ基礎

四、罰金（Buße）ノ定メアルトキハ其ノ種類、額及ビ徴収ニ関スル規定

五、告知期間ヲ遵守スルコトナク勞働関係ノ解約告知ヲ為シ得ベキ事由、但シ法定ノ事由ニヨルモノニ付キテハ此ノ限リニ在ラズ

六、法律規定ノ範囲内ニ於テ経営規則又ハ勞働契約ニ於テ勞働関係ノ違法的解約ニ対スル罰金ノ定メアルトキハ徴収セラレタル罰金額ノ使途

(二) 他ノ法令中ニ勞働秩序ニ関スル(一)ノ規定ヲ超ユル強行規定アルトキハ其ノ規定ハ有效ナルモノトス

(三) 経営規則ニハ法律ノ定ムル規定ノ外勞働報酬ノ額及ビ其ノ他ノ勞働條件ニ関スル規定並ニ経営ノ秩序、経営内ニ於ケル従業員ノ行動及ビ災害ノ防止ニ関スル規定ヲ設クルコトヲ得

第二十九條 経営規則ヲ以テ勞務者若クハ使用人ニ対スル勞働報酬ヲ定メントスルトキハ各経営従業員ノ業績（Leistung）ニ應ジ報酬ヲ與ヘ得ル余地ノ存スル如ク最低額ヲ定ムルコトヲ要ス。其ノ他特別ノ業績ニ対シ適当ナル報酬ノ支給ヲ可能ナラシムル如ク考慮スルコトヲ要ス

第三十條 経営規則ノ規定ハ経営従業員ニ対シ最低條件トシテ法的拘束力ヲ有ス

第三十一條 (一) 経営規則及ビ其ノ経営ニ適用セラルル賃率規則ノ印刷物ハ経営ノ各課ニ於テ経営従業員ノ見易キ適当ナル場所ニ掲示スベシ

(二) 経営規則ハ其ノ中ニ他ノ期日ヲ定メザル限リ其ノ掲示ノ翌日ヨリ效力ヲ発生ス。請求アルトキハ経営従業員ニ対シ経営規則ノ印刷物ヲ交付スルコトヲ要ス

第三十二條 (一) 勞働管理官ハ専門家委員会（den Sachverständigenausschuß）（第二十三條第三項）ノ協議ヲ經テ經營規則及ビ各勞働契約ノ内容ニ対スル準則ヲ定ムルコトヲ得

(二) 勞働管理官ハ其ノ管轄地区内ノ同一部門ノ經營ノ從業員保護ノ為勞働関係規制ノ最低條件ノ確定ニ付キ緊急ノ必要アルトキハ専門家委員会（第二十三條第三項）ノ協議ヲ經テ書面ヲ以テ賃率規則ヲ定ムルコトヲ得。此ノ場合ニハ第二十九條ヲ準用ス。賃率規則ノ規定ハ其ノ適用ヲ受クル勞働関係ニ対シ最低條件トシテ法的拘束力ヲ有ス。之ニ反スル經營規則ハ無效トス。勞働管理官ハ賃率規則ニ從ヒ規定セラルル勞働関係又ハ徒弟関係ヨリ生ズル民事訴訟事件ニ対スル勞働裁判権（die Arbeitsgerichtsbarkeit）ヲ、勞働裁判所法ニ從ヒ賃率契約当事者ニ対シ可能ナル範囲ニ於テ之ヲ排除スルコトヲ得

(三) 準則及ビ賃率規則ハ勞働管理官之ヲ公示スベシ

第三十三條 (一) 管理官ノ管轄地区ヲ著シク超ユル適用範囲ニ亘ル第三十二條第一項ニ基ク準則若クハ賃率規則ヲ制定スル必要アルトキハ國勞働大臣ハ之ガ規制ノ為特別勞働管理官（der Sondertreuhänder der Arbeit）ヲ定ム。國勞働大臣ハ又特定ノ任務処理ノ為特別管理官ヲ任命スルコトヲ得

(二) 特別勞働管理官ニハ第十八條第二項、第二十二條、第二十三條第三項、第二十四條、第二十五條及ビ第三十二條ヲ準用ス

(三) 勞働管理官ハ其ノ管轄地区内ニ於ケル特別管理官ノ定メタル準則及ビ賃率規則ノ実施ニ付キ國勞働大臣ガ特ニ特別管理官ニ其ノ監督ヲ委任セザル限リ之ガ監督ヲナスベシ

第七十一條 本法ニ依リ經營規則ヲ制定スベキ經營ニ於テ就業規則ノ定メナキトキ又ハ現行就業規則ガ本法ノ規定ニ反スルトキハ經營指導者ハ遅クトモ一九三四年七月一日迄ニ經營規則ヲ定ムベキモノトス。經營規則ガ效力ヲ生ズルニ至ル迄從前ノ就業規則ハ經營規則トシテ仍其ノ效力ヲ有ス

三、國民勞働秩序法第二次施行令抄録（一九三四年三月一〇日ホツへ第七巻第三四六頁）

第七節　賃率規則並ニ經營規則及ビ各個ノ勞働契約ノ内容ニ対スル準則ノ公示、經營規則ノ送付

第二十一條 勞働管理官ハ遅滞ナク法第三十二條第一項及ビ第二項、第三十三條第一項及ビ第二項ニヨリ作成シタル準則及ビ賃率規則並ニ其ノ変更ニ付正文二通ヲ公告ノ為國勞働大臣ニ送付シ且ツ廃止ノ場合ニハ其ノ旨ヲ申告スベシ。勞働管理官ハ賃率規則トシテノ勞働協約ノ継続ニ関シ法第七十二條第二項ニ基ク訓令ニ付テハ正文ニ通並ニ勞働協約ノ写本一通ヲ國勞働大臣ニ送付スベシ

第二十二條 準則及ビ賃銀規則、其ノ変更及ビ廃止並ニ法第七十二條第二項ニ基ク訓令ハ勞働公報ヲ以テ之ヲ公告ス

第二十三條 (一) 國勞働省ハ準則及ビ賃率規則ノ登録ヲ行フ（賃率登録（Tarifregister）。準則、賃率規則及ビ法第七十二條第二項ニ基ク指令ノ公布ハ規制ノ職業的及ビ地域的適用範囲ヲ詳細ニ指示シ準則及ビ賃率規則ノ変更及ビ廃止ノ公布ハ勞働公報ニ於ケル公告ヲ指示シテ賃率登録官（Tarifregisterführer）賃率登録簿ニ登録スルコトヲ要ス。準則及ビ賃率規則並ニ其ノ変更ノ正文一通ハ之ヲ賃率登録ニ蒐蔵スル輯覧（賃率輯覧）（Tarifsammlung）ニ之ヲ收録ス、法第七十二條第二項ニ基ク指令ノ正文並ニ勞働協約ノ写本ニ付亦同ジ

(二) 賃率登録及ビ賃率輯覧ノ閲覧ハ國勞働省ノ通常勤務時間中何人ニモ之ヲ許可ス。請求アリタルトキハ賃率登録簿中ノ登録事項ニ関シ無償ニテ文書ニヨル報告ヲナスモノトス

第二十四條 賃率登録ニハカードノ形式ニ依リ地域目録（Ortsverzeichnis）及ビ職業目録（Berufsverzeichnis）ヲ附ス。地域カードニハ準則又ハ賃率規則適用ノ管轄地域ヲ、職業カードニハ準則又ハ賃率規則適用ノ職業部門ヲ、当該準則及ビ賃率規則登録ノ登録頁ヲ附シアルアベツト順ニ記入スルコトヲ要ス

第二十五條　労働管理官ハ其ノ発布シタル準則、賃率規則及ビ法第七十二條第二項ニ基ク訓令ニ関シ請求ニ應ジ無償ニテ報告ヲナスモノトス

第二十六條　(一)　常時五十名以上ノ従業員ヲ有スル経営ニ於テ労働報酬額ニ付キ経営規則ニ定メアルトキハ当該経営指導者ハ経営規則ノ写本二通ヲ國統計局（社会統計課）ニ提出スルコトヲ要ス

(二)　其ノ他ノ場合ニ於テモ経営指導者ハ経営規則ノ写本一通ヲ請求ニ應ジ統計局ニ提出スベキモノトス。経営指導者ハ労働管理官ノ請求アルトキハ之ニ対シ経営規則ノ写本一通ヲ提出スベキモノトス

四、家内労働ニ関スル法律抄録（一九三四年三月二三日ホツヘ第七巻第三七〇頁）

第一章　適用範囲

第一條　本法ノ目的

家内労働ハ國家ノ特別ノ保護ヲ受ク。家内労働ノ受クベキ種々ノ危険ヨリ家内労働ヲ保護シ且家内労働ニ従事スル者ノタメ其ノ労働給付ニ対スル適当ナル報酬ヲ確保スルコトヲ以テ本法ノ使命トス

第二條　人的適用範囲

(一)　家内労働ニ従事スル者トハ左ノ者ヲ謂フ

1、家内労働者（第三條第一項）

2、家内工業者（Hausgewerbetreibende）（第三條第二項）ニ

シテ通常単独ニ若クハ其ノ家族（第三條第五項）又ハ二名以下ノ家族外ノ補助者（Hilfskräften）経営労働者（Betriebsarbeiter）ト共ニ働ク者

(二)　一般的保護規定及ビ報酬ノ保護ニ関スル規定（第二章及ビ第五章）ニ付キ家内労働ニ従事スル者ト同一ノ取扱ヲ受クルコトヲ得ル者左ノ如シ

其ノ他ノ家内工業者、中間商人（Zwischenmeister）（第三條第三項）並ニ其ノ他被傭者（Arbeitnehmer）ニ類似ノ者

(三)　同一ノ取扱ハ之等ノ者ノ其ノ委託者ニ対スル関係ニ関スルモノトス

同一ノ取扱（Gleichstellung）ハ國労働大臣ノ命令ニ依ル。國労働大臣ハ此ノ権限ヲ労働管理官ニ委任スルコトヲ得。同一ノ取扱ヲ為スニハ第二項ニ掲ゲタル者ガ特別ノ保護ヲ必要トスルコトヲ要ス

第三條　概念

(一)　本法ニ於テ家内労働者トハ工業経営者（Gewerbetreibender）ニ非ズシテ自己ノ住居又ハ自ラ選択シタル作業場ニ於テ単独ニ又ハ家族ノ援助ノ下ニ（第五項）工業経営者又ハ中間商人ノ委託ヲ受ケ且其ノ計算ニ於テ労働スル者ヲ謂フ

(二)　家内工業者トハ工業経営者トシテ自己ノ住居又ハ作業場ニ於テ工業経営者又ハ中間商人ノ委託ヲ受ケ且其ノ計算ニ於テ自己ノ手仕事（Handarbeit）ニ依リ商品ヲ製造シ若クハ加工シ、全然個数賃銀労働ヲ為ス（am Stück arbeiten）者ヲ謂フ。工業経営者ガ原料及ビ補助材料ヲ自ラ製造シ又ハ一時直接ニ販賣市場ノタメ労働スル場合亦同ジ

(三)　中間商人トハ工業経営者ヨリ委託サレタル労働ヲ家内労働者又ハ家内工業者ニ仲介スル（weitergeben）者ヲ謂フ

(四)　家内労働者、家内工業者及ビ中間商人タル性質ハ委託者ガ営利ノ目的ヲ以テ商品ノ製造若クハ加工ヲ為スニ非ザル個人、私法上又ハ公法上ノ組合（Personenvereinigungen）若クハ社團タル場合ニモ亦存スルモノトス

(五)　本條第一項及ビ第二項第二号ニ家族ト称スルハ家内工業者若ク

ハ其ノ配偶者ノ三等親内ノ親族若クハ養子ニシテ世帯ノ一員タル者並ニ家内工業者ト同一家庭ニ於テ共同シテ生活スル未成年者、孤児及ビ被監護少年ヲ謂フ

第　二　章　一般的保護規定

第四條　名簿ノ作成

(一) 家内労働ヲ提供シ若シクハ仲介ヲ為ス者ハ、其ノ家内労働ニ従事セシメ又ハ家内労働ノ仲介ニ利用スル者ヲ間断ナク名簿ニ正確ニ明示スベシ。名簿ハ提供場（Ausgaberaum）ノ見易キ場所ニ之ヲ掲示スベシ

(二) 名簿ニハ之等ノ者ノ氏名、生年月日、住居及ビ作業場ヲ詳細ニ記載スベシ。名簿ハ営業監督官（Gewerbeaufsichtsbeamte）及ビ労働管理官ノ請求アルトキハ其ノ閲覧ニ供シ若クハ之ニ送付スルコトヲ要ス

第五條　労働票（Arbeitskarte）ノ制定

国労働大臣ハ個々ノ営業部門ニ対シ一般的ニ若クハ地域ヲ限リ労働局（Arbeitsamt）ノ発行セル労働票ヲ所持スル者ニ対シテノミ家内労働ヲ提供スベキ旨ノ規定ヲ定ムルコトヲ得

第六條　省　略

第七條　報酬表（Entgeltverzeichnisse）ノ公示

(一) 家内労働ヲ提供シ又ハ之ヲ引取ル者ハ提供及ビ引取ノ場所ニ報酬表ヲ明示シ、関係者ヲシテ委託サレタル個々ノ労働ニ対スル報酬ノ額ヲ知ラシムベシ。現存ノ見本帳（Musterbuch）ハ之ヲ報酬表ニ添附スベシ。家内労働ニ従事スル者ノ住居又ハ作業場ニ於テ之ガ提供サルルトキハ委託者ハ報酬表ヲ閲覧ニ供スルニ付キ配慮スベシ

(二) 報酬表ニハ個々ノ労働ニ対スル報酬ヲ記載スベシ。同時ニ交附セラルベキ原料及ビ補助材料ノ價格ハ之ヲ特ニ明示スベシ。個々ノ労働ニ対スル報酬ヲ記載スルコト能ハザルトキハ確実ニシテ且明白ナル計算ノ基礎

ヲ記載スルコトヲ要ス

(三) 報酬ガ賃率規則ニヨリ定メラルルトキハ賃率規則ヲ明示スルコトヲ要ス。此ノ場合報酬ヲ明確ナラシムルタメ当該従事者ニ関係アル賃率規則ノ部分ノミヲ可能ナル限リ明示スルコトヲ要ス

(四) 第一項乃至第三項ノ規定ハ個別品トシテ初メテ仕上ゲル新シキ見本ニハ之ヲ適用セズ

第八條　報酬証明書（Entgeltbelege）

(一) 家内労働ヲ提供シ若クハ其ノ仲介ヲ為ス者ハ家内労働ヲ引受ケタル者ニ自己ノ費用ヲ以テ各従事者（第二條）ニ対スル報酬帳（Entgeltbuch）ヲ交付スベシ。従事者ノ所持スル報酬帳ニハ労働ノ提供及ビ引受ノ際、其ノ種類、範囲、報酬及ビ提供並ニ引渡ノ日ヲ記入スルコトヲ要ス。本規定ハ個別品トシテ初メテ製造サルル新シキ見本ニハ之ヲ適用セズ

(二) 第一項ノ規定ハ報酬カード（Entgeltzettel）又ハ労働カード（Arbeitszettel）ヲ之ヲ集綴スルニ適当ナル綴込簿（Sammelhefte）ト共ニ交付スルニヨリテモ亦足ル。報酬カード及ビ労働カードハタイプライター又ハインキニテ作成シ、継続番号ヲ附シ、綴込簿ニ綴込ムベシ

(三) 家内労働者及ビ家内工業者ハ報酬証明書ノ秩序正シキ保存ニ付キ配慮スベシ。家内労働者及ビ家内工業者ハ請求アルトキハ営業監督官及ビ労働管理官ニ之ヲ提示スルコトヲ要ス。此ノ義務ハ報酬証明書ヲ所持スル委託者ニモ之ヲ適用ス。

(四) 国労働大臣ハ報酬証明書ノ形式、内容及ビ交付ニ関シ細則ヲ定ムルコトヲ得

第　三　章　労働時間ノ保護

（省　略）

第四章　危険防止（*Gefahrenschutz*）

（省略）

第五章　報酬ノ保護

第十九條　労働管理官ノ監督

労働管理官ハ個々ノ営業部門ニ於ケル家内労働ヲ常時監督シ且国労働大臣ニ詳細ナル指示ニ依ル報告ヲ為スベシ

第二十條　報酬ノ規定

家内労働ニ対スル報酬ノ決定ハ国民労働秩序法ノ規定ニ依ル。報酬ハ左ノ方法ニ依リ決定スルコトヲ得

1、個々ノ協定

2、経営規則

主トシテ単独ニ又ハ其ノ家族ト共ニ同一経営ノタメ労働スル家内労働者又ハ家内工業者ガ常時二十名以上ノ使用人及ビ労働者ヲ使用スル経営ノ従者ニ属スルトキ（国民労働秩序法第五條、第二七條第三項）

3、賃率規則

最低條件ノ決定ガ家内労働ノ規制ノタメ必要欠クベカラザルトキ（国民労働秩序法第三二條第二項）

第二十一條　賃率規則ニ依ル報酬ノ規則

（一）一営業内ニ於ケル家内労働ニ対スル報酬ノ賃率規則ニ依ル決定ハ家内労働ガ広範囲ニ渉リ行ハレ且明カニ不充分ナル報酬ガ支拂ハルルトキ特ニ之ヲ行フベキモノトス

（二）家内労働者又ハ家内工業者ト其ノ委託者トノ間ニ於ケル賃率規則ノ人的適用範囲ハ本法第二條及ビ国民労働秩序法第三四條ノ規定ニ從ヒ之ヲ決ス

第二十二條　報酬ノ種類

家内労働ニ対スル報酬ハ出来得ル限リ出来高ニヨリ決定スベシ（*ist als Stückentgelte festzusetzen*）。出来高拂ニ依ル決定ヲ為スコト能ハザルトキハ個々ノ場合ニ出来高拂ノ計算ノ基礎トナリ得ベキ時間拂（*Zeitentgelte*）ニ依リ決定スベシ

第二十三條　中間商人ニ対スル報酬ノ規制、委託者ノ共同責任

（一）第二條第二項ニ依リ家内労働者及ビ家内工業者ト同一ノ取扱ヲ受クル中間商人ニ対シテハ賃率規則ニ依リ其ノ委託者トノ関係ニ於テ家内労働者又ハ家内工業者ニ対シ適用サルル報酬ニ対スル歩合ニヨル割増ヲ決定スルコトヲ得

（二）委託者ガ中間商人ニ対シ家内労働者又ハ家内工業者ニ対スル賃率規則所定ノ報酬ノ支拂ニ不充分ナルコト明白ナル報酬ノ支拂ヲ為シタルトキハ委託者ハ中間商人ト共ニ家内労働者又ハ家内工業者ニ対シ賃率規則所定ノ報酬支拂ノ責ニ任ズ

第二十四條　報酬ノ監督

労働管理官ハ営業監督官ト協議シ報酬ノ適当ナル監督ニ付キ配慮スベシ

第二十五條　報酬ノ報告義務

（一）企業者、工業経営者、中間商人、家内工業者及ビ家内労働者ハ報酬ノ規制ニ関スル総テノ問題ニ付キ労働管理官、営業監理官及ビ報酬ノ監督ヲ委任セラレタル其ノ代理人ニ報告ヲ為スベシ

（二）前項ノ者ハ請求ニ依リ報酬証明書（第八條）ノ外製品（*Arbeits-stücke*）原料見本及ビ報酬決定ノ基礎材料ヲ提示スベシ

第二十六條　支拂不足（*Minderbezahlung*）ノ場合ニ於ケル遅延罰金ノ予告

（一）企業者、工業経営者又ハ中間商人ガ家内労働者又ハ家内工業者若クハ第二條第二項ニ依リ之等ノ者ト同一ノ取扱ヲ受クル者ニ対シ賃率規則ノ所定ヨリ少額ノ報酬ヲ支拂ヒタルトキハ労働管理官ハ之ニ対シ一週間内ニ不足額ヲ支拂ヒ且支拂証明書ヲ提示スベキ旨ヲ遅滞罰金（*Verzugs-buße*）ヲ予告シテ催告スベシ

(二) 遲延罰金ノ予告ハ不足報酬ヲ受ケタル時ヨリ三月以上経過シタルトキハ之ヲ為スコトヲ得ズ

第二十七條　遲延罰金ノ決定

(一) 法定期間内ニ不足額ヲ支拂ヒタル旨ノ証明ナキトキハ労働管理官ハ遲延罰金ヲ決定スルコトヲ得

(二) 遲延罰金ハ通常不足支拂額ヨリ多額ナルベキモノトス。但シ最低二十ライヒスマルク、最高三千ライヒスマルク、反覆ノ場合ニハ最高一万ライヒスマルクトス

第二十八條　省略

第二十九條　省略

第三十條　経営労働者ノ罰金ニ依ル保護

家内工業者（第二條第一項第二号）又ハ之ト同一ノ取扱ヲ受クル者（第二條第二項）ガ家族外ノ補助者ヲ経営労働者トシテ使用シ之ニ賃率規則ニ依ル報酬ヲ支拂ハザルトキハ遲延罰金ニ関スル第二十六條乃至第二十九條ノ規定ヲ準用ス。但シ、家内工業者又ハ之ト同一ノ取扱ヲ受クル者ノ報酬ガ賃率規則ニ依リ定メラルル場合ニ限ルモノトス

第三十一條乃至第三十三條　省略

第六章　罰則

第三十四條乃至第三十六條　省略

第七章　終結規定及ビ経過規定

第三十七條乃至第四十條　省略

第四十一條　効力発生

家内労働法ハ國労働大臣ガ他ノ期日ヲ定メザル限リ一九三四年五月一日ヨリ之ヲ施行ス。一九三三年六月八日ノ家内労働ニ於ケル賃銀保護ニ関スル法律、一九二三年六月二七日ノ家内労働法ハ國民労働秩序法第六七條第一項ニ依リ既ニ廃止サレザル限リ同時ニ其ノ効力ヲ失フ

第四十二條　省略

五、國民労働秩序法第十四次施行令（一九三五年一〇月一五日ホン〈一五巻三三五頁〉）抄録

第一章　賃率規則

第一條 (一) 労働管理官又ハ任命サレタル特別管理官ハ其ノ制定シタル賃率規則ノ施行期日及ビ廃止期日ニ付キ労働公報ニ公告ノ日以前ノ期日ヲ定ムルコトヲ得。一箇月以上遡及セシムベキトキハ國労働大臣ノ同意ヲ要ス

(二) 賃率規則ヲ労働公報ニ公告スル以前ニ終了スル労働関係ハ遡及効ヲ有スル賃率規則ニ依リ拘束サルルコトナシ。斯ル賃率規則ノ労働関係ノ解約告知ニ関スル規定ハ労働公報ニ公告スル以前ニ為サレタル解約告知ニツキ遡及効ヲ有セズ。労働管理官ハ特別ノ場合ニハ國労働大臣ノ同意ヲ得テ賃率規則ニ於テ之ト異ル定ヲ為スコトヲ得

九五八　九五九　九六〇　九六一

九六二

第二條　労働管理官ハ其ノ管轄地区内ニ於テ個々ノ経営又ハ経営内ノ部局若クハ一定ノ従者（*Gefolgschaftsmitglieder*）ニ対シ経済的又ハ社会的理由ヨリ緊急ノ必要アリト認ムルトキハ賃率規則ノ総テノ規定又ハ個々ノ規定ノ適用ヲ書面ニ依ル訓令ニ依リ排除スルコトヲ得。此ノ場合訓令ニ遡及效ヲ與フルコトヲ得。訓令ガ経営又ハ経営ノ部局ニ関スルモノニシテ労働管理官ノ管轄地区ヲ著シク超ユル賃率規則ナルトキハ國労働大臣ノ同意ヲ必要トス

第三條　(一)　第二條ニ基キ発セラルル訓令ハ之ヲ労働公報ニ公告スルコトヲ要セズ

(二)　訓令ガ経営又ハ経営ノ部局ニ関スルモノナルトキハ労働管理官ハ其ノ正本二通ヲ國労働大臣ニ送付スルコトヲ要ス。訓令ノ存続期間ニ付キ何等ノ制限ナキトキハ労働管理官ハ前段ト同一ノ方法ヲ以テ其ノ廃止ヲ報告スルコトヲ要ス。正本一通ハ國労働省ニ備付ノ賃率登録簿ニ綴込ムベキモノトス

(三)　閲覧及ビ報告ニ関スル一九三四年三月一〇日ノ國民労働秩序法第二次施行令第二三條第二項及ビ第二五條ハ之ヲ準用ス

第四條　國労働大臣賃率規則ノ実施ノ監督ニ付キ特別管理官ニ委託ヲ為ストキハ特別管理官ハ賃率規則ノ領域ニ付キ第二條及ビ第三條所定ノ任務ヲ達成スル（*wahrnehmen*）コトヲ要ス。……以下省略……

第五條　省略

第二章　解約告知ノ保護

（省略）

九六三

九六四

六、國民労働秩序法第十六次施行及ビ補充令（賜暇証（*Urlaubskarte*）及ビ休暇手當票（*Urlaubsmarke*）ノ実施）（一九三六年五月二〇日ホツヘ第一九巻第三九六頁）

第一條　労働管理官ハ短期ノ労働関係ヲ通例トスル建築業及ビ其ノ附屬業ニ於テ従業員ノ有給休暇（*Urlaub*）確保ノ為メ或ル金額ガ蓄積サレ且ツ企業者ガ此ノ目的ノ為メ一定期間賃銀ノ一部ヨリ成ル休暇手當票ヲ賜暇証ニ貼附スル旨ヲ賃率規則ニ於テ定ムルコトヲ得

第二條　労働管理官ハ斯ル賃率規則ニ於テ賜暇証及ビ休暇手當票ノ実施及ビ其ノ使用ニ付詳細ナル規定ヲ定ムルモノトス

第三條　(一)　ドイツ國逓信省ハ休暇手當票及ビ賜暇証ノ用紙ヲ作成セシメ、之ヲ賣却シ且ツ賜暇証ノ交付ト引換ヘニ休暇手當金ヲ支拂フモノトス

スペーニヒトス

第三條　(一)　ドイツ國逓信省ハ許可ノ記載（*Freigabevermerk*）ト受領証（*Empfangsbescheinigung*）ヲ具ヘタル賜暇証ノ交付アレバ賜暇証ノ貼附サレタル休暇手當票ノ額面價額ニ於ケル休暇手當金ヲ支拂フモノトス。許可ノ記載ハタイプライター又ハインキヲ以テ手記スベク且明確ニ署名スベキモノトス。一定ノ場合ニハ（例ヘバ、死亡、転職、労働不能）休暇手當金ハ許可ノ記載ナクトモ証據書類ノ提出ニヨリ支拂ハルルモノトス。

(二)　省略

(三)　省略

第四條　(一)　休暇手當金支拂請求権ハ左ノ場合ニハ成立セズ

(a)　賜暇証ニ虚僞、僞造又ハ既ニ使用済ノ休暇手當票ガ貼附サレテ井ル場合

(b)　賜暇証ガ明確ニ受領証ト許可ノ記載ヲ具備セザル場合

九六五

(c) 手数料（Gebühr）（第五條）ノ支拂ナキ場合

(二) ドイツ國遞信省ハ使用サレザル賜暇証及ビ休暇手当票ヲ交換シ、又ハ買戻義務ナク且期限ノ經過セル賜暇証及ビ休暇手当票ニ対シ支拂又ハ他ノ賠償ヲナス義務ナキモノトス

(三) 支拂ヲナスベキ郵便施設ハ賜暇証ノ署名ノ真正及ビ賜暇証ノ所持人ノ權利ヲ審査スル權限ヲ有スルモ義務ヲ負フコトナシ。無權利者ニ休暇手当金ヲ支拂ヒシトキハドイツ國遞信省ハ賠償ヲナスコトナシ。但シ支拂ヲナス郵便局ニ重大ナル過失アルトキハ此ノ限ニ在ラズ

第五條　賜暇証ノ販賣及ビ休暇手当金ノ支拂ニ対スル手数料トシテ企業者ハ賜暇証ノ一六週間分ニ付キ賜暇証ノ所定ノ箇所ニ三〇ライヒスペーニヒノ郵便切手ヲ貼附シ且之ガ使用ノ日ヲインキニテ記載シ以テ郵便切手ヲ失效セシムル（entwerten）コトヲ要ス。手数料ハ最初ノ休暇手当票ガ賜暇証ニ貼附サレ且失效セシメラルルトキ其ノ弁済期到来スルモノトス。賜暇証ノ所持人ハドイツ國遞信省ニ弁済期到来セル手数料ニ付キ其ノ責ニ任ズ

(二) 省略

七、賜暇証及ビ休暇手當票ノ販賣並ビニ休暇手當金ノ支拂ニ關スル命令（一九三六年六月二〇日ホツヘ第十九巻三百九十七頁）

第一條　ドイツ國遞信省ハ賜暇証及ビ休暇手当票ノ販賣及ビ休暇手当金ノ支拂（千九百三十六年五月二十日ノ國民労働秩序法第十六次施行令）ヲ其ノ施設ニ委託ス

第二條 (一) 賜暇証（用紙）及ビ休暇手当票ハ郵便局之ヲ販賣ス。二等郵便局（Postagentur）三等郵便局（Poststelle）三等郵便支局（Posthilfsstelle）及ビ集配人（Landzusteller）ハ賜暇証及ビ休暇手当票ノ注文ヲ受クルモノトス

(二) 三部分ヨリ成ル賜暇証用紙ノ價格ハ十ライヒスペーニヒトス。休暇手当票ハ其ノ額面價額ヲ五、一〇、二〇、三〇、五〇及ビ一〇〇ライヒ

第六條　賜暇証ノ所有權ハ之ニ貼附サレタル休暇手当票ト共ニ休暇手当金ノ支拂ニヨリドイツ國遞信省ニ移転スルモノトス

第七條　本令ハ一九三六年九月一日ヨリ之ヲ施行ス

九七〇

八、建築業及ビ附属事業ニ於ケル賜暇證ノ休暇手當票及ビ休暇手當金ノ差押保護ニ関スル命令（一九三六年八月三一日ホツヘ第二〇巻四六八頁）

賜暇証、休暇手当票並ビニ賜暇証ニ基キ與ヘラルベキ額ノ支拂請求権ハ差押ノ目的物トナルコトナシ。賃銀又ハ給料ノ差押ハ労働者又ハ被傭者ノ企業者ニ対スル企業者ガ賜暇証ニ記載シタル額ノ支拂請求権ニ及ブコトナシ

九七一

九、祝祭日ノ賃銀支拂ニ関スル四箇年計畫実施ノ指令（一九三七年一二月三日ホツヘ二五巻第三四九頁）

四箇年計画ノ実施ハ總テノ従業員ニ高度ノ要求ヲ為ス。其ノ妥協トシテ賃銀ノ改善ハ之ヲ認ムルコトヲ得ズ。然レドモ指導者ノ偉大ナル事業ノ協力者ガ祝祭日ヲ歓喜ヲ以テ過ゴシ得ルガタメ、余ハ左ノ如ク定ム

一、元旦、復活祭ノ月曜日（Ostermontag）及ビ聖霊降臨祭ノ月曜日（Pfingstmontag）並ビニ第一及ビ第二クリスマス祝祭日ノタメ休業トナレル労働時間ニ対シ従業員ニ正規ノ労働所得ガ支拂ハルルモノトス。但シ、元旦及ビクリスマスガ日曜日ニ該当スルトキハ此ノ限ニ在ラズ。何ヲ正規ノ労働所得ト認ムベキヤハ賃率規則又ハ経営規則（勤務規則）ニヨリ之ヲ定ムルコトヲ得

九七二

二、五月一日ニ付キテハ一九三四年四月二六日ノドイツ民族ノ国民的祝祭日ニ於ケル賃銀支拂ニ関スル法律ノ相当規定ヲ適用ス

三、国労働大臣ハ本指令ノ施行及ビ補充ニ付キ必要ナル規定ヲ定ム。国労働大臣ハ個々ノ経営ニ対シ、其ノ経済的事情ニ依リ特ニ必要アルトキハ、第一号ノ規定ノ例外ヲ許可スルコトヲ得

九七三

十、祝祭日ノ賃銀支拂ニ関スル家内労働ニ對スル規定（一九三七年一二月一五日ホツヘ第二五巻三四九頁）

第一條　(一)　家内労働ヲ提供スル工業経営者又ハ中間親方ハ単独ニ又ハ家族ト共ニ若クハ二名以下ノ補助者（経営労働者）ト共ニ労働スル家内労働者並ビニ家内工業者ニ、平日ノ第一及ビ第二クリスマス、元旦及ビ五月一日ニ対シ、更ニ復活祭ノ月曜日及ビ聖霊降臨祭ノ月曜日ニ対シ、六ケ月間ニ彼等ニ支拂ハレタル純労働報酬ノ百分ノ二分ノ一ノ額ヲ雑費割増（Unkostenzuschläge）ナシニ祝祭日手当（Feiergeld）トシテ支拂フモノトス。此ノ場合復活祭ノ月曜日、平日ノ五月一日及ビ聖霊降誕祭ノ月曜日ニ付キテハ十二月十六日ヨリ六月十五日ニ至ル期間、平日ノクリスマス及ビ元旦ニ付キテハ六月十六日ヨリ十二月十五日ニ至ル期間其ノ基礎ヲナ

スモノトス。賃率規則ニ於テ純労働報酬ガ決定サレザルトキハ賃率規則ヲ制定セル國労働管理官又ハ家内労働特別管理官純労働報酬額ヲ定ムルコトヲ得

(二) 復活祭ノ月曜日及ビ聖霊降臨祭ノ月曜日及ビ五月一日ニ対スル祝祭日手当ハ遅クトモ六月十五日以後最初ノ報酬支拂期ニ支拂フベキモノトス、適当ナル分割拂ハ五月一日以前ニ之ヲ為スベシ。クリスマス及ビ元旦ニ対スル祝祭日手当ハ遅クトモクリスマス前ノ最後ノ報酬支拂期ニ——一九三七年ニ於テハ遅クトモ十二月三十一日ニ——支拂フベキモノトス

(三) 祝祭日手当ハ一九三四年三月二十三日ノ家内労働法第二十六條ニ於ケル報酬トス

第二條 (一) 委託者ハ家内労働法第二條第二項ニ依リ同一ノ取扱ヲ受クベキ家内工業者ガ祝祭日ニ於ケル賃銀支拂ニ関スル四箇年計画実施ノタメノ訓令ニ基キソノ經営労働者ニ支拂ヒシ額ヲ之ニ償還スルコトヲ要ス。委託者ハ更ニ家内労働法第二條第二項ニ依リ同一ノ取扱ヲ受クベキ中間親方ガ第一條ニ基キ支拂ヒシ額ヲ之ニ償還スルコトヲ要ス・此ノ家内工業者及ビ中間親方ガ多数ノ委託者ノタメニ労働スルトキハ、委託者ハソノ持分ニ應ジ償還義務ヲ負フベキモノトス。持分ノ額ニ付キ争アルトキハ営業ニ付キ任命サレタル家内労働特別管理官若クハソノ任命ナキトキハ償還請求権者ノ住所ヲ管轄スル國労働管理官之ヲ拘束的ニ決定スル事ヲ得。二名以内ノ家族外ノ補助者ヲ有スル家内工業者ニ対シテハ此ノ家族外ノ補助者ニ対スル償還額ハ第一條ニ依ル祝祭日手当中ニ含マルモノトス

(二) 第一項ニ依ル償還請求権ニ付キテハ第一條所定ノ期間中ニ同一ノ取扱ヲ受クベキ家内工業者及ビ中間親方ニ支拂ハレタル全報酬ニ対スル割増ノ支拂ニヨリ弁済ヲナスコトヲ得。割増ハ第一條ニ依ル義務ノ履行ヲ確保スベキモノトス

(三) 第一項第四段ニ依リ権限ヲ有スル家内労働特別管理官若クハ國労働管理官ハ、社会的理由ヨリシテ緊要ナリト認メラルルトキニハ二名以下ノ家族外ノ補助者ヲ有スル同一ノ取扱ヲ受ケザル家内工業者並ビニ家内工

業者又ハ中間親方ニ非ザル同一ノ取扱ヲ受クベキ工業經営者ニ第一項ニ依ル其ノ委託者ニ対スル償還請求権ノ全部又ハ一部ヲ與フルコトヲ得・第一項及ビ第二項ノ規定ハ此ノ場合ニ之ヲ準用ス

第三條 第一條及ビ第二條ニ依ル支拂ノ時期及ビ額ハ家内労働法ニ基キ規定サレタル報酬領収書ニ特ニ祝祭日手当ナル記号ヲ附シ明示スベキモノトス

第四條 (一) 國労働管理官ハ經済的理由ヨリ緊要ナリト認ムルトキハ第一條第一項及ビ第二項並ビニ第二條第一項乃至第三項ノ規定ノ例外ヲ認ムル事ヲ得・國労働管理官ハ、委託者ノ営業所所在ノ經済領域ニ於テ管轄権ヲ有ス。家内労働特別管理官ハ或ル営業部門ノ家内労働ニ於ケル報酬監督ヲ委託サレタル限リ國労働管理官ノ代理ヲ為スモノトス。全営業部門又ハ営業部門ノ一部ニ対スル例外ノ認可ニ付キテハ余之ヲ留保ス

(二) 第一項ニ依リ家内労働ニ於ケル例外ノ許可ニツキ管理権ヲ有スル國労働管理官又ハ家内労働特別監理官ハ祝祭日ニ於ケル賃銀支拂ニ関スル四箇年計画実施ノタメノ訓令第一号ノ規定ノ例外ノ認可ニ付キテモ亦家内工業者又ハ同一ノ取扱ヲ受クベキ工業經営者ノ經営労働者ヘノ支拂ナル限リ管轄権ヲ有スルモノトス

十一、賃銀形成ニ関スル命令（一九三八年六月二五日ホツへ二七巻三二〇頁）

國防及ビ四ケ年計画実施ノ為ニハ價格形成及ビ賃銀上昇（Lohnentwicklung）ニ於ケル不変性ヲ必要トス。然ルガ故ニ余ハ一九三六年一〇月一八日ノ四箇年計画実施令ニ基キ次ノ如ク定ム

第一條　國労働管理官及ビ特別労働管理官ハ賃銀條件及ビ労働條件ヲ監視シ且賃銀及ビ労働條件ノ高騰ニヨル軍備拡充（Wehrhaftmachung）及ビ四箇年計画実施ノ妨害ヲ防止スル為必要ナル一切ノ措置ヲ講ズルコトヲ要ス・國労働管理官及ビ特別労働管理官ハ國労働大臣ノ指定スル経済部門ニ於テ――経営規則（勤務規則）及ビ労働契約ノ変更ノ場合ニモ亦――最高賃銀及ビ最低賃銀ヲ拘束力ヲ以テ確定スル権限ヲ有ス

第二條　本令ニ基キテ発スル國労働管理官及ビ特別労働管理官ノ措置ニ違反シ又ハ之ヲ回避スル者ハ禁錮及ビ無制限額ノ罰金又ハ両者ノ孰レカニ処セラルルモノトス・刑事訴追ハ國労働管理官又ハ特別労働管理官ノ告訴ヲ待ツテ之ヲ行フ

第三條　國労働大臣ハ本令ノ施行及ビ補充ニ必要ナル規定ヲ発スルモノトス

十二、戰時経済令抄録（一九三九年九月四日ホツへ、クリーグスレヒトE七四頁）

第三章　戰時賃銀

第十八條　(一)　國労働管理官及ビ特別労働管理官ハ國労働大臣ノ詳細ナル訓令ニ従ヒ労働所得ヲ直チニ戰時情勢ニ即應セシメ且賃率規則ニ依リ賃銀・俸給及ビ其ノ他ノ労働條件ノ最高限度ヲ拘束力ヲ以テ確定スルモノトス

(二)　経営又ハ行政官廳ガ新設サレ又ハ移転シタルトキ若クハ労務者又ハ被傭者ガ本令施行後従前ト異ル業務ニ従事スルトキハ同種ノ経営又ハ行政官廳ニ適用サレ若クハ新業務ニ標準トナル賃銀率及ビ俸給率ヲ適用スルモノトス。賃銀率及ビ俸給率ニ付キ疑アルトキハ國労働管理官又ハ特別労働管理官之ヲ決ス

(三)　超過労働・日曜労働・祭日労働及ビ夜間労働ニ対スル割増賃銀ハ爾後之ヲ支拂ハザルモノトス

(四)　第一項乃至第三項ハ家内労働ノ報酬及ビ其ノ他ノ労働條件ニ之ヲ準用ス

第十九條　休暇ニ関スル規定及ビ協定ハ当分其效力ヲ停止ス。再実施ニ関スル詳細ナル規定ハ國労働大臣之ヲ発スルモノトス

第二十條　國労働大臣ハ賃率規則ノ制定及ビ其ノ内容並ニ正常ナル労働時間ニ関スル従前ノ規定ト異ル規格ヲ定メ並ニ従前ノ労働保護規定ノ例外ヲ発スルコトヲ得。公的行政体及ビ経営ニ対シテハ國労働大臣ハ関係國大臣ト協議シテ之等ノ規定ヲ発スルモノトス

第二十一條　(一)　本令第十八條乃至第二十條ニ違反シテ賃銀又ハ俸給ヲ約シ若ハ附與シ又ハ約束若ハ附與セシメタル者ハ國労働管理官又ハ特別労働管理官ニ依リ違反行為ノ各場合ニ付キ無限額ノ金銭ニ依ル秩序罰ヲ科セラル。本令ノ規定ニ依リ認メラレタルヨリ以上ニ有利ナル其ノ他ノ労働條件ヲ要

求シ若ハ附與シタル者ニ付キ又同ジ。秩序罰ノ言渡ニ対シテハ国労働大臣ニ抗告ヲ為スコトヲ得

（二）罪状重キトキハ禁錮刑若クハ懲役刑ニ処ス。刑事訴追ハ国労働管理官又ハ特別労働管理官ノ告訴ヲ待ツテ之ヲ行フ。此告訴ハ之ヲ却下スルコトヲ得

九八二

一三、戦時経済令第三章（戦時賃銀）ノ第一次施行規則（第一次戦時賃銀施行規則）（一九三九年九月一六日ホツへ、クリーグスレヒトE八二頁）

第一條　経営休止ノ場合ノ解約告知期間

（一）戦争状態ニ入リ経営ガ休止、操短若クハ転換サレルトキ、国労働管理官又ハ特別労働管理官ハ各従業員毎ニ、各経営ノ総従業員毎ニ若クハ経営團体ノ総従業員毎ニ従前ノ解約告知期間ヲ短縮スルコトヲ得。操短実施ノ通告期間ニ付キ亦同ジ。国労働管理官又ハ特別労働管理官ハ弁済期到来セル報酬ノ支払ニ付キ法律ノ規定又ハ其ノ他ノ規則ト異ル定ヲ為スコトヲ得

（二）解約告知期間及ビ通告期間ノ短縮ハ当該従業員ノ利益ノタメ之ヲ特定

九八三

ノ賦課（Auflage）ノ履行ヲ條件トスルコトヲ得

第二條　效力発生

本令ハ一九三九年九月四日ニ遡及シテ其ノ效力ヲ生ズ

九八四

一四、戦時経済令第三章（戦時賃銀）ノ第二次施行規則（第二次戦時賃銀施行規則）（一九三九年一〇月一二日ホツへ、クリーグスレヒトE八二E一頁）

第一條　（一）現行ノ賃銀率又ハ俸給率――家内労働ニ於ケル報酬ヲ含ム――及ビ其ノ他ノ規則的給與ノ引上並ニ一回ノ給與ニ依ル労働所得ノ引上ハ之ヲ禁止ス。但、法律、賃率規則、国労働大臣ノ発シ又ハ認可セル就業規則、国労働管理官又ハ特別労働管理官ノ認可セル経営規則（就業規則）ニ基ク引上又ハ国労働管理官又ハ特別労働管理官ノ訓令ニ基ク引上ハ此ノ限ニアラズ

（二）新設ノ経営（行政体）又ハ経営部門ニ対シ並ニ新規雇入レ又ハ他ノ労働ニ従事セシメラルル従業員ニ対シテハ戦時経済令第十八條（二）ノ規定

九八五

ヲ適用ス

(三)　國労働管理官又ハ特別労働管理官ハ例外ヲ認ムルコトヲ得

第二條　労働所得引上ノ為ニ既定ノ試験済ナル出来高拂賃銀（Akkord）ヲ変更スルコトハ之ヲ禁止ス。新規ノ出来高拂賃銀ハ其ノ基準（Grundlage）ヲ周到ニ調査シ従業員ノ熟知スル（nach Einarbeitung des Gefolgschaftsmitglieds）之ニ依ル労働所得ガ経営内ノ同種ノ労働ニ対スル通常ノ労働所得ヲ超エザル限度ニ於テ速カニ之ヲ確定スベシ。出来高拂賃銀ノ基準ヲ変更スルトキハ遅滞ナク出来高拂賃銀ノ再審査（Überprüfung）ヲ為スベシ。前三項ノ規定（die vorstehenden Vorschriften）ハ之ヲ賞與金ニ準用ス。第一條(三)ハ之ヲ適用ス

第三條　第一條及ビ第二條ノ規定ハ賃銀率又ハ俸給率ノ引下、規則的給與ノ低減（Verschlechterung）並ニ労働所得ノ減少ノ為ノ既定ノ試験済ナル出来高拂賃銀ノ変更ニ付キ之ヲ準用ス。國労働管理官又ハ特別労働管理官ノ同意又ハ訓令ニ依ル支給ヲ制限サレザル報酬ノ引下（Zurückführung）ハ其ノ效ヲ失ハズ

九八六

第四條　戦時経済令第二十一條ノ刑罰規定ハ之ヲ準用ス

第五條　國労働大臣ハ本令ノ施行及ビ補充ニ必要ナル行政規定ヲ発スルコトヲ得。國労働大臣ハ本令失效ノ期日ヲ定ムルモノトス

第六條　本令ハ公布ノ日（一九三九年一〇月一六日）ヨリ之ヲ施行ス

九八七

一五、戦時経済令第三章（日曜割増、祭日割増及夜間割増）ノ補充令（一九三九年一一月一六日ホツヘ、クリーグスレヒト巳八六頁）

夜間労働ハ戦時ニ於テハ灯火管制ニ依リ特ニ従業員ノ労働力ヲ極度ニ消耗セシム（beanspruchen）。夜間労働ハ又生活維持ノ為メ高度ノ給與ヲ必要トス。日曜労働モ亦戦時ニ於テハ従業員ニ対シ格別ノ障碍ヲ招来シ、此ノ障碍ハ其ノ除去ヲ是認セラルルモノナリ。故ニ戦時経済令第十八條第三項ノ規定セル日曜割増、祭日割増及ビ夜間割増ノ停止ハ單ニ一時的ノモノト考慮セラレザルベカラズ。從ツテ茲ニ一九三九年九月四日ノ戦時経済令第二十九條(一)ニ基キ経済総監ノ同意ヲ得テ次ノ如ク命令ス

戦時経済令第十八條(三)ノ日曜労働、祭日労働及ビ夜間労働ニ対スル割増支拂ノ禁止ハ一九三九年九月二七日ヨリ之ヲ廃止ス

九八八

九八九

一六、休暇再施行ニ関スル訓令（一九三九年一一月一七日クリーグスレヒトＪ 10 Ｅ 53）

一九三九年九月四日ノ戦時経済令第一九條第二項ニ基キ余ハ次ノ如ク定ム

一、休暇ニ関スル規定及ビ協定ハ一九四〇年一月一五日以後再ビ其ノ效力ヲ有スルモノトス。同日以後、休暇停止（Urlaubssperre）ノタメニ実現サレザリシ休暇請求権ハ、追加的ニ行使サルベキモノトス。但シ、既ニ與ヘラレシ休暇ハ之ヲ加算スルモノトス。休暇停止ノ期間ハ、新休暇請求権取得ノタメノ期間（Wartezeit）（註一）ノ計算ニ際シ顧慮サルベキモノトス。休暇規程ニ於テ冬季（Wintermonat）（註二）ニトラルベキ休暇ニ対シ休暇延長期間ノ定アル限リ（冬季割増（Winterzuschlag））割増休暇請求権ハ戦争状態ノ継続中之ヲ行使スルコトヲ得ズ

二、企業主（経営指導者）ハ休暇付與ノ時期ヲ経営上ノ能力ヲ基準トシテ定ムベキモノトス。ソノ際、休暇ヲ一年中ニ周到ニ割付ケルベク特ニ注意スベシ

三、一九三九年度ノ残餘ノ休暇ハ遅クトモ一九四〇年六月三〇日マデニ之ヲ與フベシ。休暇請求権ハ一九四〇年一〇月一日以前ニ於テハ消滅スルコトナシ。戦争状態ノタメニ休暇（Freizeit）ノ許與ガ不可能ナル場合ニハ、国労働管理官又ハ特別労働管理官ガ未ダ保証ヲ認メザル限リ、一九四〇年六月一日以降休暇ノ全部又ハ一部ノ補償ヲナスコトヲ得。コノ場合ニハ国労働管理官又ハ特別労働管理官ノ同意ヲ要セズ。第一段及ビ第二段ノ規定ハ一九三八年度ノ休暇請求権ガ尚存スル場合ニモ之ヲ準用ス

四、国労働管理官又ハ特別労働管理官ハ特別ノ場合――例ヘバ、休暇手当票規制ノ場合――ニツキ、余ノ指示ニ従ヒ別段ノ定又ハ補充ノ定ヲナスコトヲ得。

五、疑ハシキ問題ヲ生ジタル場合ニハ、行政手段ニヨリ之ヲ決スルコトヲ得

余ハ戦争状態上必要アルトキ本令ヲ改正スルコトアルベシ

（註一）Wartezeit für den Erwerb eines neuen Urlaubsanspruchs とは、休暇再施行になつて各個の労務者に休暇が與へら

れるまでの期間を云ふ。休暇再施行になつたから、即時に休暇が與へられるのではなく、就職後一定期間後に與へられるのである。

（註二）Wintermonat とは、直訳すれば冬月であり、十二月、一月、二月を云ふ。

一七　労働保護ニ関スル命令（一九三九年一二月一二日クリーグスレヒトＪ 10 Ｅ 53）抄録

第五條　一日十時間ヲ超過スル労働時間ニ対シ従業員（Gefolgschaftsmitglieder）ハ労働時間ソレ自身ニ対スル賃銀ニ適当ナル超過労働割増ノ請求権ヲ有ス。国労働大臣ガ別段ノ定ヲナサザル限リ、二五パーセントノ割増ヲ以テ適当ナルモノトス。割増請求権ハ労働ノ準備ガ労働時間中ニ於テ規則的ニ且著シキ部分ヲ占ムルトキハ消滅ス

第九條　本令ハ一九四〇年一月一日ヨリ其ノ效力ヲ生ズ。但シ第五條ノ超過労働割増ニ関スル規定ハ一九三九年一二月一八日ヨリ其ノ效力ヲ生ズ

一八、労働保護ニ関スル命令ノ施行訓令（一九四〇年一月一四日クリーグスレヒトJ 10 E 55）抄録

第二條　一日十時間ヲ超過スル労働時間ニ対スル超過労働割増ニ関スル第五條ノ規定ハ左ノ如キ労働時間ノ他ノ割当ニヨル十時間ノ限度ヲ超過スル場合ニハ適用サルルコトナシ

(a) 労働時間ノ他ノ配分ノ結果従業員ニ対シ休養及ビ家事解決ノタメ早ク終業セシメ且ソノ際超過労働時間ガ精々一時間ナル場合、又ハ

(b) 賃率規定又ハ一九三九年九月四日以前ニ発セラレタル法律規定ニ従ヒ超過労働ニ対スル割増ヲ支払フノ要ナキ場合

一九、戦時経済令第三章（農業及林業ニ於ケル超過労働割増（Mehrarbeitszuschläge））ノ補充令（一九四〇年三月二九日ホツペ、クリーグスレヒトE八大頁）

一九三九年九月四日ノ戦時経済令第二十九條(一)ニ基キ左ノ如ク命令ス

戦時経済令第十八條(三)ノ超過労働ニ対スル割増支払ノ禁止ハ一九四〇年四月一日ヨリ農業及ビ林業ニハ之ヲ適用セズ

二〇、超過労働割増ノ再施行ニ関スル命令（一九四〇年九月三日クリーグスレヒトJ 2 E 23）

従来ノ戦時期間（Kriegs[illegible]at）ニ於テ超過労働所得分ヲ抛棄シテ労務者及ビ使用人ヨリ要求サレネバナラナカツタ特別給付ヲ認メ、且賃銀計算ヲ単純ナラシムルタメ、戦争勃発前ト同ジ範囲ニ於テ、超過労働割増ガ再施行サルベキナリ。従ツテ四ケ年計画受託官ト協議シテ一九三九年九月四日ノ戦時経済令第二十九條第一項ニ基キ左ノ如ク命令ス

戦時経済令第十八條第三項ノ超過労働ニ対スル割増支払ノ禁止ハ一九四〇年九月八日ヨリ之ヲ廃止ス。同日ヨリ一九三九年一二月一二日ノ労働保護ニ関スル命令第五條ノ規定モソノ效力ヲ失フ

第四編　労働保護法

第一章　序説

第一節　労働保護法の意義及び分類

一　労働保護法の意義及び性質

労働保護法とは、従業者保護の目的を以て、企業者又は従業者に対し、公法的義務を課する法規の総稱である(註一)。

元来企業経営に於ける従業者の地位は種々なる危険を招来する。従業者は其労働給付を企業者より與へられた作業場に於て、且道具、器具、機械等に依りて行はねばならず、就中斯る事情は工業経営に於けるが如き場合にあつては特に其の影響が著しいものあるが故に、其處に従業者の生命、健康及び徳性に対する危険が成立する。国家は斯る諸危険に対する従業者の保護規定を考慮し、

九九七

特に危険労働を全く、若しくはある條件の下に於て、若しくはある特別の従業者、即ち婦人及び青少年に対し、禁止せねばならぬであらう。従業者に対する危険は亦企業者に依る労働時間の過度の延長、不當の配分に因つても成立する。國家は斯かる不當なる労働時間に因り招来せられる従業者の健康の濫掘、いはゞ間接的なる形に於ける従業者に対する危険を防止することに努めねばならぬであらう。更に従業者に対する危険は、経済的に優越せる企業者に依る搾取の可能性、即ち契約に依る従業者の労働條件の不利なる形成の危険の可能性にも存するであらう。斯る危険に対しては国家は亦、労働條件を従業者の利益になる様に形成することを強制しなければならぬこととなる。以上総ての場合に労働関係の法秩序は出来る限り之等の危険を防止することを試みねばならぬし、実際全労働法は斯る労務者保護の規定を俟つて始めて完成せられるものと謂ふべきである。

偖て従業者の保護規定の実施は、其の性質上先づ第一に企業者を対象とするが故に、其れは企業者に一定の保護義務を課するといふことでなければならぬ。

九九八

同様の意味に於て、一定の保護義務を課するといふことでなければならぬ。同様の意味に於て、一定の範囲に於ける、若くは一定の條件の下に於ける、就業禁止規定も、第一に企業者に向けらるべきである。斯る義務の設定には、然し二つの方向が考へられ得る。

先づ法律は当事者の自由を労働関係の形成の際に制限し、ある合意を排斥し、更に進んで労働関係に強制的内容を與へることが出来る。斯る方法に依り企業者の権利が制限せられ、義務が拡張せられる。其の結果之等の規定を無視して締結せられた労働契約は無効であるし、従業者は、彼等が之等義務の履行を請求し、又は企業主の不当なる請求を拒絶し得る限り、保護せられることゝなる。然し従業者が、解雇の危惧から、又は危険に対する無智若くは無関心から、或は又彼等に約束せられたる高額賃銀のために、之等保護規定に基く自己の権利を行使せず、他方に於て、企業者が労働関係に基く義務を履行せず、又は禁止に違反して従業者を就業せしむるが如き場合には、斯る方法による従業者保護は効力がないといはねばならぬ。

九九九

其故に立法者は多くの場合、より尖鋭なる手段を採らねばならぬであらう。即ち特に重要なる従業者保護規定の遵守を公権力の配置に依り強制せねばならぬであらう。斯くして立法者は企業者及び勿論非常に狭い範囲に於てゞはあるが従業者に対しても亦、国家に対する公法的義務を課し、其の履行を公法的強制を以て、特に刑罰の威赫を以て確保せんとする。斯くして労働保護の実施は従業者の態度とは独立に行はれ、法規は従業者が受動的なる態度を執るときにも亦従業者に利益を與へることゝなる。

以上二つの方向に於て行はれる従業者保護規定は、其の物的内容に於ては何等の差異も存しないであらう。然し前の方向に於ける法規、即ち労働関係法を基礎としては、企業者は従業者に対し例へば、彼等が生命及び健康から保護せられる様に作業場を設備する義務を有するが、斯かる同一の義務が同時に後の方向に於ける法規、即ち労働保護法に於ては、国家が其の義務違反に刑罰を以て臨み、其の履行を工業監督局を通じて監視する限り、企業者の国家に対する公法的義務たり得るのである。勿論現在に於ては企業者は単に企業者たるに止

一〇〇〇

まらず、経営指導者として従業者の福祉に努むることを要し（国民労働秩序法第二條）、従つて労働関係に淵源する企業者の保護義務の内容も国家の公益性を有すると共に、他方に於ては又、公法的労働保護法規は、既に労働関係に基礎づけられたる企業者の義務の、より詳細なる完成と見らるべきであるから、労働関係法及び労働保護法の両者はナチス法秩序に於ては渾然一体をなすものといふべきであらう。然るにも拘らず我々は、労働関係法に対する労働保護法の種別を、法技術的に次の様に行ひ得るであらう。即ち技術的意義に於ける労働保護法に於ては、労働関係法に於けると異り、保護規定の遵守に対して単なる私法的請求権を超えて公法的強制が行はれ、其の違反に対しては、公法的處罰の威赫が存するといふことを其の標識となし得るのである(註二)。

（註一）　従業者を其の労働給付の際に生ずる諸危険より保護し、ひいては民族労働力の荒廃損耗を防止せんとする国家的な社会的保護規定を、ナチス法秩序に於て如何に呼ぶべきかは一應考慮せらるべき問題である。従前行はれた被傭者保護法なる名称は経営共同体の理念に反する名称で

あるし、労務者保護法なる名称は保護の対象たる使用を包含し得ざる故不適当であり、従業者保護法なる名称も一般に行はれてゐない。労働力保護法若くは労働力培養法とかの名称を用ふればナチス労働法の理念に合致し得るかとも考へられるが、斯る用語は一般に未だ熟して居ない。従つて労働保護法なる名称は、保護規定が契約保護、賃銀保護にも関聯する以上狭きに失するも、一般的用語としてこれに従ふこととする。

（註二）　労働保護法の法源として一般的なる法律、命令等の外に、賃率規則が留意せらるべきである。即ち国家の官廳たる労働管理官により発布せられ、其の実施が監督及び刑罰により確保せられて居るものと謂ひ得る。蓋し賃率規則は労働関係に対する最低條件を包含し、従業者の保護に役立つものだからである（国民労働秩序法第三二條第二項）。亦賃率規則と法律に依る労働保護法とは密接なる関聯を有する。法律は屡々賃率規則により補充せられ進歩せしめられる。例へは後述する如く、賃率規則は、一定の経営群に対し強化せられた保護を規定し、他方に於ては

亦、法上の最高労働時間の延長を行ふことが出来る。然し本編叙述に於ては賃率規則、経営規則に依る労働保護に関しては原則として触れないこととする。

二　労働保護法規の私法上の意義

ナチス労働法に於ては労働関係は賃銀に対する労働給付の交換関係にあらずして、労働関係は、企業者に対して絶えず従業者に対する保護義務を課し、而して労働保護法規は斯る企業者の従業者に対する義務の国家権力に依る確保と考へらるべきであるから、労働保護法規に依り、唯に企業者の国家に対する公法的義務が課せらるるのみならず、又従業者は労働法規に基く保護義務の履行を、私法上、企業者に対し訴求することを得るのである。労働保護法規の契約労働関係に対する意義としては、次の諸点が指摘せらるべきである。

労働保護法規は、契約労働関係に対し一定の制限を設けるが、此の制限に違

反せる契約は独民法第一三四條により無効であり、従つて其れに依り疑ひもなく全労働関係の無効が生ずるであらう。

企業者が法律規定が遵守せざるときには、従事者にとつては労働拒絶権が生ずる。従業者は法律規定に違反せる労働関係に於ては労働するを要しない。斯る場合に然し企業者は独民法第六一五條に基き契約賃銀を支拂ふことを要するのである。

労働保護法規の企業者による有責的違反は、本法に従業者の保護法規に違反せるものとして、独民法第八二三條に依り損害賠償義務を生ずる。之は不法行為に関するが故に、契約に基く請求権とは別個に、独民法第八四七條に基く慰藉料も亦請求せらるることが出来る。更に労働保護法規の遵守は企業者の従業者に対する保護義務に属し、従つて労働保護法規が単に企業者に対し禁止を命ずるに止まらず、積極的義務をも課する場合には従業者は其履行に対し訴求権を有すべきであるが故に、従業者は民法第六一八條に謂ふ如き範囲に於て保護を訴求することを得る。此の点に関しては、企業者が義務履行のために使用人

を使用する場合には特に注意せらるべきである。此の場合には企業者は唯に独民法第八二三條及び第八三一條に依り、使用人の労働法規違反により従業者に対し損害賠償義務を有するのみならず、更に又絶対的に使用人の総べての有責的義務違反に対しても独民法第二七八條に基く責任を負ふのである。

三　労働保護法の分類

労働保護法は種々なる規定を包含して居るが今其の内容に従つて分類すれば次の如くである。

I、従業者の労働給付に際し生ずることあるべき経営内諸危険を能ふる限り減少せしむるための法規範。之を経営保護法（Betriebsschutzrecht）又は危険保護法（Gefahrenschutzrecht）と謂ふ。此の領域に於ては現在尚一八六九年の工業條例（Gewerbeordnung）第一二〇條a以下の規定が外枠法（Rahmengesetz）として存する外、危険労働に対する幾多の法律、

一〇〇五

命令が存する。更に之等と並んで同業組合より発布せられる災害防止規則（Unfallverhütungsvorschriften）が大なる役割を果して居り、其の遵守は刑罰の威嚇を以て確保せられ居る。亦此の領域に於ては独逸労働戦線の外局たる歓喜力行団に依る諸活動、就中労働美化運動が経営保護法の積極面として注目に値する。

II　就業時間、最高労働時間（Höchstarbeitszeit）、休日、夜業禁止、休憩時間等を規律するための法規範。之を労働時間保護法（Arbeitszeit-schutzrecht）と謂ふ。此の規定は労働時間の過度の延長、不当の配分に因る従業者の労働力の濫掘を防止することを目的とし、謂はゞ間接的なる意味に於ける危険保護法とも称すべきである。此の分野に於ける基本法としては現在一九三八年四月三〇日附労働時間條例（Arbeitszeitordnung）が存する。尚第二章第三節に於て独立せしめて取扱つた休暇（Urlaub）に関する諸規定も、理論上当然労働時間保護法に属するのであるが、其の重要性と特異性とに鑑み別個に叙述することゝした。

一〇〇六

III　契約労働関係の成立に関し従業者を保護すべき法規範。此の法規は労働契約に一定の準則を定め、従業者を契約締結上保護し、若くは企業者の義務履行を確保せんとするものである。之は契約保護法（Vertragsschutz-recht）及び賃銀保護法（Lohnschutzrecht）を含む。例へば労働手帖、賃銀手帖、報酬手帖、労働カード等に関する規定、現物支給、不規則支拂、賃銀控除、罰金制、強制貯金等の禁止又は制限に関する規定、最低賃銀制、証明書の交附等に関する規定が此の中に包含せられる。然し之等の規定は労働保護法に於て完結した叙述をなすに適せず、寧ろ労働関係法若くは賃銀統制法に於て取扱ふを適当とするであらう。

IV　最後に以上三つの方向の総べてに於て、特に保護を要する人達に対する高められた保護規範が存する。之を特別保護法（Sonderschutzrecht）と云ふ。即ち婦人労働者、青少年労働者及び家内労働者に対しては、夫々人口政策的、衛生的、肉体的、教育的及び経済的等の必要に依り、一般青年男子労務者に比し強化されたる労働保護規定が設けらるることゝなる。此の領域

一〇〇七

に於て我々は、婦人労働者に対しては一九二七年七月一六日附母性保護法（Mutterschutzgesetz）及び前記労働時間條例第三章を、青少年労務者に対しては一九三八年四月三〇日附青少年保護法（Jugendschutzgesetz）を、家内労務者に対しては一九三四年三月二三日附（一九三九年一〇月三〇日改正）「家内労働ニ関スル法律」（Gesetz über die Heimarbeit）を指摘し得るであらう。

第二節　独逸労働保護法の史的概観

一、労働法の前工業時代に於ては、労働保護法のさゝやかなる萌芽が一定のグループの従業者、例へば鉱山労働者に対し存したに過ぎなかつた。労働が未だ機械化されず親方と職人とが共同に仕事をして居た時代にあつては、現代の我々の観念にとつて過長と思はれる労働時間も何等圧迫的なものとは感ぜられなかつたのである。近代的意義に於ける国家的労働保護立法を促したも

一〇〇八

のは、一八世紀から一九世紀への轉換期に於て行はれた近代的工業の異常な発展と其の弊害とであつた。新に成立した工業的労務者が工場経営の劃期的発展と共に、企業者の労働力搾取に依り非常なる保健上の被害を被り、更に此の傾向は自由主義的世界観の結果たるギルド制度の弛緩に依り益々拍車づけられて行つた。斯くして労働保護立法は斯る工業的発達と弊害とが最も早く生じた英国に其の故郷を見出すこととなつた。即ち英國に於ては近代的労働保護法の先駆として小児保護のための一八〇二年の「徒弟ノ健康及ビ風紀保全ニ関スル法律」が成立するに至り、更に一八三三年、一八六四年及び一八六七年の工場法が成立して行つたのである。

二、十九世紀の初頭に於ては、尚独逸に於ては産業活動に対する国家の干渉を原則として拒否する支配的なる自由主義学説に従ひ、法上の労働保護は未だ知られて居なかつた。然し既に十九世紀の二十年代に至り、プロシヤの工業地帯に於て、文部大臣アルテンシユタインの小児工場労務者達との悲劇的体験を理由として問題が提起せられた。法律的保護を招来せんとする彼の努力

は然し、最初何等の結果をも生じなかつた。其後一八二八年に陸軍中将フオン・ホルンの報告が、工業地帯が最早や十分に軍人に適する人間を置き得ないことを指摘し、フリードリツヒ・ヴィルヘルム三世の閣令は、此の点に関する法律的規制の考量を大臣達に要請した。而して更に一八三三年の英国工場法の影響の下に初めて、工場に於ける小児労働の制限に対する国家の干渉が一八三九年三月九日附「工場ニ於ケル青少年労務者ノ就業ニ関スルプロシヤ條例」(Preussische Regulativ über die Beschäftigung jugendlicher Arbeiter in Fabriken)として発布せられるに至つたのである。労務者保護は斯くして総ての諸国に於けると同様、独逸に於ても小児の保護を以て始まつたのである。此の條例は九才以下の小児の工場労働を禁止し、十六才以下の青少年の労働を一日十時間に制限し、午後九時乃至午前五時の夜業及び日曜労働を禁じたが、全体的に見て其の効力は僅少であり、保護は内容的に不充分であり、実施に対する監督が欠如してゐた。

一八五三年に至り青少年保護が根本的に改良せられた。即ち工場労働に対

する保護年齢が九才より十二才に引上げられ、十二才乃至十四才の小児の労働時間は六時間に引下げられ、午後八時半乃至午前五時半の夜業が禁止せられ、休憩時間が規定せられ、たとへ任意的なものにせよ工場検査が規定せられたのである。又既に之以前に一八四五年のプロイセン工業條例に依り或種の工業経営の規定がなされ、更に一八四九年には現物支給禁止が行はれた。爾余の独逸諸州は本質的な点に於ては右のプロイセン工業條例に倣つたし、ザクセン及びバーデンに於ては、稍強程度に発達した経営保護が指摘せられる。

三、一八六九年の工業條例は、青少年保護、現物支給禁止及び任意的工場検査に関するプロイセンの規定及び経営保護に関するザクセン及びバーデンの規定を其の第七章に包括した。之は今日、勿論大いに改正せられた形に於てゞはあるが独逸国工業條例(Gewerbeordnung für das Deutsche Reich)として存続して居る。

労務者保護及び青少年保護の之以上の発展は徐々に行はれたが、独逸工業

の生長と工場経営に於ける婦人労働者の使用範囲の拡大に伴ひ、一八七八年に至り、婦人労働者の強化された保護及び強制的工場監督制が行はれた。其後ビスマルクが一八七〇年代の社会民主党の進出に対する緩和策として、一八八三年に疾病保険、一八八四年に災害保険、一八八九年に老廃保険を夫々法律として公布したが、彼の執政時代は概して労働保護法の停頓期であつた。ビスマルクの退場後、カイザー・ウイルヘルム二世は一八九〇年の勅語で最初の国際労働会議のベルリン召集を告げると共に、ドイツの労働者保護法に原則的綱領を示した。之に従ひ一八九一年六月一日附工業條例追加、所謂労働者保護法は、工場に於ける青少年就業の保護の強化、婦人労働者のための最高労働時間及び夜業禁止、日曜及び祝祭日労働の一般的なる禁止を規定すると共に、之迄青少年及び婦人労務者に対する保護規約の適用せられなかつた発動機を用ひて運轉を行ふ小工場に対しても、保護規定を擴張適用することとし、且産褥婦保護の実施及び工業監督の改善を行ふに至つた。

爾後第一次世界大戦の勃発に至る迄の数十年間は、右一八九一年六月一日

附の労働者保護法の実施及び特に必要なる施行細則の発布と共に、一九〇〇年六月三〇日附、一九〇八年一二月二八日附及び一九一一年一二月二七日附で行はれた工業條例改正に依る労務者保護の改善と補充の時代である。青少年労務者に対しては右の中では一九〇八年の改正に依る、工場なる不確かなる概念の排除が重要なる意義を有する。即ち一九〇八年の改正は、其迄工場に対してのみ適用せられた青少年労務者の就業に関する保護規定を、総ての経営に、即ち通常十人の労務者の就業せしめられる手工業の経営に対しても拡張し、斯くして保護規定の適用を受くる青少年の範囲を拡張したのである。又一九〇八年及び一九一一年の改正に依り、婦人労務者の就業時間が十時間以内に制限せられ、婦人及び青少年労務者の夜業禁止か午後八時乃至午前六時に延長せられた。工業に就業せる小児に対する保護規定は一九〇三年に拡張せられ、一九〇三年三月三〇日附小児保護法（*Kinderschutzgesetz*）なる特別法に包括せられた。家内労働に対しては、一九一一年一二月二〇日附家内労働法（*Hausarbeitsgesetz*）に依り特別なる保護が考慮せられた。

四、一九一四年より一九一八年に至る世界大戦中は、労働保護法の必然的弛緩を招来したが、（特に一九一六年一二月五日附祖国補助勤務法（*Reichsgesetz über den vaterländischen Hilfsdienst*）に依り）一九一八年には唯に従前の範囲に於ける保護の復活に止まらず、嘗ての限界を超へて労働保護法の拡張が行はれた。

労働時間保護法の領域に於ては、一九一八年一一月二三日附及び一二月一七日附の「工業労務者ノ労働時間ニ関スル復員令」及び一九一九年三月一八日附「使用人ノ労働時間ニ関スル復員令（*Demobilmachungsverordnungen*）」に依り、年齢及び性の差別なしに総ての工業労務者及び使用人に対し、従つて婦人及び青少年労務者に対しても亦、一率に八時間労働制が義務として確定せられ、此処に始めて文化的な最高労働時間が実現せらるゝに至つたのである。同時に労務者保護規定の適用範囲が拡張せられ、最低十人の労務者を有する経営に限らず、就業者の数を顧慮することなく、総ての経営に対し適用せられることゝなつた訳である。更に土曜日及び祝祭日前日の

午後五時以後の婦人労務者の就業禁止、青少年労務者の夜業禁止、十一時間の連続労働除外時間の賦典が規定せられた。

然し乍ら以上の八時間労働制に対しては、大戦後数年間独逸の大戦の創痍に依り、幾何もなくして労働時間の決定に伸縮性を賦典することを余儀なくせられた。就中一九二三年秋、インフレーション時の非常経済危機が頂点に達したる際、政府は一九二三年一二月二一日附労働時間條例により、一定の限界内で労働時間を調節する自由を賃率契約の当事者に典へたが、但し当局は異議を述べる権利を有し、特に保健上有害な営業部門に対しては八時間労働制を厳守させることゝした。之に対し間もなく独逸の経済的状態が再び稍復興するや、八時間以上の労働時間の増加を見るに至つたので、その対策として一九二七年四月一〇日附労働時間緊急法が発布せられ、割増賃銀の実施と、超過労働に対する要件として公益上已むを得ざる事由の存在及び当局の許可を必要とした。

爾余の特別なる労働保護の領域に於ては、一九一一年の家内労働法が一九

二三年六月二七日附家内労働法及び一九二八年一〇月六日附「家内労働ニ於ケル賃銀証書及ビ賃銀手帖ニ関スル命令」により改正補充せられた他、一九二三年一月一二日附重傷者法（*Schwerbeschädigtengesetz*）及び一九二七年七月一六日附「産前産後ノ就業ニ関スル法律」（母性保護法）（*Gesetz über die Beschäftigung vor und nach der Niederkunft*）（*Mutterschutzgesetz*）が注目せらるべき労働保護立法と言ひ得るであらう。

五、一九三三年以降に於ける国民社会主義に基く理念的変革に依り、労働保護法も従来の単なる労務者保護を超えて、寧ろ民族労働力の確保と培養と云ふ新しい地盤の上に打樹てられることゝなり、斯る新しい理念の下に前述の労働保護の諸立法が摂取改廃せられて行くのであるが、労働時間保護に関しては先づ国民労働秩序法との関聯に於て、一九三四年七月二六日附労働時間條例が発布せられた。然し本條例は之迄に存した成年男子労務者、婦人労務者及び青少年労務者の労働時間に関する規定の総括とも謂ふべきであり、実質

的な変化をなしたものではなかつた。其後一九三八年四月三〇日附青少年保護法の発布と、其れに伴ふ同日附労働時間條例改正（同日附「労働時間條例改正及ビ其他ノ労働時間諸規定ニ関スル命令」に依る）に依り眞にナチス労働観に基く規制がなされるに至つた。家内労働の領域に於ては、一九三三年六月八日附「家内労働ニ於ケル賃銀保護ニ関スル法律」に次いで一九三四年三月二三日附「家内労働ニ関スル法律」（*Gesetz über die Heimarbeit*）が発布せられた。其他幾多の労働保護に関する特別法令が順次発布せられ、更に第二次世界大戦に直面して労働保護の一時的緩和と再強化がなされるに至るのであるが、ナチス労働保護法の成立と其展開の詳細は章を改めて述べることゝするであらう。

（註）　本章参照文献

一九三八年四月三〇日附青少年保護法立法理由書

Alfred Hueck, Deutsches Arbeitsrecht, Ein Grundriss 1938.

一〇一七

Dr. Arthur Nikisch, Arbeitsrecht, 2 Halbband 1938.

一〇一八

第二章　ナチス労働保護法の成立

第一節　ナチス労働保護法の指導理念

一、周知の如く大戰に続く窮乏と階級対立の相剋の中から再び栄誉ある祖国再建を意図して起上つたナチス独逸に依る社会建設の理念は、輝やかしき傳統と素質とを有するゲルマン民族の団結といふことであつた。ユダヤ的金権主義並びに政治的マルクス主義に依つて蠶食せられた独逸民族に対して、民族共同体の旗幟を高く揭げ、以つて誤れる自由主義並びに階級闘争思想を民族昂揚の理念によりて超克せんとするものであつた。ナチス独逸の社会にあつては、民族共同体の思想こそは新なる独逸のすべての思惟を、とりわけその法的思惟をも亦全面的に支配することは当然のことゝ謂はれねばならなかつた。果して然らば此の民族共同体の理念は労働保護法の領域に於て、如何に

一〇一九

して実現されて行つたであらうか。

元来企業者と労務者及び使用人間に利害対立の存することは自明のことに屬する。此の事を無條件的に拒否することは、其の眞実の地盤を拋棄することを意味するであらう。我々は工業発達の初期を想起することが出来る。当時、工業技術の急激なる進歩に基く正しからざる非社会的状態は、信頼に充てる共同労働の思想を絶滅せしめ、階級闘争のマルクス主義的イデオロギーに対し温床を醸成するに至つたのである。階級闘争思想を克服し、国家をして新たなる分裂をり擁護せんと欲するならば、率直に企業者と労務者及び使用人間の利害対立の事実を認識すると共に、進んで斯る状態の再現を防止すべく努めねばならぬであらう。其故に企業者と労務者及び使用人間に正しき利害均衡を樹立し、從つて経済的弱者たる労務者及び使用人を保護することが、苟も労働法が近代的意義に於て問題とせられる限り、ナチス独逸にあつても極めて当然といはねばならぬ。斯る事情は眞の共同体精神が正しき利害の均衡を考慮するであらうことが勿論であるにしても、常に眞の共同体に対

一〇二〇

する決定的基礎條件と謂はねばならぬ。

然し乍ら他方に於て共同体精神の地盤に立って囚はれざる観察を為す時には、企業者と労務者及び使用人間には單なる利害対立のみが存するとは云ひ得ないであらう。即ち企業経営の基本には利害対立にも増して利害共同の広き地盤が存することが容易に看取せられるのである。蓋し健全なる経営のみが好き労働條件を與へ得るが故に、経営の利害は常に亦労務者及び使用人の利益であり、反対に亦企業者は満足せる、経営の利益のために献身する労務者達と共にのみ、好き経営業績に到達し得ると云ふことは亦明々白々のことに属するものだからである。従って問題の解決は、正しき方法によりて企業者と労働者及び使用人間の利害対立を除去し、総ての創造的勤労独逸民族の諸力を全経営のための共同労働のために解放し、民族のあらゆる力を内部の戦に消耗することなく、民族及び国家の共同利害のために外部に対して向けしむることに焦点を置かねばならないであらう。斯することに依ってのみ眞の労働保護政策の解決がもたらされ得るのであり、亦この点にこそナチス独

逸による労働保護法の基礎と限界が見出されるのである。

二、

さて翻って労働保護法の史的回顧は企業者と労務者及び使用人間の利害均衡並びに労務者保護が今迄二つの方向に於て到達せんと試みられたことを示してゐる。即ちそれは一つには、経済的弱者たる労務者及び使用人を保護せんとする国家の干渉に依り、他は団結の方法による当事者達の自助に依り自からの利益を擁護せんとすることに依ってゞある。

既に前章に於て見たる如く十八世紀末葉以来の工業の異常なる発達に基く経済的諸事情と、其れと形影相伴ふ自由主義的法思想は、労働契約を以て賃銀に対する労働の交換なる債権契約となし、従って労働も亦商品として取扱はれ、労働契約は企業者と労務者及び使用人間に、法律上は対等に、然し経済上は企業者の優位を招来するが如き方法に於て行はれたのである。我々は斯る自由主義的法規制を例へば一八六九年の工業條例第一〇五條「独立ノ工業経営者と工業労務者トノ間ノ関係ハ、国法律ニ依ル制限アル場合ヲ除ク外、自由ナル合意ニ依リテ決定セラルルモノトス」なる表現に観ることが出来る

のであるが、斯る自由主義的資本主義的時代にありては、屡々饑餓賃銀、長時間労働、婦人、小児及青少年労務者の無制限使用等による勤労階級の搾取が行はれたのは蓋し必然的なる結果といはなければならなかった。之に対し当時の国家は或ひは人道主義的見地から、或は国家的必要から或程度の保護手段を採ったけれども、それは云はゞ事後的な、必要に迫られた保護処置に過ぎなかった。

斯る時代に続いて第一次世界大戦及び一九一八年の革命に依り、労働契約を以て雇傭、被傭両者間の債権契約なりとなす右の資本主義的、自由主義的見解は克服せられ、集団主義的労働法学説に従ひ、労働組合的賃率政策が優位を獲得することゝなった。然し賃率協約を基本とする此の集団主義的労働法思想は、当時の経済状態を顧慮することなく、唯一重に労働階級の利益擁護にのみ專念し、従って其の大部分が労務者及び使用人から成立って居る民族共同体の重要さを考慮せず、労働條件の絶えざる改善を以て能事終れりとなしたのである。従って亦斯る集団主義的時代にあっては、企業者と労働組

合間の労働協約に法上の拘束力が與へられ、同盟罷業と工場閉鎖が闘争手段として認容せられた。斯る集団主義体制は部分的階級あるを知って全体的国家あるを知らず、かくして亦経営業績の向上ならびに企業者と労務者間の人格的紐帯は見らるべくもなかったのである。此の労働者団結の方法による労働保護の体制は一九三〇年以後の経済危険の嵐の中に崩壊し去った。

遂に然し国家社会主義は共同体思想に栄冠を與へた。国家社会主義は皮相な観察に於ては正しく見えやうとも一方的利益政策なるものゝ破綻を鋭く認識し、之に代ふるに民族共同体の地盤の上に立つ経営共同体の思想を打樹てるに至った。此処では民族を利し若しくは利するが如く思はれるものが正しいのであり、個々の集団を利し若くは利するが如く思はれるものが正しいのではなかった。斯くしてナチス独逸はファシスト・イタリーとは反対に集団主義的自治の途を選ぶことなく、一九三三年五月二日にマルクス主義に特に親近せる自由労働組合を解散せしめ、民族社会主義経営細胞の指導下に置くことゝしたのである。而して組合員は独逸労働戦線に引継がれたが、之は何

等一方的闘争団体ではなく総ての独逸創造者達の共同体であり、企業者、労務者及び使用人を包含し、何等の労働協約を締結するものに非ることは既述の如くである。

三、斯くしてナチス政権樹立と共に、個人主義的ならびに集団主義的残滓は完全に排拭せられることゝなり、労働関係はドイツの法的、人法的共同体関係なりとして、古ドイツ法的忠勤契約から採られた指導者及び従者の思想が打樹てられることゝなつた。労働法の中核概念は労働契約ではなくして経営共同体であり、労働契約は債権契約ではなくしてドイツ法的忠実関係でなければならなかつた。雇傭者及び被傭者なる概念は廃棄せられ、指導者及び従者の新しい用語が経営共同体の強調と共に指導者原理を表現する。労働保護は単なる勤労者個人若くは階級の利益保護を目的とするものではなく、労務者を價値高き独逸民族の所属者と観て、彼の擔ふ労働力なる民族の継承財産を擁護し、維持し、培養することを目的とするに至つた。労務者及び使用人を保護することは創造的独逸人を其の濫掘、損耗、荒廃から防止すべき国家

的義務として、広くナチス社会政策の重要なる部面を占むることゝなつたのである。我々は今ナチス労働保護法の指導理念の法上の表現を、次の如く見ることを得るのである。

「経営ニ於テハ企業者ハ経営ノ指導者トシテ、使用人及ビ労務者ハ従者トシテ相共ニ経営目的ノ促進並ビニ民族及ビ国家ノ共同利益ノタメニ働クモノトス」（国民労働秩序法第一條）。

「経営指導者ハ従者ノ福祉ニ努ムルヲ要ス、従者ハ指導者ニ対シテ経営共同体ニ確立セラレタル忠誠ヲ保持スルヲ要ス」（同第二條第二項）。

「国家社会主義的国家ハスベテノ小経営及ビ大経営ニ就業セル従業者ニ原則トシテ同様ノ保護ヲ附與スル、今日創造的民族同胞ニ課セラレタル高メラレタル要求ハ加之、スベテノ従業者ガ保健上ノ障害ヨリ十分ニ保護セラレ、且強キ必要アルニモ拘ハラズ、国民ノ文化財ヘノ参與ノタメニ十分ナル自由時間ノ與ヘラルルコトヲ條件ヅケル」（一九三八年四月三〇日附労働時間條例改正令立法理由）。

「青少年保護ハ民族保護ナリ総テノ青少年ヲ精神上、肉体上、健康ナル民族同胞ニ育成スルハ、民族的必要ニシテ且国民社会主義ノ義務ニ属ス」（同日附青少年保護法前文）。

「スベテノ勤労者ノ保健上ノ対策ヲ講ズヘキハ戦時ニ於テモ亦労働保護ノ緊急課題タルヲ失ハス、高度ノ能率ヲ発揮スベキ必要アルニ拘ハラズ労働力ニ対スルスベテノ過度ノ要求ハ避ケラル、ヲ要ス」（一九三九年一二月一二日附労働保護令前文）。

斯くして民族共同体の地盤の上に経営共同体を中核概念として、創造的独逸人の生命、健康、人格を保護すべきナチス労働保護法の諸原則が打樹てられるのであるが、今其の指導理念とも謂ふべき諸点を要約すれば次の如くなるであらう。

エ．労働保護法の第一義的要請は民族労働力の保護と謂ふことに外ならぬ。既に屡々述べた如く労働保護は自由主義時代にあつては人道主義的見地から、集団主義的時代にあつては階級利益擁護の立場からなされたのである

がナチス労働保護法にあつては勤労者は夫々價値高き独逸民族の一肢体として、其の労働力の損耗は直ちに国家の損失を意味するが故に、労働保護は民族労働力保護の見地に於て十全に行はれる。従つて自由主義時代及集団主義時代と異り勤労者達自身も自己に與へられる保護が自分一個の利益のために與へられるに非ることを自覚し、保護規定に従ひ自己の労働力を国家のため、民族のためにあらゆる危険、損耗から防止すべき義務を有するといはねばならぬ。此の事を自覚せずして自己の怠慢過失等に依りて労働力を損ふ如きは、国民的継承財産を損ふものとして重要な責務を擔ふべきものとせられる。更に労働保護法を遵守すべき第一の責任者たる企業者が常に労働保護に万全を期すべきは謂ふを俟たないであらう。

労働保護が民族保護なることよりして当然に婦人及び青少年労務者に対しては一般青年男子労務者に比し特別の考慮が拂はれる。蓋し婦人労務者は人口政策の見地に於て、青少年労務者は次代を擔ふものとして、共に民族保健の立場に於て特に留意せらるゝを要するからである。

Ⅱ．次にナチス労働法の中核概念たる経営共同体の強調と、従って亦経営指導者の保護義務の強調が、労働保護法に大なる特長を与へる。今や企業者と労務者及び使用人は利害対立者としての雇傭者と被雇者ではなくして、忠実、信頼及び仲間意識に依り固く結合せられたる僚友として相共に経営共同体のために盡くすべきものとせられる。企業者の従者に対する保護義務の如きも、共同体関係に内在する誠実義務の法的表現と謂ふべく、従って企業者は唯に具体化せられたる法律上の諸保護義務を履行すべきのみならず、常に共同体精神に則り、自己の経営の従者を可能なる限り保護すべきものとせられる。企業者が若し従者に対する保護義務に違反するときは、共同体精神を冒すものとして社会的名誉裁判の訴追を受けるのである。而して斯る経営指導者と従者との経営共同体は、更に民族及び国家と云ふより高き共同体の中に位置づけられ、其の共同目的遂行のため努力すべきものとせられるのである。

Ⅲ、最後にナチス労働保護法の特長は、勤労者の人格の保護と云ふ点にも存

する。ナチス以前の労働法の意図する所は人格性の抹殺と云ふことであり、大経営の発達の時代にあっては、人間的人格は機械の下に抹消せられ、人間は量の成分と化し去ったのである。ナチス独逸は斯る索漠たる量の世界から人間を抽き出し、労働関係を倫理化し、労働を高貴なるものとして尊重し、共同労働にいそしむ創造者達に名誉と人格を与へ、以て新しい労働観を樹立した。蓋し労働が神聖且高貴なるものたる以上、斯る労働を侮辱、妨害することは勤労者を侮辱することであり、労働と勤労者の名誉の侵害を結果する故である。斯くして勤労者達に対しては単に保健上の観点のみならず、其の名誉と人格の尊重がなされ、更に国民文化財への関与、政治的活動のために十分なる保護が与へらるべきであるとせられ、青少年労働者に対しては、職業教育、肉体鍛錬、人格の陶冶及び政治的教育のために十分なる保護が賦与せらるべきものとせられるのである。亦斯くすることによってのみ民族共同体の肢体としての経営共同体が眞に人格的な労働共同体となり、業積高き給付共同体が生まれ維持せられ得るのである。

第二節　労働時間保護法

第一款　最高労働時間

一、労働時間保護一般

既に屡々述べ来った如く、独逸民族各員の労働力を十全に保持し、其の給付能力を培養増進せしむることが、労働保護に課せられたる任務なりとすれば、労働時間の過度の延長若しくは労働時間の不当の配分に因る民族力の損耗は、可及的に防止せらるゝを要するであらう。蓋し之等労働時間の誤れる実施に因る労働力の濫掘は、縦へその弊害が漸次的なるにもせよ、長期に亘るに於ては、結局労働力の損耗、民族健康の低下を招来せしめずには措かないからである。斯くして労働時間保護に関する法規は、労務者に対する直接的災害防止を目的

とする危険保護法規と並んで、労働保護法規の中核を形成するものであるが、国家に依る労働時間保護の規定は、現在次の如き仕方でなされて居る。即ち

イ．一日の最高労働時間若くは十四日間の最高労働時間（Höchst= Arbeitszeit）、場合により、一週の最高労働時間を規定し、

ロ．一日時中に於ける労働時間の配分（Lage der Arbeitszeit）を規定し、就中夜間労働を禁止若くは制限し、

ハ．休養時間及休憩時間（Ruhezeiten und Arbeitspausen）を規定し、

ニ．日曜日及び祝祭日（Sonn= und Festtage）に於ける労働を禁止若しくは制限する、と云ふが如き仕方に於て行はれて居るのである。

勿論斯る内容を有する制限は、企業者の従者に対する保護義務（Fürsorgepflicht）からも当然生ずるものであるが、一般にかゝる保護義務の限界は不確かであり、其の遵守は国家により保証せられないものであるから、此処に労働保護法の一環として、即ち国家に依る公法的保護規定が必要とせられるの

である。斯くして労働力の保護を、労働時間の観念に於て確保することを目的とする、之等の法規は、企業者に其の無條件的遵守を命ずるものであり、之に違反せる企業者、労務者間の規定を無効たらしめるものである（独民法第一三四條参照）。従って企業者は常に之等法律の埒内に於て、労務者の労働力を使用し得るに止まり、労務者は超過労働を命ぜる企業者の命令に拘束せられない。有責的違反行為が為された場合に於ては、企業者は国家に対する義務違反として罰せられるが、超過労働を為したる労務者は、何等法規違反ではなく、従って亦罰せられることはないのである。蓋し労働時間保護法規は、企業者に対し公法的義務を課するに止まり、労務者を其の直接の義務者とするものでないからである。

一〇三三

二、法源及労働時間條例の適用範囲

労働時間保護は右の如く労務者の健康の濫掘を防止することを其の目的とするものであるから、労働時間の最高限界、即ち最高労働時間（*Die Höchstdauer der Arbeitszeit*）の確立が、其の中心課題たることゝなるが、此の点に付き、第一次世界大戦以前にあっては、唯僅かに婦人及び小児に対する規定が存するに過ぎなかった（一八六九年の工業條例、一九〇六年のベルン国際協定、一九〇五年の小児保護法等）。成年男子労務者に対する最高労働時間は、一定の健康上有害なる労働に就てのみ、命令又は警察処分を以て、実施され得たに過ぎなかった（衛生的最高労働時間（*hygienische Höchstarbeitszeit*）、工業條例第一二〇條b）。其後世界大戦は労働時間に対し大なる影響を与へたが、戦後に至り、前述の如く一九一八年十一月二三日の労務者に対する、一九一九年三月一八日の使用人に対する復員令に依り、成年男子労務者に対し、八時間労働制が確立せらるゝに至った。其後幾多の変遷を経たけれども、一般的最高労働時間（*allgemeine Höchst- Arbeitszeit*）として、現在尚八時間制が原則とせられて居る。斯る基準を与へるものとして、現在労働時間保護法の基本法は、一九三八年四月三〇日附労働時間條例（*Arbeitszeitordnung vom 30. April 1938*）、一九三八年一二月一二日附同施行令（*Ausführungsverordnung zur Arbeitszeitordnung vom 12. Dezember 1938*）であるが、更に特殊の事情を有する種々の職業群に対しては、多くの単行法及び命令に依る規制がなされて居り、労働時間條例の特別法たる意義を有する。今其等を一括して示せば次の如くである。

一〇三四

一九三六年六月二九日附「パン製造業及ビ菓子製造ニ於ケル労働時間ニ関スル法律」（*Gesetz über die Arbeitszeit in Bäckereien und Konditoreien*）

一九三六年六月三〇日附同施行令

一九二五年一月二〇日附「コークス製造場及ビ鎔鉱爐作業ニ於ケル労働時間ニ関スル命令」（*VO. über die Arbeitszeit in Kokereien und Hochofenwerken*）

一九二七年二月九日附「瓦斯事業ニ於ケル労働時間ニ関スル命令」（*VO. über die Arbeitszeit in Gaswerken*）

一〇三五

一九二七年二月九日附「金属工場ニ於ケル労働時間ニ関スル命令」（*VO. über die Arbeitszeit in Metallhütten*）

一九二七年六月一六日附「大製鉄工業ノ製鋼所、圧延工場及ビ其他ノ工作場ニ於ケル労働時間ニ関スル命令」（*VO. über die Arbeitszeit in Stahlwerken, Walzwerken und anderen Anlagen der Grosseisenindustrie*）

一九二九年三月二六日附「洋灰工業ニ於ケル労働時間ニ関スル命令」（*VO. über die Arbeitszeit in Zementindustrie*）

一九三四年二月一三日附「療病所ニ於ケル労働時間ニ関スル命令」（*VO. über die Arbeitszeit in Krankenpflegeanstalten*）

一九三八年一二月二三日附硝子製造所令（*Glashüttenverordnung*）

更に青少年の労働時間に関するものとして次のものがある。

一九三八年四月三〇日附青少年保護法（*Jugendschutzgesetz*）

一九三八年一二月一二日附同施行令

一〇三六

一九三八年一二月二三日附「製鉄工業ニ於ケル青少年ノ就業ニ関スル命令」（Vo. über die Beschäftigung Jugendlicher in der Eisen schaffenden Industrie）

一九三九年一月二〇日附「鑛山経営ニ於ケル青少年ノ就業ニ関スル命令」（Vo. über die Beschäftigung Jugendlicher in bergbaulichen Betrieben）

右に掲げた如き特別法的規範に依り特殊の規定を受けざる一般成年労務者に対しては労働時間條例に依る労働時間保護が與へられるのであるが夫は総ての労務者に対してではなく主として商工業従業員を其の対象とするものである。

即ち其の物的適用範圍は、交通業及び鑛業を含む工業、技術的労務を含む商業に関する一切の種類の経営および行政に従事する労務者および使用人を包含するのであるが、農業、林業、狩猟、牧畜、営業的種類の農林業副業、漁業、航海業、航空業にたいし、および薬局の補助者、徒弟にたいしては適用せられないのである。さらに、パン製造業および菓子製造業の従業者、ならびに療病所の看護人その他の従業者に対しては、夫々前述の特別法及命令が適用せられる。又労働時間條例の人的適用範囲は、十八才以上の労務者及び使用人であるが、其の際彼等が

一〇三七

利益取得の目的を有すると否とを問はないものとせられる。然し或る数群の使用人に対しては、労働時間條例は適用せらない。即ち、総括代理人（Generalbevollmächtigte）及び商業登記簿若しくは産業組合登記簿に登記せられたる企業代理人、ならびに指導的地位にある其の他の使用人にして、尠くとも二十人以上の従業員を有する店長であるか、若しくは年所得が、使用人保険法（Versicherungsgesetz für Angestellte）に於て、保険義務に対し規定せられた最高限度を超ゆる店長に対しては、適用せられないものとされて居る（労働時間條例第一條第一項乃至第三項）。

三、通常労働時間

（Die regelmässige gesetzliche Arbeitszeit）

通常作業日労働時間は八時間を超過すべからざるものとせられる（條例第三條）。此処に謂ふ労働時間とは、一般には休憩時間を除く労務の開始より終了に

一〇三八

至る時間を指すのであるが、炭坑にあつては、交替時間（Schichtzeit）制が採られて居て、交替時間としては、入坑の際の索條運搬の開始より出坑の際の再開始まで、若しくは各従業員の横坑口孔への入坑より其の出坑までが算入せられることゝなつて居る。

各個の作業日に於ける八時間労働制に対しては、相殺労働（Ausgleichsarbeit）が許されて居り、経営若しくは一経営部門に就いて、個々の作業日に於ける労働時間が、規則的に短縮せらるゝ時には、其の缺けた分の労働時間は其の週若しくは前週若くは翌週の、他の作業日の超過労働により、相殺し得らるゝことゝせられて居る。又経営祝祭、国民祭、公行事に依り若しくは類似の理由により、作業日に缺けたる労働時間は、此缺日を含む接着せる五週間内の作業日に配分せられ得るのである。之等相殺労働に於ては然し一日の労働時間は、工業監督局の許可なき限り、十時間を超ゆることを得ないものとせられる（條例第四條）。

一〇三九

四、通常労働時間に対する例外

八時間労働の原則に対しては、種々の経済上の要求により、規定を彈力的ならしむるために、多数の例外が認められてゐる。其れは或ひは法の規定に依り無條件的に、或は官廳の特別許可を要するものとして、規定せられて居るが、特に重要な例外は次の如くである。

I. 法律に依る場合

(1) 所謂前労働及び仕舞労働（Vor- und Abschlussarbeiten）に於て、経営の正常な運営のため缺くことの出来ない経営設備の見廻りや、掃除、整頓の労働、及び経営全体の作業再開若しくは維持のために、労働技術上絶対に必要とせられる労働に於ては、一日二時間以内の労働時間延長が許されるのみならず、此の場合、他の従業員に依る代理が不可能であり、且経営外の労務者の雇入も経営指導者に望み難きときには、一日十時間以

一〇四〇

上の労働も許される。此の外更に顧客への最終接待、ならびにそれと絶対に不可分の関係にある後片づけ労働に就いても、労働時間は半時間、但し一日十時間以内たることを要するが、延長せられ得る（條例第五條）。

(2)、企業者は其の選択に従ひ、其の経営若しくは一経営部门の従業員に対し、一年に三〇日だけ、通常労働時間を超えて、一日二時間の超過労働に従事せしめることが出来るが、此の場合にも一日十時間以内たることを要する（條例第六條）。

(3)、非常の場合（aussergewöhnliche Fälle）に於て、即ち、危急の場合（Notfällen）及び当事者の意思とは無関係に起り其の結果が他の方法に依っては除去せられない爾餘の非常の場合、特に原料又は食料品の腐敗、若しくは労働結果の失敗防止のためにする一時的労働に就いては、労働時間の制限は全く存しない。此の事は亦、従業員の不就業が労働結果を危殆ならしめ、又は過度の経済的損害を惹起せしめ、且経営指導者に他の手段を期待し得ないが如き場合に、比較的少数の従業員を個々の日に就業

せしめる場合に就いても同様である（條例第一四條）。

(4)、所謂連続労働（ununterbrochene Arbeit）に於て、即ち作業日及び日曜日を通じ連続作業を必要とする労働、例へば鉄鉱場、コークス製造場に於ける労働に於ては、規則的週交替制（regelmässige wöchentliche Schichtwechsel）の採用に依り、成年男子従業員は、三週間中に一回、休憩時間を含む最高十六時間連続作業制に服せしむることが許される。但し此の三週間中に二回、二十四時間の連続休養時間（ununterbrochene Ruhezeit）が許與されねばならぬ（法例第十條）。

II. 特別許可に依る場合

(1) 通常労働時間は賃率規則を以て一日十時間に至る迄延長せしめることが出来る。更に亦労働時間中、普通に及び著しい程度に労働準備（Arbeitsbereitschaft）が行はれて居る営業部門若しくは職業群（例、消防夫、夜警手、門衛、運搬夫、自動車運轉手等）に対しては、通常労働時間は賃率規則を以て、又之がない場合には労働大臣若しくは労働管理官に依り

一日十時間を超ゆる特別規制が為され得る（條例第七條）。元来労働時間の法的制限なるものは、労務者の労働力の過度の損耗を保護せんとするものであるから、右の如き労務者が労働の常時即刻開始の準備をして居ることを要するが如き場合に於て、国家の官廳たる労働管理官に対し、弾力的規定制定の権限を與へることは、当然の措置と云ふべきである。但し特別規制は常に賃率規則に依ってのみ行はれ得べく、経営指導者による経営規則の方法に因るを得ないことに注意すべきである。

(2) 工業監督局（Gewerbeaufsichtsamt）若しくは鉱山監督局（Bergaufsichtsamt）は、企業者の申請に基き、労働時間延長が、経営技術的又は一般経済的理由から緊急已むを得ざる場合には、労働時間を、それが賃率規則に依って規定されて居ない限り、一日十時間迄延長することを得る。更に労働時間中通常且著しい程度に於て労働準備が行はれて居るとき、若しくは公益上緊急の事由あるときには、一日十時間を超ゆる労働時間を許可することを得る（條例第八條）。

III、公経営及び公行政（Öffentliche Betriebe und Verwaltungen）に対する特別規定

国、国自動車道路企業、ライヒスバンクならびに州の経営及び行政と、市町村並びに市町村団体の行政とに対しては、職務上の上級官廳は、官吏に適用せらるべき、労働時間に関する職務規定を、之等の経営及び行政に使用せられる労務者及び使用人に轉用することが出来るものとせられる。更に亦官吏と一緒に公法団体に就業し居る使用人に対しては、斯る使用人に対して右の様な轉用が明示せられて居ない時に於ても又、官吏に対して適用せられる労働時間に関する職務規定が適用されるものとされて居る。但し個別約定、職務規則若しくは賃率規則を以て之と異る定めを為したる場合には此の限りではない（條例第一三條）。

IV、労働時間延長の最高限

以上述べた如く八時間労働の原則に対しては、種々の場合に、或ひは法律の規定に依り、或は官廳の特別許可を要するものとして、労働時間の延長が

なされ得るのであるが、労働時間條例第一一條は、右例外の場合に於ける労働時間延長に対し、其の最高限を規定し、労働時間延長は、右例外の多数競合せる場合に於ても、一日十時間を超ゆることを許さゞることを規定した。但し此の十時間と云ふ例外最高限を更に超過することを得る場合として、右に述べた各場合に就き一括して示せば次の如くである。即ち、相殺労働の許される場合に於て工業監督局の許可を得て行ふ場合、或る種の前労働及び仕舞労働（例へば動力装置、煖房装置等）に於て、当該経営の他の従業員に依る代行が不可能であり、且つ経営外の労務者の雇入れと経営指導者に期待出来ない場合、通常且著しい範囲に於て労働準備の行はるゝ場合に賃率規則に依る労働時間延長のなさるゝ場合、之と同様なる其他の場合及び公益上緊急の事由ある場合に、工業監督局若しくは鉱山監督局の許可を得た場合、連続労働の場合、及び非常の場合がそれである。

D. 超過労働報酬（Mehrarbeitsvergütung）

斯くの如く通常労働時間に対し、一日十時間以内の、若しくは十時間を超

一〇四五

ゆる労働時間の延長が認められる訳であるが、斯る許容の埒内に於ける超過労働をも、出來る限り制限することが、労働時間保護の本旨であるから、労働時間條例第一五條は、此目的を達するために、徒弟を除く従業者に対し、超過労働のなされたる場合に対する特別報酬（Sondervergütung）請求権を付與して居る。即ち第一五條に依れば、企業者に與へられた三〇日の労働時間延長に関する場合、賃率規則に依る労働時間延長の場合、工業監督局（鑛山監督局）に依る労働時間延長の場合、非常の際の労働時間延長の場合に行はれたる、通常労働時間を超ゆる超過労働時間に対しては、正規の労働時間に対する賃銀以上の、相當の報酬が與へらるべきものとせられる。然し、前労働又は早仕舞労働の場合、單に危急、自然の事故椿事又は其他避くべからざる障害の結果必要とせられた場合、賃率規則、官廳許可に依る場合の中、通常且著しい範囲に於て労働準備が必要とせられる場合に於て行はれたる超過労働に対しては、超過労働報酬は付與せられないものとせられる。

超過労働報酬は百分の二十五の割増を以て支拂はれる。但し當事者が之と

一〇四六

異なる定めをなし、国大臣が共通勤務規則（gemeinsame Dienstordnung）を以て、労働大臣若しくは労働管理官（特別労働管理官）か、之と異なる定めをなしたるときには、此の限りではない。一年の一定時期に通常著しく強化されたる活動を必要とする種類の営業に於て、其の時期に八時間以上の労働が行はれる場合に於て、其の超過労働が一年の他の時期に於ける労働時間短縮に依り相殺せらるゝ限り、労働大臣は超過労働報酬規定の適用を排除する旨の定めをなすことが出来る。

五、危険労働（Gefährliche Arbeiten）に於ける特別労働時間保護

最高労働時間に関する規定は、沿革的には、一定の健康に有害な労働に対してのみ、所謂衛生的最高労働時間として、工業條例第一二〇條に従ひ命令若しくは警察処分を以て行はれたに過ぎなかつたことは既に述べたが、労働時間條

一〇四七

例第九條は、此の点に付き、危険労働に於ける労働時間として、一般的労働時間保護に対し、高められた労働保護を規定してゐる。即ち、生命若しくは保険上特別危険の下に労働する従業員の工業部門若しくは工業群に対し、就中、炭鉱労務者及び熱、毒物、塵埃その他又は爆発物に依る特別度の危険作用に曝されて居る労務者に対しては、八時間を超ゆる労働時間延長は、相殺労働及び連続労働の場合を除き、賃率規則に基くか、又は工業監督局の許可に基くか、及び労働時間延長が公益上の事由に依り緊急必要とせられる場合にのみ許される。而して此の場合、賃率規則若しくは工業監督局の許可に基く超過労働は、更に長年の習練の結果危険なきものと認められ、且つ半時間を超へざる場合にのみ許可せられるのである。労働大臣は如何なる工業部門若しくは工業群の従業員に対し、以上の制限を適用すべきかを定むるものとせらる。更に又労働大臣は、従業員の保健上特別危険ある各種類の経営若しくは業務に対し、労働時間條例の規定を超ゆる労働時間の制限を命ずることを得る。又地下の鉱業労働にあつては、温度摂氏二八度以上の経営地点に対しては、常に管轄鉱山官廳の

一〇四八

命令を以て、従業員の労働時間の短縮が行はれるものとせられて居る。

第二款　労働時間の配分

労働時間保護法に於ては、最高労働時間に関する規定が、其の核心をなすことは、前款述ぶる如くであるが、之と並んで、各週日及び一日の時間に対する労働時間の配分の問題も亦、労務者の福祉のために重要な意義を有するであらう。法律は其故に之等の点に関しても亦制限を設け、一定の週日、即ち日曜日及び祝祭日に於ける労務者の就業を禁止し、各日に於ける就業の開始及び終了時刻を規定し、更に休憩時間並に休養時間を規定して居るのである。

一、日曜日及び祝祭日休養（Sonn= und Festtagsruhe）

一〇四九

日曜日及び祝祭日休養に関する規定は、種々の必要から、工業労務者に対する場合と、使用人及び商業労務者に対する場合とに区別せられて居る。

Ｉ．所謂製造工業（produzierendes Gewerbe）の経営、即ち、鉱山、製塩所、選鉱場、採掘場及び鉱坑の経営、鎔鉱場、工場及び作業場の経営、普請場及び其他の建築場の経営にありては、あらゆる種類の建築に於けると同様に、労務者の日曜日及び祝祭日に於ける就業は禁止せられて居る。此際労務者に許可せらるべき休養は、尠くとも、日曜日ならびに祝祭日に対しては二四時間、二日間連続の日曜日及び祝祭日に対しては三六時間、クリスマス祭、復活祭、聖霊降臨祭（Weihnachts=, Oster= und Pfingstfest）に対しては四八時間とせられる（工業條例第一〇五條b第一項）。

然し日曜日及び祝祭日休養に対しては、次の例外が規定せられてゐる。即ち、

(1) 所謂日曜営業（Sonntagsgewerbe）即ち、旅館及び酒場営業、音楽演奏、興行、上演若しくは其他の娯楽ならびに交通業にあつては、営業の性

一〇五〇

質上猶豫若しくは中断を許さゞる労務に就てのみ、企業主は労務者を日曜日及び祝祭日に就業せしむることを得る（工業條例第一〇五條i）。

(2) 一定の営業、特に其性質上労務の猶豫、中断を許さゞる連続性経営、季節経営（Saisonbetriebe）及び繁期経営（Kampagnebetriebe）に対しては、国政府の命令に依る例外規定がなされ得る（工業條例第一〇五條d）。

(3) 所謂必需営業（Bedürfnisgewerbe）例へば給水工場、瓦斯工場、電気工場、菓子製造業、理容業等に対し、更に亦風力若しくは不規則の水力に依る駆動機（Triebwerken）に依り作業する経営に対しては、上級行政官廳の処分に依り例外取扱ひが可能である（工業條例第一〇五條e）。

(4) ある種の特に緊急なる労働（dringliche Arbeiten）、即ち危急の際、公益上の事由ある際、遅滞なく行はるゝことを要する労働、法律上作成義務ある在庫品目録作成のための労働、経営設備の見張り、原料損廃防止のための労働等に就いては、営業主は労務者を日曜日及び祝祭日に就業せし

一〇五一

め得るが、此の場合には、営業主は就業せしめたる労務者の数、就業時間、労働の種類を記載せる明細書を作成し、地方警察官廳の要求あるときは、之を提出すべきものとせられる（工業條例第一〇五條c）。

(5) 過度の損害防止のため、日曜日及び祝祭日に於ける、予見せられざりし労務者の就業が必要とせられる各個の場合（Einzelfälle）には、下級行政官廳（untere Verwaltungsbehörde）に依り例外が許可せられる（工業條例第一〇五條f）。

日曜日及び祝祭日労働に対しては、其れに対應する休養時間の相殺が與へられて居る（工業條例第一〇五條c第三項、第一〇五條d第二項、第一〇五條e第一項第二段）。

II．商営業（Handelsgewerbe）に於ける番頭（Gehilfen）、徒弟及び労務者に対し、ならびに労働時間條例の意義に於ける使用人に対しても、日曜日及び祝祭日の就業は禁止せられて居る。特別の事由に依り拡張商取引が必要とせられる場合には、警察官廳は一年に六日間の、上級行政官廳は更に四日

一〇五二

間の日曜日及び祝祭日に対し、総べての若しくは個々の取引部門に対して、八時間迄の、但し午後六時を超えざる範囲に於ける、就業を許可することが出来る（工業條例第一〇五條b第二項及第五項）。

然し商営業に於ける番頭、徒弟及び労務者、ならびに労働時間條例の意義に於ける使用人の日曜日及び祝祭日の労働禁止に対しても亦、右Ⅰに述べた(1)、(3)、(4)の例外が適用せられるのである。

二、各日労働時間の配分

（*Verteilung der täglichen Arbeitszeit*）

経営に於ける従業者の就業開始時刻及び終了時刻、就業時間中に従業者に与へらるべき休憩時間（*Ruhepausen*）及び各労働日間に存せしめらるべき休養時間（*Ruhezeiten*）即ち労働除外時間（*Arbeitsfreie Zeiten*）の問題も、労働時間保護法に於て重要な意義を有するものと云ひ得る。今一般成年男

一〇五三

子労務者に対する之等の現行規定を示せば次の如くである。

Ⅰ．通常各日労働時間の開始時刻及び終了時刻、ならびに休憩時間に関する規定は、重要なる労働條件として、必ず経営規則中に記載せらるゝものとせられ（国民労働秩序法第二七條第一項第一号）、更に経営規則を制定する義務を有すると否とを問はず、総ての経営に於て、之等に関する規定は掲示（*Aushang*）に依り公示せらるべきものとせられて居る（国民労働秩序法第六八條第二項）。

Ⅱ．就業開始及び終了時刻に関しては、労働時間條例第四章作業日の閉店（*Werktäglicher Ladenschluss*）に関する規定が注意せらるべきである。即ち右に依れば、薬局を除く各種の公開販賣所（*Offene Verkaufsstellen*）は、午後七時より午前七時迄は商取引を閉鎖すべきものとせられる結果、従業員の就業も右時間内は行はれないことゝなる。十二月廿四日には薬局及びクリスマスツリー販賣を除き、公開販賣所は既に午後五時以後閉店するを要するが、又公開販賣所は一年に廿日間は、地方警察官廳に依り

一〇五四

規定せられたる日に、午後九時迄商取引を許されて居る。食料品取引にあつては、地方警察官廳の細則に従ひ、午前五時に開店することが許される。地方警察官廳は例外認可に就き、工業監督局の意見を求むることを要し、且つ認可を工業監督局に通知することを要するが、工業監督局は右認可が従業員保護と一致せずと認むるときは、遅滞なく上級行政官廳の決定を求むることを要するものとせらる。尚、行商人に依る商品の販賣も、公開販賣所の閉店時間中は禁止せられて居る（労働時間條例第二二條、第二三條）。

夜間労働禁止に関しては、婦人労務者（労働時間條例第一九條）及び青少年労務者（青少年保護法第一六條）に対する場合を除き、右閉店に関する規定の他は、成年男子労務者に対し一般的には存しないが、パン及び菓子製造業に対しては、午後九時乃至午前四時の夜間労働禁止が行はれて居る（パン製造業及ビ菓子製造業ニ於ケル労働時間ニ関スル法律第五條）。

Ⅲ．休憩時間及び休養時間即ち労働除外時間に関しては、一般成年男子労務者に対し、労働時間條例第一二條の規定が存する。即ち休憩時間に関しては、

一〇五五

六時間以上の労働時間にありては最低半時間の休憩時間、若しくは二回の十五分間の休憩時間が与へらるべきものとされる。此の時間中は経営内の就業を許さず、此の時間中の居所（*Aufenthalt*）に対しては、出来る限り特別の居所、若くは自由なる場所が用意せらるべきである。連続作業を必要とする労働にありては、交替制に依る従業員は右の休憩時間より除外せられるが、彼等に対しては適当なる短時間の休憩時間が与へられることを要する。工業監督局は重要な事由あるときは休憩に関し異なる規定を許可し、又は命ずることが出来る。

労働除外時間に関しては、従業員に対し、各日の労働時間終了後最低十一時間の連続休養時間があたへらるべきものとせられる。但し旅館及び酒場営業、其他の宿泊所及び交通業にありては、連続休養時間は十時間に短縮せられることが許される。更に亦工業監督局は、緊急必要の証明あるときは、之以上の例外を許可することが出来る。

（註一）　以上は主として一九三八年四月三〇日附労働時間條令及び工業條

一〇五六

例に依り、一般成年男子労務者に対する労働時間保護を述べたのであるが、婦人労務者、小児及び青少年労務者に対する強化せられたる労働時間保護は、第五節特別労働保護法に於て述べることゝする。又特殊の営業に於ける、特別法若しくは命令に依る、労働時間に就いては、余り煩項に亘るを以て省略した。尚、本節叙述の形式に就いては多く次によつた。

Dr. Arthur Nikisch, Arbeitsrecht 2. Halbband 1938. S.112-119.

Dr. jur. Werner Mansfeld, Arbeitsrecht S.49-51.

Dr. W. Herschel, Neues Arbeitsrecht. 6. Auflage, 1938, S. 111-116.

F. H. Schmidt, Die neue Arbeitszeitordnung, Reichsarbeitsblatt, 18 Jahrgang 1938, Teil III S.131 ff.

一〇五七

第三節　慰労休暇法

一、慰労休暇の意義及び法源

「民族力ノ維持ハ各従者ガ其ノ生計ヲ制限スルヲ要セズシテ労務ヨリノ休養、新タナル精神力、肉体力ノ獲得ノタメ、一年ニ一回或期間休息シ得ルヲ必要トス、其故労働関係ニ依リ全部若シクハ殆ンド其ノ労働力ノ要求セラルル各従者ハ、各暦年ニ於テ、賃銀ノ継続支払ノ下ニ、慰労休暇ニ対スル固有権ヲ有スルモノトス」（労働関係法草案第七四條）

独逸労働法に於て慰労休暇（Erholungsurlaub）とは、労務者に休養を与ふる目的を以て、一定期間労務者を労務より解放すると共に、其の期間中労務者に対し労務に従事せると同様の賃銀を支払ふことを骨子とし、従つて自由時間と賃銀の支払といふ二つの相異る要素を要件とする休暇を云ふのである。

一〇五八

労務者に慰安と休養を与ふべき斯る慰労休暇請求権は、以前の集団主義的労働法の時代にあつては、雇傭者及び被傭者間に締結せらるゝ債権契約たる雇傭契約に基く被傭者の附加的報酬として、労務者個人の福利のために与へらるゝものと思惟せられ、賃率契約、経営協定若しくは各個別契約に基いて発生するものとせられて居た。労働裁判所の判例も亦其の当時にあつては斯る報酬学説（Entgelttheorie）を支持して居たのである。

民族革命以後の独逸にあつては屢述の如く、労働保護の目的は創造的勤労独逸人の労働力確保に存するのであるから、斯る立場に於て労務者に許与さるべき慰労休暇を確保し、以て民族保健の維持増進を計ることは、前節述ぶる所の労働時間保護と同様に、極めて重要な意義を有するものと言はねばならぬ。従つてナチス政権確立以来、労働管理官は労働条件の最低の保障たる賃率規則を以て、各個の経済部門、経営種類に対し、慰労休暇規制を行ひ、以て旧集団主義的見解を克服すると共に、慰労休暇規制の重要性を示した。斯くして今や慰労休暇は労務者個人の福利のために許与せらるゝ附加的報酬ではなくして、独

一〇五九

逸国家を発展せしむべき民族保健の維持にとり不可欠の要請であるとの見解が成立すると共に、労働裁判所も亦其の判決に於て最近に至り、慰労休暇は尠くとも従者の個人的利益と同様に、亦共同体の利益に於て与へらるべきであり、休暇報酬学説は終了したと為す見地を採るに至つて居る。

斯くの如き民族共同体の保健維持のために不可欠な慰労休暇の法規制は現在如何に行はれて居るであらうか。現在迄の所其れは一般的には既述の如く労働管理官に依る賃率規則を主とし、更に経営規則、勤務規則若しくは個別契約に委ねられて居り、現行法律規定として青少年労務者及び使用人に対する慰労休暇を規定せる一九三八年四月三〇日附青少年保護法第二一條が存するに過ぎない。賃率規則に依る規則は急展開を示しつゝあるナチス社会建設の変轉に適した方法であり、其の詳細なる叙述が望ましいのであるが、本稿に於ては不可能の事に属する。此處では賃率規則に依りて形成せられた慰労休暇法を新たなる社会秩序の根本観の上に集大成し規律づけたものと謂はれる、一九三八年五月の独逸法学院労働法委員会の作成にかゝる労働関係法草案第七四條乃至第八四條

一〇六〇

の休暇規定並びに同草案立法理由書に基き、慰労休暇法の大要を述べることゝする。

二、休暇請求権成立要件

新たに労務関係に就業するに至れる従者が休暇請求権を得るためには、六箇月継続して労務に従事するを要するものとせられる。但し此の規定は強行規定ではないから、六箇月の期間は短縮若しくは延長することを得るし、土木建築の如き、労務関係の通常短期間なるものにあつては、賃率規則を以て休暇を確保するための特別規定を為すことを得る。休暇は一年に一回許与せらるべきであるから（二重休暇禁止）、従者が同一暦年に於て既に他の企業者より休暇を得たることは、従者は休暇の許与を翌暦年迄待たねばならぬ。従者は企業者よりの請求ある時は自己の休暇関係を企業者に報告すべきである（第七六條、第八四條）。更に従者が五月一日以前に経営より脱退したるときは従者は現在迄の企業

一〇六一

者に対し今暦年に於ての休暇請求権を有しない。斯くして彼が七月一日以前に新たなる労働場所を得ないときには此の年に於ける休暇請求権は失はれることとなる。斯る場合に於てはしかし殆んど休暇の必要が存しないであらう（第七七條）。

一〇六二

三、休暇期間

休暇期間は賃率規則（註二）、経営規則、勤務規則等の定むる所に依り、草案は唯休暇期間の最低限を強行的に六日間と定めたのみである（第七五條）。草案は現在尚稀に存する最低三日間の休暇を排し、他方休暇期間を在職年限、勤続年限、年齢等により累進せしむることをしなかつた。蓋し此の際経営関係の実際に適せる賃率規則にその詳細を譲ることを適当としたからである。

（註一）　例へば金属工業に対する賃率規則に依る休暇期間は次の如くである。即ち、各労務者は経営に於ける六ケ月の継続就業の後、十五才及び十六才若くは一教育年及び二教育年にありては十八日間、十七才若しくは三教育年にありては十二日間、十八才若しくは四教育年にありては六日間、十九才乃至二十三才にありては六日間、二十四才乃至二十七才にありては七日間、二十八才乃至三十才にありては八日間、三十一才及びそれ以上の年齢にありては十日間の休暇を許与せらるべきである。休暇は更に経営に五箇年勤続後は一日、十箇年勤続後は二日延長せられ、二十五箇年後は十五日間以上に、三十箇年後は十八日間以上に延長せられる。重傷者には年齢に関係なく十八日間の休暇を許与せられる。

四、休暇許与時期

企業者は経営指導者として、経営利益と従者の希望との適当なる配慮の下に、一年中の最も適当と思はれる時期に休暇を許与することを要する。但し新規に経営に入れる従者にあつては許与時期は雇入の日以後六箇月を経過したる後の

一〇六三

時期たることを要することは当然である。七月一日以後経営に入れる従者は其暦年中は休暇を許与せられない。企業者は更に休暇を一時期に包括的に許与すべきであり休暇の分割許与は禁ぜられてゐる。但し従者が同意したるとき若しくは緊急の事由が存し且分割許与せられたる休暇の一つが少くとも六日間たるときは此の限りでない（第七八條）。企業者が休暇許与を履行せざるときは従者は訴求し得るも、多くの場合に於ては独逸労働戦線よりの働きかけによつて解決せられる。斯かる場合に従者が企業者に対し留置権（独逸民法第二七三條）行使の権利を有するとなす見解は、労働関係が債権的性質を脱却した現在にあつては採用せられるを得ないであらう。従者は更に自ら休暇を採るの権利を有しない。従者が若し勝手に休暇を採つて経営を離れたるときは即時解約告知の原因となる。

一〇六四

五、休暇中の賃銀の算定及び賃銀請求権の喪失

休暇とは賃銀支拂を受くる自由時間（*entlohnte Freizeit*）である。故に休暇中賃銀が継続して支拂はれる。休暇中支拂はれる金額は賃銀たる性質を有するが故に之を休暇金（*Urlaubsgeld*）若しくは休暇補償（*Urlaubsvergütung*）と称するは誤りである。休暇中従者は其全賃銀を受く。超過労働時間は賃銀の算定に於ては考慮せられない（第八十條）。これに対し休暇期間中に通常経営労働時間以下の労働がなさるゝ場合の休暇賃銀に関しては、労働裁判所の判決は、操短労働の行はるゝ場合には休暇中減少せられた賃銀が支拂はるべきであるとなして居るが、草案は之に反対する、蓋し休暇とは元来自由＝開放時間を意味し従つて労務の行はれない時間や休日からの開放なるもの存せず、其故企業者は斯る時間や休日を休暇賃銀の算定の基礎たらしむるを得ないからである。従つて企業者は操短労働日若しくは休日をも完全労働日として取扱ひ、休暇中の従者に対して完全賃銀を支拂ふことを要する。斯る算定法は操短労働を行はざるを得ざる経済的不況にある企業者に対し重荷を課する場合もあり得るから、第八〇條第一項第二段は例外規定を許し、従つて賃率規則

一〇六五

に於ては、屡々休暇中の賃銀は先月の平均により算定せらるるとの規定をなす場合が多い。

慰労休暇は保健維持の見地から民族共同体の利益のために許與せらるゝものなるが故に、若し労務者が與へられたる休暇期間を新なる精神力、肉体力の獲得のために行使することなく、他の場所に於て労務に従事するが如きことあらば、斯る労務者は、唯に経営指導者に対する忠実義務に違反するに止まらず、休暇許與の目的たる民族共同体の保健を侵害するものとせられる。斯くして第八一條は「従者ハ休暇中休暇目的ニ反スル何等ノ有償活動ヲモ為スコトヲ得ズ、従者ガ此ノ禁止ニ違反シ行為セル各日ニ就キテハ賃銀請求権ハ其ノ効力ヲ失フモノトス」と規定して居るのである。斯る場合に、労務者が請求権を喪失せる休暇中の賃銀に就き、近時の賃率規則が、之を企業者に残置せしめず、国民社会主義民族の福利のために充当せしめてゐるのは、休暇の共同体的構成を徹底せしむるものとして適切なる処置と称すべきである。

一〇六六

六、労働関係終了後の休暇請求権

労働関係が企業者若しくは従者の側から解約せられたるときには、休暇は出来る限り解約告知期間中に許與せられるやうに努めらるゝを要す（第八二條第一項）。然しそのことが不可能であるか若しくは他の事由に依り、休暇請求権が労働関係の終了の際残存してゐるときには、自由時間としての休暇の代りに金銭請求権（*Geldanspruch*）が成立せねばならぬ。即ち此の場合には従者は休暇中に賃銀として受くべかりし金額の支拂を受けることゝなる（第八二條第二項）。此の金銭請求権は休暇補償（*Urlaubsvergütung*）たる性質を有するものではなく、従者の休養に必要な自由時間を他の場所で得ることを可能ならしむべき代位請求権たる性質を有するものである。従つて斯くの如き休暇の金銭支辨は労働関係の継続して居る際には休暇の本来の目的を無効たらしむるものであるから、絶対に許可せられない（第八二條第二項）。又斯る金銭支

一〇六七

辨は従者の人格に於てのみ得らるべき一定の目的に結び付けられて居るのであるから譲渡さるゝを得ない（第八二條第三項）。

七、休暇請求権の消滅

休暇請求権は理論上暦年の経過と共に消滅すべきである。蓋し休暇は経営の秩序と同じく規則正しく毎年の休養時期を形成すべきであり、従者が休暇を多年蓄積して置き幾年か後に初めて行使すると云ふが如きは、休暇許與の目的に反するからである。然し又他面に於ては、従者は其の休暇を過失なくして喪失することから保護せらるべきである。其故に第七九條は休暇請求権の消滅を三箇月延期し「休暇請求権ハ従者ガ有責的ニ翌年四月一日マデニ之ヲ行使セザルトキハ効力ヲ失フモノトス、本規定ノ従者ニ不利ナル変更ハ之ヲ許サズ」と規定した。

又休暇は被傭者に與へられる附加的報酬ではなくして、企業者の従者に対す

一〇六八

る保護義務より生ずるものであるから、従者が甚だしく其の忠実義務に違反し、且其故に解約告知期間なくして解雇せられたるときは、休暇請求権は当然消滅する（第八三條）。

八、青少年の慰労休暇

以上は労働関係法草案に於ける慰労休暇規定の大要であるが、其は草案たるに止まり、現行法規に於ける慰労休暇は一般には賃率規則に依り規制せられて居るのであるが、唯青少年労務者及び使用人に対してのみは、青少年保護法第二一條が始めて法律に依る慰労休暇を規定した。次の如くである。

「一、経営指導者ハ総テノ青少年ニ対シ、青少年カ徒弟関係若シクハ労働関係ヲ中絶スルコトナク三箇月以上就業セル各暦年ニ対シテ、教育扶助若シクハ賃銀ノ継続賦与ノ下ニ休暇ヲ与フルヲ要ス、休暇ガ当該暦年ニ対シ、他ノ経営指導者ニ依リ既ニ青少年ニ与ヘラレタルトキハ、休暇許与義務ハ存セザルモノト

一〇六九

ス、休暇許与義務ハ、青少年ガ即時解約告知ノ原因タル自己ノ過失ニ依リ解雇セラレタルトキ若シクハ徒弟関係又ハ労働関係ヲ故ナク期限前ニ解消シタルトキハ喪失ス

二、休暇ハ出来ル限リ職業学校休暇ノトキ及ビヒツトラーユーゲントノ野営又ハ行軍ノトキト関聯セシメテ与ヘラルベキモノトス、休暇ハ遅クトモ翌年ノ三月三十一日マデニ許与セラルベシ、休暇ノ最少限ハ十六才以下ノ青少年ニ対シテハ十五作業日、十六才以上ノ青少年ニ対シテハ十二作業日トス、休暇ノ最少限ハ、青少年ガ少クトモ十日間、ヒツトラーユーゲントノ野営又ハ行軍ニ参加セルトキハ、十八作業日ニ延長セラルルモノトス、休暇期間ニ対スル規準ハ、暦年初頭ニ於ケル青少年ノ年齢ニヨル、

三、休暇期間中、青少年ハ休暇目的ニ反スル一切ノ利得労働ヲ行フコトヲ許サズ」

青少年労務者及び使用人に対する慰労休暇の内容は、右條文に依つて十分明かであるが、更に青少年保護法立法理由に依れば、右青少年慰労休暇の立法目

一〇七〇

的に就き次の如く説かれて居る。

十分なる慰労休暇の許与は、作業に就業せる民族同胞、就中青少年の労働力の維持のために重要な意義を有する。日々与へられる自由時間は更に、労働中に消耗せられた諸力の更新のために、より長期の労働中止に依り補充せられねばならぬ。未だ肉体的、精神的に発達途上にある青少年は、少くとも一年に一回、長期の緊張よりの解放と休養とを必要とする。休暇、其れは出来る限りスポーツ活動及び田舎に於ける滞在に利用せらるべきであるが、其れは青少年の意志力及び労働の歓喜を高め、更に彼をより高き給付に拍車づけるのである。斯くして十分なる休暇の許与は、唯に青少年に対してのみならず亦全民族共同体のために役立つのである。

青少年のための休暇の問題は、国民社会主義的国家に於て、今日既に最も強い顧慮が拂はれて居る。以前に於ては休暇規則は全く当事者の賃率契約又は其他の自由協議に委ねられて居り、其故に不完全且不十分であつたかも知れないが、最近に至り労働管理官の賃率規則に依り、此の領域に於て、青少年の利益

一〇七一

のための意義ある進歩が成就せられた。然し現在迄の所、統一的規制が缺けて居たのである。青少年保護法は総ての青少年に許与せらるべき休暇に対する最低規準を設けることに依り、斯る欠点を満したのである。其際賃率規則に於て獲得せられた経験が考慮せられた。

以上に依り青少年慰労休暇の目的、特性及び最低規準としての規定の意義が十分に諒解せられ得るであらう。

（註一）　青少年保護法の適用されざる経済部門に就業せる青少年に対する慰労休暇規定をなせるものとして、一九三九年六月一五日附青少年休暇令（家事経済、農業及ビ林業、航海業及ビ内水航行業及ビ類似経済部門ニ於ケル青少年ノ休暇ニ関スル命令）がある。

九、特殊の休暇規定

独逸労働法に於て休暇（Urlaub）と称するときには、一般に前記の如き休

一〇七二

暇、即ち慰労休暇（Erholungsurlaub）を意味し、従つて其れは勤労的独逸人に慰労と休養を與ふる目的を以て、賃銀を支給しつゝ労務より解放すると謂ふ一定の休暇を謂ふのであるが、広義に於ける休暇としては慰労休暇の他に尚、夫々特殊の場合に應ずるものとして、現行法上次のものを算へ得るであらう。

其の中最も重要なる特殊の休暇規定をなせるものとしては、体育の目的のための使用人及び労務者の休暇に関する規定をなすものとして、一九三五年二月一五日附「体育ノ目的ノタメノ使用人及ビ労務者ノ休暇許與ニ関スル法律」（Gesetz über die Beurlaubung von Angestellten und Arbeitern für Zwecke der Leibeserziehung）及び一九三五年三月一九日附同施行令（一九三七年一一月一八日附命令により補充改正せらる）があり、国防軍の訓練のための、国防軍所属者たる使用人及び労務者の休暇許與を規定せるものとして、一九三五年一二月二五日附「国防軍訓練召集令」（Verordnung über die Einberufung zu Übungen der

一〇七三

Wehrmacht）（一九三六年三月二八日附改正令に依り改正せらる）があり、夫々民族及び国家的必要に應ずる場合に於ける休暇の許與を規定して居る。

或ひは亦、公の職務の執行、例へば裁判所又は保険官廳に於ける陪審員としての、若しくは亦労働審判員としての職務執行のために許與せらるべき休暇、国民労働秩序法第一三條に依る信任協議会の職務執行のために許與せらるべき休暇、解約告知後労務者が新たなる雇傭関係を求むるために許與せらるべき休暇等も、夫々特殊の場合の休暇として挙ぐることを得るであらう。労働生活の実際に於ては更に亦、労務者及び使用人の個人的理由に基く休暇、例へば労務者及び使用人自身の疾病、妻の出産、近親者の死亡、其他緊急の事由ある場合に許與せらるる休暇が一つの役割を果してゐる。"

以上の特殊の場合に於ける休暇に関しては然し、其等が労働保護の観点に於ては慰労休暇に比し重要性を有せざるを以て省略することゝする。

（註二）　本節参照文献

・労働関係法草案立法理由書。

一〇七四

Dr. Hermann Dersch, Der Erholungsurlaub im Akademie = Entwurf eines Gesetzes über das Arbeitsverhältnis, Deutsches Arbeitsrecht, Heft 7/8, Juli/August 1938, S. 174 ff.

（註三）　慰労休暇を勤労者達に如何に愉しく且有效に使用せしめるかは甚だ重要な問題であり、此の点に関しては独逸労働戦線の外局たる歓喜力行団の「旅行、ハイキング及休暇利用部」の活動が注目さるべきであるが、歓喜力行団の活動に就いては第一編第一章を参照。

一〇七五

第四節　経営保護法

第一款　経営保護の意義及び分類

一、経営保護の意義

経営保護（Betriebsschutz）又は危険保護（Gefahrenschutz）とは、労働給付に際し、労務者及び使用人を経営内諸危険より保護することを謂ふ。即ち工場其の他の作業場に於ける就業の際に生ずる各種の危険、例へば各種原料及び材料の影響、機械、器具、道具及び経営設備の状態等より生ずる生命、健康、風紀其他に対する危険から勤労人口を保護することを謂ふのである。

経営保護法の領域に於ては、ナチス民族革命以後未だ劃期的立法を見ず、依然一八六九年六月二一日附独逸工業條例（Gewerbeordnung für das

一〇七六

Deutsche Reich）が幾度かの改正を経た形に於て其の基本法をなして居るのであるが、新しき独逸に於ける勤労と勤労独逸人保護の必要は、経営保護の分野に於ても其実質的なる意味に於ける変換と改革を遂げつゝあるのである。即ち工業條例並びに其の一聯の諸規定の制定せられた当時にあっては、社会政策全般ひいては労働保護も亦、社会的弊害及び窮状を資本主義的、自由主義的経済組織の原則の承認の下に、謂はゞ爾後的意味に於て緩和し除去することに努むるに過ぎなかったのであるが、新しき独逸に於ける労働保護は総べての勤労的独逸人を経営の災害、危険から保護すると共に、進んで労働に歓喜と健康と人格とを賦與せんとするのである。我々は斯る方向に於ける経営保護の実質的進展を、同業組合を通じてなされる災害防止並びに工場監督に、或ひは各種の研究所並びに公的施設による科学的研究に、或ひは更に歓喜力行団の各種事業の輝かしき業績、特に労働美化運動に観ることを得るであらう。

一〇七七

二、経営保護法の法源

工業労務者に対しては外枠法（Rahmengesetz）として工業條例第一二〇條a乃至g及び第一三九條bが存する。更にこの外枠法充塡の方法として、主務大臣より発布せられる命令及び地方警察官庁若しくは工業監督局の処分がある（後述）。商業使用人に対しては契約保護に基く独商法第六二條が適用される。公開販売所（Offene Verkaufsstellen）に対してのみ、警察官庁は斯かる契約義務を、工業條例第一三九條g及びhの規定により公法的義務となすことを得る。職業疾病に対する保護のためには保険條例第三編（das Dritten Buch der Reichsversicherungsordnung）の特別規定がある。家内労務者に対しては、「家内労働ニ関スル法律」（Gesetz über die Heimarbeit、後述）による特別保護がなされる。経営保護規定を含む特別法としては、労働時間條例、青少年保護法、飲食店法（Gaststättengesetz）、

一〇七八

海員條例（Seemannsordnung）等を掲ぐることを得。工業條例第一六條及第二四條以下の規定は、所謂設置許可義務施設及び汽罐に関する経営保護規定を含んでゐるし、此の点に関する特別法としては、一九三四年二月二三日附及び一九三五年一月二八日附汽罐設置ニ関スル命令がある。鉱業については州警察の鉱業法に依る。斯くして工業條例の適用から除外せられる経済部門、例へば農業、漁業、林業、家内経済に対しては、経営保護の一般法規が欠如して居るのであるが、斯る経済部門にあっても亦、部分的には、災害保護規定に依る保護が與へられてゐることに注意すべきである。

三、経営保護の分類

経営保護に関する法規は右述ぶる如く、各種産業部門、経済部門の多様性、技術の絶えざる進歩と高度化の故に、単一法として之を規定することは不可能であって、従って工業條例は唯外枠法として與へらるゝに止まり、経営保護法

一〇七九

一〇八〇

の実質的内容は、各個の法律、命令、布告、告示、処分等に依り形成せられるのであるが、今外枠法たる工業條例に依って、経営保護を分類すれば左の如くである。

I、災害保護（Unfallverhütung）

之は労働給付の際、経営内に生じ得べき各種の災害に対し、労務者の生命を保護（Schutz des Lebens）することを謂ふ。

(1) 一般に工業企業者は、経営の性質が許す限り、労務者の生命が保護せられる様、作業場、経営装置、機械及び器具を設備、維持し、且つ経営を一定の方式、労務者の装備に依り、規定する義務を負ふ（工業條令第一二〇條a第一項）。

(2) 特に、労務者は機械、若しくは機械部分との危険なる接触、若しくは経営場所若しくは経営の性質上存する其の他の危険、即ち工場火熱から生ずる危険に対し、保護せらるゝを要する（工業條例第一二〇條a第三項）。

II、保健保護（Schutz der Gesundheit）

(1) 一般に工業企業者は、経営の性質が許す限り、労務者の保護が保護せられる様、作業場、経営装置、機械及び器具を設備、維持し、且経営を一定の方式、労務者の装備に依り、規定づける義務を負ふ。其の際一般疾病の防止のみならず、特別職業病、例へば硝子職工の白内障、鉛、燐による疾病等が亦顧慮せらるべきである（工業條例第一二〇條a第一項）。

(2) 特に、満足なる光、十分なる空間及び換気、経営に際し生ずる塵埃、その際発生せられる蒸気及び瓦斯ならびにその際生ずる砕片の除去に対し考慮がなさるべきである（工業條例第一二〇條第二項）。

Ⅲ 風紀保護（Schutz der Sittlichkeit）

(1) 一般に工業企業者は、善良なる風俗及び礼儀の維持を確保するために必要なる設備を施し維持し、且経営に於ける労務者の態度に関する規則を定むる義務を負ふ（工業條例第一二〇條b第一項）。

(2) 特に、経営設備に依つては善良なる風俗及び礼儀が維持されない限り、労働に際し男女の分離がなされ、経営に於て必要なる限り、男女に依り区

別された更衣場及び洗面所が設けられ、労務者数に対し十分にして衛生的且善良なる風俗及び礼儀を害せざる便所が設けらるゝを要す（工業條例第一二〇條b第二項乃至第三項）。

Ⅳ 特別保護（Sonderschutz）

以上は何れも工業條例に依る一般的危険保護であるが、之に対し其の職業の性質上、夫々各種の強度の経営危険に曝される職業群に対しては、之等の職業の特性を考慮した特別保護が為される。其の主なるものとしては、家内労務者に対する一九三四年三月二三日附「家内労働ニ関スル法律」（Gesetz über die Heimarbeit）を、鉱夫に対する一八六五年六月二四日附鉱業法（Allgemeines Berggesetz für die Preussischen Staaten）を、船員に対する一九〇二年六月二日附船員條例（Seemannsordnung）を、土木建築労務者に対する一九三四年一二月一三日附「土木建築ノ際ノ宿泊所ニ関スル法律」（Gesetz über die Unterkunft bei Bauten）を、圧搾空気中に於ける労務者の就業に対する一九三五年五月二九日附「圧

搾空気中ニ於ケル労働ニ対スル命令」（VO. für Arbeiten in Druck-Luft）を揭ぐることを得るであらう。

（註一） 特別経営保護法の分野に於ては以上の他殆んど無数の特別法令があるが、其れ等に就いては次款及び最後の労働保護法関係法令の所を参照せられ度い。

第二款 経営保護の実施

一、個別処分

経営保護は、工業監督局の経営検査によつて、常に監督せられる。経営保護に関し異議の生じたるときは、工業企業者は通常、必要とせられる規定に関し、工業監督局と協議をする。経営保護の諸規定に違反せる工業企業者に対じては、警察処分がなされるが、此の処分をなす管轄官庁は通常工業監督局であるが、

場合に依つては亦地方警察官庁の権限であることもある。之等の処分に対しては工業企業者は、上級行政官庁に訴願をなし、上級行政官庁の決定に対しては、更に中央官庁への訴願が許されてゐる（工業條例第一二〇條d）。

二、一般命令

工業條例第一二〇條a乃至cの外核規定施行のため、同一種類の経営に対し、同一種類の一般命令が発布せられ得る。この一般命令は法規命令たるの性質を有するものであり、従つて同命令が労務者に対する生命及保健の保護規定を包含する限り、当該工業企業者は、同命令に依る経営保護義務を負ふこととなる。斯る一般命令の発布の権限官庁としては、独逸国政府が、独逸国政府が規定し居らざる限り州中央官庁が、州中央官庁が規定し居らざる限り警察官庁が、其の権限を有するものとせられて居る（工業條例第一二〇條e及びg）。

今、従業者の生命及保健保護のため、工業條例第一二〇條eに基き、各種の

工業部門に対し発布せられたる一般命令を掲ぐれば次の如くである（註二）。

蓄電池　一九〇八年五月六日附「鉛又ハ鉛化合物ノ蓄電池生産設備ヲ有スル施設及ビ経営ニ関スル告示」

アルカリクローム酸塩　一九〇七年五月一六日附「アルカリクローム酸塩生産設備ヲ有スル施設及ビ経営ニ関スル告示」

塗料労働　一九三〇年五月二七日附「塗料労働ニ於ケル鉛毒保護ノタメノ命令」

船舶に於ける塗料労働　一九二一年二月二日附及び一九二七年五月一二日附「船舶ニ於ケル塗料工労働ノ実施ニ関スル命令」

鉛顔料　一九二〇年一月二七日附「鉛顔料及ビ其他ノ鉛化合物ノ生産設備ヲ有スル施設及経営ニ関スル命令」

鋳鉛工場　一九〇五年六月一六日附「鋳鉛工場ノ施設及経営ニ関スル告示」

印刷所　一八九七年七月三一日附、一九〇七年七月五日附及一九〇八年一二月二日附「印刷及活字鋳造ノ施設及経営ニ関スル告示」

一〇八五

圧搾空気労働　一九三五年五月二九日附「圧搾空気中ニ於ケル労働ニ対スル命令」

繊維素　一九〇九年一二月八日附「繊維素、動物毛、屑、若シクハ襤褸ノ加工ニ於ケル青少年労務者ノ就業ニ関スル告示」

硝子製造所　一九三八年一二月二三日附「硝子製造、硝子研磨、硝子彩畫、硝子瓶工場及同種経営ニ関スル命令」（硝子製造所令）

護謨製品　一九〇二年三月一日附「護謨製品ノ硫化工業設備ヲ有スル施設及経営ニ関スル告示」

毛帽工場　一九三八年三月二六日附「毛帽工場ニ関スル命令」

雷鳴コルク（Knallkorken）　一九二八年一二月二七日附「雷鳴コルク生産ニ関スル命令」

マグネシウム　一九三八年三月八日附「マグネシウム合金ニ関スル命令」

一九三八年七月二八日附「マグネシウム合金ニ関スル保全規則」

防腐剤等　一九〇三年一月三〇日附「防腐剤、安全子宮栓、提擧繃帯等ノ生産設備ヲ有スル経営ニ関スル告示」

馬毛紡績　一九〇二年一〇月二二日附「馬毛紡績、毛及刷毛加工並ニ刷毛及蓋刷毛製造ノ施設及経営ニ関スル告示」

一〇八六

採石場及石工職　一九〇九年五月三一日附「採石場及石工職ノ施設及経営ニ関スル告示」

トーマス燐肥　一九三一年一月三〇日附「トーマス燐肥製造、包装、貯蔵及搬入ニ関スル命令」

セルロイド　一九三〇年一〇月二〇日附及一九三四年七月一四日附「セルロイドニ関スル命令」「セルロイド保全規則」

キクヂシヤ属（Zichorie）　一九〇九年一一月二五日附「キクヂシヤ属生産農園ニ於ケル女子労務者及青少年労務者ノ就業ニ関スル告示」

煉瓦製造所　一九三七年六月五日附「煉瓦製造所及ビ類似経営ニ於ケル婦人労務者及青少年労務者ノ就業ニ関スル命令」（煉瓦製造所令）

葉巻煙草　一九〇七年二月一七日附「葉巻煙草調製場ノ施設及経営ニ関スル告示」

亜鉛製錬所　一九一二年一二月一三日附及一九二三年二月二一日附「亜鉛製錬所及亜鉛鉱煆焼場ノ施設及経営ニ関スル告示」

一〇八七

製糖業　一九一一年一一月二四日附「粗糖製造業、精糖業及糖蜜製造所ニ於ケル女子労務者及青少年労務者ノ就業ニ関スル告示」

（註二）　Schmidt=Kremer, Der Arbeitsschutz in der Kriegswirtschaft, Kommentar 1939, S. 80-81

三、労働監理官、同業組合及び独逸労働戦線の協力

I、労働管理官の協力

労働管理官は経営保護の分野に於ても活動を為すことを得る。即ち、労働管理官は、労働条件の最低規準たる意義を有する賃率規則を以て経営保護に関する各種の保護手段を講ずることを得る一方、若し経営指導者たる企業者が、従者たる労務者及び使用人に対する経営保護に関する保護義務を怠り、

一〇八八

依つて社会的名誉を毀損した場合には、社会的名誉裁判に対する公訴の提起に依つて、経営保護に関する監督を行ふことを得るのである。

II. 同業組合の協力

経営保護の分野に於ては工業監督局、警察官庁、労働管理官に依る工場監督の実施の外に同業組合（Berufsgenossenschaft）の活動が重要な意義を有する。同業組合は災害保全の担当者として災害防止規則（Unfallverhütungsvorschriften）の発布の権限を与へられて居る。災害防止規則は同業組合の組合自治に基く法規命令たる性質を有するものであり、企業者がその経営に於て為すことを要する設備及び規則に関する規定のみならず、災害防止及び災害の際に於ける就業者の処置等に関する規定を包含して居り、従つて経営保護法の一環をなすものである。但しこの規則の効力範囲は、同業組合たる企業者及び被保険者に限られる（独逸保険條例第八四八條a第一項）。災害防止規則の実行を監視し以て災害危険や職業病罹患を保護する為には、同業組合は多くの技術監督員をして工場を視察せしめ、労務者

一〇八九

達に知識や指示を与へる。現在独逸には総計六十四の工業同業組合と三十二の農事同業組合があり、前者は約六百名の、後者は約百三十名の技術監督員を有すと云ふ。

III. 独逸労働戦線の協力

経営保護の実施は亦、独逸労働戦線本部の外局たる歓喜力行団の活動、就中其の労働美化部（Amt Schönheit der Arbeit）の活動に依つて著しく促進せられる許りでなく、更に積極的な労働の歓喜と文化的な向上が勤労者達に与へられてゐる。

既に述べた如く一九三三年一一月二七日ドクトル・ライに依つて其の創設を公表せられたる歓喜力行団は、単に労働條件の改善のみが勤労者の労働能力を高めるものではなく、勤労者をして最高能力を発揮せしめるためには、積極的な労働の歓喜と生活の愉悦を与へねばならぬと云ふ認識に基くものであるが、此の観点に於て其の「労働美化部」は、勤労者の職場を美化し、清潔化し、以て災害の防止につとむると共に、積極的なる労働能率の向上を計

一〇九〇

つて居るのである。

此の目的を達するためには、先づ第一に勤労者が日々労働する工場や作業場を美化し、整理し、清潔化されなければならぬが、其のためには道具類、労働資材等の整頓、作業場の清掃、透明なる窓硝子の挿入、芝生や花壇の設置等の手段が採られた。更に又科学的な研究に基く作業場の採光、照明及び換気設備が行はれた。或ひは又従来の如き機械に従属する人間ではなくして機械を使用する人間たらしむるために、勤労者達を機械に親ましむると共に、総べての工場の設計、機械類の配置等は勤労者を基準として行はるべきものとせられたし、保健保護の観点に於て清潔なる洗面所、浴場、脱衣場、便所が設けられ、共同体意識を促進し勤労の喜びを愉ましむるために「共同の部屋」や「仲間の家」が設けられた。

以上の如き労働美化部の活動に依る清潔と美化運動と共に、歓喜力行団の他の諸部、例へば旅行部、スポーツ部、工場突撃隊に依る活動も夫々直接間接に労働保護を促進するものと謂ふべきであるが、詳細は第一編に於て既に

一〇九一

述べた。

（註三）　本節参照文献

Dr.-Ing. Kremer, Gedanken zu einer Neuregelung des. Betriebsschutzes, Deutsches Arbeitsrecht Heft 9, September 1939, S. 226 ff.

Dr. W. Herschel, Neues Arbeitsrecht 1938, S. 109-111

一〇九二

第五節　特別労働保護法

茲に特別労働保護法として述べんとするのは、婦人労務者、小児ならびに青少年労務者及び家内労務者の三者に関する特別保護規定である。之等三者の労務者群に対しては、夫々一般成年男子労務者及び使用人に比し、高められた特別保護若しくは特別の保護手段が講ぜらるべきである。即ち民族労働力の確保を労働保護の最大目標となすナチス独逸にとっては、婦人労務者に対する保健上の特別保護の必要は、其の家政上ならびに徳性上の保護と共に、民族政策上不可欠のものであり、小児ならびに青少年労務者は次代を擔ふものとして其精神的、肉体的生長の上に十全なる配慮が加へらるべきは當然と謂ふべきであらう。家内労務者に至っては其の低き経済的特殊事情への配慮、就中其の報酬確保のための保護が特別法に依り與へられるのでなければ、到底其の窮状を防止し得ないであらう。斯る理由に基きナチス独逸は右三者に対し夫々特別の保護

一〇九三

を與へて居るのであるが、以下款を分って之等三者に與へられる労働保護の大要を述べることとする。

一〇九四

第一款　婦人労働保護法

婦人労務者の加重保護（Erhöhten Schutz）、即ち、母性保護の見地から、或ひは其肉体上の若くは風紀上の必要から、或ひは又家政担當者としての主婦保護の観点より、婦人労務者に対し與へられる特別労働保護の法的規制は一九三八年四月三〇日附労働時間條例第三章及び一九二七年七月十六日附母性保護法（Mutterschutzgesetz）即ち「分娩前及ビ分娩後ノ就業ニ関スル法律」（Gesetz über die Beschäftigung vor und nach der Niederkunft）に依れば次の如くなされて居る。

一、就業禁止（Beschäftigungsverbote）

一定の経営及び労働に於ては其の性質上、特に婦人に対し危険若しくは健康上有害なる作用を及ぼす虞あるを以て、単なる経営保護の手段を以ては十分ならずとせられ、婦人労務者の就業禁止が行はれる。

I　婦人従業者は鉱山、製塩所、選鉱所、及び地下経営の累層ならびに鑛坑に於て、地下就業をなさしむることを得ず、更に選鉱（分離、洗鉱）を除く採掘、運搬ならびに荷積にあっては、地上就業も許されない。婦人従業者は更にコークス製造所に於て、ならびにあらゆる種類の建築に於ける原料及び材料の運搬に就業せしむることを得ないものとせられる、又労働大臣は、保健上ならびに風紀上の特別危険ある各個種類の経営若しくは労働に対し、婦人従業者の就業を全く禁止するか、若しくは條件を附することを得るものとせられて居る（労働時間條例第十六條）。

II　母性保護の見地から、産婦（Wöchnerinnen）は分娩後六週間全く就業せしむることを得ない。之に反し分娩前の姙婦（Schwangere）に対し

一〇九五

ては就業禁止は存しないが、姙婦はしかし強行規定に依り分娩前に於ても労働中止の権利を有するものとせられる（母性保護法第二條）。又婦人従業者に対する企業者側からの解約告知は分娩前六週間乃至分娩後六週間は其効力を有せざるものとせられて居る（母性保護法第四條）。

III　特殊飲食店に対しては制限せられた就業禁止が存する。即ち飲食店法（Gaststättengesetz）に依れば、州官廳は飲食店に於ける婦人従業者の保健ならびに善良なる風紀のための規定を定むることを要するものとせられる。

二、最高労働時間

I　婦人労務者の通常作業日労働時間は、一般成年男子労務者と同じく一日八時間労働を原則とし、各個の作業日に欠けたる労働時間に対して、其の週若くは前週若くは翌週の他の作業日に於ける相殺労働の許されることも同様である。然し姙娠（Schwangerschaft）及び授乳期間（Stillzeit）中の婦人従業者に対しては、右通常労働時間に対する加重保護が規定せられ、

一〇九六

之等期間中の婦人従業者は、其希望に依り、常に右通常労働時間を超ゆる超過労働より除外せらるべきものと定められて居る（労働時間條例第一七條第一項）。

Ⅱ　通常労働時間に対する例外、即ち超過労働に関する加重保護としては、先づ第一に、前労働及び仕舞ひ労働の場合に於ける労働時間延長は、経営若くは一経営部門に対し許されたる労働時間を最高、一時間超過することを許されるのみである。其他の場合に於ける労働時間延長、即ち非常の場合、連続労働の場合、賃率規則、工業監督局に依る労働時間延長の場合等に於ても、婦人従業者は一日十時間を超えて就業せしむることを得ざるものとせられる。更に土曜日ならびに祝祭日前日に於ては、婦人従業員の労働時間は八時間を超過することを許されないのである。尤も此の八時間の制限に就いては、交通業、旅館飲食店営業、理容業、浴場、療病所、各種の興行、園藝、薬局、公開販賣所、市場取引等に於ては例外とせられて居る（労働時間條例第一七條第二項乃至第四項）。

一〇九七

Ⅲ　以上の最高労働時間の規定に対しては然し、労働大臣は、経営技術的若くは一般経済的理由により、例外を許可することを得るし、更に緊急必要の証明あるときは、工業監督局は、二週間但し一暦年に於て四十日以内の例外を許可することを得る（労働時間條例第二〇條第一項、第二項）。又危急の際速かに處理せらるるを要する一時的労働に就いては、労働時間の制限は全く存しない。但し経営指導者は斯る労働の着手を遅滞なく工業監督局に届出づるを要する（同第二一條）。

三、夜業禁止及び土曜日ならびに祝祭日前日の早仕舞ひ

婦人労務者に対しては、其肉体的、風紀的、家政的配慮から、一般成年男子労務者と異り、夜業禁止が行はれ、婦人労務者は午後八時より午前六時迄の就業を禁止せられて居る。又同様主婦保護の見地から、土曜日ならびに祝祭日前日に於ては、午後五時以後就業せしめ得ざることとせられて居る。然し交替制経営（*mehrschichtige Betriebe*）に於ては婦人労務者も亦、午後十

一〇九八

一時に至る迄の就業が許される。又工業監督局に予め届出をなしたるときは、早番（*Frühschicht*）の労務者は規則的に午前五時から就業せしめ得る。但し此の場合には遅番（*Spätschicht*）の労務者が之に対應して早く終業せしめられねばならぬ。之とは逆に又、工業監督局は遅番の労務者が規則的に遅くも午後十二時に終業することを許可することが出来るが、此の場合にも早番が其れに対應して遅く始業せしめられねばならぬ。以上の婦人労務者の夜業禁止及び土曜日ならびに祝祭日前日の早仕舞ひに関する規定は然し、交通業、旅館飲食店営業、理容業、浴場、療病所、各種の興行、園藝、薬局、公開販売所市場取引等の経営に対しては適用せられないこととせられて居る（労働時間條例第一九條）。又労務者が異常度の熱作用に曝される経営に於ては、工業監督局は、暑期（*warme Jahreszeit*）に於て婦人労務者の就業を午前六時以前に於ても許可することを得る（同第二〇條第四項）。更に亦前記二Ⅲのところで述べた例外は、夜業禁止及び土曜日ならびに祝祭日前日の早仕舞ひについても全く同様である（同第二〇條第一項、第二項、第二一條）。

一〇九九

四、休憩時間

婦人従業者に対しては、四時間半以上の労働時間に於ては、相当なる時間の一回若くは数回の休憩時間が、労働時間中に與へられることを要する。婦人従業者は休憩時間なしに四時間半以上連続就業せしむることを得ない。休憩時間は尠くとも、四時間乃至六時間の労務時間にあつては二十分間、六時間乃至八時間の労働時間にあつては半時間、八時間乃至九時間の労働時間にあつては四十五分間、九時間以上の労働時間の場合には一時間に達するを要するものとせられる。但し八時間乃至八時間半の労働時間にあつては、八時間以上の労働時間延長が、労働時間の他の配分に依り土曜日ならびに祝祭日前日の早仕舞ひを行ふために役立つ場合には、休憩時間は半時間に短縮せられることが出来る。以上総べての場合に、一回の休憩時間は、尠くとも十五分間の労働中止でなければならぬ（労働時間條例第一八條）。工業監督局は、重要なる事由あるときには、以上と異る休憩時間規制を許可することが出来る。更に又工業監督局は、

一一〇〇

経営若くは経営部門又は一定労働に対し、労働の困難、若くは其他の婦人従業員の保健に対する就業の影響に依り、緊急に希望せられる場合には、右に述べたる時間以上の休憩時間を命ずることが出来るものとせられる（同第二〇條第三項）。更に危急の際に於ける例外は、最高労働時間、夜業禁止等の場合と同様である（同第二一條）。以上は婦人従業者に対する一般的な休憩時間であるが、特殊な休憩時間としては、母性保護の見地から、婦人従業者には其希望に依り分娩後六箇月間は、毎日授乳休憩時間（Stillpausen）が許與せらるべきものとせられて居る（母性保護法第三條）。

第二款　青少年労働保護法

「青少年保護ハ民族保護ナリ。総ベテノ青少年ヲ精神上、肉体上、健康ナル民族同胞ニ育成スルハ、民族的必要ニシテ、且國民社会主義ノ義務ニ属ス。独逸青少年ニ保護ト振興トヲ與ヘ、依ッテ以テ其労務能力ヲ高揚セシムルハ、独

一〇一

逸國政府ノ意志ナリ。次記根本思想ノ実現モ斯ル目的ヲ達センガタメナリ。小児労働ハ原則トシテ之ヲ禁止ス。青少年ハ労働時間ノ制限及ビ夜業禁止ニ依リ、過度ノ要求ヨリ保護セラル。職業教育、肉体鍛錬、人格ノ陶冶及ビ國家的政治教育ノタメ必要ナル自由時間ハ確保セラルベシ。青少年ノ休暇及ビ其ノ有意義ナル活用ハ之ヲ保証ス。依ッテ独逸國政府ハ、本法ヲ決定シ、ココニ之ヲ公布ス。」

之は一九三八年四月三〇日附青少年保護法（Jugendschutzgesetz）即ち「小児労働及ビ青少年ノ労働時間ニ関スル法律」（Gesetz über Kinderarbeit und über die Arbeitszeit der Jugendlichen）の前文であるが、此の中に於て既に、ナチス労働保護法の指導理念たる民族力涵養の思想が高く掲げられると共に、民族主義に基き採らるべき青少年労働保護の諸方策が、極めて力強く且明瞭に宣言せられて居ると言ふべきである。

従来小児及び青少年労務者に対する労働保護法規を規定せるものとしては、一九〇三年三月三〇日附小児保護法（Kinderschutzgesetz）即ち「工業経

一〇二

営ニ於ケル小児労働ニ関スル法律」（Das Gesetz, betreffend Kinderarbeit in gewerblichen Betrieben）及び工業條例中の規定ならびに一九三四年七月二六日附労働時間條例中の規定が存したのであるが、本法は小児及青少年労務者に対する、包括的且統一的保護を與ふべく制定せられ、従って本法施行と共に小児保護法は廃止せられ、工業條例及び労働時間條例中の諸規定も改正せられることとなったのである。又其他の法律、命令も夫々改廃せられるに至ったのである（青少年保護法第三〇條）（註一）。斯くして本法は、一九三八年一二月一二日附本法施行令と共に、小児及び青少年労働保護法の基本法であるが、本法を補充する青少年労務者に対する特別法としては、既述の如く、一九三八年一二月二三日附「製鉄工業ニ於ケル青少年ノ就業ニ関スル命令」「一九三八年一二月二三日附硝子製造所令」及び一九三九年一月二〇日附「鉱山経営ニ於ケル青少年ノ就業ニ関スル命令」等がある。

（註一）　一九三四年七月二六日労働時間條例は一般成年男子労務者に対する労働時間規制と共に、婦人労務者及青少年労務者に対する特別労働時

一〇三

間規制をも包含して居たのであるが、本青少年保護法の成立に依り、青少年保護規制は全部本法に包括せられるに至った結果、本法第三〇條に依り改正せらるることとなり、一九三八年四月三〇日附「労働時間條例改正及ビ其他ノ労働時間法規ニ関スル労働大臣命令」（Verordnung über die neue Fassung der Arbeitszeitordnung und über andere arbeitszeitrechtliche Vorschriften）を以て、現行一九三八年四月三〇日附労働時間條例が制定公布せらるるに至ったのである。

以下青少年保護法に依り、小児及び青少年労務者に対し與へられる特別労働保護規定の大要を述ぶれば次の如くである。

一、適用範囲

本法は従来の小児保護法及び工業條例等に比し、其の適用範囲を拡張し且保

一〇四

護年齢を引上げ、徒弟関係若しくは労働関係にある、及び其他の徒弟関係若しくは労働関係に於ける労働給付に類似せる勤務をなせる、一切の小児及び青少年の就業に対し、適用せられるものとされた。而して此際、小児とは十四歳未満の者を謂ひ、青少年とは十四才以上十八歳未満の者を謂ふものとせられるが、青少年にして尚國民学校教育義務を有する者は、就業に関して小児と全様の取扱ひを受けるものとせられる（青少年保護法第一條）。

然し一般成年男子労務者の場合と同様に、家事経済、農林牧畜業（但し副業経営を除く）、漁業、航海・航空業（但し陸上及び地上経営を除く）に就業せる小児及び青少年労務者に対しては、特別法規制に留保せられて居る。又家族経営（Familienbetrieben）（企業者若しくは其配偶者と三等親内にある世帯の成員のみが就業せしめられる経営を謂ふ）に就業せる青少年に対しては、本法危険労働に関する規定のみが適用せられるに過ぎず、爾余の規定は工業監督局が、必要なる場合に、各個の経営に対し、其の遵守を命ぜざる限り、指令としてのみ適用せられることと規定せられて居る（第二條）。

一一〇五

二　小児労働（Kinderarbeit）

Ⅰ　小児労働の禁止

小児労働は原則として禁止せられる。例外として小児労働の認められるのは、以下の場合のみに限られるのである（第四條）。

Ⅱ　國民学校教育義務（Volksschulpflicht）終了前の小児労働（第五條）

(1)　國民学校教育義務を有する小児は、就業開始以前に企業者に対し、小児の労働切符（Arbeitskarte）が交附せられて居る場合にのみ、就業せしむることが出来る。但し十二才以上の小児が、個々の労働給付に依り臨時に就業するに過ぎない場合は此の限りでない。

(2)　十二才以上の國民学校教育義務を有する小児は、商業に於ける簡易なる労働、商品の運搬、其他の使走り及びスポーツの手傳ひに就業せしむことが出来る。更に家族経営に於ては其他の労働にも就業せしめることが出来

一一〇六

るものとせられて居る。而して之等の小児の就業に対しては更に次の保護規定が存する。即ち、之等小児の就業は午前八時より午後七時迄の時間中たるべく、且午前中、授業前には就業せしむるを得ない、就業は一日二時間以上、学校休暇中に於ても一日四時間以上たることを得ないものとせられる。労働除外時間及び休憩時間に関しては、前者は午前授業後尠くとも二時間、午後授業後尠くとも一時間たることを要し、後者に就いては、一日三時間以上の就業の場合には、半時間の、若くは十五分宛二回の休憩時間が與へらるべきものとせられる。又学校休暇中、小児は一年に尠くとも十五作業日に就業から解放せらるべく、更に日曜日及び祝祭日には就業せしむることを得ないのである。

(3)　演劇其他各種の興行に於ては、藝術上若しくは技術上是非必要とせられる場合には、工業監督局は例外として小児の就業を許可することが出来る。此の際は工業監督局は、就業の状態ならびに就業時間、休憩時間及び臨時の日曜労働に関する細目規定を定むることを要するものとせられる。

一一〇七

Ⅲ、　國民学校教育義務終了後の小児労働（第六條）

(1)　國民学校教育義務終了後の小児は、一日六時間に至る迄は就業せしむることが出来るものとせられる。而して之等の小児に対しては、職業学校に関する規定を除き、青少年の労働時間に関する規定が適用せられるのである。又徒弟関係に於ては、國民学校教育義務終了後の小児は、工業監督局に届出たる後、青少年労務者と同様に就業せしむることが出来ることとされて居る。

(2)　演劇其の他の興行に於ては、國民学校教育義務終了後の小児の就業は、工業監督局の同意に依つてのみ許される。此の際は工業監督局は就業の状態ならびに就業時間、休憩時間及び臨時の日曜労働に関する細目規定を定むることを要するものとせられる。

三　青少年の労働時間（Arbeitszeit der Jugendlichen）

Ⅰ　最高労働時間

一一〇八

(1) 通常労働時間

青少年労務者の通常作業日労働時間は一日八時間を、一週四十八時間を超ゆることを得ないのを原則とする。但し其性質上連續作業を必要とする労働に於ては、十六才以上の青少年の週労働時間は、二週を平均して五十二時間迄は許されることとなつて居る（第七條）。又一般成年男子労務者の場合と同様に、相殺労働が許されて居るが、之等相殺労働に於ける一日の労働時間は、一般成年男子労務者の場合と異り、一日九時間を超ゆることを得ないものとせられる（第九條）。

(2) 職業学校（Berufsschule）

青少年労務者の労働時間を規定するに際しては、彼等に與へらるべき職業教育（Berufserziehung）のための、職業学校に於ける授業時間を、労働時間と如何に調和せしむるかといふ問題が生ずる。本法以前にあつては、唯経営指導者は、十八才以下の労務者に対し、職若くば市町村により て認められる補習学校（Fortbildungsschule）に通学するために必要な

一〇九

時間を與へることを要するものと規定せられて居たのみであり、従つて経営指導者が青少年労務者に対し、職業学校に於ける授業時間に依り失はれたる経営内の労働を、授業時間に加へて更に要求するといふ可能性があつた訳である。斯くては或場合には、青少年労務者に過重労働を課するといふ場合が起り得るであらう。本法第八條は之に対し明確な解決を與へ、第一項に於て、青少年には法上の職業学校教育義務履行のために必要なる時間が與へらるべき旨規定すると共に、第二項に於て、之等職業学校に於ける授業時間は、労働時間に算入せらるべきのみならず、教育補助金若くは賃銀も亦、之等授業時間に対し支拂はるべきことを宣明したのである。斯くして青少年労務者の職業教育の確保振興がなされると同時に、労働時間保護に万全の配慮がなされて居る訳である。

尤も或種の個々の産業部門に於ては、成年男子労務者との比較に於て、青少年労務者の数が非常に多く、且彼等無くしては労働が続行され得ない程、成年男子労務者との共同労働がなされて居る場合が存する。斯る場合

一一〇

には本法第八條第二項の一率施行は、之等産業部門の実情に適しないであらう。従つて労働大臣は、前記「製鉄工業ニ於ケル青少年ノ就業ニ関スル命令」第一條、硝子製造所令第十五條及び「鉱山経営ニ於ケル青少年ノ就業ニ関スル命令」第一條に於て夫々、職業学校授業時間の労働時間への算入に対し、例外的取扱ひをなす旨を規定して居る。

(3) 超過労働（Mehrarbeit）

(イ) 十六歳以下の青少年に対する超過労働

十六歳以下の青少年労務者に就いては、原則として超過労働に就業せしめ得ないとの見地が採られてゐる。其故に彼等に対しては、八時間労働の原則の超過は、前述相殺労働（之は本来的な超過労働に非ず）の場合を除いては、僅に唯、危急の際遅滞なく處理せらるるを要する一時的労働の場合に於て許されるのみである。然も此際に於ても経営指導者は遅滞なく斯る労働の着手を工業監督局に届出づることを要する（第一九條）。其他の場合には十六才以下の青少年労務者に対する超過労働は完

一一一

全に制限せられて居る。

(ロ) 十六歳以上の青少年に対する超過労働

十六歳以上の青少年労務者に就いても、超過労働を出来る限り制限する見地が採られて居る。特に一般成年男子労務者の場合に於ける如き、経営指導者に依る一年に三〇日の労働時間延長の如きは存しないのである。彼等に対し超過労働をなさしめ得る場合は次の如くである。

前労働及び仕舞ひ労働に於て、之等の労働は原則としては、労働時間の遅れたる開始若くは早き終了に依り、若くは長き休憩時間に依り、相殺せらるべきであるが、青少年の教育上必要であるか、若しくは緊急なる経営上の理由の存するときは、通常労働時間は、清掃、整理、全経営の再開若くは維持のため必要とせられる労働、顧客への最終接待等の場合に、一日半時間延長せられることが許される（第一〇條）。

危急の際速かに處理せらるるを要する一時的労働の場合に於ては、十六才以下の青少年の場合と同じく超過労働が許される。此の場合には労

一一二

働時間の制限は全く存しない（第一九條）。

工業監督局は、労働時間中通常且著しい範囲に亘り労働準備が行はれ、且斯る理由に依り成年従業員に対する労働時間が延長せられる場合、及び公益上緊急の事由に依り、特に青少年の訓練のため超過労働が必要とせられる場合には、通常労働時間の超過を、一日十時間迄及び週五十四時間迄許可することが出来るものとせられる（第一一條）。

(ハ) 公経営及び公行政

國、國自動車道路企業、ライヒスバンク及び州の経営及び行政と、市町村及び市町村団体の行政に対しては、職務上の上級官廰は、官吏に対し適用さるべき労働時間に関する勤務規定を、労働大臣の同意を得て、十六才以上の青少年に転用することが出来る（第二二條）。

(ニ) 労働時間延長の最高限

労働時間は、危急の際に於ける一時的労働の場合を除き、各種超過労働の競合する場合に於ても、一日十時間及び一週五十四時間を超過する

ことを得ないものとせられる（第一二條）。例外は唯、特に緊急なる場合に、労働大臣に依る期限附同意を以て許可せらるべきである。

(ホ) 超過労働報酬

公益上緊急の事由に依り、工業監督局の許可を以て、超過労働のなされた場合に、徒弟を除く青少年は、超過労働時間に対し、百分の二十五の割増報酬請求権を有する（第一三條）。

(4) 危険労働に於ける就業禁止

青少年労務者に対し、其肉体上及び精神上健全なる発達を保証するために、危険労働に於ける就業に就いては特に配慮せらるべきである。従って、労働大臣は保健若くは風紀に対し特に危険なる各種経営若くは労働に対しては、青少年の就業を全く禁止し、若くは條件を附することが出来る。更に之とは別箇に、工業監督局も個々の場合に於て、危険労働に対する青少年の就業を禁止し、若くは條件を附することが出来ることとせられて居る（第二〇條）。

II 労働時間の配分

(1) 日曜日及び祝祭日休養

経営に就業せる青少年労務者に対し各週毎に十分なる休養を與へ、且國民社会主義的見地に於て彼等に國家的政治教育を賦與するためには、各週毎に完全な休日を設け以て彼等を労務より開放すべきである。従って日曜日及祝祭日等に於ける就業は出来る限り成年労務者に依って行はるべく、青少年労務者の就業は止むを得ざる場合に限らるべきであらう。斯くして第一八條は第一項に於て日曜日及祝祭日に於ける青少年労務者の就業を禁止すると共に、例外の場合として、第二項乃至第五項に於て、連続労働、所謂日曜営業、公開販賣所等に於ける、若くは公益上の理由ある場合に官廰の許可に依る、日曜日及祝祭日就業を一定の要件の下に認めて居るのである。然し之等例外の場合にも多く日曜日及祝祭日就業の代りに他の週日に於ける休日が與へられることとなって居る。

(2) 各日労働時間の配分

(イ) 夜業禁止及び土曜日ならびに祝祭日前日の早仕舞

夜業禁止に関しては、青少年保護に万全を期するため、總べての青少年労務者は十六才以下たると十六才以上たるとを問はず、夜間午後八時より午前六時迄の就業を禁止せしめらる。但し種々の必要から次の例外が存する。即ち、旅館、飲食店等にありては十六才以下の青少年は午後九時迄、十六才以上の青少年は午後十一時迄、工業監督局の許可を得たるときには十六才以上の給仕及び料理人は午後十二時迄就業せしめ得るが、女子青少年は午後十時以後客の接待に就業せしめ得ない。パン及菓子製造業にあっては十六才以上の青少年は「パン及ビ菓子製造業ニ於ケル労働時間ニ関スル法律」に依り夜間就業の許されて居る限り就業せしめ得る。演劇其の他の興行にありては青少年は午後十二時迄就業せしめ得る。交替時間制経営にあっては、十六才以上の青少年は週交替に於て午後十一時迄就業せしめ得るし、工業監督局は早番を午前五時から、遅番を午後十二時迄就業せしむる許可を與ふることが出来る。更に又労務

者が特別高度の熱に曝される経営にあつては、工業監督局は暑期に於て青少年の就業を午前六時以前に許可することが出来るものとせられて居る（第一六條）。

青少年労務者に対し日曜日及び祝祭日休養が與へられると同様の理由に基き、青少年労務者は日曜日及祝祭日前日の午後の就業から開放せらるべく、第一七條に依れば、青少年は單一性（einsichichtig）経営に於ては土曜日及びクリスマス祭、新年祝祭前日には午後二時以後就業せしめ得ない旨規定せられて居る。尤も此の場合早仕舞ひに依りて生じたる労働時間の喪失に対しては他の週日に於ける相殺労働が許されて居る。又右早仕舞ひの例外の場合として、パン製造業、所謂日曜営業、必需営業、公開販売所等が揭げられ、更に官廳に依る例外許可が許されて居ることに注意すべきである。

(ロ) 休憩時間及び休養時間（労働除外時間）

青少年労務者に対し労働時間中に與へらるべき休憩時間は次の如くで

一一七

ある。即ち青少年には四時間半以上の労働時間に際しては必ず一回若くは数回の休憩時間が與へらるるを要し、四時間半乃至六時間の労働時間にありては二十分間、六時間乃至八時間にありては半時間、八時間乃至九時間にありては四十五分間、九時間以上にありては、一時間に達するを要するものとせられる。休憩時間としては尠くとも十五分間の労働中止が行はれねばならぬ。工業監督局は一定の場合に例外を許可し、或ひは右以上の休憩時間を命ずることが出来る（第一五條）。

労働除外時間に関しては次の如く規定せられて居る。即ち、青少年に対しては日日の労働時間終了後尠くとも十二時間の連続休養時間が許與せらるべきものとせられる。但し例外として旅館及飲食店、其他の宿泊所及パン及び菓子製造業にあつては、十六才以上の青少年に対する連続休養時間は十時間に短縮せられることが出来るものとせられて居る（第一四條）。

一一八

Ⅲ　休暇

未だ肉体的ならびに精神的発達途上にある青少年労務者に対しては、労働からの解放と休養とを與へ以て其の給付能力を増進せしめるため、一年に一回、十六才以下の青少年に対しては尠くとも十五日間の、十六才以上の青少年に対しては尠くとも十二日間の慰労休暇が許與せられる（第二一條）。青少年労務者の慰労休暇は現行法に規定せらるる唯一の休暇規定であり、休暇法上重要な意義を有するをもつて、既に第三節に於て詳論したから此處では再説しない。

（註）　本款の叙述は多く青少年保護法立法理由書に據つた。

第三款　家内労働保護法

「家内労働ニハ國ノ特別保護ガ適用セラル　家内労働ヲ其レヲ脅威スル諸種ノ危険カラ保護シ且家内労働就業者ニ其労働給付ニ対スル適當ナル報酬ヲ確保スルコトガ本法ノ任務デアル」（一九三九年一〇月三〇日附家内労働ニ関ス

一一九

ル法律（Gesetz über die Heimarbeit）第一條）。

家内労働に関する法規制は、以前には一九二三年六月二七日附家内労働法（Hausarbeitsgesetz）及び一九二八年一〇月六日附「家内労働ニ於ケル賃銀明細書及ビ賃銀手帖ニ関スル命令」（Verordnung über Lohnverzeichnisse und Lohnbücher in der Hausarbeit）に依りてなされて居たが、ナチス政權確立後、家内労働に関する劃期的立法として一九三四年三月二三日附「家内労働ニ関スル法律」（Gesetz über die Heimarbeit）が制定せられ家内労働就業者保護に顕著な業績を残したが、更に家内労働法は「尚未ダ諸所ニ行ハレテ井ル家内労務者ノ搾取ニ対スル戰ヒヲ出来ル限り效果的ニ行フタメノ特ニ尖鋭ナル武器タラネバナラヌ」（一九三九年一〇月三〇日附「家内労働ニ関スル法律改正令立法理由」）と謂ふ認識と四箇年の実践の結果に基き、最高國防会議により一九三九年一〇月三〇日附「家内労働ニ関スル法律改正令」が発布せられるに至つたのである。

元来家内労務者なるものは、自ら市場に登場することなく、主として自己の

一二〇

家庭内に於て他人の市場需要のために労働する民族同胞を謂ふのであるが、彼等は経済的に殆んど例外なく悪い状態に置かれて居る。蓋し彼等は外形的には最も零細なる規模の工業経営者として独立しては居るが、実際上は之亦資力のない最小級の企業者たる註文主に完全に従属して居るからである。彼等の労働領域は技術の発達に遅れた、若くは到底高い値段では賣れない商品や製造過程を包んで居るが故に、報酬は當然低く、其結果として亦悲惨なる状態に置かれて居るのである。而して其数は僅か六十万にすぎずとするも、山嶽地方にあつては之に依つて生活する所も多く、交通不便な近代的工業の建設の不可能な所では農業に充用され得ない貧弱な労働力が之に向けられ、或ひは更に生計補助のための補充労働若しくは労働市場に登場し得ない半労働力に収入の機会を與へるものとして必要なのである。ナチス独逸はたとへささかやなものにもせよ、民族経済に奉仕して居る之等労働力の存在理由を認めると共に、其経済上の悲惨なる状態を防止し、就中彼等に対し適當なる報酬保護を加へ、以て特殊なる労働部門に対しても労働保護政策の完璧を期して居るのである。今前記一九三

九年一〇月三〇日附「家内労働ニ関スル法律」及び同日附同施行令に從び家内労働就業者達にあたへらるる保護の大要を述ぶれば次の如くである。

一　適用範圍

本法は家内労働就業者（in Heimarbeit Beschäftigten）に対し保護を與へることを目的とするものであるが、家内労働就業者としては次の者が含まれる（第二條及び第三條）。

家内労務者（Heimarbeiter）。家内労務者とは工業経営者に非ずして、自己の住所又は與へられたる経営所に於て、單独に又は家族所属者の共助の下に、工業経営者又は中間親方の註文を受け且其の計算に於て工業的労務を行ふ者を謂ふのである。

通常單独に又は其の家族と共に又は二人以上ならざる他人の共助に依り労働する家内工業経営者（Hausgewerbetreibenden）。家内工業経営者とは、工業経営者にして、自己の住所又は與へられたる経営所に於て、工業経営者又は

中間親方の註文を受け且その計算に於て、商品を生産し又は加工する者を謂ふのである。工業経営者が原料及び補充品を自ら生産し若しくは一時的販売市場に対し直接に労働するときにも同様である。

更に次に揭ぐる者も家内労働就業者と同様なる取扱ひを受け得る。

自己の住所又は與へられた経営所に於て、規則的な労働経過を繰返へす労働を、他人の註文及び計算に於て行ふ者。但しその作業が工業的ならず又は註文主が工業経営者又は中間親方でない場合。

二人以上の他人の共助に依り労働する家内工業経営者。

其の経済的依存性の結果家内工業経営者と同様なる地位にある、其他の賃仕事を行ふ工業経営者。

中間親方（Zwischenmeister）。中間親方とは工業経営者より自己に委任せられた仕事を、家内労務者、又は家内工業経営者に対し更に與へる者を謂ふのである。

以上の家内労働就業者及び其れと同様の取扱ひを受け得る者に対する保護規

定は、家内労働が通常の労働関係と著しく異るため、今迄述べた労働保護と異り次の如き仕方で行はれる。分つて一般保護規定、労働時間保護、危険保護及び報酬保護とする。

二　一般保護規定

一般保護規定は特に家内労働の註文者及び家内労働就業者の確定を可能ならしめねばならぬ故に、家内労働を註文する企業者は、総べての彼等に依り家内労働に従事する人々に関する正確なる名簿作成（Listenführung）の義務を有し、該名簿を仕事場の見易き場所に揭示し、要求あるときは又労働局及び労働管理官に送付しなければならぬ（第四條）。一定の工業部門に対しては家内労働が禁ぜられることなく、特別の労働切符（Arbeitskarten）が採用せられる（第五條）。企業者は初度の家内労働を註文する際には一定の申告義務を有する（第六條）。更に総べての企業者は就業者が報酬の高を知り得る様に支拂及び引去額の諸点に就き報酬明細書（Entgeltverzeichnisse）を明

瞭に公示することを要し（第七條）、又就業者に對しては労働及び報酬に関するすべての重要な表示を含む特別の報酬手帖（Entgeltbücher）、又は労働管理官の同意を以てのみ報酬切符（Entgeltkarte）が交付せらるるを要する（第八條）。

三　労働時間保護

家内労働の労働時間の直接的監督は実際上実行不可能の事に属する。其故に法律は此の方面に於ける保護を間接に次の様にして行はうと試みて居る。即ち労働管理官は個々の工業部門又は一定の家内労働に對し、一定の報酬に對しては、ある一定の時間内に如何程の労働量の註文が許さるべきであるかを規定することが出来る。其際労働管理官は、労働量の算定を、其れが補助なき單独の完全労働力を有する工場労務者にとつて通常なる労働時間内に履行せられ得るが如く行ふべきであるとせられる。家内労務者及び家内工業経営者に對しては、原則として、如何なる超過労働も許可せらるるを得ない（第一〇條）。

或る工業部門に於て、家内労働の不均整な分配より生ずる弊害を除去せんとする右第一〇條に基く労働量の分配が、生産品の多様性のために不可能なるときには、労働管理官は一日中の一定の時間及び日曜日並に祝祭日に労働休養を訓令することを得る。此の間は家内労務者、家内工業経営者等は労働するを得ない。経営労務者に對しては更に労働時間に関する爾余の一般規定も亦適用せられる（第一一條）。

四、危険保護

法律は一般原則として、家内労働の行はれる作業場は経営の種類を考慮して就業者の生命、保健、徳性及び公衛生に對し、何等の危険をも與へない様に造られ且設備せられねばならぬと謂ふことを要点とした（第一二條）。夫々此の目的を達するために一方労働大臣に廣大なる特別命令権が與へられ（第一三條）、更に危険家内労働に對しては家内労働を禁止することを得るものとせられた（第一四條）外、他方経営保護に関して工業監督局に依る訓令がなされ得るし

（第一五條）、食糧品及び嗜好品の生産、加工、包装の際に生ずる公衛生に對する危険除去のためには、警察官廳に依る訓令がなされ得るものとせられて居る（第一六條）。更に家内労働の業務状態の警察官廳への申告義務（第一七條）、経営保護及び保健保護に對する工業経営者の責任（第一八條）が規定せられて居る。

五、報酬保護

報酬保護に関しては労働管理官は家内労働を絶えず監督し、労働大臣に詳細なる指示を報告せねばならぬ（第一九條）。家内労働報酬の決定に對しては、國民労働秩序法の諸規定が規準を與へるが、其れは他の就業者の場合と同じく個別契約に依り、又は家内労務者若しくは家内工業経営者が通常尠くとも二十人以上の就業者を有する経営に所属するときには経営規則に依り、及び賃率規則に依り決定せられ得るのである（第二〇條）。此の中では実際、賃率規則が決定的な役割を果して居る。賃率規則は此の場合、一工業内に於て家内労働が

相當の範囲に於て行はれて居り、且之に對して支拂はれる報酬が明かに不十分であるといふ場合には、それだけで常に発布せられねばならぬものとせられ（第二一條）、家内労働に對する最低條件たる性質を有する。斯くの如く家内労働に関する賃率規則の発布は、不十分な報酬が個々の企業者に依りて支拂はれるといふことだけでなされるのであるから、普通の場合の賃率規則が例外の場合に従業者の保護のため必要やむを得ないときにのみ発布さるべきものとされて居るのに反し、著しく容易である。其故に賃率規則が通例とせられて居る訳である。

報酬は出来る限り個数報酬（Stückentgelt）＝出来高拂として支拂はるべきである（第二二條）。個数報酬の決定が出来ず、其故に労働管理官が報酬算出の基礎として時間報酬を決定せねばならぬときには、労働管理官は独逸労働戦線に依り設けられたる特別計算局に計算を委任し、若しくは各企業者に計算を申告せしめ、若しくは就業者に企業者の計算を検査させることを得る。計算局に依り算出若しくは承認せられた報酬は賃率規則を補充し、報酬の最低限た

るの性質を有する。

法律は更に賃率規則に依りて決定せられた報酬の事実上の支拂を確保せんとする。即ち其一つとして、若し、中間親方が家内労務者及び家内工業経営者に対し賃率規則に依る賃銀を支拂ひ得ざる程少額の報酬を、註文者が中間親方に支拂ふが如き場合には、中間親方と共に註文者も亦責任を負ふものとせられて居る（第二三條）。更に若し企業者、中間親方等が賃率規則以下の報酬を支拂ひたるときには、労働管理官に依り予告の後特別遅延賠償（Entzugsbusse）が決定せられ得る。遅延賠償の額は最低二〇マルク、最高三千マルクであるが繰返へしてなされたるときは最高一万マルクとせられて居る。此の遅延賠償に依り國民労働秩序法の社会的名誉裁判手續の開始が除外せられるのではない（第二六條乃至第三二條）。

一一二九

六、監督及び罰則

以上述べた家内労働保護規定の実施を確保するために、労働管理官若しくは

一一三〇

家内労働の各工業部門に対し任命せられたる特別管理官は、警察諸官廳及び工業監督局との協力のもとに、家内労働関係をつねに監視すべきものとせられて居る。

法律の本質的保護規定に対する總べての違反行為は刑罰を以て威嚇せられ、最高百五十マルクの罰金、若しくは最高六箇月の懲役に處せらる（第三四條、第三五條）。

再度法律違反の判決を受け又は遅延賠償を課せられる者は、労働管理官に依り、家内労働の註文又は継続註文を禁止せられることを得る（第三六條）。

（註）　本款叙述は條文の外、次に據った。

Dr. jur. Werner Mansfeld, Arbeitsrecht, S.216-22

Alfred Hueck, Deutsches Arbeitsrecht Ein Grundriss, 1938.

Dr. jur. Otto Kalckbrenner, Die Neufassung des Gesetzes über die Heimarbeit, Deutsches Arbeitsrecht Heft 12, Dezember 1939, 7 Jahrgang, S.285-286

一一三一

第三章　労働保護法の戦時展開

第一節　概観

一、「我等ガ祖國國境ノ防衛ハ、スベテノ独逸國民ノ最高ノ犠牲ヲ要求ス　兵士ハ武器ヲ執リ生命ヲ賭シテ郷土ヲ護ル　此ノ犠牲ノ大ナルニ較ブレバ民族及國家ノタメニ其全力ヲ捧ゲ依ツテ以テ統制経済生活ノ運營ヲ可能ナラシムルハ、銃後郷土ニ於ケル全國民ノ當然ノ責務トイフベキナリ　就中國民各員ニ於テ其生活逐行及生計上必要ナル制限ヲ課セラルルニ於テヲヤ」。開戦劈頭（九月四日附）、ゲーリング元帥を議長とせる彼の最高國防會議に依り発せられたる戦時経済令（Kriegswirtschaftsverordnung）に於ける右の前文は、第二次歐洲大戦の勃発に際してナチス独逸が銃後戦線に対し採らんとする強力統制経済の方針を闡明せるものであるが、其れは亦同時に、

同令中に多くの規定を見る如く、戦時労働保護対策に就いても其指導原理たる意義を有するものと謂ふべきであらう。斯くして今や前線に於ける軍務召集令と並んで内部戦線（innere Front）に対する経済、労務召集令が下されることとなり、従つて前章述ぶる所の労働保護の諸原則も亦鉄火の試錬に耐へねばならぬことゝなつたのである。

凡そ社會政策の一環としての労働保護対策を問題とする限り、其れと経済政策との関聯が常に問題とせらるべきであるが、屡々自由主義的國家にあつては両者の背反的傾向の故に、特に戦時に於て破綻を生ずる可能性が多いのであるが、労務配置法其他に於て見たる如くナチス独逸は國防國家体制の確立を以て其の基本策となし来り、従つて國防理念に依る両者の一元的統制は勿論、平時より戦時への推移に際しても、總べての対策に於て、何等の質的転換を要せず量的展開を以て足るものとせられて居るのである。

斯る量的展開の方向に於て完全なる調和の下に経済政策、社會政策が行はるるにしても、開戦初頭に於ては然し、特に亦近代戦に於ける緒戦の重要性

を考慮に入れるに於ては、軍務應召等の事情等と相俟つて、労働力の一時的緊張は避くべくもないであらう。従つて斯る情勢に対應して、前記戦時経済令が説くが如き意義に於て、労働保護法の諸原則、即ち、一般通常度を超ゆる労働力の濫掘を制限せる法律上の柵は、或程度緩和せられねばならなかつた。即ち或ひは労働時間は八時間労働の原則に拘はらず延長せしめられ、超過労働等に対する割増金は廃止せられ、休暇の賦與も一時中止せられる等の一聯の労働保護緩和措置が採られることとなつたのである。或ひは亦何時にても戦時状態の要請に即應し得る様、戦時経済令第二〇條は、労働大臣に対して、就業時間に就いて現行法規と異る規定を制定する権限と、現行労働保護法規に対して例外を許容し得る権限を與へることとなつたのである。以上の諸措置は總べて皆急速なる軍事動員に対應して要求せらるる軍需品、生活必需品生産の全能率発揮の要請に依るものと謂ふべきである。

斯くしてナチス労働保護法の諸原理は開戦と共に一應停止せられることとなり以て独逸の軍事的成果に寄與する所あつた次第であるが、然し斯る労働力

の過度の緊張は真に己むを得ざる場合に限らるべきであり、真の國防力の強化は、常に民族力の健全なる培養に基礎づけらるべきであることに想到する時は、如何なる時にあつても可及的に十全なる労働保護手段が採らるべきは當然と言はねばならないであらう。蓋し國防力の発展は一國生産力に依據することと多大であり、生産力の基礎は人的資源の保護培養を俟つて始めて全うせらるるが故である。斯るが故にこそナチス独逸は、右開戦當初に於ける軍事、内部両戦線の動員を一應完了し、大戦亦長期戦たるの性格を具現し始めるに至るや、労働保護の分野に於ても労働力の緊張を解き、労働保護再強化の手段を講ずるに至つた。即ち労働大臣は前記戦時経済令第二〇條及第二九條に基き、一九三九年一二月一二日附労働保護令（Verordnung über den Arbeitsschutz）を以て再び過度の超過労働を禁止し、婦人及青少年労務者の保護を再強化するに至つたのである。右労働保護令の前文に曰く、

「スベテノ勤労者ノ保健上ノ対策ヲ講ズベキハ、戦時ニ於テモ亦労働保護ノ緊急課題タルヲ失ハズ　高度ノ能率ヲ発揮スベキ必要アルニ拘ハラズ労働力

ニ対スルスベテノ過度ノ要求ハ避ケラルルヲ要ス　従ッテ開戦時ニ際シ発セラレタル労働保護ノ緩和ハ単ニ新ナル任務ヘノ転換ノ初期ニノミ認メラルベキモノナリ　其転換ノ完了セラルルヤ再ビ国策遂行ノ十全ナル配慮ガ労働保護ニ置カルベキナリ　例ヘバ超過労働時間ハ回避セラレ婦人及青少年ノ保護ハ再ビ強化セラルルヲ要ス　但シスベテノ勤労者ガ其ノ全労働力ヲ挙ゲテ我ガ祖国ニ強ヒラレタル戦争ノタメニ奉仕スベキハ蓋シ当然トイブベキナリ」と。

以て、如何にナチス独逸が其社會政策の重点を労働力の保護に置いて居るかを窺知し得るであらう。斯くして亦右労働保護令の発布と相前後して開戦當初に廃止せられた超過労働等に対する割増金及休暇に関する規定等も復活施行せられることとなつた。

二　以上はナチス労働保護法が第二次世界大戦に際會して如何なる指導精神を以て之に対處せしめられて行つたかを概観したのであるが、更にそれが法規制の上に具体的に如何に展開せしめられて居るかを大観して置き度い。

一一三七

先づ大戦勃発と共に最も問題となるのは軍務に應召せる労務者保護の問題であるが、前線に於ける兵士をして後顧の憂ひなからしむることは戦時國家の最大任務と称すべきであるから、軍務應召者保護には万全の處置がなされて居る。即ち、軍務應召者の労働関係に対する配慮のためには、一九三九年九月一日附労働法規変更及補充令第一章は軍務應召に依りては既存の就業関係は解消せられず、且企業者は軍務應召者に対し就業関係を解約告知し得ざることと規定したる外、除隊後の應召者の職業を保障するために一九四〇年九月一八日附「戦時及戦後ノ除隊員及ビ労働奉仕員ノ職業保護ニ関スル命令」が公布せられた。又應召者遺家族保護を強化し弾力性を有する万全の保護を與ふるために開戦直前（八月二八日附）の配置國防軍給與法及一九三九年九月一日附配置家族扶助令ならびに数次に亘る内務大臣及財政大臣回章が発布せられて居るのである。

次に経営保護法の分野にあつては、戦時に於ける一般労働保護の緩和とは逆に保護強化策が採られ、特に空襲に対處すべき燈火管制下に於ける災害防

一一三八

止及保健対策上種々の注意が與へられた（一九三九年一一月三〇日附「経営保護ノ実施ニ関スル労働大臣布告」）。但し工業條例第一二〇條七に基き発布せられた特定の種類の経営について必要な處置を定めた規定についてのみは、工業監督局が個々の例外を許可し得ることとせられた（前述労働法規変更及補充令第六條）。

次に労働時間保護に関する規制は戦時に於て最も大なる変化及び推移を蒙つた。蓋し平時に於ける八時間労働の規制は従業員に対し単に保健上の観点のみよりして確立せられたるに非ずして、彼等に対し其人格的要求の満足、文化財への関與、政治的活動のために十分なる自由時間を賦與すべく定められたものであり、青少年労務者に対しては、其労働時間は、特に職業教育、肉体鍛錬、人格の淘冶及政治的教育のため必要なる自由時間を賦與するために確立せられたのであるが、之等政治的及文化的観点は戦時にあつては必然的に異なる評價を受けねばならぬからである（註一）。斯くして開戦と共に成年男子労務者に対する八時間労働制は撤廃せられ、企業の要求に應じて労

一一三九

働時間を延長し得ることとなり（前記労働法規変更及補充令第四條）、青少年労務者及婦人労務者に対しても緊急なる場合には一日十時間迄の労働時間延長が許されることとせられた（一九三九年九月一一日附労働保護ノ例外ニ関スル労働大臣訓令）。但し人口政策的見地から一九二七年七月一六日附母性保護法の規定は厳守せられ、労働大臣は労働局に対し右規定の例外を認めることを禁じた。斯くの如く開戦當初に於ては労働時間延長がなされた訳であるが、前述の如く大戦が長期戦の相貌を備ふるに至るや一九三九年一二月一二日労働保護令に於て、労働時間制限の再強化がなされるに至り、一九四〇年一月一日以降は例外の場合を除き労働時間は一日最高十時間を超ゆることを得ないこととせられるに至つた。

（註一）　Schmidt-Kremer, Der Arbeitsschutz in der Kriegswirtschaft 1939, S.17

休暇に関しては、労働時間保護に於けると同様の経過が辿られ、先づ戦時

一一四〇

経済令第一九條が休暇に関する規定及協定は當分の内其效力を失ふ旨規定して、休暇賦與の暫定的廃止を宣言し、以て軍需生産力の全能力発揮に備へたのであるが、其後事情の好転に伴ひ、一九三九年一一月一七日「休暇再施行ニ関スル労働大臣訓令」に依り休暇に関する規定及協定は一九四〇年一月一五日以降再び效力を生ずる旨規定せられると共に、休暇規定の一時的中止により一九三九年度に於て賦與せられざりし休暇日数は一九四〇年度に於て追許與せられることとせられるに至つて居る。

又超過労働、日曜日ならびに祝祭日労働及夜業に対する割増賃銀（Zuschläge）に就いても前編に述べたる如く、戦時當初に於てはその支拂は停止せられたが（戦時経済令第一八條第三項）、其後一九三九年一一月一六日附戦時経済令第三章補充令により日曜日ならびに祝祭日労働及夜業に対する割増賃銀は一一月二七日以降再び支拂はるるに至り、更に超過労働割増賃銀に対しても前記労働保護令第五條に依り、十二月十八日以降一日十時間を超ゆる超過労働時間に対し二五％の割増が戦前と同様支拂はれることとなつた

（但し一九四〇年一月十四日附労働大臣訓令に依れば十時間を超ゆる超過労働が一時間以内の場合には割増賃銀は賦與せられない）。

以上の労働保護の戦時諸措置は平時労働保護法に比し大体に於て消極面を構成するものと謂ひ得るであらうが、ナチス独逸は他面に於て積極的な労務者保護対策をも講じて居ることは特に注目に値する。即ち戦時に於ける労務者、特に重工業に従事せる筋肉労務者に対し所要の栄養料を供給することは、戦時軍需生産上及び労働保護政策上絶対の要請と謂ふべく、従って開戦後幾何ならずして一九三九年九月一六日附「重労務者、最重労務者、姙婦、産婦、病者、虚弱者ニ対スル特別割當賦與ニ関スル命令」（Verordnung über die Gewährung von Sonderzulagen an Schwer- und Schwerstarbeiter, werdende und stillende Mütter, Kranke und gebrechliche Personen）は重工業筋肉労務者其他特別の事由により特に営養確保の要ある人達に対する、脂肪類、肉類、パン等の特別食糧配給量を規定し、以て労務者に対する食糧確保対策に遺憾なきを期したのである。

第二節　軍務應召労務者の保護

第一款　軍務應召者の労働関係の存續

一、國民社會主義の地盤の上に立つ新しき独逸が、苟も國防國家体制の確立を以て、其の第一目的とする限り、國家の名誉たるべき兵士達を、出来得る限りの手段を盡くして保護することこそ、其の社会政策の第一義的要請と謂ふべきであらう。入營たると應召たるとを問はず、労務者が其の兵役義務の遂行に當り、職業関係及び就業関係上、何等の不利益を受くることなく、而して亦彼等の遺家族に対しても、十全なる保護の與へられることは、斯くして、平戦時を通ずる労働保護法の重要なる課題であらねばならぬ。

斯る見地に於て兵士達を保護することは、既に平時に於て、一九三七年一

二月二九日附「兵士及ビ労務者保護令」（Verordnung über Fürsorge für Soldaten und Arbeitsmänner vom 30. September 1936, in der Fassung der Bekanntmachung vom 29. 12. 1937）に依れば、大要次の如くなされて居たのである。

即ち、労務者、使用人及び徒弟の就業関係（労働関係、徒弟関係）は、彼等が兵役法（Wehrgesetz vom 21. Mai. 1935）第八條に依り、兵役服務のため、経営より離れたる日を以て終了する。此際には解約告知を要しない（第一條）。斯くして兵役志願に依ると否とを問はず、労務者は兵役服務に依り、一應従来の就業関係上より分離せしめらるるに至る訳であるが、之に対し労務者の職業を保障するために、労務者が後日兵役より解除せられたるときには、職業紹介に於て優先的な配慮を與へらるるものとせられて居る。更に労務者は其際出来る限り、彼等が兵役服務以前に労務者、使用人及び徒弟として就業せる経営に於て、従前の若しくは従前と同様の就業関係に再採用せらるべきであるが、此の事が不可能なる場合には、労働局（Arbeits aimten）の任務として、他経営の職場に紹介せらるべきものとせられる（第二條）。而して亦、労務者の職業復歸に際し、彼等に何等の不利益を與ふることを許さず、従って、兵役服務期間は總べて在職期間、経営所屬期間等の算定に際しては加算せらるべきものとせられて居る（第三條）。

斯くして平時にあっても、兵役服務に依り、労務者達に何等の不利益も齎されざる様、十分の配慮が為されて居た訳であるが、然し開戦と共に、生命を賭して戦線に戦ひつゝある軍務應召労務者達をして、後顧の憂ひなからしめるためには、斯る平時規定を以ては、未だ十分と稱するを得ないであらう。労務者達は、其軍務解除の後、従前の職場に復帰し得ることにつき、単に期待を懐くのではなくして、法律による確信を與へられねばならない。第一次世界大戦後、帰還兵士達の経済再編入の問題が、如何なる困難に逢着したかが想起せらるべきである。勿論斯る問題は、一重に戦局の推移と、経済関係の事情如何に繋って居るであらう。従って問題は、戦争の始めには一般に解かるべくもないであらう。然し其れにも拘はらず、戦線の兵士達に、並びと

一一四五

安心、認識と感謝を與へ、以て其戦闘力を旺盛ならしむることは、独逸戦時國家の緊急課題たらねばならぬ。

二、之等の点に鑑み、開戦と共に発布せられたる、一九三九年九月一日附労働法規変更及補充令（V.O. zur Abänderung und Ergänzung von Vorschriften auf dem Gebiete des Arbeitsrechts）は、其第一章に於て、「軍務應召ノ場合ニ於ケル労働関係ノ存続」と題し、労務者の既存の就業関係が、軍務應召に依り、解消せらるることなき旨を規定し、以て軍務應召労務者保護に関する法規に、一大改正を加ふるに至つたのである。即ち次の如く規定せられて居る。

第一條　軍務應召ニ依リ既存ノ就業関係（労働関係、徒弟関係）ハ解消セラルルコトナシ　雇傭被傭両者ノ権利及義務ハ應召期間中停止シ　應召義務者若クハ其家族ノ継続必要トスル労務者住宅ノ供與ニ関スル約定モ存続スルモノトス

第二條　就業関係ノ解約告知ニ対スル従業者ノ権利ハ軍務應召ニ際シテモ其

一一四六

行使ヲ妨グルコトナシ　企業者ハ就業関係ヲ解約告知スルコトヲ得ズ

但シ労働管理官例外ヲ許可スルコトヲ得

斯くして右第一條に依れば、企業者と従業者との間の法的紐帯は、軍務應召に依る労務者の長期に亘る事実上の就業中断にも拘はらず、依然として存続するのである。従って軍務應召解除後に於ても、労務者は従前の経営に再、採用せられるのではなく（前述兵士及労務者保護令対照）、単に事実上の就業中断が復活せしめられるに過ぎないこととなる。従って軍務應召中の期間は、總べて経営所屬期間に算入せられ、従来の労働契約上の約定も依然其効力を有するが、他方賃率規則又は経営規則の変更は、應召者の労働関係にも適用せられることとなる。

然し労働関係に基く企業者、従業者相互の権利義務は、寧ろ、應召期間中は停止せられる。従って労賃の継続支拂はなされる必要はない。此の事は単に労賃のみならず亦、其他の収入、即ち利益分配、現物手當、賞與金等についても同様である。企業者は之等の給與をなす法上の義務を有しないのであ

一一四七

る。賞與金や利益分配を、経営に於て継続して労働して居る従業者に許與し、軍務應召者に與へないとしても、其れは、従業者平等取扱ひの義務に反するものと言ふを得ないであらう。もとより之等賃銀、賞與金等の支拂ひの停止は、企業者の経済上の地位を考慮して、法上の強制負担を軽からしむる目的に出でたものであるから、多くの企業者が、自発的に、軍務應召労務者に対しても、賃銀、賞與金若しくは利益分配を行ひ、以て経営共同体の感情を強化せしむることは、最も望ましいこととせられて居る。

以上の原則に対しては、然し一の例外が存する。即ち、労務者住宅供與請求権のみは例外とせられ、労務者住宅供與に関し、企業者と従業者との間に結ばれたる約定は、其の住宅が従業者又は其の家族にとつて継続して必要とせられる場合には依然其の效力を有するものとせられ、企業者は應召労務者の家族に対し、當該住宅を利用せしむる義務あるものとせられたのである。労務者住宅供與に関する此の規定を、実際運用するに當っては、企業者及び労務者家族の相互理解が必要とせられる。先づ該住宅が労務者家族にとり継

一一四八

続して必要なりや否やに関しては、企業者は、労務者の家族が単に他所に居住し得るといふことのみに依つて明渡を請求することを得ないし、又反対に労務者の家族達は、該労務者住宅が経営の利益上切実に必要とせられ、且転居が困難なく実行され得、更に企業者が費用の負担を申出るが如き場合には、明渡をなすべきであらう。更に今一つの困難な問題は労務者住宅の賃料に関する問題であるが、「住宅ノ供與ニ関スル約定」は総べて「存続」するのであるから、住宅が労務者の家族に供與せられる限り、約定賃料も亦當然支拂はるべきである。労務者の家族が賃料支払義務を免れんと欲するならば、住宅を明渡すより他に方法はないのであるが、但し其の為に労働関係を解除せねばならぬことはないことは勿論である。然らば住宅の供與が約定賃銀の一部をなして居る場合には如何に取扱はるべきであるか。若し此の場合に、賃料の支拂ひなくして、住宅を供與すべきものとすれば、其れは企業者に一方的負担を強制することとなり、命令第一條第二項の原則に反することとなるであらうし、他方に於て企業者が住宅明渡請求を要求し得るとすれば、第一

一一四九

條第三項の目的に合致しないであらう。従つて斯る場合には、労務者側をして労務の給付に代へて相當の対價を支拂はしめて、住宅を維持せしむるか、対價の支拂が不可能なるときは、住宅を明渡さしめるか、何れか一方を選ばしめねばならぬであらう。

三、以上述べ来つた軍務應召労務者の労働関係の存続に関する規定は、一重に労務者保護の目的に出づるものであるから、労務者側からの解約告知権の行使は應召に際しても何等妨げなき旨の第二條の規定は、蓋し當然の措置と謂ふべきである。但し前に述べた戦時労務配置に関する労務者移動制限令の規定は此の場合にも適用せられる結果、右労務者側よりする解約告知に就いても労働局の許可を必要とする。

然るに他方、企業者側よりする解約告知権の行使が許容せられるものとすれば、従来の労働関係は軍務應召のため當然解消せらるるものに非ずとする第一條の規定の目的は、全く達せられざるに至るであらう。其故に右第二條は企業者から労務者應召の場合に於ける解約告知権を奪ふと共に、唯労務者

一一五〇

の應召期間の長期に亘る場合に備へて、管轄内の労働管理官に対してのみ具体的各個の場合に應じて解約告知禁止の例外許可の権限を賦與したのである。斯くして労働管理官に依る例外許可の場合を除いては、原則として企業者は解約告知をなすことを得ないこととなり、第一條に依る労働関係の存続の保障と相俟つて、労務者保護に万全が期されることとなつた訳である。然らば労働管理官は如何なる場合に解約告知の例外を許可し得るのであるか。此の際労務者の應召に依りて欠員となりたる職場に対して、補充労働力の振當がなされねばならぬことは、自明のことに属するが、斯る補充されたる労働力は勿論、應召労務者の應召解除に依る原職復帰に際しては、前任者たる應召者に職場を明渡すべきは當然であるから、斯る場合には解約告知に関する問題の生ずる余地は存しないであらう。其れにも拘はらず應召者を解約することが企業者に許可せられねばならぬとすれば、此處に所謂解約告知の例外許可とは右以外の場合でなければならぬ。此の際、労務配置政策上應召労務者の職場を別異の労務者に依り補充する必要が、右労働管理官の例外許可の重

一一五一

要な又は唯一の動機を形成するとなす見解は妥當なものと認め難く、労働管理官に依る例外許可の場合とは、例へば應召者の後の就業が何等か特別の事由に依り絶対に不可能であり、且其事由が真に理由の立つものであり、従つて明確な関係を創つて置くことが必要なりと認定せられるが如き場合を指すものと解せらるべきである。

前に述べた労務者移動制限令に依れば、労働関係の解消の場合には、原則としてすべて労働局の許可が必要とせられたのであるが、右労働管理官の例外許可に依る應召者の労働関係の解消の場合には、専ら社会政策的見地が主眼であり、労務配置の問題は顧慮せらるるを要しないのであるから、労働局の許可は不必要であると考へねばならぬ。然し之は、本令第二條が、労務者移動制限令の規定に対し、特別法たるべきであるとの理由に依つてではなく、此処では、労務者移動制限に依り意図せらるる目的が無く、且解約告知の目的なき障害は、立法者に依り望まれる筈がないと謂ふ理由によつてである。

（註一）　本款の見解は主としてニキッシュ教授の所説（Arthur

一一五二

Nikisch, Kriegsarbeitsrecht, Verordnungen und Erlasse, 1940, S. 65-70）に據って軍務應召労務者の解約告知保護を述べたのであるが、一般労務者に於ける解約告知の問題に於ては、之と反対の場合が生じ得る。即ち、戰時にあっては通常労働力の不足に直面する企業が多いであらうが、他方尠からざる企業は戰争状態の結果、經営の縮少、休止、転換を余儀なくせられ、従って労務者解雇の必要に迫られるのである。斯る事情は戰争勃発の初期に於て最も著しいであらうが、此の際企業者が常に既存の契約上又は法律上の解約告知期間を遵守することが必要なりとすれば、労賃及び報酬の継続支拂より生ずる負担は、場合に依っては經営を破滅せしめ、ひいては企業者のみならず従業者全体の損失となるであらう。斯る理由に基き一九三九年九月一六日附戰時經済令第三章（戰時賃銀）第一次施行規定（Erste Durchführungsbestimmungen zum Abschnitt III（Kriegslöhne）der Kriegswirtschaftsverordnung

一一五三

vom 16. 9. 1939）は、必要なる場合には、既存の解約告知期間を、個々の従業者、一經営の従業者全体若くは一群の經営の従業者の全体に対し、短縮し得る権限を労働管理官に賦與して居る。

一一五四

（註二）　尚本款に述べた労働法規変更及補充令第一章に就いては、Reichsarbeitsblatt, Heft Nummer 16, Jahrgang 1940, den 5. Juni 1940, Teil V. S. 254 ff. 及び Deutsches Arbeitsrecht, Heft 10, Oktober 1939, 7. Jahrgang, S. 257 ff. に詳細な解説がなされて居る。

（註三）　本款は開戰と共に行はれたる軍務應召労務者の労働関係の保護を述べたものであるが、其後戰局の圧倒的勝利の獲得と共に、除隊兵の職業保障に万全を期するために、一九四〇年九月一八日附「戰時及戰後の除隊兵及男子労働奉仕員ノ職業保護ニ関スル命令」が発布せられ、同令は一九三九年八月二六日より遡及施行せらることとなった。

第二款　軍務應召者家族の保護

一、國民社會主義独逸にあっては兵役義務は独逸民族たるの名誉義務であり、従って之に対應して、國防軍に於ける兵役義務及び戰時に於ける祖國防衛の義務を履行せる人達に対し、祖國も亦万全の措置を講ずべく、斯る観点に於て開戰劈頭前款述ぶる如く軍務應召者に対する職業保障の法的措置がなされたのであったが、之にも増して重要な社会政策的意義を有するものとして、軍務應召者遺家族の生活擁護の問題が存する。前線にあるすべての應召者には、彼の國防軍への配置に依る彼の家族達に対する扶養義務の履行不可能なる状態に対し、十分にして適切なる保護手段が與へられねばならぬ。斯る要請に対へて、國民社会主義独逸は一九三九年八月二八日附配置國防軍給與法（Einsatz=Wehrmachtsgebührnisgesetz）の前文に見る如く、祖國

一一五五

防衛のため配置せられたる國防軍の総べての所属者を同一の原則に従ひ保護することを宣明すると共に、更に彼等の遺家族に対しても十分なる扶養料を與ふべき旨の規制をなして居るのである。本款に於ては應召中の兵士達自身に対する給與（俸給、糧食、宿泊、被服、医療等）の問題は暫く別問題とし、遺家族扶養の問題を論究し度いと思ふのであるが、遺家族扶養の目標は右配置國防軍給與法第九條第二項に於て簡潔に次の如く表現せられて居る。

「家族扶養料ノ算定ニ當リテハ國防軍所属者ノ現在マデノ生活関係及ビ平時ニ取得スル收入ガ顧慮セラルベキモノトス　特別配置ニヨリ要求セラルル制限ノ顧慮ノ下ニ於ケル家計ノ継続、資産ノ維持及引受債務ノ履行ハ代理可能ノ範囲ニ於テ確保セラルベキナリ」。

斯る周到なる配慮に於てこそ、前線の兵士達は後顧の憂ひなく祖國防衛の任務を遂行することを得るのである。

今軍務應召者遺家族扶養法の淵源を求むれば大体次の如くである。即ち其の始源は一九三五年に遡り得るのであるが、現行法としては次記の如く法律、

一一五六

命令及び之等法律及命令施行のため発布せられたる内務大臣及財政大臣の回章（Runderlass）が存するのである。

一九三六年三月三〇日附家族扶助法（das Familienunterstützungsgesetz（F.U.G.））

一九三九年七月一一日附家族扶助施行令（die Familienunterstützungs=Durchführungsverordnung（F.U.= DVO.））

一九三九年八月二八日附配置國防軍給與法（das Einsatz= Wehrmachtsgebührnisgesetz（E.W.G.G.））

一九三九年九月一日附配置家族扶助令（die Einsatz= amilienunterstützungsverordnung（Einsatz=F.U.V.））

一九三九年一〇月五日附「配置家族扶助令補充ノタメノ第一次命令」（die Erste Verordnung zur Ergänzung der Einsatz= Familienunterstützungsverordnung）

以上に対する回章として次のものがある。

一九三九年七月一一日附「家族扶助施行ニ関スル回章」（der Runderlass vom 11.7.1939 betr. Ausführung der Familienunterstützung）

一九三九年九月一日附「特別配置國防軍家族扶助ニ関スル命令施行ニ関スル回章」（Runderlass vom 1.9.1939. betr. Ausführung der Vo. über Familienunterstützung bei besonderem Einsatz der Wehrmacht）

一九三九年九月一五日附「軍務應召所属者ノ家族扶養ニ関スル回章」（Runderlass vom 15.9.1939. betr. Familienunterhalt der Angehörigen der Einberufenen）

一九三九年一〇月二日附第二次及一九三九年一〇月五日附第三次「軍務應召所属者ノ家族扶養施行ニ関スル回章」（Zweiter Runderlass vom 2.10.1939 und Dritter Runderlass vom 5.10.1939, betr. Ausführung des Familienunterhalts der Angehörigen der Einberufenen）

更に右第四次以下の回章が次々に発布せられて居る。

二、今之等に従ひ軍務應召者遺家族扶養法を述ぶれば大要次の如くである。

軍務應召者の家族に対する家族扶養料の賦與事務は國家事務として市及郡（Stadt= und Landkreis）に委任して行はれる。家族扶養料の負担者は主として國であり、國家は行政費を除き主として、即ち扶養料の五分の四迄を負担するのである。残余の五分の一の家族扶養料は市及郡の負担とせられて居るが、此のことは委任事務を責任を以て行ふ官廳が亦財政的完成にも関與せねばならぬといふ考慮に基くものである。

家族扶養料賦與の手続に関しては、先づ家族扶養の國防政策的意義に鑑み、手続は總べてお役所式の弊害から護らるべきであり、更に其れは公法的保護（Öffentliche Fürsorge）の給付に関するものでないといふことが注意せらるべきである。後者の点に関しては家族扶養料賦與事務に當るものが屢々福利官吏であるといふことに依り、家族扶養の本質に関する誤解を生じ易

いのであるが、此の点に付明文を以て家族扶助（Familienunterstützung）なる語が排除せられ家族扶養（Familienunterhalt）なる語が使用せらるべきことと規定せられた事よりするも、正當なる理解をなすべきであらう。斯くして家族扶養の管轄官廳は、市長（郡長）＝家族扶養課（der Oberbürgermeister（der Landrat）, Abteilung für Familienunterhalt）と称せられる。家族扶養料賦與に関する事務は総べての杓子定規式を排し理解深く迅速に行はれることを要し、疑はしき場合には總べて申請者の利益のために行はるべきであるとせられる。

家族扶養料の賦與は軍務應召者又は其の家族の申請を俟って行はれる。扶養料賦與の地域的管轄に付いては、權利者の住所地又は一時的にではなく滞在する地の、市又は郡が管轄權を有する。何等かの事情に依り必要なる書類例へば應召者の最近の実労働報酬に関する企業者の證明書が速に提出し得られないが如き場合にあつては、分割支拂が與へられるし、更に家族扶養料は尠くとも前以て半箇月分の支拂がなさるべきこととせられて居る。又異議あ

る申請者には異議申立及抗告の法的手段が與へられて居る。

家族扶養料受領の要件としては、應召者の妻及び子にあつては、應召者が彼等の扶養者なりしことの証明は必要でないが、應召者の爾余の家族、特に両親、孫、兄弟、離別せられた妻及び私生子にあつては、右の証明を必要とする。又家族扶養料の受領に対しては更に、家族の必要とする生計が他の方法を以てしては確保され得ないといふ要件、特に彼等が自己の力若しくは手段に依り生計を営み得ないといふ要件が要求せられる。更に亦家計共同体（Haushaltsgemeinschaft）の原則に依り、家族共同体の總べての成員は、期待可能の範囲に於ては相互に扶養し合ふべきであるとせられる。斯くして例へば應召者の子なき妻が、自己の両親の下で生活し両親に依り困難なく扶養せられ得るが如き場合には、家族扶養料の全部又は一部が拋棄せらるべきものとせられる。

三　家族扶養の中核を形成する問題は勿論扶養額に関する問題であるが、扶養額に関する原則は、應召者の現在迄の収入に應じて算出せられるところの應

一一六一

召者の妻に対する扶養料、應召者の子に対する扶養料、及び賃借料全額が支給せられると謂ふ事である。先づ賃借料扶助（Mietbeihilfen）に関しては、一九三九年七月一一日の家族扶助施行令及同日附の回章に依り、賃借料は以後家族扶養料とは独立に其の全額が支給せらるべきものとせられた。而して賃借料扶助は總べての場合に於て事実上支拂はれる賃借料に依るものとせられ（前記一〇月二日附回章）、且自宅に対しては該自宅に掛る負担及租税の塡補のための扶助が與へられることとなつて居る。

次に應召者の妻及び子等に対する家族扶養料の額に関しては、前記七月一一日の施行令及回章に依れば、妻に対しては土地に應じた物價関係や賃銀関係を基準として算出せられたる家族扶養料が與へられ、十六才以上の子に対しては妻に対する扶養料の約半分、十六才以下の子に対しては妻に対する扶養料の三〇乃至四〇パーセントの扶養料が與へらるべきものとせられた。斯くして右扶養料の額は首都伯林に於ては妻に対しては月六四馬克五〇片、十六才以下の子に対する子女割増としては月二六馬克、十六才以上の子女に対

一一六二

する子女割増としては月三二馬克五〇片と謂ふことになつて居り、之に賃借料全額が附加支給せられる訳である。以上は然し一般に平均収入を基準としたものであるが大戦勃発以来新なる経験が集められ、特に應召者の應召前の実収入を基準とする累進扶養料を賦與するために、一九三九年一〇月二日附回章は扶養料算出に関する料率（Tabellensätze）を規定するに至つた。之に依り應召者の應召前の収入が高額なればなる程妻に対する扶養料額が逓増せしめられることになつた訳である。

右料率に依れば扶養料は應召者が應召日前の最終月に於て得た実収入に従ひ計算せられるのを原則とするのであるが、変動収入を得る應召者、例へば季節勞務者、請負勞務者及び工業経営者等に於ける、亦或ひは一九三九年一〇月一日以後應召せられたる應召者（戦時経済令に依り應召者の収入は同年九月に減少した）に於ける不利を除くために、扶養料算出実施に際しては、應召前の最近十二箇月間の平均収入が基準とせらるべきであるとせられる。扶養料賦與は一般に妻に対して與へられるのであるが、此際特に戦時結婚に

一一六三

依る新妻保護がなされ、應召者と應召直前に又は應召後始めて結婚し、未だ妻として家計共同体の生活を営まざりし妻も、全く同様に扶養料全額の支給を受け得るものとせられる。蓋し家計共同体の設計が單に戦争関係の結果不可能なりし故を以て、若き兵士の妻に保護を與へないといふが如きは不公正なる處置と謂ふべきであるが故に、料率に従ひ應召者の実収入に應じて算出せられる扶養料の計算法は、應召者の実収入を一〇〇馬克より五八〇馬克までに分類し、家族扶養料の最低額を四〇馬克と定め、扶養料額が一〇四馬克に至る迄は應召者の実収入が一〇馬克増す毎に四馬克の扶養料を加へ、扶養料一〇四馬克以上最高二〇〇馬克に至る迄は應召者の実収入が一〇馬克増す毎に三馬克の扶養料を加ふべきものとせられて居る。斯くして右料率に従へば應召者の最低収入にありても扶養料は実収入の四〇パーセント、五八〇馬克の収入にありては扶養料は実収入の三四パーセント以上の額に達することとなるのである。又前記の如く妻に対する扶養額の他に子女割増が與へられて居るが、子女割増は十六才以下の子女に対しては妻に対する扶養額の三〇乃至

一一六四

四〇パーセント、但最低月十五馬克に達するを要するものとせられる。

四、軍務應召者家族扶養に関しては右の家族に対する扶養料及賃借料扶助が最も重要なものであるが、更に其他にも種々の保護が與へられる。卽ち其の一つとしては、特別関係に於ける扶助（Beihilfen bei besonderen Verhältnissen）として、應召者が應召前に負担せる債務履行が不可能なる場合に、其れに対する適當なる扶助が與へられることとなって居る。又更に應召者が従来工業、農業、林業經營の企業者であるか、若くは自由職業（freie Beruf）に従事し、且之に依り自己及家族の收入を得来った場合に、應召に依り其の經済状態の維持が危殆に瀕するが如きときに於ては、經済扶助（Wirtschaftsbeihilfe）が應召期間中、經營又は自由職業の継続及維持のために與へられる。更に其他各種の附随的扶助として、社会保險分担金、医療、学費、女中雇傭等のための手當や、失業扶助、操短労働扶助等が規定せられて居り、夫々の事情に應じて遺家族保護に万全を期すべく努力せられて居るのである。

一一六五

（註）本款所述は大体次に據ったものである。

Dr. Boberski, Der Familienunterhalt im Kriege, Reichsarbeitsblatt, Jahrgang 1939, Heft Nummer 34, Teil II S. 446 ff. und Heft Nummer 35, Teil II S. 462 ff.

Dr. Schmidt=Schmiedebach, Der Familienunterhalt für die Angehörigen der Einberufenen, Deutsches Arbeitsrecht Heft 11, November 1939, 7. Jahrgang, S. 277 ff.

一一六六

第三節 労働時間保護法の戦時展開

労働時間保護に関する諸規定、卽ち最高労働時間、日曜休養、夜業禁止等に関する法規は、労働時間の過度若しくは適當の配合に依る民族労働力の荒廢を防止せんとする國家の要求に出づるものであり、斯る要請は就中婦人及青少年労務者に於て、人口政策上の顧慮の下に重視せらるべきことは、前章に於て縷縷説明した所である。從って一九三八年四月三〇日に發布せられたる青少年保護法ならびに其れと同時に改正せられたる労働時間條例は、何れも右要請に対するナチス独逸の解答を表明せるものであったが、之等労働時間保護の諸原則は開戦に依る國防及軍需動員の至上命令に應へて如何なる展開を為したであらうか、以下大体時間的經過に從ひ其の推移を辿付けることとする。

第一款 開戦初頭に於ける労働時間保護

一 開戦當初に於ては労働力の異常の緊張が要求せられる。蓋し壯年労務者の應召に依る労働力の逼迫、之に対應してなされる婦人及青少年労務者に依る補充労働力の導入、莫大にして急速なる軍需品の生産、平和産業部門の軍需

一一六七

産業部門への転換等の諸事情に即應して、万遺憾なき態勢が採られねばならぬからである。斯る要請に應へて最高國防会議は一九三九年九月一日附労働法規変更及補充令（Verordnung zur Abänderung und Ergänzung von Vorschriften auf dem Gebiete des Arbeitsrechts）第三章に於て労働時間保護に関する規定を相當廣範囲に亘って緩和することとした。

卽ち其れに依れば十八才以上の一般成年男子労務者及び使用人に対しては、從来の労働時間條例、一九三六年六月二九日附「パン製造業及菓子製造業ニ於ケル労働時間ニ関スル法律」、一九二四年二月一三日附「療病所ノ労働時間ニ関スル命令」、工業條例第一二〇條f等に規定せられて居る作業労働時間の制限は、當分の間其の效力を失ふものとせられ、従って企業者は企業の要求に應じて官廳の許可を得るを要せずして、自己の責任を以て労働時間を延長し得ることとせられたのである。從来の労働時間規制に從へば通常労働時間は一日八時間又は一週四十八時間であり、其れを超過することは賃率規

一一六八

則若くは工業監督局の許可を要したのであるが、戰時にあつては多くの軍需関係経営に於ては、八時間を超ゆる通常労働時間が要求せられ、斯る場合に工業監督局の許可を一々申請することは急迫せる事情に適しないからである。斯くして一日八時間制の労働時間の原則は撤廃せられた訳であるが、労働時間延長に際しては企業者は勿論、自己の従業者に対する保護義務に忠実に、義務に従つた判断をなすべきであるとせられる。斯くして労働時間延長を一切企業者の責任としたが、一方万一の弊害に備へ、工業監督局は労働保護の緊急の事由あるときは、個々の経営に対し就業時間の制限を命じ得るものとせられて居る（同令第四條第二項）。

前記法律、命令の労働時間に関する以外の規定、即ち労働の時間的配分に関する規定は差當り変化なきものとせられた。例へば労働除外時間、休憩時間、日曜休養、公開販賣所の閉店に関する規定等は総べて存續するものとせられた。之等の規定を全部又は一部廃止することは特別の官廳決定に委ねられた。而して此の事が一般に若しくは一定地域に対し若しくは一定種類の経

一一六九

営に対し行はるべき場合には労働大臣が、個々の経営に対しては工業監督局が、右権限を有するものとせられた（同令第五條）。閉店に関しては、労働大臣は上級行政官廳に対し、必要あるときは食料品店の閉店を、其れが晝間尠くとも二時間閉店せる場合には、午後八時迄延期せしめる権限を賦與して居る（一九三九年九月一一日附「労働保護ノ例外ニ関スル労働大臣訓令」）。

二、青少年労務者及び婦人労務者に関しては、前記労働法規変更及補充令に於ては、全部の労働時間法規が原則として依然效力を有するものとせられた。但し労働大臣は一般的に若しくは特定地域の若しくは特定種類の経営に対し、又工業監督局は個々の経営に対し、労働時間に関する前記諸法令の規定及一九二七年六月一六日附母性保護法及一九三八年四月三〇日附青少年保護法の規定を、全部又は一部停止することを得るものとせられた（同令第五條）。其後労働大臣は此権限に基き、一九三九年九月一一日附「労働保護ノ例外ニ関スル訓令」（Anordnung des Reichsarbeitsministers über Ausnahmen vom Arbeitsschutz）を以て次の如く規定するに至つ

一一七〇

た。

先づ最高労働時間に関しては十六才以上の青少年労務者及婦人労務者は緊急の必要あるときは、青少年保護法第七條及び第九條、労働時間條例第三條、第四條、第七條及び第一七條第三項第二段、「パン製造業及菓子製造業ニ於ケル労働時間ニ関スル法律」第二條、第三條及第四條の規定に拘はらず、一日十時間に至る迄就業せしむることを得る。但し一週五十六時間を超ゆることを得ないものとせられた。又職業學校に於ける授業時間の労働時間計算への組入れ、ならびに教育補助費及び賃銀の支拂に関する青少年保護法第八條第二項の規定は、右の場合には十六才以上の青少年には適用せられないものとせられたが、此の点に就いてのみは弊害が生じたので、一九三九年一〇月二四日附労働大臣布告に依り改正が行はれ、従来通り職業学校に於ける授業時間は労働時間に算入せられ且教育補助費及賃銀が支拂はれることとなつた。以上の例外規定は然し懐胎七箇月以上の婦人及び授乳期間中の婦人に対しては適用せられない。又保健上有害なる労働のために特に設けられたる短時間

一一七一

労働に関する規定に就いても、前記の例外規定は適用せられない。次に十六才以下の青少年労務者に関しては、緊急の必要あるときは、青少年保護法第七條、第八條第二項及び第九條の規定に拘はらず、職業学校に於ける授業時間をも含めて一日十時間迄就業せしむることが出来る。但し右就業時間は授業時間を除外して一週に四十八時間を超ゆることを得ないものとせられた。

労働時間の配分に関する規定に就いては、延長労働時間に際して青少年は婦人労務者の正刻帰宅を可能ならしむるために、休憩時間の短縮が行はれた。即ち休憩時間は一定の要件の下に、六時間乃至九時間の労働時間に於ては半時間、九時間以上の労働時間にあつては一時間與へらるることを要するも、六時間以内の労働時間にあつては休憩時間は賦與するに及ばざるものとせられた。又青少年労務者及婦人労務者の夜業禁止の問題に関しては、早番と遅番との交替制を以て就業する場合には、十六才以上の青少年労務者及婦人労務者は、青少年保護法第一六條第五項及労働時間條例第一九條第二項の拡張に依り、午前五時より午後十二時に至る時刻内に於て就業せしむることを得

一一七二

るものとせられた。更に日曜日ならびに祝祭日前日に於ける早仕舞ひに関する青少年保護法第一七條の規定も緩和せられ、緊急の要ある場合に超過労働をなす十六才以上の青少年労務者には適用せられざることとせられ、又超過労働に就業せざる十六才以上の青少年労務者及び十六才以下の青少年労務者に対しても、毎週の土曜日半休の代りに、他の作業日に於ける午後二時以後の、若しくは午後二時以前の、午後若しくば午前を休業とすることを得るものとせられた。

以上要するに開戦當初に於ける緊迫せる労務需要に備へて採用せらるるに至った労働時間保護規定の緩和措置と謂ふことを得るであらう。

第二款　労働保護令に於ける労働時間保護

一　開戦當初に於ては右述ぶる如く労働力の異常の緊張に対處して戦争遂行に

一一七三

万遺憾なき協力を為さんために、労働保護法の諸原則の緩和が見られた訳であるが、斯る緩和措置は真に已むを得ざる場合に限らるべきであり、苟も真の國防力の基礎は強健にして満足せる民族力の確保に存するを惟ふとき、開戦初頭に於ける暫定的労働力の逼迫が解消せられた後に於ては、戦争状態と睨み合せて出来る限り速に万全なる労働保護手段が講ぜらるべきである。勿論前述開戦當初に於ても労働保護の重要性に鑑み、労働保護の緊急の要ある場合にあつては、成年男子従業者に対する前記例外措置を、工業監督局は個々の経営に対し特別命令に依り制限し得るものとせられて居たし（労働法規変更及補充令第四條第二項）、婦人及び青少年労務者に対する例外措置に附ても、亦之を個々の経営又は経営部門に対する特別命令に依り制限し得ることとせられては居たのである（前記九月一一日附「労働保護ノ例外ニ関スル労働大臣訓令」第六号）。然し戦局の好転及び戦争長期化の見透と共に本格的なる戦時下の労働時間規制を行ひ、以て開戦初頭の立法の行過ぎを是正するために、一九三九年一二月一二日に至り、労働大臣は第一節に述べたる如

一一七四

く、九月四日附戦争経済令第二〇條「労働大臣ハ賃率規則ノ布告及ビ其内容並ニ通常労働時間ニ関シ既存ノ規定ト異ル定メヲナシ、既存ノ労働保護規定ノ例外ヲ許可スルコトヲ得」及び第二九條第一項「経済総監及行政総監ノ指令ニ従ヒ所管大臣及ビ價格形成國家委員ハ必要アルトキハ相互ノ同意ヲ得テ本令施行並ニ補充ノタメ法規命令及一般行政命令ヲ定ムルコトヲ得」なる授権に基き、経済総監の同意を得て、労働保護令（Verordnung über den Arbeitsschutz）なる命令を発布し、戦時下労働時間保護の再強化をなすに至つたのである。而して同時に労働保護令施行と共に行はるべき労働時間規制の疑点を解明し、戦時下労働時間の総括的説明を與ふる目的を以て労働大臣布告（Erlass betr. Verordnung über den Arbeitsschutz. vom 12. Dezember 1939.）が発布せられた。斯くて再び労働時間に関して、一日十時間の限度が劃されると共に、婦人及青少年労務者保護の強化が行はれ、一九四〇年一月一日より施行せられることとなつた。其内容は大要左の如くである。

一一七五

二、成年男子労務者の労働時間

平時に於ける通常労働時間としての一日八時間の労働時間の限界は、既に述べた如く労働法規変更及補充令第四條により失はれ、労働時間の確定は専ら経営指導者の責任ある決定に委ねらるるに至つた、と謂ふのが開戦初頭の労働時間規制であつたが、今や労働保護令は斯る労働時間延長に対し一の最高限を設けることとした。即ち成年男子労務者の就業時間は、次に述べる例外の場合を除き、一九四〇年一月一日以降一日十時間を超ゆることを得ないものと規定せられた。若し労働保護令公布の日迄超過労働が行はれて居り、経営指導者が一九四〇年一月一日迄になしたる申出に対し何等他の決定がなされざる場合には、超過労働時間は一九四〇年一月二〇日迄維持せられる。而して斯る一日十時間の最高限は労働時間條例、「パン製造業及菓子製造業ニ於ケル労働時間ニ関スル法律」、一九三九年一〇月九日附「オストマルクニ於ケル労働保護施行ニ関スル訓令」（Anordnung über die Durchführung des Arbeitsschutzes in der Ostmark）が

一一七六

一日十時間以上の労働時間を許して居る場合にも適用せられるのである（労働保護令第一條）。

右の如き一日十時間の労働時間に対する例外は、唯次の場合にのみ認められるにすぎない。即ち

(イ) 連続作業に於ける交替制の転換の場合（同令第一條但書）、

(ロ) 労働時間中通常且著しい範囲に於て労働準備が行はるるとき。此の場合にあつては労働時間は一日十二時間に至る迄延長することが許される。疑はしい場合には工業監督局が労働準備が必要なりや否やを決定する（同令第二條）、

(ハ) 非常の場合に工業監督局の特別許可に依り超過労働が許される。但し此の場合三週間を超ゆる期間に亘り労働時間の延長が必要なるときには労働大臣の特別許可を必要とする（同令第四條）、

(ニ) 緊急事態に際し速かに実施せらるるを要する一時的労働の場合。此の場合には経営指導者は遅滞なく工業監督局に届出づることを要する（同令第

一一七七

六條）。

然し右の如く労働時間の最高限を十時間と規定せることは、労働時間保護法の原則たる八時間労働制の廃棄を意味するものではないとせられる。新規制の意味する所は唯必要なる超過労働が、例へば戦時経済任務の速かなる完成のために、官廳の許可なくして、十時間以内に於て行はれることが認められると云ふことを明かならしめるにすぎないのである。従つて労働保護令の前文からも云ひ得る如く、超過労働が新労働力の雇入れ又は其の他の方法に依り避けられ得るが如き場合に於て、超過労働が命ぜられるが如きは労働保護令の意義及目的に合致しないものとせられる。戦時下にあつても労働時間延長は労働力の過度の要求に導くことを許さない。経営指導者は従者の福祉を顧慮する義務を負ふ。経営指導者は其故總べての場合に従者の健康及労働力を危殆ならしめず、且労働の歓喜と結局は労働の成果に不利な影響を與へることなしに、如何なる範囲に於て超過労働を課し得るかを、常に思慮深く試験して見ることを要するものと説かれて居る。必要ある場合には工業監督

一一七八

局は労働時間の短縮を強制的に命じ得るものとせられる。

療病所に従事する十八才以上の成年男子従業者に対しては労働保護令は適用せられない。其故之等の従業者は必要ある限り一日十時間を超えて就業せしめ得るのである。

三 婦人及青少年労務者の最高労働時間

I

労働保護令前文に謂ふ如く婦人及青少年の保護は強化せられねばならないものとせられた。其故に一日八時間制の原則に対しては、例外は唯嚴重なる要件の下にのみ許さるべきである。斯る意味に於て、一九三九年九月一一日附「労働保護ノ例外ニ関スル労働大臣訓令」が婦人及青少年の一日十時間迄の就業を緊急の場合に許して居るが、謂ふ所の緊急の場合の意義に関し一二月一二日附布告は次の如く注意する。即ち戦時経済的註文は必ずしも緊急なる場合に相當するものではない。其の一定期間内の不履行が著しい國民経済的損害を惹起せしむる如き、特に重要にして急を要する註

一一七九

文のみが問題とせらるべきである。其故一般には一日十時間に至る就業は、例へば遅延を許さざる軍需品又は輸出品の註文、或ひは食糧確保のため欠くべからざる労働が行はるべきであるときに於てのみ、認めらるべきである。更に右就業は亦、労働局が當該労働に対し適當なる労働力を振向けて貰へないといふことをも要件とするのである。青少年労務者に対しては以上の外更に戦時に於ても等閑に附するを得ない職業教育の確保が留意せらるべきであるとせられる。

以上の諸要件に留意することを條件として婦人及青少年労務者の労働時間は一日最高十時間である。此の限度を超ゆる就業は、労働準備の場合を除き、非常の場合に於て、労働保護令第四條に基き工業監督局又は労働大臣の特別許可が賦與せられたる場合にのみ認められるに過ぎないのである。而も右特別許可は青少年及婦人保護の必要を特に考慮に入れるべきであるとせられる。其他の場合に就いては成年男子労務者に就いて述べたると同様である。又療病所の成年婦人労務者の労働時間は専ら「療病所ニ於ケル

一一八〇

労働時間ニ関スル命令」に依り、例外は唯個々の場合に労働法規変更及補充令第五條に依りてのみ許されるにすぎぬ。

Ⅱ　婦人及青少年労務者の労働時間配分

先づ婦人及青少年労務者の夜業禁止に関する保護が顧慮せられて居る。即ち青少年労務者及婦人労務者は青少年保護法第一六條、労働時間條例第一九條、一九三九年九月一一日附訓令第四條の限度を超えて、夜間就業せしむることを得ない旨再び規定せられた（労働保護令第三條）。元来、労働時間條例第一九條第一項及青少年保護法第一六條第一項に従へば既述の如く、婦人及青少年は夜間午後八時より午前六時迄の就業を禁止せられて居る。斯る夜業禁止の原則に対し従来存した例外としては、先づ労働時間條例第一六條第四項に掲ぐる成年婦人に対しては夜間休養の規定は適用せられないし、或る一聯の営業部門の青少年に対しては夜間遅く迄或ひは朝早くからの就業が許されて居た。更に複数交替制経営に於ては婦人及十六才以上の青少年は午前六時乃至午後十一時に於て、工業監督局に届出づる

一一八一

ときは午前五時乃至午後十時に於て、許可を得たるときは午前七時乃至午後十二時に於て就業せしめられたし、緊急なる場合には各早番、遅番の労働時間は八時間以上に延長せられ得たし、九月一一日附訓令に依れば就業時間は午前五時乃至午後十二時迄拡張せられることが出来た。夜業禁止に関する以上の如き例外に関しては労働保護令は何等言及して居ないが、青少年保護の必要上次のことに注意すべきであると指摘せられた（一二月一二日附布告）。即ち九月一一日附訓令に依り午前五時乃至午後十二時の就業時間の認められるのは、青少年労務者が、経営が戦争に必要な範囲に於て維持せられるために、成年労務者と共同作業をする必要ある場合のみに限らるべきであるといふことである。従って通常生産労働に従事して居ない徒弟に対しては勿論午後十二時迄の就業は認められない。以上述べたる時刻を超えて婦人及青少年の夜業を許可せる全部の許可は一九四〇年一月一日以後其效力を失ふこととせられた。其時以後は例外は唯労働保護令第四條に基き非常の場合に於て工業監督局或ひは労働大臣の特別許可を以て

一一八二

許されるにすぎないこととなったのである。尤も緊急事態に際し速かに処理さるるを要する一時的労働の場合には此の限りではない。

次に青少年に就き認められる土曜日及祝祭日前日の早仕舞ひに関しては一二月一二日附布告は次の如き注意を喚起して居る。即ち前款に述ぶる如く九月一一日附訓令に依れば、土曜日及祝祭日前日の早仕舞ひに関する青少年保護法の規定は、十六才以上の青少年が緊急の場合に超過労働に従事せしめられる場合には適用せられず、其の他の場合にあっても、青少年に対し土曜半休の代りに他の作業日に於ける午後或ひは午前が振當てられることが許されたのであるが、一二月一二日附布告に依れば、以上の可能性にも係はらず一般には土曜半休制が維持せらるべく、超過労働の行はるる場合に於ても亦同様であると注意せられて居る。土曜半休制が著しい経営上の困難を惹起する場合にのみ他の作業日の午後が開放せらるべく、更に午前休業が與へらるることは例外の場合にのみ限らるべきであるとせられる。蓋し午後休業は單に青少年自身の休養のためのみならず、軍事教練施

一一八三

行のために是非必要とせられるからである。工業監督局は此問題に就き労働保護上緊急の要あるときは、独逸青少年指導者受託官（*Beauftragte des Jugendführers des Deutschen Reichs*）の意見を聴きたる上、強行規則をなすべきであるとせられて居る。

更に婦人及青少年労務者の休憩時間に関し、一二月一二日附布告は、先に九月一一日附訓令に依りて行はれたる休憩時間の短縮に対し次の如き注意を與へて居る。即ち休憩時間の短縮は、労働が著しき肉体的緊張を以て行はれるか、或ひは苦痛を伴ふ労働條件の下に行はるるかの如き場合には施行せられるを得ないものとせられる。蓋し斯る場合には短い休憩時間では婦人及青少年の十分なる休養が保證されず、斯る場合には寧ろ労働時間條例及青少年保護法に規定せられたる長時間の休憩が與へらるべきであるからである。

尚亦母性保護の完璧を期するため、戦時下にあっても一九二七年七月一六日附及一〇月二九日附母性保護法に対する例外は許可せらるべきではな

一一八四

いことが注意せられて居る。

四、更に一九三九年一二月一二日附布告は、前記九月一日附命令及九月一一日附訓令に基き労働保護上緊急の必要ある場合に個々の経営又は経営部門に対し労働時間の短縮を命じ得る工業監督局の権限に就き、次の注意を與へ、戦時下に於ける適切なる労働保護に留意すべきものとして居る。即ち工業監督局が右権限を行使するに就いては、單に作業場の労働條件のみならず、経営外の諸事情、即ち通勤距離、交通機関の制限、燈火管制規定、購入困難等の事情をも顧慮し、以て其の運営に遺憾なきを期すべきであるとせられる。又同様に右工業監督局に依る労働時間の短縮は、結婚せる婦人労務者、特に子女を有する婦人労務者に対し、家政上の負担を軽からしむるために命ぜられ得ることゝせられ、結婚せる婦人労務者に対しては各第二週に自由なる作業日（所謂洗濯日）が與へらるることが望ましいものとせられて居る。

以上述べたる外に労働保護令は超過労働に対する二五％の割増賃銀の復活を規定して居るが、之に就いては既に述べた。

一一八五

以上述べ来つた労働保護令に基く新なる戦時下の労働時間規制は一九四〇年一月一日以降施行せられ（但し超過労働割増賃銀に関する規定のみは一九三九年一二月一八日より施行せられる）、斯くして開戦初頭に於ける例外的諸措置は多く撤回せられることとなり、長期戦下に於ける労働時間保護に遺憾なき体制が整備せられることとなつたのである。即ち一九四〇年一月一日以降、一日十時間を超ゆる就業ならびに婦人及青少年労務者の夜業は原則として禁止せられ、唯非常の場合に官廳許可を以て例外が認められるにすぎないこととなつたのである。

（註一）．労働保護令に就いては尚一九四〇年一月一四日附労働大臣訓令、一九四〇年一月二七日附「労働保護令第五條ニ基ク超過労働割増賃銀ニ関スル労働大臣布告」、一九四〇年三月一一日附労働大臣布告等が発布せられ、夫々労働時間、超過労働割増賃銀、工業監督局に依る例外許可の方針等が更に詳細に解明せられて居る。

一一八六

（註二）　戦時下に於ける商業従業者の労働時間配分に関聯するものとして、公開販売所等の閉店時刻の問題が注意せらるべきである。即ち販売所の営業時間を戦争に依る諸事情の変化、例へば燈火管制、商品不足、生活必需品切符、購買票等の要求に適合せしめ、負担過重の傾きある家政担當者に出来る限り購買を容易にするためには、新しい閉店に関する規制が要望せられるのであるが、之に対し労働大臣は一九三九年一二月二一日附「閉店ニ関スル命令」（*Verordnung über den Ladenschluss*）を始めとして、一九三九年一二月二一日附、一九四〇年二月一五日附、同年三月二三日附、同年四月三日附等を以て「閉店ニ関スル布告」を発布し、以て戦時下に於ける閉店時刻の統制を行つて居る。之等規定の原則は、販賣時間の短縮と、其販賣時間中に於ける販賣所主の営業継續義務を骨子とするものであるが、斯る新規制に依り公開販賣所等の従業者の労働時間の配分の問題、特に就業開始及終了時刻が其れに應じ変化せしめられることとなるわけである。

一一八七

第四節　休暇の廃止と復活

第一款　休暇の廃止

一、「休暇ニ関スル規定及協定ハ當分ノ内其ノ効力ヲ失フモノトス　其ノ再施行ニ関スル細目規定ハ労働大臣之ヲ定ム」（一九三九年九月四日附戦時経済令第一九條）。

前章に於て述べたるが如く休暇は嘗て解せられた様な被傭者の附加的報酬ではなくして、民族の健康維持といふ見地から民族共同体の利益のため不可缺のものとして労務者に許與さるべきものであつた。其れは日常労務に精励せる勤労者達に慰安と休養とを與へ、以て彼等をして一層健康且能率的ならしむべきものとせられた。しかし開戦による國家非常総力戦の秋、戦線の兵

一一八八

士達が國家の安危のため休む暇なく戰ひつつあるときに於ては、銃後戰線に於ても大なる支障なき限り相當の犠牲を甘受すべきである。斯る見地から、且労務者の軍務應召に依る労働力の一時的逼迫と其れに対する急速補充の困難、並びに開戰と共に可急的速かに行はるべき戰時労務動員態勢の要請とに依り、労務者の休暇を暫時廃止することは、労働時間の延長、割増賃銀の廃止と同様、眞に己むことを得ざる戰時要請とせられたのである。斯くして休暇に関する法律の規定及び協定、即ち十八才未満の青少年に対する一九三八年四月三〇日附青少年保護法第二一條の規定、其他の者に対する賃率規則・経営規則・勤務規則中に存する規定及び休暇に関する労働契約上の合意は一時廃止せられ、従って一九三九年九月四日以後は休暇請求権は新に発生せず、既に発生せる休暇請求権も行使せらるるを得ざることとせられたのである。其の際亦休暇の廃止は、「本来の形」に於ける休暇の廃止は勿論、金銭支弁に依る休暇の許與も亦禁ぜられると共に、他方亦経営者が其の厚意、私情等から労務者に休暇を許與することも禁ぜられる（戰時経済令第二一條参照）。

蓋し休暇の廃止は一切の経営及び従業者に一律に行はるべく、或る経営が経済上及び労務配置上従業者に対し休暇を許與し得る状態にあり、他方他の経営が之を為し得ないといふが如きは、社会正義の思想に反するものだからである。尚亦かかる休暇廃止によって節減し得られた休暇賃銀は経営者の利得とせらるべきでなく、價格引下げの形による軍需品購入費の節約に充當せられねばならぬであらう。

二　右の如く戰時労務動員の要請が休暇の廃止を招来せざるを得ないとするも、戰時の一時的處置によりドイツ民族の健康に永遠の障害を與ふるが如きは極力避けられねばならず、他方亦眞に已むを得ざる事由により、若しくは経営の戰時経済に因る影響から休暇許與を適當とする場合も存するであらう。之等の理由に基き労働大臣は一九三九年九月二七日附「休暇許與ニ関スル布告」（*Erlass des Reichsarbeitsministers vom 27. 9. 1939 betr. Urlaubsgewährung*）を以て、休暇禁止規定の峻嚴を緩和し、休暇が許與せられ得る一聯の例外を規定したのである。斯くして労務者に対する休

暇は、唯次の場合にのみ許與せらるべきものとせられる。

Ⅰ　個人的理由による場合。

(1)　労務者の近親死亡したるとき、妻の出産のとき、若しくは其の他緊急の事故あるときに於ては、賃率規則・経営規則等に於て之迄に労務免除請求権が與へられ居らざるときに於ても休暇が許與せられる。蓋し戰時に於ける休暇の廃止は戰時労働力の確保を目的とし、従って唯慰労休暇のみを目的とするものであり、斯る場合に於ける休暇許與は當然であり且何等の支障をも生ぜしめないからである。

(2)　大多数の労務者にとっては一時休暇を無視しても決して何等保健上の弊害を惹起せしめるものではないが、特に重傷者・女子・青少年にあつては弊害が生じ得る場合があり、斯くして労務者の保健上の障害を避くるため、若しくは既に健康が害せられて居り回復が要望せらるる場合に於ては、休暇許與が是非必要とせらるる限り、休暇は経営指導者の保護義務の履行として命ぜられることとせられた。

Ⅱ　物的理由による場合

(1)　経営休止又は経営縮少の結果、従業者の全部若しくは一部が完全就業を為し得ないとき。此の際休暇許與が従業者の全部に亘るときには労働管理官の許可を受くるを要する。

(2)　従業者が戰争の結果其の職場を失ひ、其の為に特別損害を蒙りたるとき。此の場合には休暇は本来の「自由な時間」としてのみならず、転業資金の役割を果すために、金銭支弁の形に於ける休暇も亦許與せられる。

(1)(2)何れの場合に於ても現に就業せる労務者に対しては何等の休暇請求権も存しないことはいふまでもない。

尚戰時経済令施行の際既に休暇を許與せられ居る従業者は、彼等の労働力が経営に於て必要欠くべからざるものに非ざる限り休暇を取消されないものとせられて居る。

第二款　休暇の復活

一、前款に於て見たるが如く戦時経済令第一九條は、其の前段に於て休暇の廃止は「當分の内」なることを明言し、其の後段に於ては休暇規定の再施行に関する権限を労働大臣に與ふる旨規定して居る。即ち戦争の長期継続に備へて民族力の損耗を出来る限り避けんとし、開戦による労働力の一時的逼迫が戦時経済の円滑なる運営に伴ひ緩和せらるるに於ては、休暇規定を復活し得ることとし、其細目決定を労働大臣に委ねたのである。以て独逸が如何に其の保健国策を重視して居るかを窺ひ得るであらう。

斯くして戦争の長期化が、いよいよ明かとなったとき、労働大臣は諸種の事情を考慮の上、開戦以来三箇月足らずして、一九三九年一一月一七日附「休暇再施行ニ関スル訓令」（Anordnung über die Wiedereinführung von Urlaub）を以て、休暇に関する規定ならびに協定は

一一九三

一九四〇年一月一五日以後再び其の効力を生ずる旨規定するに至ったのである。

二、同令に依る休暇の復活の概要は次の如くである。

Ⅰ　休暇に関する規定ならびに協定は一九四〇年一月一五日以後再施行せられる。同日以後、休暇廃止のため行使せられなかった休暇請求権は追加的に履行を受け得ることとなる。従って一九三九年に於て停止せられた休暇日数だけ多くの休暇が一九四〇年に於て與へられることとなる。但し既に行使済みの休暇は勿論右追加より除外される。休暇廃止の期間は、新休暇請求権取得のための要件たる期間（Wartezeit）の算定に際し、併せ考慮せらるべきである。

Ⅱ　休暇許與の時期は、経営上の状態を規準として、企業者（経営指導者）が之を決定する。その際企業者は休暇を一年中に周到に分配する様、特に注意すべきである。

Ⅲ　右許與さるべき一九三九年度の残余の休暇は、遅くとも一九四〇年六月

一一九四

三〇日までに與へらるべきである。休暇請求権は右時期以前は消滅せざるものとす。例外として戦争状態のために、「自由な時間」としての休暇が不可能なるときは、労働管理官若しくは特別労働管理官は、右休暇の金銭支弁を全部又は一部許可することを得る。以上は一九三八年度に基く休暇請求権あるときにも亦同様である。

Ⅳ　労働管理官若しくは特別労働管理官は、特別の場合例へば休暇証統制の場合に就き、労働大臣の指示に従ひ以上と異る規定若しくは補充的規定を設けることを得る。

Ⅴ　疑はしき問題の生じたるときは、行政方法にて之を決定する。尚亦戦争状態の必要生じたるときは労働大臣は本令の改正をなすことあるべしと規定して、将来の戦争発展段階に應ずる休暇法の改変を豫示して居る。

尚本訓令の実施に就き次の諸点が留意せらるべきである。

「本訓令の施行に依り戦時経済令第一九條に依る休暇の廃止、及び其れに対する例外の許與を認めたる一九三九年九月二七日附布告は発展的解消

一一九五

を遂げ、一切の休暇に関する規定ならびに協定は、斯くして又青少年保護法第二一條の休暇規定も一九四〇年一月一五日以降再び適用せらるるに至った。休暇廃止の期間は休暇請求権成立の要件たる期間（Wartezeit）——此の期間は青少年の場合には三箇月である——の算定に際し考慮せられる。従って休暇廃止の開始せられた一九三九年九月四日から遅くとも同年九月三〇日までの間に、初めて従業関係若しくは労働関係に入った青少年は、一九三九年度の分に就き追加的に尚一回の慰労休暇を得ることとなる。既に廃止期間中、例外的に休暇が許與せられたるときには勿論加算せられるが、其れに反し休暇請求権とは別個に、労働休止（例へば死亡、結婚に際する）の賃率規則に依る規定に基き許與せられたる休暇は、加算せられない。経営内に踏留まった従業者に対する休暇の追加許與が戦争状態の結果不可能なるときには、労働管理官は一九三九年度分の休暇の金銭支弁を許可することが出来る。旧経営より退職せる従業者は一九四〇年一月一五日以後の支拂期限到来分の休暇報酬を受ける。此の金銭支弁は労働管

一一九六

理官の許可を要しない。経営指導者は経営上の状態に應じて休暇時期を決定することになつて居るが、斯る原則を本令中に掲げたのは、個人的な休暇の要求が就中戰時にあつては、強制的な経営上の要求の背後に押しやらるべきだといふことを宣明せんがために他ならぬ。一九四〇年度分の全従業者の休暇は、其故に出来る限り一年中に配分して許與せらるべく、之に反し各個の従業者の休暇は数度に分割許與せらるるを得ないのである」(註一)。

(註一) Dimmich Kremer, Der Arbeitsschutz in der Kriegswirtschaft, Kommentar, Nachtrag, März 1940.S.4

(註二) 以上の如く一九三九年一一月一七日附訓令に依り休暇の復活が行はれるに至つたのであるが、僅か二箇月半にせよ休暇廃止が行はれた結果、休暇再施行に際して諸種の実際上の困難な問題が生じ得る。之に備へて同訓令第五号が労働大臣に、斯る問題に対する行政方法に依る決定権を留保して置いた訳であるが、労働大臣は之に

一一九七

基き一九四〇年二月一六日附「休暇再施行ニ関スル訓令ノタメノ布告」(Erlaß zur Anordnung über die Wiedereinführung von Urlaub)を発布し、以て休暇再施行に関し生ずる無数の特殊問題の解決に対する當局の方針を示した。

尚戰争色豊かなる休暇規制をなせるものとして、一九四〇年二月二六日附「夫ノ前線休暇ノ間ニ於ケル作業婦人ノ休暇許與ニ関スル労働大臣布告」(Erlaß betr. Beurlaubung werktätiger Frauen während des Fronturlaubs der Ehemänner)がある。

一一九八

第五節　戰時下に於ける経営保護法

一、経営保護の戰時強化

屢々述べ来つた如く、開戦と共に國家の總力を挙げて外敵を破砕すべきの秋に當り、前線の兵士達が銃剣の下、生命を賭して國土防衛の任に挺身せるに呼應して、労働力、又従つて民族力の損耗を、過度の要求より保障することを任務とする労働保護の分野にあつても、國家防衛の至上命令により、幾多の変転がなされねばならなかつたのであり、斯くして労働時間、休暇、割増賃銀等に関する一聯の労働保護法規の緩和を見るに至つたのであるが、経営保護法にあつては、如何なる変化が招来せられたであらうか。一言にして之を盡くせば、経営保護、即ち災害、保健、風紀等の危険に対する経営従業者の保護は、戰時規定に依つては殆んど触れられて居らず、否却つて労働時間保護等とは反対に、強化せられるに至つてゐることに我々はナチス労働保

一一九九

護政策の周到さを見ることが出来るのである。

勿論、斯る全民族の生命が賭せられて居る様な、特別の例外の場合にあつては、個個の創造的民族各員の、個人的保護の度合は下げられねばならぬ。其故に、工業條例第一二〇條七に基き発布せられた命令、及び一定種類の経営に対し必要せらるる保護規定を個個に定めたる規定に就いては、保護の軽減が考慮せられては居る。即ち之等に就いては、上級行政官廳若しくは指定官廳は、當該命令により元来規定せられた例外を超えて、超過例外を許可し得ることとせられたのであるが、然し許可は一般的にではなく、常に唯個個の経営に対してのみ行はるべきものとせられる。従つてこの場合に於いても許可は唯現実に必要な範囲に限らるべきであるとの保障が存するわけである(註二)。

右の様な僅少な緩和がなされて居るとはいへ、原則としては、然し経営保護は完全に維持せられ、寧ろ強化せられて居ると謂ふことが出来るのである。蓋し、戰時中に於ても亦災害に対する、及び例へば塵埃、毒物等に依る有害

一二〇〇

作用に対する経営保護は、等閑視するを許さず、更に又、戦争の影響に基く災害及び疾病に因る労働力の喪失を防止するためには、経営保護規定の強化が必要とせられたからである。就中女子労働力の導入、新製作材料、及び新労働方式の採用、高められた労働速度、燈火管制下に於ける労働等は、新なる保護規定を必要とし、従って又、経営保護に対し責任ある官廳の、強化せられた活動が必要であるとせられた。斯くして開戦後三箇月足らずして、一九三九年一一月三〇日に至り、労働大臣は、戦時中経営保護の分野に於て、工業監督局により、緊急着手せらるべき事項に関し次の如き布告を発布するに至ったのである。

（註一）Arthur Nikisch, Kriegsarbeitsrecht, 1940 S. 62

二　一九三九年一一月三〇日附「経営保護ノ実施ニ関スル労働大臣布告」

（Erlass des Reichsarbeitsministers betr. Durchführung

一二〇一

des Betriebsschutzes）

戦時経営保護強化の理由、範囲、手段等に就き、本布告自らをして語らしむれば大要次の如くである。

平時経済から戦時経済への転換は、強制的に、経営保護の強化せられたる実施を必要とする。すべての災害、すべての罹病は、労働喪失を招来し、銃後戦線の弱化と、斯くして、我々の防衛力の弱化を意味する。一九一四年より一九一八年に至る世界大戦の経験と、再近数箇月の観察とは、経営保護が戦時経済にあっては、特別の意義を有し、就中新なる危険の源、及び斯くして重要なる新課題が生じたことを、示したのである。重労働者（Schwerarbeiter）及び最重労働者（Schwerstarbeiter）に対する、食糧割増規制に依る、工業監督局の累加的負担にも拘はらず、経営保護、斯くして災害保護及び疾病防止の任務は、更に最も強力に、遂行せられるを要するのである。斯る仕事を実施に當っては、官廳は活動能力の限界迄の負担を課せられることとなるであらうが、然し戦ではすべての人の最高の配置を要求するの

一二〇二

である。

斯くして経営保護の領域に於て、戦時中、工業監督局に依り左の任務が緊急着手せらるべきである、とせられて居る。

I．燈火管制下に於ける経営保護

経営の燈火管制（Verdunkelung）に依り、多くの場合燈火管制技術の領域にではなく、労働保護の領域に存する諸困難が生ずる。窓及び其他の建物通孔の光の洩出せざる遮断が、多くの場合、意図せられた如く光の洩出を遮断するのみならず、又作業場の換気をも遮げる。此のことは作業場が強度に閉鎖せられて居るか、若しくは作業場の中に多数の露出火熱若しくは其他の附加的熱源、例へば鍛淬爐及び煆焼爐が存するか、若しくは労働工程に塵埃、噴霧若しくは蒸氣及び瓦斯が発生するときには特に注目に値する。今の長夜にあっては、斯る損害は特に著しいが、然し夏期に於ても高度の外界温度が通気関係を著しく悪化せしめ得るのである。多くの場合斯る難点は、自然的換気の改善に依り、即ち例へば光の洩出がZ形

一二〇三

に依り、若くは相対して置かれた反射壁に依り防止せらるる、窓口より適當なる距離に依ける木隔板に依り、光の洩出せざる屋上排氣孔に依り、側壁に於ける換氣孔に依り、排除せられ得るのであるが、同様に亦、比較的大なる建物にあっては、換気孔に依り排除せられるのである。斯ることの不可能な所にあっては、たとへ簡單な機械的なものにもせよ、目的に適した換気設備に依り、矯正手段が試みられねばならぬ。斯様な換気孔を建造する経営に関しては、独逸労働保護廳（die Reichsstelle für Arbeitsschutz, Berlin=Charlottenburg, Fraunhoferstr 11/12）が敎示を與へる。

出来得る限りの多くの光源の遮断に依り、特に光源其のものの燈管（所謂光技術的燈管）に依り、一聯の重要なる危険が生ずる。充分なる室内照明の缺如するに於ては、強度の対照作用に依り、個個の場所の照明が、眼の障害を惹起し得る。外部的警戒信號としては、眼痛、頭痛、眩暈感が示される。之等の点から、不十分なる照明は、必然的に、労働成果を危険な

一二〇四

らしめ、業績を下落せしむることが留意せらるべきである。斯る理由に依り多くの場合、特に然し労働の種類が高度の照明を必要とする場合に於ては、作業場の燈火管制は、窓の光の洩出せざる遮閉に依り行はるべきである。

就中非常口及び逃路は、其等が危急の際危険なく利用せられ得るやう、十分表示照明せらるることに注意せらるべきである。此の事は、火気並に爆発危険原料が生産、使用せらるゝ経営に就き特に然りとす。又燈管規定に依り、如何なる非常口も一部若くは全部閉鎖するを許さない。

工場内の交通路、階段、廊下、通路（架橋）、作業路及び運搬施設に於ては、既に夜間勤務中、通常経営に於て存する危険源が、燈火管制の際、不十分なる若しくは全く欠如せる照明に依り、一層強化される可能性がある。此の点に就いては、總べての危険なる箇所は、十分なる照明、標識（光彩又は赤ランプ）、必要とあらば交通遮断により、出来る限り遮断せらるる様、配慮せらるるを要する。之等の問題に就いては「光技術問題ニ

一一〇五

関スル一九三九年二月三日附労働大臣布告」（Erlass des Reichsarbeitsministers vom 3. 2. 1939 über lichttechnische Leitsätze）——照明相談所（Beratungsstellen „Gutes Licht"）——を参照すべきである。

以上の危険源の十分なる檢査保証のため、燈火管制の行はれるすべての分野に於て、燈火管制中作業する経営が、特に此時間中に臨検せらるべきである。此の事は臨検が他の目的、例へば労働時間の規制、重労働者割増申請の檢査、建築申請の檢査等のため行はれる場合にも亦同じ。斯る臨検に際し得られたる、特別の観察及び経験に就いては労働大臣に報告せらるべきものとされる。

Ⅱ、未経験労務者の保護

未経験従業者、特に労働奉仕義務者及び女子の、再教育ならびに任用に依り、機械に対するすべての保護設備が正しく為され、且入念に保持せられることに対し十分の注意が為されない場合には、災害数の増加が懼れら

一一〇六

れるのである。保護されざる機械に依る危険は、燈火管制中の経営に於て特に大きく、其故此處では災害保健規定に、高度の注意が為さるべきである。

Ⅲ、原料逼迫と経営保護

個個の原料の欠乏に依り、災害保護及び保健保護の重要規定が、等閑に附せられることを得ない。製鉄に於ける困難に依っては、如何なる事情の下にあっても、現行安全規則（例へば起重機の鎖に於ける）を無視するを許さない。一九三八年五月一六日附「鉄及鋼鉄檢査所訓令第三〇号ノタメノ第一次告示」（die 1. Bekanntmachung zur Anordnung 30 der Überwachungsstelle für Eisen und Stahl vom 16. Mai 1938）参照。従って、或る物件の鉄及び鋼鉄に依る製造禁止は、鉄及び鋼鉄に依る製造が、建築警察及び工業警察の命令に依り、工業條例第一二〇條九に基く工業監督局の處分に依り、同業組合の災害防止規則に依り、若しくは独逸電気技術者團（Verband deutscher

一一〇七

Elektrotechniker）の規定に依り、要求せらるる限り、適用されないのである。同様に規定の保護服装が、製作に於ける困難のため、着装されないといふことも許可せられない。根本的性質の困難が生じたるときには、遅滞なく労働大臣に報告せらるべきである。

最近戦前に於て既に、十分なる数の適當なる坐席設備を為すことが困難であった。今日新なる坐席設備の準備の不可能なる所にあっては、優先的に立労働に不馴れな未熟練者、特に女子及び母性に対し、出来る限り、例へ男子従業者の犠牲に依ってでも、坐席就業がなされ得る様注意せらるべきである。

Ⅳ、新労働材料及方式對策

既に四箇年計画の実施が、新労働材料及び新労働方式の採用を招来した。此の事は戦時にあっては尚遥に大なる範囲に亘って行はるるであらう。總べての命令、安全規則、災害防止規則、準則及び其他の保護規定が、正に斯る場合に於て十分留意せらるべきは、自明の事に属する。例としてはマ

一一〇八

グネシウム合金安全規則が挙げられるであらう。或種の労働材料の保健上の危険なる作用に就き、工業監督局の有する詳細なる知識及び時宜を得た着手に依り、経営指揮者（Betriebsleiter）には以前から知られざりし諸危険が除去せられ得るのである。之を例へば、木材防腐のための無機の砒素若しくは水銀含有塩の使用、及び新種の溶剤、洗滌剤、減磨剤の使用を想起すべきである。新なる労働方式の採用に就いては、總べての場合出来る限り速に労働大臣に報告せらるべきものとせられる。

Ｉ乃至Ⅳの下に緊急を要するものとして取扱はれたる問題を以て、経営保護の領域に於て、現下の事態より生ずる諸課題が、決して盡くされた訳ではない。医療監督局（Ärztliche Gewerbeaufsichtsämter）を含む工業監督局は、爾余の点に就いても亦、災害、保健障害、業績喪失の回避に、絶えざる注意を為すを要するであらう。

以上が戦時下に於ける経営保護の分野に於て工業監督局に依り緊急着手せら

一二〇九

るべきものとして、一九三九年一一月三〇日附を以てなされたる労働大臣布告の大要であるが、我々は斯る問題の中にも、周到にして科学的なるナチス独逸の労働保護対策を示唆深く観ることを得るであらう。而して亦我々は小にしては労働力保全に対する労働保護対策の、大にして民族の確保に対する社会政策全般の十全なる配慮の上にこそ、ナチス独逸の國防力ならびに生産力の輝かしき成果の重要なる礎石を見出し得ると思ふのである。

（註）　特殊の問題に対する戦時下に於ける経営保護法の特別法令に就いては、繁瑣に亘るを以て此處では触れないこととするが、其の法令名に就いては労働保護法関係法令を参照せられ度い。

一二一〇

附録　労務統制関係法令表

第一編　労務組織法

（一）獨逸労働戦線

一九三三年四月一〇日　國民労働記念日創設ニ関スル法律

一九三四年一〇月二四日　独逸労働戦線ノ本質及ビ目標ニ関スル総統命令

一九三四年一一月一一日　独逸労働戦線ノ本質及ビ目標ニ関スル訓令

一九三六年九月二日　独逸労働戦線ノ本質及ビ目標ニ関スル総統命令ニ就テノ独逸労働戦線指導者ノ原則的訓令

（二）國民労働秩序法・労働関係法

一九三三年五月一九日　労働管理官法

一九三四年一月二〇日　國民労働秩序法
一九三四年三月一日　仝右第一次施行令
一九三四年三月一〇日　仝右第二次施行令
一九三四年三月二八日　仝右第三次施行令
一九三四年四月九日　仝右第四次施行令
一九三四年四月一三日　仝右第五次施行令
一九三四年四月二七日　仝右第六次施行令
一九三四年六月二一日　仝右第七次施行令
一九三四年九月二八日　仝右第八次施行令
一九三五年二月一五日　仝右第九次施行令
一九三五年三月四日　仝右第一〇次施行令
一九三五年三月二八日　仝右第一一次施行令
一九三五年四月八日　仝右第一二次施行令
一九三五年四月一三日　仝右第一三次施行令
一九三五年一〇月一五日　仝右第一四次施行令
一九三五年一二月一四日　仝右第一五次施行令
一九三六年五月二〇日　仝右第一六次施行令
一九三七年五月五日　仝右第一七次施行令
一九三七年八月二三日　仝右第一八次施行令
一九三七年九月二四日　仝右第一九次施行令
一九三八年六月二五日　賃銀形成令
一九三八年一二月一四日　國民労働秩序法第二〇次施行令
一九三九年九月一日　労働法ノ領域ニ於ケル規定ノ変更補充ニ関スル命令
一九四〇年四月二五日　國民労働秩序法第二一次施行令

(三)　公企業労働秩序法

一九三四年三月二三日　公企業労働秩序法

一九三四年四月一九日　仝右第一次施行令
一九三四年六月一三日　仝右第二次施行令
一九三四年九月二八日　仝右第三次施行令
一九三八年二月二六日　仝右第四次施行令
一九三九年二月七日　仝右第五次施行令

(四)　労働司法

(イ)　社會的名誉裁判

一九三四年一月二〇日　國民労働秩序法第四章
一九三四年三月二八日　仝右第三次施行令
一九三四年四月九日　仝右第四次施行令
一九四〇年四月二五日　仝右第二一次施行令

(ロ)　労働裁判所制度

一九三四年二月二八日　労働裁判官廳ニ於ケル雇傭主陪席員及ビ被傭者陪席員ノ補償ニ関スル命令ノ変更命令
一九三四年四月一〇日　労働裁判所法改正法
一九三五年三月二〇日　労働裁判所法変更法
一九三五年一二月五日　労働裁判官廳ノ設置及ビ管理ノ管轄ニ関スル命令
一九三六年一二月二八日　労働裁判官廳構成ノ変更ニ関スル命令
一九三七年六月八日　仝右命令

第二編　労務配置法

(一) 労務配置法

一九一八年一一月一三日　失業者保護ニ関スル命令
一九二二年七月二二日　労働紹介法
一九二七年七月一六日　労働紹介及ビ失業保険法
一九三三年四月一一日　自動車税法
一九三三年五月一二日　婦人家庭使用人失業保険義務免除ニ関スル法律
一九三三年六月一日　失業緩和法
一九三三年六月二〇日　結婚貸付金ノ許可ニ関スル施行令
一九三三年六月二七日　国自動車道路企業設定法
一九三三年六月二八日　失業緩和法ニ基ク労働振興措置ノ施行令

六

一九三三年七月一五日　租税軽減法
一九三三年七月二四日　労働寄附金法施行令
一九三三年七月二六日　結婚貸付金ノ許可ニ関スル第二次施行令
一九三三年九月二一日　第二次失業緩和法
一九三三年九月二一日　市町村負債借換法
一九三四年三月二八日　結婚奨励法改正法
一九三四年三月二九日　農業見習ニ関スルプロシヤ法
一九三四年五月一五日　労務配置統制法
一九三四年五月一七日　ベルリン市ニ於ケル労務配置統制ニ関スル訓令
一九三四年五月一七日　非農業的経営並ニ職業ニ於ケル農業労働力ノ配置制限ニ関スル訓令
一九三四年八月一〇日　労働力配分ニ関スル命令
一九三四年八月二八日　労働力配分ニ関スル訓令
一九三四年八月三〇日　ハンブルグ・アルトナ・ヴァンズベック及ビハンブルグ・ヰルヘルムスブルグノ諸都市ニ於ケル労務配置ノ統制ニ関スル訓令

七

一九三四年八月三〇日　ブレーメン州域・デルメンホルスト・ノルデンハム（オルデンブルグ）及ビウエーゼルミュンデノ諸都市並ニ周囲市町村ニ於ケル労務配置ノ統制ニ関スル訓令
一九三四年一二月一九日　熟練金属工ノ労務配置ニ関スル訓令
一九三五年一月一九日　追加的雇傭ニ於ケル年長使用人ニ対スル給付補償ニ関スル訓令
一九三五年一月二四日　結婚奨励法改正ノタメノ第二次法律
一九三五年二月二六日　労務手帳実施ニ関スル法律
一九三五年五月一六日　仝右第一次施行令
一九三五年五月一八日　労務手帳実施ニ関スル第一次布告
一九三五年五月一八日　労務手帳実施ニ関スル訓令
一九三五年九月一四日　労務手帳実施ニ関スル第二次布告
一九三五年一一月五日　労働紹介職業相談徒弟紹介ニ関スル法律

八

一九三五年一一月二六日　労働紹介職業相談徒弟紹介法施行令
一九三五年一二月三〇日　農業旅稼労働者ノ労務配置ノ統制ニ関スル訓令
一九三六年一月一七日　労務手帳実施ニ関スル法律第二次施行令
一九三六年一月二〇日　労務手帳実施ニ関スル第三次布告
一九三六年三月一九日　労働紹介職業相談徒弟紹介法第二次施行令
一九三六年六月九日　労務手帳実施ニ関スル法律第四次施行令
一九三六年六月一六日　公共建築事業実施ノ際ニ於ケル労働力需要申告ニ関スル訓令
一九三六年七月二八日　結婚貸付金ノ許可ニ関スル第六次施行令
一九三六年八月七日　労務手帳実施ニ関スル法律第五次施行令
一九三六年一一月七日　専門工見習確保ニ関スル四箇年計画施行第一次訓令
一九三六年一一月七日　鉄及ビ金属工業ノ国策上並ニ経済政策上重要ナル註文ニ対スル金属労働者ノ需要確保ニ関スル四箇年計画施行第二次訓令
一九三六年一一月七日　金属労働者及ビ建築熟練労働者ノ復職ニ関スル四箇年

九

計畫施行第三次訓令

一九三六年一一月七日　國策上及ビ経済政策上重要ナル建築計画ノタメノ建築材料ノ需要及ビ労働力ノ確保ニ関スル四箇年計画施行第四次訓令

一九三六年一一月七日　年長使用人ノ就業ニ関スル四箇年計画施行第五次訓令

一九三六年一一月七日　金属労働者及ビ建築熟練工労働者ノ募集又ハ紹介ノタメノ暗号広告ノ禁止ニ関スル四箇年計画施行第六次訓令

一九三六年一一月二七日　公共建築事業実施ノ際ニ於ケル労働力需要申告ニ関スル訓令ノ廃止ノタメノ訓令

一九三六年一一月二七日　労働力配分ニ関スル訓令改正ノタメノ訓令

一九三六年一二月二二日　労働関係ノ違法解約ノ防止ニ関スル四箇年計画施行第七次訓令

一九三七年二月一一日　金属労働者ノ労働配置ニ関スル訓令

一九三七年三月一八日　労働力配分ニ関スル訓令改正ノタメノ訓令

一九三七年七月二三日　國策上経済政策上重要ナル建築計画ノタメノ労働力並ニ建築材料ノ需要確保ニ関スル四箇年計画施行第四次訓令改正訓令

一九三七年一〇月六日　大工及ビ煉瓦工ノ労務配置ニ関スル命令

一九三七年一二月一四日　行商従事ノ制限ニ関スル四箇年計画実施ノタメノ訓令

一九三七年一二月二三日　労働紹介職業相談徒弟紹介法第二次施行令

一九三八年一月二九日　行商従事ノ制限ニ関スル四箇年計画実施ノタメノ訓令改正訓令

一九三八年二月八日　労務手帳実施ニ関スル法律第六次施行令

一九三八年二月一五日　農業及ビ家庭経済ニ於ケル婦人労働力ノ配置強化ニ関スル四箇年計画施行訓令

一九三八年二月一六日　農業及ビ家庭経済ニ於ケル婦人労働力ノ配置強化ニ関スル訓令ノ施行令

一九三八年三月一日　学校卒業者申告ニ関スル訓令

一九三八年三月一日　個々ノ経営ニ於ケル労務配置統制ニ関スル訓令

一九三八年三月一日　労働力配分ニ関スル訓令改正ノタメノ訓令

一九三八年五月三〇日　建築経済ニ於ケル労務者及ビ技術的使用人ノ労務配置ニ関スル訓令

一九三八年六月二二日　國策上重要事業労力需要確保令

一九三八年六月二九日　國策上重要事業労力需要確保令施行細則

一九三八年六月三〇日　國策上重要事業労力需要確保令第二次命令

一九三八年七月一二日　墺太利ニ於ケル國策上及ビ経済政策上重要ナル建築計画ノタメノ労働力及ビ建築材料ノ需要確保ニ関スル訓令

一九三八年七月一三日　國防挟用法

一九三八年一〇月一五日　國策上重要事業労力需要確保第三次命令

一九三八年一二月二一日　中央労働紹介失業保険局ニ関スル総統布告

一九三九年二月一三日　國策上重要事業労力需要確保令

一九三九年三月二日　仝右第一次施行令

一九三九年三月一〇日　仝右第二次施行令

一九三九年三月二五日　労務配置ニ関スル命令

一九三九年七月一一日　國策上重要事業労力需要確保令第三次施行令

一九三九年七月一一日　労務義務者補償金及ビ別居扶助ニ関スル國労働大臣布告

一九三九年七月二七日　國策上重要事業労力需要確保令第一次施行令改正令

一九三九年八月二七日　経済行政ニ関スル命令

一九三九年九月一日　労務配置及ビ失業救済ニ関スル規定ノ改正令

一九三九年九月一日　労務者移動制限令

一九三九年九月一日　人的損害賠償令

一九三九年九月四日　戦時経済令

一九三九年九月五日　失業救済ニ関スル命令

一九三九年九月六日　労務者移動制限令第一次施行令

一九三九年九月一三日　労務者移動制限ノ新規定ニ関スル國労働大臣布告

一九三九年九月一五日　緊急労務令第一次施行令

一九三九年九月一八日 操短労働者扶助ニ関スル命令
一九三九年九月一九日 航海ニ従事スル労務者移動制限ニ関スル国労働大臣命令
一九三九年九月一九日 航海ニ従事スル労務者移動制限ニ関スル国労働大臣布告
一九三九年九月二八日 上級学生ノ配置ニ関スル命令
一九三九年一〇月一〇日 緊急労務令第二次施行令
一九三九年一〇月一四日 緊急労務令第三次施行令
一九四〇年三月二一日 労働力解放ノタメノ経営閉鎖ニ関スル命令
一九四〇年五月二二日 緊急労務令第六次施行令
一九四〇年五月二二日 全右第七次施行令
一九四〇年八月二七日 労働力解放ノタメノ経営閉鎖ニ関スル命令ノ施行令

(ニ) 労働奉仕法

一九一六年一二月五日 祖国補助勤務法
一九三一年六月五日 経済及ビ財政保護ノタメノ第二次大統領令
一九三一年七月二三日 志願制労働奉仕促進ニ関スル命令
一九三二年七月一六日 志願制労働奉仕令
一九三二年八月二日 全右効力発生ニ関スル命令
一九三二年八月二日 全右施行細則
一九三二年一二月二二日 志願制労働奉仕ニ於ケル疾病及ビ災害保険ニ関スル命令
一九三三年八月二九日 志願制労働奉仕施行規則変更ニ関スル命令
一九三四年一月二七日 全右第二次命令
一九三四年二月二八日 全右第三次命令

一九三四年三月二八日 志願制労働奉仕ニ於ケル傷害保険ニ関スル第二次命令
一九三四年七月二日 志願制労働奉仕ニ関スル第二次命令
一九三四年八月二八日 労働力配分ニ関スル訓令
一九三四年一一月二九日 志願制労働奉仕ニ関スル第三次命令
一九三四年一二月一三日 志願制労働奉仕ニ関スル法律
一九三五年一月八日 志願制労働奉仕所属員ニ関スル勤務処罰令
一九三五年三月二六日 志願制労働奉仕奉仕ニ関スル疾病扶助ニ関スル命令
一九三五年三月二九日 俸給法第一八次変更
一九三五年五月二一日 兵役法
一九三五年六月五日 志願制労働奉仕ニ於ケル疾病扶助ニ関スル第二次命令
一九三五年六月二六日 国労働奉仕法
一九三五年六月二七日 国労働奉仕ノ奉仕期間及ビ人員ニ関スル総統布告
一九三五年六月二七日 国労働奉仕法第一次施行補充命令
一九三五年八月五日 志願制労働奉仕ニ於ケル災害保険ニ関スル第二次命令

一九三五年一〇月一日 国労働奉仕法第二次施行補充命令
一九三五年一〇月一八日 国労働奉仕法第三次施行補充命令
一九三五年一一月二五日 現役及ビ国労働奉仕ノ徴集並ニ検査ニ関スル変更
一九三五年一二月一三日 国労働奉仕所属員ノ俸給其他ニ関スル法律（俸給法第二三次変更）
一九三五年一二月三一日 国労働奉仕法第四次補充命令
一九三六年一月三一日 外国滞在ノ独逸国民ノ現役及ビ国労働奉仕ヘノ召集ニ関スル命令
一九三六年二月二五日 国労働奉仕所属員ニ関スル勤務処罰令
一九三六年三月六日 外国滞在ノ独逸国民ノ現役及ビ国労働奉仕ヘノ召集ニ関スル命令
一九三六年三月二三日 国労働奉仕法第五次施行補充命令
一九三六年三月二四日 国労働奉仕法第六次施行補充命令
一九三六年三月二六日 外国人ノ国労働奉仕参加許可ニ関スル権限ヲ内務大臣

ニ委議スル総統布告
一九三六年三月三〇日　召集兵役義務者及ビ労働奉仕義務者ノ家族扶助ニ関スル法律
一九三六年三月三〇日　仝右施行規則
一九三六年四月三日　国労働奉仕指導者ノ任命ニ際シ総統代理ガ之ニ干与スルコトニ関スル布告
一九三六年四月二三日　暫定的国労働奉仕扶助法
一九三六年四月二九日　仝右第一次施行補充命令
一九三六年六月一〇日　国労働奉仕ニ於ケル哨兵勤務ニ関スル命令
一九三六年六月一〇日　国労働奉仕ニヨル労働遂行ニ関スル布告
一九三六年八月一五日　国労働奉仕法第七次施行補充命令
一九三六年九月一〇日　国労働奉仕所属員ニ対スル恩赦権行使ニ関スル布告
一九三六年九月二一日　国労働奉仕勤務処罰ノ恩赦権行使ニ関スル訓令
一九三六年九月二六日　国労働奉仕ノ奉仕期間及ビ国労働奉仕並ニ女子労働奉仕ノ人員ニ関スル総統布告
一九三六年九月二六日　除隊労働奉仕者及ビ退職軍人ノ就職ニ関スル命令
一九三六年九月三〇日　軍人並ニ労働奉仕者ノ救護ニ関スル命令
一九三六年一〇月四日　暫定的扶助法第二次施行補充命令
一九三七年一月一五日　哨兵勤務令補充命令
一九三七年三月一九日　国労働奉仕法変更ニ関スル法律
一九三七年六月三日　国労働奉仕ノ制服着用権賦与ニ関スル総統布告
一九三七年六月八日　国労働奉仕制服着用権賦与権限ニ関スル訓令
一九三七年六月一一日　国労働奉仕法第八次施行補充命令
一九三七年七月六日　女子労働奉仕所属員勤務処罰令
一九三七年九月三〇日　兵役及ビ労働奉仕後ノ失業手当ニ関スル法律
一九三七年一一月二四日　国労働奉仕ノ夏期及ビ冬期人員並ニ女子労働奉仕ノ人員ニ関スル総統布告
一九三七年一二月二九日　軍人並ニ労働奉仕者ノ救護ニ関スル命令ノ新修告示

一九三七年一二月二九日　軍人並ニ労働奉仕者ノ救護ニ関スル命令ノ第一次変更補充命令
一九三八年二月一一日　国労働奉仕法第九次施行補充命令
一九三八年三月五日　現役及ビ労働奉仕一九三八年度徴集並ニ検査ニ関スル訓令
一九三八年三月一一日　外国滞在独逸国民ノ兵役及ビ国労働奉仕ヘノ徴集ニ関スル訓令
一九三八年四月一九日　墺太利地方ニ国労働奉仕ヲ施行スルコトニ関スル命令
一九三八年七月二〇日　女子労働奉仕所属員勤務処罰令第一次変更命令
一九三八年九月七日　女子労働奉仕ノ人員ニ関スル総統布告
一九三八年九月八日　元労働奉仕所属員及ビ其ノ遺家族ニ関スル救護扶助法
一九三八年九月二九日　国労働奉仕救護及ビ扶助ニ関スル現行規則ノ綜合告示
一九三八年九月三〇日　墺太利地方ニ於ケル国労働奉仕所属員ニ対スル訴追並ニ刑罰執行ニ関スル命令
一九三八年一二月六日　ズデーテン地方ニ国労働奉仕ヲ施行スル事ニ関スル命令
一九三九年二月三日　国労働奉仕扶助法第一次施行補充命令
一九三九年五月八日　国労働奉仕所属員勤務処罰令補充命令
一九三九年六月二一日　軍隊及国労働奉仕永年勤続者ノ追加保険ニ関スル命令
一九三九年八月八日　国労働奉仕所属員ノ追加保険計算ノ平均額確定ニ関スル命令
一九三九年九月四日　女子労働奉仕義務執行令
一九三九年九月五日　女子労働奉仕一般的解除日ニ関スル命令
一九三九年九月九日　国労働奉仕法新修告示
一九三九年九月二一日　女子労働奉仕義務執行令施行補充命令
一九三九年九月二八日　女子労働奉仕義務施行令第二次施行補充命令
一九三九年九月二九日　国労働奉仕法施行補充命令
一九三九年一〇月一〇日　国労働奉仕法第二次施行補充命令
一九三九年一一月一一日　国労働奉仕女子所属員及ビ其ノ遺家族ノ暫定的扶助

並ニ救護ニ関スル命令
一九三九年一一月一二日　仝右第一次施行補充命令
一九三九年一二月二〇日　戦時男子労働奉仕継続ニ関スル命令
一九四〇年一月三〇日　国労働奉仕女子所属員勤務処罰令
一九四〇年二月二九日　国労働奉仕指導者任命効力ニ関スル命令
一九四〇年三月一二日　国労働奉仕保護令
一九四〇年四月一〇日　戦時中男子労働奉仕継続ニ関スル命令施行令
一九四〇年五月九日　国労働奉仕扶助法第三次施行補充命令
一九四〇年五月一四日　家族扶助法変更命令
一九四〇年六月二八日　女子労働奉仕徴集ニ関スル命令
一九四〇年八月八日　志願制労働奉仕令施行規則第四次変更命令
一九四〇年八月九日　仝右訓令
一九四〇年九月一八日　除隊軍人及ビ国労働奉仕所属員ノ戦時並ニ戦後ニ於ケル職業救護ニ関スル命令

一九四〇年一一月一六日　国労働奉仕法第三次施行補充命令
一九四〇年一一月二八日　仝右第四次施行補充命令
一九四〇年一二月三日　国労働奉仕救護及ビ扶助ニ関スル現行規則ノ綜合告示ノ変更並ニ補充
一九四〇年一二月二〇日　国労働奉仕女子所属員及ビ其ノ遺家族ノ救護扶助法
一九四〇年一二月二一日　仝右第一次施行補充命令
一九四〇年一二月二一日　国労働奉仕扶助法第四次施行補充命令

第三編　賃銀統制法

一九三四年一月二〇日　国民労働秩序法第三章
一九三八年六月二五日　労賃形成令
一九三九年九月四日　戦時経済令（第三章第一八條乃至第二一條）
一九三九年九月一六日　戦時経済令第三章第一次施行令（経営閉鎖ノ場合ノ解約告知期間ノ短縮ノ件）
一九三九年一〇月一二日　仝上第二次施行令（賃銀俸給停止ノ件）
一九三九年一二月二日　仝上第三次施行令（労働管理官ノ秩序罰ノ件）
一九三九年一一月一六日　戦時経済令第三章補充令（日曜労働・祭日労働・夜間労働ノ割増賃銀ノ件）
一九四〇年三月二九日　戦時経済令第三章補充令（農林業関係ノ超過労働割増賃銀ノ件）

一九四〇年四月一〇日　戦時経済令第三章第四次施行令（公的勤務ニ対スル労働管理官秩序罰権ノ件）

第四編　労働保護法

一九三三年六月八日　家内労働ニ於ケル賃銀保護ニ関スル法律
一九三三年六月二八日　重量船積運送貨物ノ重量表示ニ関スル法律
一九三四年一月二〇日　国民労働秩序法
一九三四年二月一三日　療病所ニ於ケル労働時間ニ関スル命令
一九三四年二月二三日　汽罐ノ設置ニ関スル命令
一九三四年二月二三日　同施行令
一九三四年三月二三日　家内労働ニ関スル法律
一九三四年三月二三日　同施行令
一九三四年七月六日　自働販売器ニ依ル商品ノ販売ニ関スル法律
一九三四年七月一四日　セルロイドニ関スル命令改正令
一九三四年七月二六日　労働時間條例

一九三四年八月一四日　自動販売器ニ依ル商品ノ販売ニ関スル法律施行令
一九三四年九月一一日　労働時間條例施行規定
一九三四年九月二六日　パン製造業令改正ノタメノ法律
一九三四年一二月一三日　船員ニ対スル社会的保護法規発布ノタメノ労働大臣ノ授権ニ関スル法律
一九三四年一二月一三日　土木建築ノ際ノ宿泊所ニ関スル法律
一九三五年一月一〇日　同施行令
一九三五年一月二八日　汽罐ノ設置ニ関スル命令
一九三五年一月二八日　低圧蒸気汽罐令
一九三五年二月一四日　船員ニ対スル社会的保護法規発布ノタメノ労働大臣ノ授権ニ関スル法律ニ基ク第一次命令
一九三五年二月一五日　体育ノ目的ノタメノ使用人及ビ労務者ノ休暇許与ニ関スル法律
一九三五年二月二〇日　家内労働ニ関スル法律第二次施行令

一九三五年三月一二日　炭坑、圧延工場、鍛工場及ビ硝子工業ニ於ケル青少年労務者及ビ婦人労務者ノ保護ニ関スル命令
一九三五年三月一九日　体育ノ目的ノタメノ使用人及ビ労務者ノ休暇許与ニ関スル法律施行令
一九三五年五月二九日　圧搾空気中ニ於ケル労働ニ対スル命令
一九三五年七月九日　操短労務者扶助施行ニ対スル命令
一九三五年七月一三日　家内労働ニ於ケル弊害剥除ニ関スル命令
一九三五年一一月二五日　国防軍訓練召集令
一九三五年一二月一八日　家内労働ニ関スル法律第三次施行令
一九三六年三月二八日　国防軍訓練召集令改正令
一九三六年三月三〇日　軍務應召者家族扶助法
一九三六年三月三〇日　仝右施行令
一九三六年六月一八日　蔬菜及ビ果物罐詰工業ニ於ケル家内労働ニ関スル命令
一九三六年六月二九日　パン製造業及ビ菓子製造業ニ於ケル労働時間ニ関スル法律
一九三六年六月三〇日　仝右施行令
一九三六年八月二二日　自動販売器ニ依ル商品ノ販売ニ関スル法律第二次施行令
一九三六年九月五日　操短労務者扶助ニ関スル命令
一九三七年六月五日　煉瓦製造所及ビ類似経営ニ於ケル婦人労務者及ビ青少年労務者ノ就業ニ関スル命令（煉瓦製造所令）
一九三七年六月三〇日　操短労務者扶助ニ関スル命令改正令
一九三七年一二月二九日　兵士及ビ労務者保護令
一九三八年一月二二日　鉱山監督局ニ依ル鉱山ノ副業利得及ビ加工施設ノ警察監督ニ関スル命令
一九三八年二月一七日　乗合自動車企業者ノ労働時間ニ関スル命令
一九三八年三月八日　マグネシウム合金ニ関スル命令
一九三八年三月一九日　汽罐及ビ其他ノ監督義務施設ノ技術的監督ニ関スル命

令
一九三八年三月二六日　硝子工業ニ於ケル青少年労務者及ビ婦人労務者ノ保護ニ関スル命令
一九三八年三月二六日　炭坑及ビ圧延工場、鍛工場ニ於ケル青少年労務者及ビ婦人労務者ノ保護ニ関スル命令
一九三八年三月二六日　毛帽工場ニ関スル命令
一九三八年四月三〇日　小児労働及ビ青少年ノ労働時間ニ関スル法律（青少年保護法）
一九三八年四月三〇日　労働時間條例改正及ビ其他ノ労働時間法規ニ関スル命令
一九三八年四月三〇日　労働時間條例
一九三八年四月三〇日　パン製造業及ビ菓子製造業ニ於ケル労働時間ニ関スル法律
一九三八年六月三〇日　冶金ノタメノ爆発危険物ノ使用ニ関スル警察命令

一九三八年七月二日　青少年ノ休暇施行ノタメノ命令
一九三八年七月二八日　マグネシウム合金ニ関スル保全規則
一九三八年一〇月一二日　汽罐及ビ其他ノ監督義務施設ノ技術的監督ニ対スル命令第六條ニ基ク施設改正ノタメノ命令
一九三八年一〇月二四日　土木建築ノ際ノ宿泊所ニ関スル法律施行令
一九三八年一一月一四日　労働大臣ノ警察命令ニ関スル命令
一九三八年一一月二八日　塗料労働ニ於ケル鉛毒保護ノタメノ命令改正令
一九三八年一二月一二日　青少年保護法施行令
一九三八年一二月一二日　労働時間條例施行令
一九三八年一二月一七日　土木建築ノ際ノ宿泊所ニ関スル法律施行令
一九三八年一二月二三日　硝子製造所令
一九三八年一二月二三日　製鉄工業ニ於ケル青少年ノ就業ニ関スル命令
一九三九年一月二〇日　鉱山経営ニ於ケル青少年ノ就業ニ関スル命令
一九三九年一月二〇日　製鉄工業ニ於ケル青少年ノ就業ニ関スル命令

一九三九年三月二五日　保健上有害ナル若シクハ火気危険アル労働原料ニ関スル法律
一九三九年六月一五日　家事経済、農業及林業、航海業及内水航行業及ビ類似経済部門ニ於ケル青少年ノ休暇ニ関スル命令（青少年休暇令）
一九三九年七月一一日　軍務應召者家族扶助施行令
一九三九年八月二八日　配置国防軍給與法
一九三九年八月二九日　重労務者及ビ最重労務者ニ対スル給養割増許與ニ関スル命令
一九三九年九月一日　労働法規変更及補充令
一九三九年九月一日　配置家族扶助令
一九三九年九月一日　失業救済ニ関スル命令
一九三九年九月一日　労務配置及ビ失業救済ニ関スル規定施行ニ対スル命令
一九三九年九月一日　労務配置及ビ失業扶助ニ関スル規定改正令
一九三九年九月四日　戦時経済令

一九三九年九月五日　失業扶助ニ関スル命令
一九三九年九月一一日　労働保護ノ例外ニ関スル労働大臣訓令
一九三九年九月一六日　重労務者、最重労務者、姙婦、産婦、病者、虚弱者ニ対スル特別割当賦與ニ関スル命令
一九三九年九月一六日　戦時経済令第三章第一次施行規定
一九三九年九月一八日　操短労務者扶助ニ関スル命令
一九三九年九月二〇日　全乳供與ニ関スル労働大臣布告
一九三九年九月二七日　休暇許與ニ関スル労働大臣布告
一九三九年一〇月五日　配置家族扶助令補充ノタメノ第一次命令
一九三九年一〇月二七日　汽罐及ビ其他ノ監督義務施設ノ技術的監督ニ関スル命令改正
一九三九年一〇月三〇日　家内労働ニ関スル法律改正令
一九三九年一〇月三〇日　家内労働ニ関スル法律施行令
一九三九年一〇月三〇日　安全フイルムニ関スル命令

一九三九年一〇月三一日　安全フイルムニ関スル命令施行令
一九三九年一一月六日　行政簡易化ニ関スル第二次命令
一九三九年一一月六日　煮沸、暖房、照明目的ノタメノ可燃性液体ノ使用ニ関スル警察命令
一九三九年一一月一一日　労働奉仕婦人所属者及ビ其遺族ノ暫定的扶助及給養ニ関スル命令
一九三九年一一月一二日　労働奉仕婦人所属者及ビ其遺族ノ暫定的扶助及給養ニ関スル命令第一次施行及補充令
一九三九年一一月一六日　戦時経済令第三章補充令（日曜日、祝祭日及ビ夜業割増）
一九三九年一一月一七日　休暇再施行ニ関スル訓令
一九三九年一一月三〇日　貨物荷卸ニ関スル命令
一九三九年一一月三〇日　経営保護ノ実施ニ関スル労働大臣布告
一九三九年一二月一三日　労働保護令

一九三九年一二月一二日労働保護令ノタメノ労働大臣布告
一九三九年一二月一五日　専門者養成令
一九三九年一二月二一日　貨物荷卸ニ関スル命令ノタメノ命令
一九三九年一二月二一日　閉店ニ関スル命令
一九四〇年一月一四日　労働保護令施行ノタメノ訓令
一九四〇年一月一七日　交通業ニ於ケル労働時間規制ニ関スル訓令
一九四〇年一月二三日　夏季時間ノ採用ニ関スル命令
一九四〇年二月二日　鉱山ニ於ケル婦人及ビ青少年ノ労働時間ニ関スル布告
一九四〇年二月一六日　休暇再施行ニ関スル訓令ノタメノ労働大臣布告
一九四〇年二月二六日　夫ノ前線休暇ノ間ニ於ケル作業婦人ノ休暇許与ニ関スル布告
一九四〇年三月四日　工場給養ニ関スル労働大臣布告
一九四〇年三月七日　徒弟制度ニ関スル独逸工業條例ノ規定改正令
一九四〇年三月一一日　労働保護令施行ニ関スル労働大臣布告

一九四〇年三月一三日　貨物荷卸ニ関スル命令ノタメノ第二次命令
一九四〇年三月二八日　安全フイルムニ関スル命令第二次施行令
一九四〇年四月一〇日　脂肪分解機ニ関スル命令
一九四〇年五月一八日　穀物及ビ其他ノ農産物ノ露天貯蔵ニ関スル警察命令
一九四〇年五月二三日　火気危険アル工業経営ニ於ケル禁煙ニ関スル警察命令
一九四〇年六月一五日　蒸気機関車ニ対スル強制規格施行ニ関スル経済大臣訓令
一九四〇年七月一五日　小売業ニ於ケル青少年ノ自由時間ニ関スル訓令
一九四〇年七月三一日　家政ヲ有スル婦人ニ対スル自由時間ニ関スル準則
一九四〇年八月二八日　繊維工業ニ於ケル獣脂加工物ノ使用ニ関スル経済大臣訓令
一九四〇年九月三日　超過労働割増賃銀再施行ニ関スル命令
一九四〇年九月六日　獣脂加工繊維素ノ自然発火防止ニ関スル警察命令（獣脂加工物令）

一九四〇年九月一三日　硝子製造所令改正令
一九四〇年九月一八日　戦時及ビ戦後ノ除隊兵及ビ労働奉仕員ノ職業保護ニ関スル命令
一九四〇年九月二八日　小売業ニ於ケル青少年ノ自由時間ニ関スル布告
一九四〇年一〇月三〇日　乗物勤務婦人ノ就業ニ関スル訓令
一九四〇年一一月九日　空襲警報ノタメノ職業学校授業時間ノ喪失ノ際ニ於ケル青少年ノ労働時間ニ関スル布告
一九四〇年一二月五日　旅館及ビ飲食店ノ従業者ノ自由時間ニ関スル布告

編集復刻版「秋丸機関」関係資料集成

第７回配本（第16巻・第17巻・第18巻）

２０２４年10月25日　第１刷発行

揃定価９２、４００円

（揃本体価格８４、０００円＋税10％）

編　者　牧野邦昭

発行者　船橋竜祐

発行所　不二出版

東京都文京区水道２-10-10

TEL０３（５９８１）６７０４

印刷所　富士リプロ

製本所　青木製本

乱丁・落丁はお取り替えいたします。

第16巻　ISBN978-4-8350-8727-6

第７回配本（全３冊 分売不可 セットISBN978-4-8350-8726-9）